# A GAROTA ITALIANA

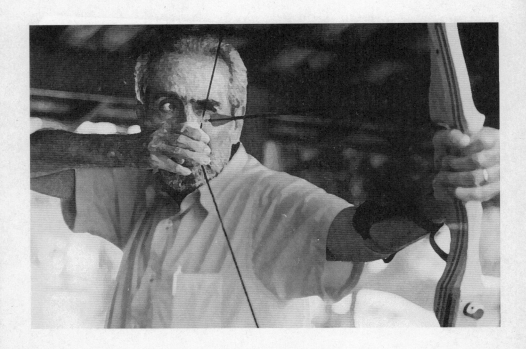

# O Arqueiro

GERALDO JORDÃO PEREIRA (1938-2008) começou sua carreira aos 17 anos, quando foi trabalhar com seu pai, o célebre editor José Olympio, publicando obras marcantes como *O menino do dedo verde*, de Maurice Druon, e *Minha vida*, de Charles Chaplin.

Em 1976, fundou a Editora Salamandra com o propósito de formar uma nova geração de leitores e acabou criando um dos catálogos infantis mais premiados do Brasil. Em 1992, fugindo de sua linha editorial, lançou *Muitas vidas, muitos mestres*, de Brian Weiss, livro que deu origem à Editora Sextante.

Fã de histórias de suspense, Geraldo descobriu *O Código Da Vinci* antes mesmo de ele ser lançado nos Estados Unidos. A aposta em ficção, que não era o foco da Sextante, foi certeira: o título se transformou em um dos maiores fenômenos editoriais de todos os tempos.

Mas não foi só aos livros que se dedicou. Com seu desejo de ajudar o próximo, Geraldo desenvolveu diversos projetos sociais que se tornaram sua grande paixão.

Com a missão de publicar histórias empolgantes, tornar os livros cada vez mais acessíveis e despertar o amor pela leitura, a Editora Arqueiro é uma homenagem a esta figura extraordinária, capaz de enxergar mais além, mirar nas coisas verdadeiramente importantes e não perder o idealismo e a esperança diante dos desafios e contratempos da vida.

Título original: *The Italian Girl*

Copyright © 2014 por Lucinda Riley
Copyright da tradução © 2016 por Editora Arqueiro Ltda.

Todos os direitos reservados. Nenhuma parte deste livro pode ser utilizada ou reproduzida sob quaisquer meios existentes sem autorização por escrito dos editores.

*tradução:* Fernanda Abreu

*preparo de originais:* Rachel Agavino

*revisão:* Christiane Ruiz e José Tedin

*diagramação:* Abreu's System

*capa:* DuatDesign

*imagens de capa:*
Jovem correndo: Ayal Ardon/ Trevillion Images
Cabelos da jovem: Lucky Business/ Shutterstock
Calçada e guarda-corpo: Alexander Chaikin/ Shutterstock
Paisagem ao fundo: Boris Stroujko/ Shutterstock

*impressão e acabamento:* Cromosete Gráfica e Editora Ltda.

CIP-BRASIL. CATALOGAÇÃO NA PUBLICAÇÃO
SINDICATO NACIONAL DOS EDITORES DE LIVROS, RJ

| | |
|---|---|
| R43g | Riley, Lucinda |
| | A garota italiana/ Lucinda Riley; tradução de Fernanda Abreu. São Paulo: Arqueiro, 2016. |
| | 480 p.; 16 x 23 cm. |
| | Tradução de: The Italian Girl |
| | ISBN 978-85-8041-565-0 |
| | 1. Ficção irlandesa. I. Abreu, Fernanda. II. Título. |
| 16-32159 | CDD: 828.99153 |
| | CDU: 821.111(41)-3 |

Todos os direitos reservados, no Brasil, por
Editora Arqueiro Ltda.
Rua Funchal, 538 – conjuntos 52 e 54 – Vila Olímpia
04551-060 – São Paulo – SP
Tel.: (11) 3868-4492 – Fax: (11) 3862-5818
E-mail: atendimento@editoraarqueiro.com.br
www.editoraarqueiro.com.br

# Nota da autora

A história de Rosanna e Roberto foi escrita há 17 anos. Em 1996, ela foi publicada com o título *Ária* sob meu antigo "pseudônimo", Lucinda Edmonds. No ano passado, alguns de meus editores perguntaram sobre meus primeiros livros. Eu lhes disse que todos estavam fora de catálogo, mas mesmo assim eles quiseram ver alguns. Lá fui eu então até o sótão da minha casa desencavar os oito romances escritos anos antes. Apesar de estarem cobertos de teias de aranha e com cheiro de mofo, eu os enviei aos editores, explicando que era muito jovem na época e entendia perfeitamente se preferissem jogar tudo no lixo. Para minha surpresa, a reação foi bastante positiva, e eles me perguntaram se eu gostaria de relançar os livros.

Isso significava que eu tinha de começar a relê-los e, como qualquer autor que revisita trabalhos do passado, foi com grande apreensão que abri a primeira página de *Ária*. Tive uma estranha experiência de leitura: como não me lembrava muito bem da história, fui fisgada como qualquer leitor e comecei a virar as páginas cada vez mais depressa para descobrir o que aconteceria depois. Senti que o livro precisava de um pouco de atualização e reedição, mas a história e os personagens estavam lá. Assim, pus mãos à obra por algumas semanas, e o resultado final é *A garota italiana*. Espero que vocês gostem.

Lucinda Riley, janeiro de 2014

*Para meu filho Kit*

*"Lembre-se desta noite,
pois ela é o início do sempre."*

Dante Alighieri

# *Ópera Metropolitana, Nova York*

Meu querido Nico,

É estranho sentar para contar uma história tão complexa sabendo que você talvez nunca a leia. Não tenho certeza se escrever sobre os acontecimentos dos últimos anos vai ser uma catarse para mim ou algo que farei por sua causa, meu amor, mas sinto-me compelida a fazê-lo.

Portanto, aqui estou, sentada no camarim, pensando em por onde seria melhor começar. Muito do que tenho a escrever se deu antes de você nascer, uma cadeia de acontecimentos que se iniciou quando eu era ainda mais nova do que você é agora. Então talvez seja por aí que eu deva começar. Por Nápoles, minha cidade natal...

Lembro-me da minha mamma pendurando a roupa para secar em um varal estendido da nossa janela até o outro lado da rua. Para quem percorresse as vielas estreitas do bairro da Piedigrotta, as roupas coloridas penduradas nos varais davam a impressão de que os moradores viviam em festa. E havia o barulho... o onipresente barulho desses primeiros anos, que nunca cessava, nem mesmo à noite. Gente cantando e rindo, bebês chorando... Como você sabe, os italianos são um povo que fala alto, dado a fortes emoções, e as famílias da Piedigrotta dividiam suas alegrias e mazelas de todo dia sentadas na frente das casas, enquanto o sol inclemente as deixava cada vez mais morenas. O calor era insuportável, principalmente no auge do verão, quando a calçada queimava as solas dos pés e os mosquitos aproveitavam a pele exposta para atacar. Até hoje consigo sentir a profusão de cheiros que entravam pela janela do meu quarto: o de esgoto, às vezes forte a ponto de embrulhar o estômago, mas com mais frequência o delicioso aroma da pizza recém-saída do forno na cozinha de papà.

Não tínhamos dinheiro quando eu era pequena, mas, na época em que fiz a primeira comunhão, papà e mamma já haviam conseguido transformar o Café do Marco, sua pequena cantina, em um sucesso. Os dois trabalhavam dia e noite servindo fatias de pizza apimentadas preparadas segundo a receita secreta de papà, que ao longo dos anos havia ganhado fama na Piedigrotta. Durante o verão, o movimento aumentava com a chegada dos turistas, e o pequeno salão ficava tão abarrotado de mesas de madeira que era quase impossível andar entre elas.

Nós morávamos em um pequeno apartamento em cima da cantina. Tínhamos um banheiro só nosso; havia comida na mesa e sapatos para calçar. Papà se orgulhava de ter saído da pobreza e conseguido proporcionar essas coisas à família. Eu também era feliz, e meus sonhos não iam além do pôr do sol seguinte.

Então, em uma noite quente de agosto, quando eu tinha 11 anos, aconteceu algo que mudou minha vida. Parece impossível acreditar que uma pré-adolescente seja capaz de se apaixonar, mas eu me lembro como se fosse hoje do dia em que o vi pela primeira vez...

# 1

## *Nápoles, Itália, agosto de 1966*

Rosanna Antonia Menici se apoiou na pia e ficou na ponta dos pés para se olhar no espelho. Teve de se inclinar um pouquinho para a esquerda, pois uma rachadura distorcia os traços de seu rosto. Assim, só conseguia ver metade do olho e da bochecha direitos, e nada do queixo; mesmo na ponta dos pés, ainda não tinha altura suficiente para enxergá-lo.

– Rosanna! Saia já desse banheiro!

A menina suspirou, largou a pia, atravessou o chão de linóleo preto e destrancou a porta. A maçaneta girou na mesma hora, a porta se abriu e Carlotta passou por ela com truculência.

– Que história é essa de trancar a porta, sua criança boba? O que você tem para esconder?

Ela abriu as torneiras da banheira e, em seguida, com gestos experientes, prendeu no alto da cabeça os longos cabelos escuros e cacheados.

Rosanna deu de ombros, encabulada, e desejou que Deus a tivesse feito tão bonita quanto a irmã mais velha. *Mamma* tinha lhe dito que Deus dava um presente a cada um, e o de Carlotta era a beleza. Observou com humildade a moça despir o roupão e revelar o corpo perfeito de pele branca e lisinha, os seios fartos e as pernas compridas. Todos que entravam na cantina elogiavam a linda filha de *mamma* e *papà* e comentavam como ela um dia daria um bom partido para um homem rico.

O vapor começou a tomar conta do pequeno banheiro. Carlotta fechou as torneiras e entrou no banho.

Rosanna se sentou na borda da banheira.

– Giulio vai vir hoje à noite? – perguntou à irmã.

– Vai, sim.

– Você acha que vai se casar com ele?

Carlotta começou a se ensaboar.

– Não, Rosanna. Não vou me casar com ele.

– Mas achei que você gostasse dele.

– Eu gosto dele, mas não... ah, você é nova demais para entender.

– *Papà* gosta dele.

– É, eu sei que *papà* gosta dele. A família do Giulio é rica. – Carlotta arqueou uma das sobrancelhas e deu um suspiro dramático. – Mas ele me cansa. Se *papà* pudesse, me faria subir ao altar com ele amanhã mesmo, mas antes quero me divertir um pouco, aproveitar a vida.

– Mas eu pensei que casar fosse divertido – insistiu Rosanna. – Você vai poder usar um vestido de noiva bem bonito, vai ganhar vários presentes, vai ter seu próprio apartamento e...

– Um bando de crianças sempre aos berros e uma cintura bem grossa – concluiu Carlotta, alisando distraidamente com o sabonete as curvas esbeltas do corpo enquanto falava. Seus olhos escuros relancearam na direção da irmã menor. – Por que está me encarando? Saia daqui, Rosanna, me deixe em paz por dez minutos. *Mamma* está precisando da sua ajuda lá embaixo. E feche a porta ao sair!

Sem responder, Rosanna deixou o banheiro e desceu a íngreme escada de madeira. No pé da escada, abriu a porta e entrou na cantina. As paredes haviam sido caiadas recentemente, e acima do bar nos fundos do salão um retrato de Nossa Senhora dividia a parede com um pôster de Frank Sinatra. As mesas de madeira escuras brilhavam de tão enceradas e velas haviam sido postas em cima de cada uma delas, dentro de garrafas de vinho vazias.

– Ah, você está aí! Onde foi que se meteu? Chamei você várias vezes. Venha me ajudar a pendurar esta faixa.

Em pé sobre uma cadeira, Antonia Menici segurava uma das pontas do tecido de cor viva. A cadeira balançava perigosamente sob seu peso considerável.

– Sim, *mamma*.

Rosanna puxou outra cadeira de madeira de baixo de uma das mesas e a arrastou até o arco no centro da cantina.

– Ande logo, menina! Deus lhe deu pernas para correr, não para se arrastar feito uma lesma!

Rosanna segurou a outra ponta da faixa e subiu na cadeira.

– Pendure essa argola no prego – instruiu Antonia.

Rosanna obedeceu.

– Agora venha ajudar sua *mamma* a descer da cadeira para ver se ficou reto.

Rosanna desceu da cadeira e correu para ajudar Antonia a fazer o mesmo em segurança. As palmas das mãos de sua *mamma* estavam úmidas, e ela pôde ver gotas de suor na sua testa.

Antonia ergueu os olhos para a faixa, satisfeita.

– *Bene, bene* – comentou.

Rosanna leu as palavras em voz alta:

– "Feliz Trinta Anos de Casados, Maria e Massimo!"

Antonia enlaçou a filha e lhe deu um raro abraço.

– Ah, que surpresa vai ser! Eles acham que vêm aqui jantar só com seu *papà* e eu. Quero ver a cara deles quando virem todos os amigos e parentes.

Seu rosto redondo estava radiante de prazer. Ela soltou a filha, sentou-se na cadeira e enxugou a testa com um lenço. Então se inclinou para a frente e acenou para a menina vir na sua direção.

– Rosanna, vou lhe contar um segredo. Escrevi para Roberto. Ele vai vir lá de Milão para participar da festa. Vai cantar para sua *mamma* e seu *papà* aqui mesmo, no Café do Marco! Amanhã não vai se falar em outra coisa na Piedigrotta!

– Sim, *mamma*. Ele é *crooner*, não é?

– *Crooner*? Que blasfêmia! Roberto Rossini não é *crooner*, ele é aluno da *scuola di musica* do Teatro alla Scala de Milão. Um dia vai ser um grande cantor de ópera e vai se apresentar no palco do próprio Scala.

Antonia levou as mãos ao peito, e Rosanna achou que ela estava exatamente igual a quando rezava na missa na igreja.

– Agora vá ajudar *papà* e Luca na cozinha. Ainda há muito o que fazer antes da festa, e eu vou à casa da *Signora* Barezi arrumar os cabelos.

– Carlotta também vai me ajudar? – indagou Rosanna.

– Não. Ela vai à casa da *Signora* Barezi comigo. Nós duas precisamos estar o mais bonitas possível hoje.

– E eu, *mamma*, o que vou vestir?

– Você tem seu vestido rosa da igreja.

– Mas está pequeno. Vou ficar parecendo uma boba – retrucou a menina, fazendo beicinho.

– Não vai, nada! Vaidade é pecado, Rosanna. Se Deus escutar esses seus pensamentos, vai aparecer durante a noite e arrancar cada fio de cabelo seu. Você vai acordar careca, igual à *Signora* Verni quando largou o marido por um homem mais jovem! Agora, já para a cozinha.

Rosanna assentiu e se afastou em direção à cozinha imaginando por que Carlotta ainda não tinha perdido os cabelos. Quando abriu a porta, foi engolida pelo calor intenso. Marco, seu *papà*, preparava a massa de pizza sobre a comprida mesa de madeira. Era um homem magro e agitado, o oposto da mulher, e seu crânio calvo luzia enquanto ele sovava a massa. Luca, irmão mais velho de Rosanna, alto e de olhos escuros, remexia uma panela imensa e fumegante sobre o fogão. Ela passou alguns instantes observando, fascinada, seu *papà* girar a massa nos dedos acima da cabeça com gestos seguros, em seguida jogá-la sobre a mesa no formato de um círculo perfeito.

– *Mamma* mandou eu vir ajudar.

– Seque aqueles pratos no escorredor e empilhe em cima da mesa – ordenou Marco sem parar de trabalhar.

Rosanna olhou para a montanha de pratos, assentiu com resignação e pegou um pano limpo dentro de uma gaveta.

⚜

– Como estou?

Carlotta fez uma pausa dramática junto à porta e a família a encarou com admiração. Usava um vestido novo, feito de um cetim amarelo-claro macio, com um corpete decotado e uma saia bem justa nas coxas que terminava logo acima dos joelhos. Seus fartos cabelos pretos tinham sido arrumados e pendiam em cachos lustrosos até a altura dos ombros.

– *Bella, bella!*

Marco atravessou a cantina com a mão estendida para a filha mais velha. Carlotta a segurou e entrou no recinto.

– Giulio, minha filha não está linda? – perguntou.

O rapaz se levantou da mesa e abriu um sorriso tímido; seus traços de menino contrastavam com o corpo já bem musculoso.

– Está – concordou ele. – Tão bonita quanto Sofia Loren em *Arabesque*.

Carlotta andou até o namorado e deu um leve beijo na sua bochecha bronzeada.

– Obrigada, Giulio.

– E Rosanna, também não está bonita? – indagou Luca, sorrindo para a irmã.

– É claro que está – disse Antonia depressa.

Rosanna sabia que sua *mamma* estava mentindo. O mesmo vestido rosa que um dia caíra tão bem em Carlotta dava à sua pele um aspecto amarelado, e seus cabelos presos em tranças bem apertadas faziam as orelhas parecerem maiores do que nunca.

– Vamos beber alguma coisa antes de os convidados chegarem – falou Marco, brandindo uma garrafa cintilante de licor Aperol. Abriu-a com um floreio e pegou seis copinhos.

– Eu também, *papà*? – perguntou Rosanna.

– Você também. – Marco meneou a cabeça para a menina e entregou um copo para cada um. – Que Deus nos mantenha unidos, nos proteja do mau-olhado e torne o dia de hoje especial para nossos melhores amigos Maria e Massimo. – Marco ergueu o copo e o virou de uma vez só.

Rosanna tomou um golinho e quase engasgou quando o líquido ardido e com gosto amargo de laranja bateu no fundo da sua garganta.

– Tudo bem, *piccolina*? – perguntou Luca, dando-lhe um tapinha nas costas. Ela ergueu o rosto e sorriu.

– Tudo.

O irmão a segurou pela mão e se curvou para sussurrar no seu ouvido:

– Um dia você vai ser muito mais bonita do que nossa irmã.

Rosanna balançou a cabeça com veemência.

– Não vou não, Luca. Mas eu não ligo. *Mamma* falou que eu tenho outros dons.

– É claro que tem. – Ele abraçou o corpo magro da menina e a apertou contra si.

– *Mamma mia!* Os primeiros convidados chegaram. Marco, traga o Prosecco. Luca, vá olhar a comida, rápido! – bradou Antonia, alisando o vestido e caminhando em direção à porta.

☙❧

Sentada em uma mesa no canto, Rosanna ficou observando a cantina se encher com os amigos e parentes dos convidados de honra. Em pé no meio de uma rodinha de rapazes, Carlotta sorria e jogava os cabelos. Giulio espiava enciumado, sentado em uma cadeira no canto.

Então o recinto ficou em silêncio e todas as cabeças se viraram para a silhueta no vão da porta.

Ele ficou ali parado, altíssimo em comparação com Antonia, e curvou-se para beijá-la nas duas bochechas. Rosanna o encarou. Nunca havia pensado em um homem como alguém lindo, mas não conseguiu encontrar outra palavra para descrevê-lo. Era muito alto e tinha os ombros largos, com a força física patente na musculatura dos antebraços expostos pela camisa de mangas curtas. Os cabelos eram lisos e negros como as asas de um corvo e estavam penteados para trás de modo a realçar os traços finamente esculpidos do rosto. Rosanna não viu de que cor eram os olhos, mas eram grandes e brilhantes, e os lábios carnudos, porém firmes e másculos, contrastavam com a pele de uma alvura incomum para um napolitano.

Rosanna teve uma sensação estranha na barriga, as mesmas cócegas que sentia antes de um teste de ortografia na escola. Olhou para Carlotta. Sua irmã também encarava a figura na porta.

– Roberto, seja bem-vindo.

Marco fez um gesto para Carlotta acompanhá-lo e abriu caminho pelos convidados até a porta. Beijou o rapaz nas duas faces.

– Fico muito feliz que tenha nos honrado com a sua presença aqui hoje. Esta é minha filha Carlotta. Acho que ela cresceu bastante desde a última vez que você a viu.

Roberto olhou Carlotta de cima a baixo.

– É, Carlotta, você cresceu mesmo – confirmou.

Sua voz tinha um tom grave e melodioso que fez a barriga de Rosanna se agitar outra vez.

– E como vão Luca e... ahn...

– Rosanna? – completou *papà*.

– Claro, Rosanna. Ela só tinha alguns meses quando a vi pela última vez.

– Estão os dois bem e... – Marco se deteve ao olhar por cima do ombro de Roberto e ver duas pessoas subindo a rua calçada de pedra. – Shh, todo mundo! Lá vêm Maria e Massimo!

Os convivas se calaram na mesma hora e, poucos segundos depois, a porta se abriu. Maria e Massimo, em pé na entrada da cantina, encaravam surpresos aquele mar de rostos conhecidos.

– *Mamma! Papà!* – Roberto se adiantou e cumprimentou os pais. – Feliz aniversário de casamento!

– Roberto! – Os olhos de Maria ficaram marejados e ela abraçou o filho. – Não acredito, não acredito – repetia sem parar.

– Mais Prosecco para todo mundo! – falou Marco, sorrindo de orelha a orelha com a surpresa que eles haviam conseguido organizar.

Rosanna ajudou Luca e Carlotta a distribuir o espumante até todos terem uma taça na mão.

– Silêncio, todos, por favor – pediu Marco, batendo palmas. – Roberto quer falar.

O rapaz subiu em uma cadeira e sorriu para os convidados.

– Hoje é um dia muito especial. Meus amados *mamma* e *papà* estão comemorando trinta anos de casados. Como todos sabem, eles moraram a vida inteira aqui na Piedigrotta, onde conquistaram muitos bons amigos e conseguiram sucesso com sua padaria. São conhecidos tanto pela sua gentileza quanto pelo maravilhoso pão que produzem. Qualquer um que tiver um problema sabe que atrás do balcão de Massimo sempre vai poder encontrar um ouvido compreensivo e um conselho sensato. Eles foram os pais mais amorosos que eu poderia ter desejado...

Os olhos do rapaz também estavam úmidos quando ele observou sua *mamma* enxugar mais uma lágrima.

– Fizeram muito sacrifício para que eu estudasse na melhor escola de música de Milão e me tornasse cantor lírico. Bem, meu sonho está começando a se realizar. Espero que não demore muito para eu estar cantando no próprio Scala. E tudo graças a eles. – Roberto ergueu a taça. – Um brinde! Que continuem felizes e com saúde! A *mamma* e *papà*... Maria e Massimo!

– Maria e Massimo! – entoaram os convidados.

Sob ruidosos aplausos, Roberto desceu da cadeira e se atirou nos braços da mãe.

– Venha, Rosanna. Temos de ajudar *papà* a servir a comida – disse Antonia, conduzindo a menina para fora do salão em direção à cozinha.

※

Mais tarde, Rosanna ficou olhando Roberto conversar com Carlotta, e então, depois de Marco pôr discos para tocar no gramofone que trouxera do apartamento, viu como os braços do rapaz enlaçaram naturalmente a cintura fina da irmã quando a levou para dançar.

– Que belo par eles formam – sussurrou Luca, dando voz aos pensamentos de Rosanna. – Giulio não parece nada contente, não é?

Rosanna acompanhou o olhar do irmão e viu Giulio ainda sentado no canto, de cara feia, observando a namorada rir alegremente nos braços de outro.

– É, não mesmo – concordou.

– Quer dançar, *piccolina?* – sugeriu Luca.

Rosanna fez que não com a cabeça.

– Não, obrigada. Eu não sei dançar.

– É claro que sabe.

Ele a puxou da cadeira para junto dos outros convidados que também dançavam.

Quando o disco parou de tocar, Rosanna ouviu Maria pedir ao filho:

– Por favor, Roberto, cante para mim.

– É, cante para nós, cante – entoaram os convidados.

Roberto enxugou a testa e deu de ombros.

– Vou fazer o melhor que puder, mas sem acompanhamento é difícil. Vou cantar *Nessun dorma*.

Fez-se silêncio quando ele soltou a voz.

Rosanna ficou imóvel, escutando enfeitiçada o som mágico daquela voz. Quando o tom foi se elevando e se aproximando de seu clímax, Roberto estendeu as mãos e pareceu tentar alcançá-la.

E foi nesse instante que ela entendeu que o amava.

As palmas foram estrondosas, mas Rosanna não conseguiu aplaudir. Estava ocupada demais procurando o lenço para secar as lágrimas involuntárias que haviam escorrido por seu rosto.

– Mais um! Mais um! – pediram todos.

Roberto deu de ombros e sorriu.

– Me perdoem, senhoras e senhores, mas preciso poupar a voz.

Um murmúrio de decepção percorreu a sala quando ele tornou a ocupar seu lugar junto a Carlotta.

– Então Rosanna vai cantar *Ave Maria* – falou Luca. – Venha, *piccolina*.

Rosanna balançou a cabeça com violência e permaneceu grudada onde estava, com uma expressão de horror no rosto.

– Isso! – Maria bateu palmas. – Rosanna tem uma voz linda, e eu adoraria ouvi-la cantar minha oração preferida.

– Não, por favor... – protestou a menina, mas foi erguida pelos braços de Luca e posta em cima de uma cadeira.

– Cante como sempre faz para mim – sussurrou-lhe o irmão com voz suave.

Rosanna encarou a multidão de rostos que lhe sorriam, inspirou fundo e abriu a boca. No início, sua voz saiu baixa, quase um sussurro, mas foi ganhando força à medida que ela dominava o nervosismo e se perdia na música.

Roberto, que tinha os olhos ocupados com o generoso decote de Carlotta, ergueu a cabeça, incrédulo, ao ouvir aquela voz. Não era possível que um som tão puro e perfeito estivesse saindo daquela menina magrela de vestido rosa horroroso. Ou era? Quando olhou para Rosanna, porém, não viu mais a pele amarelada nem os braços e pernas compridos que pareciam não ter fim. O que viu foram os imensos e expressivos olhos castanhos, e reparou no leve rubor que surgiu em suas bochechas quando sua esplêndida voz começou a subir num *crescendo*.

Sabia que não estava escutando uma menina em idade escolar se exibir para os convidados de uma festa. A desenvoltura com que ela fazia soar as notas, seu controle natural e sua musicalidade evidente eram dons, não algo que se aprendesse.

– Com licença – sussurrou para Carlotta enquanto os aplausos ecoavam pelo salão. Atravessou a cantina até Rosanna, que acabara de se desvencilhar do abraço entusiasmado de Maria.

– Rosanna, venha se sentar aqui comigo. Quero falar com você.

Ele a levou até uma cadeira, sentou-se na sua frente e segurou-lhe as duas mãozinhas.

– *Bravissima*, pequena. Você cantou essa linda oração de um jeito perfeito. Está fazendo aulas?

Emocionada demais para encará-lo, Rosanna fitou o piso e negou com a cabeça.

– Pois deveria. Nunca é cedo demais para começar. Ora, se eu tivesse começado mais cedo, poderia... – Roberto deu de ombros. – Vou falar com seu *papà*. Tem um professor aqui em Nápoles que me dava aulas de canto. É um dos melhores. Você precisa procurá-lo o quanto antes.

Rosanna ergueu os olhos de repente e o encarou pela primeira vez. Viu então que os olhos dele tinham um tom de azul profundo, bem escuro, e eram muito calorosos.

– O senhor acha que tenho uma voz boa? – murmurou, incrédula.

– Acho sim, pequena, mais do que boa. E com aulas o seu dom vai poder ser incentivado e cultivado. Aí, um dia, vou dizer com orgulho que foi Roberto Rossini quem descobriu você. – Ele sorriu e então beijou a mão dela.

Rosanna pensou que fosse desmaiar de prazer.

– A voz dela é um encanto, não é, filho? – disse Maria, surgindo atrás de Rosanna e pousando a mão no ombro da menina.

– Mais do que um encanto, *mamma*, a voz dela é... – Roberto agitou as mãos de modo expressivo. – É uma dádiva de Deus, como a minha.

– Obrigada, *Signor* Rossini – foi tudo que Rosanna conseguiu dizer.

– Agora vou procurar seu *papà* – falou Roberto.

Rosanna ergueu os olhos e viu que vários convidados a olhavam com a mesma simpatia e admiração em geral reservada para Carlotta.

Um brilho se espalhou por seu corpo. Pela primeira vez em toda sua vida, alguém tinha lhe dito que ela era especial.

❧

Às dez e meia, a festa ainda corria solta.

A mãe de Rosanna apareceu ao seu lado.

– Rosanna, está na hora de você ir para a cama. Vá dizer boa-noite a Maria e Massimo.

– Sim, *mamma*. – A menina abriu caminho com cuidado entre os dançarinos. – Boa noite, Maria. – Deu dois beijos no rosto da mulher.

– Obrigada por cantar para mim. Roberto está falando da sua voz até agora.

– Estou mesmo. – O rapaz apareceu atrás de Rosanna. – Já dei o nome e endereço do professor de canto para o seu *papà* e para Luca. Luigi Vincenzi foi instrutor no Scala e há alguns anos se aposentou e veio aqui para Nápoles. É um dos melhores professores da Itália e ainda aceita alunos talentosos. Quando você o encontrar, diga que fui eu quem a indiquei.

– Obrigada, Roberto.

O olhar dele fez Rosanna corar.

– Você tem um dom muito especial, Rosanna. Precisa cuidar bem dele. *Ciao*, pequena. – Ele levou sua mão à boca e a beijou. – Tenho certeza de que vamos nos encontrar de novo um dia.

⁂

No andar de cima, no quarto que dividia com Carlotta, Rosanna vestiu a camisola, em seguida levou a mão até debaixo do colchão e pegou seu diário. Depois de encontrar o lápis que guardava na gaveta de peças íntimas, subiu na cama e, com o cenho franzido de concentração, começou a escrever.

*16 de agosto. Festa de Massimo e Maria...*

Mordiscou a ponta do lápis, tentando recordar as palavras exatas que Roberto tinha lhe dito. Após anotá-las cuidadosamente, deu um sorriso de prazer e fechou o diário. Então se recostou no travesseiro e ficou ouvindo o barulho da música e das risadas lá embaixo.

Alguns minutos depois, sem conseguir dormir, sentou-se. Tornou a abrir o diário, pegou o lápis e escreveu outra frase.

*Um dia eu vou me casar com Roberto Rossini.*

# 2

Rosanna acordou sobressaltada, abriu os olhos e notou que era quase dia. Ouviu os sacolejos da carroça de lixo aproximando-se na ronda da madrugada, então se virou e viu Carlotta sentada na beira da cama. Sua irmã ainda usava o mesmo vestido amarelo, só que muito amarrotado, e seus cabelos pendiam despenteados ao redor dos ombros.

– Que horas são? – perguntou.

– Fique quieta, Rosanna! Volte a dormir. Ainda é muito cedo, e você vai acordar *mamma* e *papà*.

Carlotta rápidamente tirou os sapatos e abriu o zíper do vestido.

– Onde você estava?

A moça deu de ombros.

– Em lugar nenhum.

– Mas *em algum lugar* você devia estar, porque está indo para a cama agora e já é quase de manhã – insistiu Rosanna.

– Fique quieta, já disse!

Com uma expressão zangada e assustada, Carlotta jogou o vestido sobre uma cadeira e colocou uma camisola.

– Se disser para *mamma* e *papà* que cheguei tão tarde, nunca mais falo com você. Prometa que não vai falar nada.

– Só se você me disser onde estava.

– Está bem! – Carlotta foi até a cama da irmã na ponta dos pés e se sentou. – Eu estava com Roberto.

– Ah. – Rosanna não entendeu. – Fazendo o quê?

– Fazendo... passeando. Só passeando.

– Mas por que vocês foram passear no meio da noite?

– Quando você for mais velha, vai entender – respondeu Carlotta, abrupta. Ela voltou para a cama e se enfiou debaixo dos lençóis. – Pronto, já contei. Agora fique quieta e volte a dormir.

Todo mundo na casa dos Menicis dormiu até mais tarde. Quando Rosanna chegou ao térreo para o café da manhã, encontrou Marco à mesa da cozinha com uma ressaca terrível e Antonia dando duro para arrumar a bagunça da cantina.

— Venha ajudar, filha, ou nunca vamos conseguir abrir — ordenou Antonia ao ver a menina parada olhando para os restos da festa.

— Posso tomar café?

— Depois de arrumarmos tudo. Tome, leve esta caixa de lixo para o quintal.

— Sim, *mamma*.

Rosanna pegou o lixo e seguiu em direção à cozinha, onde seu pai, pálido, agora estendia massa de pizza.

— *Papà*, Roberto falou com o senhor sobre minhas aulas de canto? — indagou ela. — Ele disse que ia falar.

Marco assentiu, cansado.

— Falou, sim. Mas ele estava só sendo educado, Rosanna. E se ele pensa que temos dinheiro para aulas de canto com um professor do outro lado da cidade, está muito enganado.

— Mas, *papà*, ele achou... Quer dizer, ele falou que eu tinha um dom.

— Rosanna, quando crescer, você vai dar uma boa esposa para algum marido. O que você precisa é aprender os dons da culinária e dos afazeres domésticos, não desperdiçar seu tempo com fantasias.

— Mas... — O lábio inferior dela tremeu. — Eu quero ser cantora, igual a Roberto.

— Roberto é homem, Rosanna. Ele precisa trabalhar. Um dia essa sua vozinha encantadora vai ajudar a ninar bebês. Agora chega. Leve esse lixo para fora e quando voltar vá ajudar Luca com os copos.

Enquanto ela levava o lixo para o quintal nos fundos, uma pequena lágrima escorreu por seu rosto. Nada havia mudado. Tudo estava como sempre tinha sido. Era como se a véspera, o melhor dia de toda a sua vida, um dia em que ela fora alguém especial, jamais tivesse acontecido.

— Rosanna! — rugiu a voz de Marco da cozinha. — Ande logo!

Ela enxugou o nariz com as costas da mão e tornou a entrar. Seus sonhos ficaram no quintal junto com o lixo.

Mais tarde nesse dia, quando Rosanna subia lentamente a escada para ir se deitar, exausta por causa das longas horas servindo as mesas, sentiu o toque de alguém em seu ombro.

– Por que está tão tristonha hoje, *piccolina*?

Ela se virou e deu com Luca.

– Vai ver estou só cansada – respondeu, dando de ombros.

– Mas você deveria estar muito feliz. Não é toda menina que leva uma sala inteira às lágrimas quando canta.

– Mas, Luca... – Ela se sentou abruptamente no alto da escada estreita e o irmão se espremeu ao seu lado.

– Me conte o que aconteceu.

– Hoje de manhã eu perguntei a *papà* sobre as aulas de canto e ele disse que Roberto estava só sendo educado, que na verdade ele não acreditava que eu pudesse ser cantora.

– Ora! – ralhou o rapaz entre os dentes. – Não é verdade. Roberto comentou com todo mundo como a sua voz era linda. Você precisa ter aulas com o professor que ele sugeriu.

– Eu não posso, Luca. *Papà* disse que não temos dinheiro para pagar. Acho que aulas de canto devem ser muito caras.

– Ah, *piccolina*. – Luca passou o braço em volta dos ombros da irmã. – Por que será que *papà* é tão cego em relação a você? Se tivesse sido Carlotta, bem... – Ele deu um suspiro. – Escute, Rosanna, por favor não perca as esperanças. Olhe aqui. – Ele remexeu no bolso da calça e pegou um pedaço de papel. – Roberto também me deixou o nome e o endereço do professor. Pouco importa o que *papà* disse. Nós vamos procurá-lo *juntos*, está bem?

– Mas Luca, não temos dinheiro para pagar, então não adianta nada.

– Não se preocupe com isso por enquanto. Deixe que seu irmão mais velho cuide de tudo. – Ele a beijou na testa. – Durma bem.

– Boa noite.

Ao descer a escada e atravessar a cantina, Luca suspirou pensando que teria de passar mais uma longa noite na cozinha. Sabia que deveria apenas agradecer por ter uma perspectiva de melhor futuro que a de outros rapazes napolitanos, mas aquele trabalho lhe proporcionava muito pouco prazer. Ao entrar na cozinha, foi até a mesa e começou a picar uma pilha de cebolas; o suco forte fez seus olhos arderem. Quando ele pôs a cebola picada na frigideira, pensou na recusa do pai em apoiar as aulas de canto da filha caçula. Rosanna tinha um dom, e Luca não deixaria que o desperdiçasse de jeito nenhum.

༄

Depois desse dia, na primeira tarde em que teve folga da cantina, Luca pegou Rosanna e os dois tomaram um ônibus até o bairro chique de Posillipo, que ficava no alto de uma colina com vista para a baía de Nápoles.
– Que lindo isto aqui! Quanto espaço! Que ar mais puro! – exclamou a menina quando eles saltaram do coletivo.
Ela inspirou e expirou profundamente e bem devagar.
– Sim, é muito bonito – concordou Luca.
Os dois pararam para admirar a baía. A água azul-turquesa cintilante estava coalhada de barcos, alguns com pescadores, outros apenas ancorados junto à costa. Bem em frente, a ilha de Capri flutuava no horizonte como um sonho. Ele seguiu a curva da baía para a esquerda e viu o contorno do ameaçador monte Vesúvio na paisagem ao longe.
– É aqui mesmo que o *Signor* Vincenzi mora? – Rosanna se virou e ergueu os olhos para os elegantes casarões brancos aninhados na encosta da colina mais acima. – Nossa, ele deve ser muito rico.
Os dois começaram a subir a rua sinuosa.
– Acho que a casa dele é uma daquelas – falou Luca depois de passarem por vários portões imponentes. Por fim, deteve-se diante da última casa.
– Chegamos... Villa Torini. Venha, Rosanna.
Ele segurou a mão da irmã e a conduziu pelo acesso de carros até um pórtico coberto por um bougainville que protegia a porta da frente. Após hesitar por alguns segundos, nervoso, enfim tocou a campainha.
A porta foi aberta depois de algum tempo e uma empregada de meia-idade os espiou lá de dentro.
– *Sì? Cosa vuoi?* O que vocês querem?
– Viemos falar com o *Signor* Vincenzi, *signora*. Esta é Rosanna Menici e eu sou Luca, irmão dela.
– Vocês marcaram hora?
– Não... mas Roberto Rossini...

– Bem, o *Signor* Vincenzi não recebe ninguém sem hora marcada. Adeus.

A porta se fechou com firmeza na cara deles.

– Venha, Luca, vamos para casa. – Aflita, Rosanna puxou o braço do irmão. – Aqui não é nosso lugar.

De dentro da *villa*, o som de um piano chegou flutuando pelo ar.

– Não! A gente veio até aqui e não vai voltar sem o *Signor* Vincenzi ter ouvido você cantar. Venha comigo.

Luca puxou a irmã para longe da porta.

– Aonde a gente está indo? Eu quero voltar para casa – pediu ela.

– Não. Por favor, confie em mim.

Ele a segurou pelo braço com firmeza e foi seguindo a música, que os conduziu pela lateral da casa. Chegaram à quina de uma bela varanda decorada com grandes vasos de cerâmica cheios de gerânios rosa-chá e marias-sem-vergonha roxo-escuras.

– Fique aqui – sussurrou Luca.

Agachado, ele engatinhou pela varanda até chegar em frente a duas portas de vidro, que estavam abertas para deixar entrar a brisa da tarde. Espiou lá dentro com cuidado, em seguida tornou a se encolher e recuou.

– Ele está lá dentro – sussurrou ao voltar para junto de Rosanna. – Agora cante. Cante!

Ela o encarou, sem entender.

– Como assim?

– Cante *Ave Maria*... depressa!

– Mas...

– Agora! – ordenou ele.

Rosanna nunca tinha ouvido seu tranquilo irmão falar com tanta veemência. Por isso, abriu a boca ali mesmo e fez o que ele pedia.

✥

Luigi Vincenzi acabara de pegar o cachimbo e estava prestes a dar seu passeio vespertino pelos jardins quando ouviu a voz. Fechou os olhos e passou alguns segundos escutando. Então, bem devagar, sem conseguir conter a curiosidade, atravessou a sala e saiu para a varanda. Na quina da casa estava postada uma menina que não podia ter mais de 10 ou 11 anos, usando um vestido de algodão desbotado.

Assim que o viu, a menina parou de cantar e o medo cruzou seu semblante. Um rapaz, sem dúvida parente da menina, a julgar pela semelhança entre os dois, estava em pé ao seu lado.

Luigi Vincenzi uniu as mãos e bateu palmas devagar.

– Obrigado, *cara*, por essa encantadora serenata. Mas posso saber por que vocês dois estão invadindo a minha varanda?

Rosanna se escondeu atrás do irmão.

– Perdoe, *signor*, mas a sua empregada não quis nos deixar entrar – explicou Luca. – Tentei dizer a ela que Roberto Rossini tinha pedido à minha irmã para vir, mas ela fechou a porta na nossa cara.

– Entendo. Posso saber como vocês se chamam?

– Esta é Rosanna Menici e eu sou Luca, irmão dela.

– Bem, é melhor vocês entrarem.

– Obrigado, *signor*.

Luca e Rosanna o seguiram. O espaçoso recinto era dominado por um piano de cauda branco posicionado bem no centro de um reluzente piso de mármore cinza. As paredes eram cobertas por estantes abarrotadas com pilhas de partituras mal-arrumadas. Sobre o console da lareira havia diversos porta-retratos com fotos em preto e branco de Luigi em traje de gala, sorrindo junto de pessoas cujos rostos pareciam conhecidos de jornais e revistas.

Luigi Vincenzi se sentou na banqueta do piano.

– Então, Rosanna Menici, por que Roberto Rossini mandou você me procurar?

– Porque... porque...

– Porque ele achou que minha irmã deveria ter aulas de canto de verdade com o senhor – respondeu Luca por ela.

– Que outras canções a *Signorina* Menici conhece? – quis saber Luigi.

– Ahn... não muitas. Quase todas hinos que canto na igreja – respondeu ela, gaguejando.

– Que tal tentarmos a "Ave Maria" outra vez? Você parece conhecê-la muito bem. – Luigi sorriu e sentou-se ao piano. – Chegue mais perto, filha. Eu não mordo, sabia?

Rosanna se aproximou e viu que, embora o bigode e os cabelos grisalhos encaracolados lhe dessem um aspecto muito severo, sob as grossas sobrancelhas os olhos do *Signor* Vincenzi tinham um brilho caloroso.

– Pois bem, pode cantar – insistiu Luigi e começou a tocar os primeiros acordes do hino.

O som era tão diferente de qualquer outro piano que ela já tinha escutado que Rosanna esqueceu de entrar na hora certa.

– Algum problema, Rosanna Menici?

– Não, *signor*. Estava só escutando o som lindo que o seu piano faz.

– Entendo. Bem, desta vez concentre-se, por favor.

Inspirada pelo piano de cauda, Rosanna cantou como jamais tinha feito. Em pé, bem próximo dela, Luca pensou que seu coração fosse explodir de tanto orgulho. Sabia que tinha feito a coisa certa ao levar a irmã até o professor.

– Muito bem, *Signorina* Menici, muito bem. Agora vamos tentar umas escalas. Siga-me quando eu tocar.

Luigi conduziu Rosanna pelos agudos e graves, testando o alcance de sua voz. Em geral não era muito afeito a exageros, mas teve de admitir que a menina tinha o maior potencial que ele já vira em todos os seus anos como instrutor. A voz dela era impressionante.

– Chega! Já ouvi o suficiente.

– Vai dar aulas a ela, *Signor* Vincenzi? – indagou Luca. – Tenho dinheiro para pagar.

– Sim, vou dar aulas a ela.

Luigi se virou para Rosanna.

– *Signorina* Menici, virá aqui às terças, quinzenalmente, às quatro da tarde. Cobrarei 400 liras por uma hora.

Era metade do que ele costumava cobrar, mas o irmão não sabia e parecia orgulhoso da pequena.

O rosto de Rosanna se acendeu.

– Obrigada, *Signor* Vincenzi, obrigada.

– E, nos dias em que não vier, você vai praticar por duas horas, no mínimo. Vai se esforçar muito e só faltará às aulas se houver uma morte na família. Entendeu?

– Sim, *Signor* Vincenzi.

– Ótimo. Então nos vemos na terça, está bem? Agora podem sair pela porta da frente.

Luigi conduziu Rosanna e Luca pela casa até a porta da rua.

– *Ciao*, Rosanna Menici.

Os dois irmãos se despediram e desceram o acesso à casa como num transe, até chegarem ao portão. Luca então ergueu Rosanna nos braços e a girou com alegria.

– Eu sabia! Sabia! Ele só precisava ouvir a sua voz. Que orgulho eu tenho de você, *piccolina*! Sabe que isso tem de ser o nosso segredo, não sabe? *Mamma* e *papà* talvez não aprovem. Você não pode contar nem para Carlotta.

– Não vou contar, prometo. Mas, Luca, você tem dinheiro para as aulas?

– Tenho, claro. – Ele pensou no dinheiro que vinha economizando havia dois anos para comprar uma lambreta, que seria o seu primeiro passo em direção à sua tão ansiada liberdade. – É claro que tenho.

Eles viram o ônibus chegando, e Rosanna deu no irmão um abraço instintivo.

– Obrigada, Luca. Prometo me esforçar o máximo que puder. E um dia vou recompensar você por essa gentileza.

– Eu sei que vai, *piccolina*. Eu sei que vai.

# 3

– Cuide-se. O motorista do ônibus sabe onde você tem de saltar, caso não se lembre.

Dos degraus do ônibus, Rosanna sorriu para o irmão.

– Você já me disse isso umas cem vezes. Não sou nenhum bebê. É um trajeto curto.

– Eu sei, eu sei. – Luca beijou a irmã nas duas bochechas enquanto o motorista dava a partida no ônibus. – Guardou o dinheiro direitinho?

– Guardei, Luca! Vai dar tudo certo. Por favor, não se preocupe.

Rosanna andou até um assento na parte da frente, sentou-se e acenou para o irmão pela janela encardida enquanto o ônibus saía. A viagem agradável a fez deixar a agitação da cidade rumo ao frescor das colinas. Seu coração bateu um pouco mais depressa quando ela saltou no ponto certo e subiu em direção à *villa*. Lembrando-se da recepção fria da vez anterior, tocou a campainha com cautela, mas dessa vez, quando a porta se abriu, foi recebida com um sorriso.

– Entre, *Signorina* Menici, por favor. Eu sou a *Signora* Rinaldi, governanta do *Signor* Vincenzi. Ele está à sua espera na sala de música.

A mulher conduziu Rosanna por um corredor até os fundos da *villa* e bateu em uma porta.

– Rosanna Menici, bem-vinda. Sente-se, por favor.

Luigi apontou para uma cadeira junto a uma mesa sobre a qual estava disposta uma jarra de limonada com gelo.

– Você deve estar com sede depois dessa viagem cansativa. Aceita uma limonada?

– Obrigada, *signor*.

– Por favor, se vamos trabalhar juntos, você precisa me chamar de Luigi.

Ele serviu um copo de limonada para cada um e Rosanna bebeu com avidez.

– Que calor mais desagradável.

Luigi enxugou a testa com um lenço quadriculado grande.

– Mas aqui dentro está fresquinho. – Rosana se atreveu a dizer. – Ontem, na cozinha, *papà* falou que estava fazendo quase 50 graus.

– É mesmo? Só beduínos e camelos suportam essa temperatura. O que seu *papà* faz da vida?

– Ele e *mamma* têm uma cantina lá na Piedigrotta. Nós moramos no andar de cima.

– Com certeza você sabe que a Piedigrotta é um dos bairros mais antigos de Nápoles. Seu *papà* nasceu lá?

– Toda a nossa família é de lá.

– Então vocês são verdadeiros napolitanos. Eu sou milanês. Só tomei emprestado esta sua linda cidade.

– Acho aqui bem mais agradável do que lá, principalmente com tantos turistas.

– Você trabalha na cantina?

– Sim, quando não estou na escola. – Rosanna fez uma careta. – Não gosto de trabalhar lá.

– Bem, Rosanna Menici, se não consegue gostar desse trabalho, precisa aprender com ele. Muitos ingleses devem visitar a cantina no verão, não?

– Sim – respondeu ela. – Muitos.

– Então você deve escutá-los e tentar aprender um pouco de inglês. Vai precisar disso mais tarde. Estuda francês na escola?

– Sou a primeira da turma – respondeu ela com orgulho.

– Algumas das grandes óperas foram escritas em francês. Se você começar a falar esses idiomas agora, no futuro vai ser mais fácil. Mas o que sua *mamma* e seu *papà* acham da sua voz?

– Não sei. Eu... eles nem sabem que vou ter aulas. Roberto Rossini disse a *papà* que eu deveria procurar o senhor, mas *papà* falou que não tínhamos dinheiro.

– Quer dizer que quem está pagando é o seu irmão?

– É. – Rosanna tirou algumas notas de lira do bolso do vestido e as pôs em cima da mesa. – Aqui tem o suficiente para as três próximas aulas. Luca quis pagar adiantado.

Luigi pegou o dinheiro com um meneio de cabeça agradecido.

– Então, Rosanna... quero saber se você gosta de cantar.

Rosanna pensou em como havia se sentido especial depois de cantar na festa de Maria e Massimo.

– Eu amo cantar. Quando canto, vou para um mundo diferente.

– Bem, pelo menos é um bom começo. Agora preciso lhe avisar que você é muito jovem. Jovem demais para eu ter certeza se sua voz vai se desenvolver do jeito certo. Não devemos forçar suas cordas vocais... precisamos cultivá-las com cuidado, aprender como funcionam e o melhor jeito de cuidar delas. Eu ensino uma técnica chamada Bel Canto, que consiste em uma série de exercícios vocais cada vez mais difíceis, cada um criado para ensinar um aspecto específico do canto. Quando tiver dominado esses exercícios, você terá estudado todas as dificuldades vocais potenciais que existem antes de elas surgirem na música. Maria Callas aprendeu assim. Ela não era muito mais velha do que você quando começou. Está preparada para um trabalho tão duro?

– Estou, Luigi.

– Preciso enfatizar que você só vai cantar as grandes árias quando for bem mais velha. Primeiro vamos nos familiarizar com as histórias das grandes óperas e tentar entender as personagens. Os melhores artistas são aqueles que, além de terem vozes maravilhosas, são também excelentes atores. E não pense que duas aulas por mês comigo vão bastar para melhorar sua voz – alertou ele. – Você precisa praticar os exercícios que eu lhe passar todos os dias, sem falta.

Ao ver os olhos arregalados de Rosanna, ele se interrompeu e deu uma súbita risadinha.

– E você, Rosanna, às vezes vai ter de me lembrar que ainda é criança. Por favor, queira aceitar minhas desculpas por tê-la assustado. O melhor da sua juventude é o fato de termos muito tempo pela frente. Agora vamos começar. – Ele se levantou e foi até a banqueta do piano. Deu alguns tapinhas no assento ao seu lado. – Venha. Vamos aprender as notas aqui no piano.

Uma hora mais tarde, Rosanna saiu da Villa Torini desanimada. Não havia cantado uma única nota sequer durante toda a aula.

Ao chegar em casa, exausta por causa do calor dentro do ônibus e da tensão da tarde, foi direto para o quarto. Luca subiu atrás dela com as mãos cheias de farinha.

– Encontrou o caminho de volta?

– Estou aqui, não estou?

A expressão preocupada dele a fez sorrir.
– Como foi?
– Foi maravilhoso. Luigi é muito gentil.
– Ótimo. Eu...
– Luca! – rugiu Marco, da cozinha.
– Preciso ir. O movimento está grande.

Luca beijou a irmã no rosto e desceu correndo.

Rosanna se deitou na cama, pegou o diário embaixo do colchão e começou a escrever. Alguns segundos depois, Carlotta entrou no quarto.

– Por onde andou? *Mamma* queria sua ajuda, mas não conseguimos encontrar você. Tive de passar a tarde inteira servindo as mesas.

– Eu... saí com uma amiga. Estou com fome. Tem alguma coisa para comer?
– Não sei. Vá perguntar a *mamma*. Eu vou sair.
– Com quem?
– Ah, só com o Giulio – respondeu Carlotta com ar de tédio.
– Pensei que você gostasse do Giulio. Ele não é seu namorado?
– Era... Quer dizer, é... Ah, pare de fazer perguntas, Rosanna! Vou tomar um banho.

Quando a irmã saiu, Rosanna terminou de escrever no diário e tornou a guardá-lo no esconderijo. Em seguida, foi até a copa do primeiro andar e se serviu de um copo d'água da geladeira. Sabia que, se descesse para procurar algo para comer, *mamma* e *papà* arrumariam alguma coisa para ela fazer. E estava muito cansada. Esgueirou-se pelo patamar da escada e abriu a porta da escadinha de ferro que descia do apartamento para a rua. Era para lá que muitas vezes ia quando precisava ficar sozinha, ainda que ficar perto das lixeiras não fosse tão agradável. Sentada no primeiro degrau de cima, tomou um gole d'água e reviveu cada instante da aula com Luigi. Embora a hora tivesse sido gasta aprendendo a ler as notas pretas das partituras, e não cantando, ela havia adorado a casa tranquila do professor. E o fato de finalmente ter um segredo só seu a deixava empolgada.

Voltou para o quarto e vestiu a camisola. Quase pronta para sair, Carlotta estava enrolando um xale em volta dos ombros.

– Divirta-se – falou Rosanna.
– Obrigada.

Sua irmã lhe exibiu algo que mais parecia uma careta do que um sorriso e saiu do quarto, deixando o ar atrás dela impregnado de perfume.

Rosanna subiu na cama pensando em como conseguiria fugir para a *villa* de Luigi às terças-feiras de quinze em quinze dias sem que dessem por sua falta. Por fim, decidiu que inventaria uma amiga imaginária. Iria batizá-la de Isabella e diria que seus pais eram bem ricos, para impressionar *papà*. Poderia então visitar Isabella às terças semana sim, semana não, sem ficar encrencada. Quanto a praticar, teria de acordar uma hora mais cedo todos os dias e entrar sorrateiramente na igreja antes de a missa começar.

Soluções encontradas, Rosanna dormiu profundamente.

⁂

Era final de setembro. A cantina agora estava mais calma, pois os turistas do verão haviam deixado a cidade, e o calor sufocante havia se transformado em uma quentura gostosa. Luca saiu para o quintal e acendeu um cigarro para aproveitar a tarde agradável. Carlotta apareceu atrás dele à porta da cozinha.

– Luca, você teria uns minutos hoje à noite antes de o movimento começar? Eu... preciso conversar.

Ele olhou para o rosto estranhamente pálido da irmã.

– O que aconteceu, Carlotta? Você está doente?

Parada no vão da porta, a moça abriu a boca para responder, mas então escutou os passos pesados de Antonia descendo a escada.

– Aqui, não – sussurrou. – Me encontre às sete no Renato, na Via Caracciolo. Por favor, Luca. Sem falta.

– Estarei lá.

Carlotta deu um sorriso cansado e saiu.

⁂

Alguns dias mais tarde, Rosanna atravessou a cantina e abriu a porta que dava para o apartamento em que a família morava. Ao subir a escada, ouviu seu *papà* gritando na sala. Preocupada que ele tivesse descoberto seu segredo, parou no alto da escada e se pôs a escutar.

– Como você pôde fazer uma coisa dessas? Como pôde? – repetia Marco sem parar.

Rosanna ouviu Carlotta soluçar bem alto.

– Marco, não está vendo que assim você só piora a situação? – Pela voz, Antonia também parecia à beira das lágrimas. – Gritar e berrar com a nossa filha não vai ajudá-la! *Mamma mia*, precisamos tentar nos acalmar e pensar no melhor a fazer. Vou buscar alguma coisa para bebermos.

A porta da sala se abriu e Antonia apareceu. Seu rosto em geral vermelho estava pálido.

– O que houve, *mamma*? Carlotta está doente? – indagou Rosanna, seguindo a mãe pelo corredor até a copa.

– Não, ela não está doente. Desça e vá ficar com seu irmão, Rosanna. Ele vai lhe preparar algo para jantar.

Sua mãe fazia algum esforço para falar e respirava com dificuldade.

– Mas, *mamma*, por favor, me diga o que aconteceu.

Antonia pegou uma garrafa de conhaque em um armário na cozinha, se virou e, coisa rara, deu um beijo no alto da cabeça da filha.

– Não tem ninguém doente, está todo mundo bem. Um pouco mais tarde vamos contar tudo a você. Agora ande e diga a Luca que *papà* já vai descer daqui a alguns minutos.

Ela forçou um sorriso e tornou a desaparecer dentro da sala.

Rosanna atravessou a cantina vazia até a cozinha principal, onde Luca fumava um cigarro em pé junto à porta dos fundos.

– O que houve, Luca? *Papà* está gritando, Carlotta aos prantos, e *mamma* parece que viu um fantasma.

Luca tragou fundo o cigarro e soltou vagarosamente a fumaça pelo nariz. Então jogou a guimba no chão, pisou em cima e se virou de volta para a cozinha.

– Quer um pouco de lasanha? Acabou de sair do forno.

Ele foi até o outro lado da cozinha e abriu a porta do forno.

– Não! Eu quero saber o que aconteceu. *Papà* nunca grita com Carlotta. Ela deve ter feito alguma coisa muito ruim.

Luca serviu a lasanha sem dizer nada. Pôs dois pratos cheios sobre a mesa da cozinha e sentou-se, indicando com um gesto para a irmã se sentar também.

– *Piccolina*, tem algumas coisas que você é jovem demais para entender. Carlotta cometeu um erro grave, e é por isso que *papà* está tão zangado com ela. Mas não se preocupe. Eles três vão resolver o assunto e tudo vai ficar bem, eu prometo. Agora coma sua lasanha e me fale sobre a sua aula com o *Signor* Vincenzi.

Sabendo que não conseguiria mais arrancar nenhuma informação de Luca, Rosanna deu um suspiro e empunhou um garfo.

※

Foi acordada pelo barulho de alguém soluçando baixinho. Sentou-se na cama e piscou por causa da luz pálida da aurora que se aproximava.

– Carlotta? O que houve? – sussurrou.

Não obteve resposta. Rosanna desceu de sua cama e foi até a da irmã. Com a cabeça coberta por um travesseiro, Carlotta tentava abafar o choro. Rosanna passou um braço hesitante em volta do seu ombro, e um rosto de expressão agoniada surgiu de debaixo do travesseiro.

– Por favor, não chore. Não pode ser tão ruim assim – tranquilizou Rosanna.

– Ah... mas *é, é sim*... – Carlotta secou o nariz com as costas da mão. – Eu vou ter que me casar... vou ter que me casar com o Giulio!

– Mas por quê?

– Por causa de uma coisa que eu fiz. Mas... Ah, Rosanna, eu não amo o Giulio, não amo!

– Então por que tem que se casar com ele?

– *Papà* disse que é minha única alternativa. Menti para ele sobre o... ai...

Ela tornou a soluçar, e Rosanna apertou com mais força os braços em volta de seus ombros.

– Por favor, não chore. Giulio é um homem bom. Eu gosto dele. Ele é rico e você vai ter um apartamento grande e não vai mais precisar trabalhar na cantina.

Carlotta ergueu os olhos para a irmã caçula e deu um sorriso débil em meio às lágrimas.

– Você tem bom coração, Rosanna. Talvez quando eu estiver casada *mamma* e *papà* prestem mais atenção em você.

– Não faz mal. Nem todo mundo pode ser lindo... eu entendo isso – retrucou Rosanna baixinho.

– Bom, olhe só em que enrascada a minha beleza me meteu! Talvez seja melhor você não ser bonita. Ah, Rosanna, vou sentir saudades de você quando sair de casa.

– E eu de você. Vai se casar em breve?

– Vou. *Papà* vai falar com o pai do Giulio amanhã. Acho que vamos nos casar em menos de um mês. Todo mundo vai reparar, claro.

– Reparar em quê? – quis saber Rosanna.

Carlotta acariciou os cabelos da irmã.

– Tem algumas coisas que você só vai mesmo entender quando for mais velha. Fique jovem pelo máximo de tempo que puder, irmãzinha. Crescer não é tão divertido quanto parece. Agora volte para a cama e durma.

– Está bem.

– Rosanna?

– Sim?

– Obrigada. Você é uma boa irmã, e espero que sejamos amigas para sempre.

Ainda sem entender nada, Rosanna deu um suspiro e voltou para a cama.

꽃

Quatro semanas mais tarde, estava em pé atrás de Carlotta usando um vestido de dama de honra de cetim azul enquanto a irmã pronunciava seus votos matrimoniais para Giulio.

Depois do casamento, houve uma festa na cantina. Embora Rosanna soubesse que aquele deveria ser o dia mais feliz da vida de Carlotta, sua irmã estava pálida e tensa, e Antonia tampouco parecia muito feliz. Marco se mostrou razoavelmente alegre, abriu várias garrafas de espumante e contou para os convidados sobre o apartamento de dois quartos no qual o jovem casal ia morar.

꽃

Algumas semanas depois, Rosanna foi visitar a irmã no apartamento novo perto da Via Roma. Impressionada, encarou o televisor instalado no canto da sala.

– Giulio deve ter muito dinheiro para ter um aparelho desses – exclamou, enquanto Carlotta trazia café e as duas se sentavam lado a lado no sofá.

– É, ele tem dinheiro – confirmou a irmã.

Rosanna tomou um gole de café e se perguntou por que Carlotta parecia tão desanimada.

– Como ele está?

– Eu mal o vejo. Ele sai às oito para o escritório e só chega em casa depois das sete e meia.

– Ele deve ter um cargo bem importante – comentou Rosanna, tentando animá-la.

Carlotta ignorou o comentário.

– Eu faço o jantar e vou para a cama. Ando muito cansada ultimamente.

– Por quê?

– Porque vou ter um bebê – respondeu Carlotta, cansada. – Você em breve vai ser *zia*... titia Rosanna.

– Ah, parabéns! – Rosanna se inclinou e beijou a irmã no rosto. – Você está feliz?

– Estou, sim – respondeu Carlotta sem animação.

– Giulio deve estar muito satisfeito porque vai ser *papà*.

– Está, sim, claro. Mas como andam as coisas em casa?

Rosanna deu de ombros.

– *Papà* anda bebendo muito conhaque e vive de mau humor, gritando comigo e com Luca. *Mamma* passa o tempo inteiro cansada e tem de se deitar a toda hora.

– Então não mudou muita coisa. – Carlotta forçou um sorriso.

– Só que eu acho que *mamma* e *papà* sentem a sua falta.

– E eu a deles... eu... – Os olhos da moça se encheram de lágrimas. – Desculpe, é a gravidez. Eu fico com a emoções à flor da pele. Quer dizer que Luca ainda não tem namorada?

– Ainda não. Mas ele nem tem tempo para namorar. Começa na cozinha às oito da manhã e só termina à noite, bem tarde.

– Não entendo por que ele aceita isso. *Papà* é muito grosso com ele e paga pouquíssimo. Se eu fosse Luca, iria embora recomeçar a vida em outro lugar.

Rosanna ficou horrorizada.

– Você não acha que ele vai embora, acha?

Carlotta respondeu devagar:

– Não, Rosanna. Para sua sorte e azar dele, não acho que ele vá embora. Nosso irmão é um homem muito especial. Espero que ele um dia encontre a felicidade que merece.

No final de maio, Carlotta deu à luz uma menina. Rosanna foi ao hospital visitar a sobrinha recém-nascida.

– Ai, que linda ela é, e tão pequena... Posso pegar no colo?

Carlotta assentiu.

– Claro. Tome.

Rosanna pegou o bebê dos braços da irmã e a ninou. Encarou os olhos escuros da menina.

– Ela não parece com você, Carlotta.

– Ah, é? Com quem você acha que ela parece? Com Giulio? Com *mamma* ou *papà*?

Rosanna analisou a criança.

– Não sei. Já pensou em algum nome?

– Já. Vai se chamar Ella Maria.

– Que nome lindo. Você é tão esperta, Carlotta...

– Ela é mesmo, não é? – disse uma voz.

As duas irmãs se viraram quando Giulio entrou no quarto.

– Como vai, *cara*? – perguntou ele, beijando a mulher.

– Tudo bem.

– Ótimo.

Giulio se sentou na beirada da cama, estendeu a mão e segurou a dela. Carlotta recolheu o braço depressa.

– Por que não pega sua filha um pouco?

– Claro. – Giulio se levantou e, ao lhe passar o bebê, Rosanna pôde ver a mágoa em seus olhos escuros.

※

Depois de as visitas irem embora, Carlotta se recostou na cama e ficou encarando o teto. Tinha feito a coisa certa, disso tinha certeza. Tinha um marido bem-sucedido, uma filha linda e conseguira não desgraçar a si mesma nem à sua família.

Virou a cabeça e espiou dentro do berço. Os olhos escuros de Ella estavam bem abertos, e a pele branca perfeita contrastava com o tufo de cabelos pretos no alto da cabeça.

Sabia que teria de viver com aquela farsa pelo resto da vida.

# Ópera Metropolitana, Nova York

Então, Nico, agora você já leu sobre como conheci Roberto Rossini e como foram plantadas as sementes do futuro. Na época em que Carlotta se casou com Giulio, eu era muito nova e ingênua, e nem percebia grande parte do que acontecia à minha volta.

Durante os cinco anos seguintes, estudei canto com afinco. Entrei para o coral da igreja, o que me deu um pretexto para praticar em casa o quanto pudesse. Gostava das aulas com Luigi Vincenzi e, à medida que fui amadurecendo, o mesmo aconteceu com meu amor pela ópera. Não tinha a menor dúvida sobre o que eu queria ser quando crescesse.

Naquela época, era como se eu tivesse uma vida dupla. Sabia que um dia teria de contar meu segredo a mamma e papà, mas ficava torcendo para o momento certo se apresentar. Não podia correr o risco de eles me impedirem.

Fora isso, pouca coisa na minha vida tinha mudado. Eu ia à escola e dava duro para estudar francês e inglês. Assistia à missa duas vezes por semana e diariamente servia as mesas da cantina. Outras meninas da minha turma sonhavam com astros do cinema e experimentavam maquiagem e cigarro, mas eu tinha apenas um sonho: um dia cantar no palco do Scala com o homem que dera início àquilo tudo para mim. Pensava com frequência em Roberto Rossini e acreditava, ou torcia, para ele de vez em quando pensar em mim.

Quase todos os dias, Carlotta levava sua linda filha Ella à cantina para nos visitar. Quando penso em minha irmã hoje, percebo que era extremamente infeliz. Sua vivacidade de sempre já não existia mais, e seu olhar havia perdido o brilho. Na época, é claro, eu não fazia ideia do motivo...

# 4

## *Nápoles, maio de 1972*

– Bem-vinda, Rosanna. Por favor, entre e sente-se. – Luigi apontou para uma cadeira junto à imensa lareira de mármore na sala de música.

Rosanna fez o que ele pedia e Luigi sentou-se em outra cadeira na sua frente.

– Você tem vindo à minha casa duas vezes por mês nos últimos cinco anos. Acho que não faltou a uma aula sequer.

– Não, não faltei – confirmou ela.

– E nesses cinco anos dominamos os preceitos básicos do Bel Canto. Repetimos os exercícios tantas vezes que você seria capaz de cantar dormindo, não é?

– Sim, Luigi.

– Assistimos a espetáculos no Teatro di San Carlo, estudamos as grandes óperas, aprendemos seus enredos e exploramos as personalidades das personagens que um dia você talvez venha a interpretar.

– Sim.

– De modo que a sua voz, Rosanna, é agora uma tela perfeitamente preparada, pronta para ganhar cor e forma e ser transformada em uma obra-prima. – Ele fez uma pausa antes de prosseguir. – Eu lhe ensinei tudo o que sei. Não tenho mais nada a lhe ensinar.

– Mas... mas Luigi...

Ele estendeu a mão e segurou as dela.

– Rosanna, por favor. Você se lembra de quando veio me procurar com seu irmão? E de quando eu lhe disse que era cedo demais para saber se o seu dom cresceria junto com você?

Ela assentiu.

– Bem, ele *cresceu*, esse seu dom, e se transformou em algo demasiado raro para que eu o guarde só para mim. Rosanna, você agora precisa seguir em frente. Já está com quase 17 anos. Precisa entrar para uma escola de música de verdade, capaz de lhe dar o que eu não consigo.

– Mas...

– Eu sei, eu sei – disse Luigi com um suspiro. – Sua *mamma* e seu *papà* ainda não sabem que você tem vindo aqui. Tenho certeza de que estão torcendo para que neste verão, quando você terminar o colégio, encontre um bom rapaz, se case e lhes dê muitos netos. Estou certo?

– Está, Luigi. – A avaliação certeira dele a fez torcer o nariz.

– Bem, Rosanna, vou lhe dizer uma coisa. Deus lhe deu um dom, mas junto com esse dom vêm dificuldades e decisões difíceis de tomar. E só você pode decidir se tem coragem para tomá-las. A escolha é sua.

– Luigi, nos últimos cinco anos essas aulas foram a minha vida. Pouco me importou *papà* ter gritado comigo ou *mamma* me obrigado a servir mesas todas as noites, pois eu sempre podia pensar em quando viria aqui.

Ela estava quase chorando; seus olhos brilhavam.

– Cantar é o que eu mais quero no mundo. Mas o que vou fazer agora? Meus pais não têm dinheiro para pagar uma escola de música.

– Por favor, Rosanna, não fique assim. Eu só queria escutar que você deseja com paixão fazer do canto o seu futuro. É claro que sei das limitações financeiras de seus pais, e é nisso que eu talvez possa ajudá-la. Daqui a um mês e meio vou fazer uma *soirée* aqui, uma noite musical. Todos os meus alunos vão se apresentar. E convidei meu bom amigo Paolo de Vito, diretor artístico da renomada casa de ópera Scala de Milão. Paolo também é diretor da *scuola di musica* da Scala, que, como você sabe, é a melhor escola de música da Itália. Falei com ele a seu respeito e ele está disposto a vir de Milão para ouvi-la cantar. Se ele pensar, como eu, que sua voz é especial, talvez possa ajudá-la a ganhar uma bolsa para estudar na escola.

– É mesmo?

Os olhos dela se acenderam de esperança.

– Sim, é mesmo. E eu acho que você deveria convidar sua *mamma* e seu *papà* para a minha soirée, para que eles também a ouçam cantar. Se estiverem no mesmo recinto de pessoas que reconhecem quanto a filha deles é talentosa, talvez isso nos ajude.

– Mas, Luigi, eles vão ficar muito bravos por eu ter mentido todos esses anos. E não acho que vão vir.

Ela balançou a cabeça, desanimada.

– Tudo que você pode fazer é perguntar, Rosanna. Lembre-se, você está com quase 17 anos... já é quase adulta. Entendo que não queira deixar seus pais chateados, mas confie em Luigi e convide-os para vir. Promete?

Ela assentiu.

– Prometo.

– Certo, já perdemos tempo suficiente hoje. Vamos aprender uma das minhas árias preferidas. Quem sabe você poderá cantá-la na minha *soirée*? É a *Mi chiamano Mimi*, da ópera *La Bohème*. É uma ária bem difícil, mas acho que você está pronta. Hoje vamos estudar as partituras. Venha... – Luigi se levantou. – Temos trabalho a fazer.

❦

No ônibus a caminho de casa, Rosanna ficou perdida em pensamentos. Ao chegar, foi direto para a cozinha falar com Luca.

– *Ciao, piccolina*. O que houve? Você parece tensa.

– Podemos conversar? Só nós dois?

O rapaz olhou para o relógio.

– A noite está calma. Encontro você no lugar de sempre em meia hora.

Ele lhe deu uma piscadela e Rosanna se afastou depressa antes que um dos pais a visse.

❦

A Via Caracciolo estava movimentada de carros e turistas quando Luca a desceu em direção ao mar. Viu a irmã apoiada na mureta olhando para as ondas cheias de espuma que as sombras do outono coloriam com um tom de azul bem escuro. Com um misto de orgulho fraterno e instinto protetor, ficou observando dois homens passarem por ela, em seguida se virarem para olhá-la. Embora Rosanna nunca quisesse acreditar que era tão bonita quanto a irmã mais velha, Luca sabia que ela estava virando uma beldade: alta e magra, com o jeito desengonçado da infância aos poucos cedendo lugar a uma elegância natural realçada por membros alongados. Os cabelos compridos e escuros caíam pelos ombros e emolduravam o rosto em formato de coração e os olhos castanhos de cílios fartos. Quando ela sorria, ele não conseguia lhe negar nada, e pagar suas aulas era o único motivo que ainda o fazia trabalhar na cantina, onde dava conta da maior parte do serviço enquanto o pai, sentado em uma mesa do canto, ficava bebendo com os amigos.

– *Ciao, bella* – falou ao chegar junto dela. – Venha, vamos tomar um café, aí você me conta qual é o problema.

Ele a conduziu até uma mesa na calçada em frente a um café. Pediu dois *espressos* e examinou o semblante preocupado da irmã.

– Me diga o que aconteceu.

– Luigi não quer mais me dar aulas.

– Mas eu achei que ele estivesse satisfeito com sua evolução...

Luca estava pasmo.

– E está. Ele não quer mais me dar aulas porque diz que já aprendi tudo o que ele sabe. Luigi tem um amigo importante no Scala, que virá me ouvir cantar em uma *soirée* na *villa* dele daqui a um mês e meio. Ele talvez me ofereça uma bolsa para estudar em uma escola de música em Milão.

– Mas, *piccolina*, que notícia maravilhosa! Por que essa cara tão triste?

– Ai, Luca, o que vou dizer para *mamma* e *papà*? Luigi quer que eles vão me ouvir cantar na tal *soirée*. Mas, mesmo se eles forem, nunca vão me deixar sair de Nápoles e ir para Milão. Você *sabe* que não vão.

Os lindos olhos castanhos de Rosanna se encheram de lágrimas.

– Pouco importa o que eles disserem – falou Luca, balançando a cabeça.

– Como assim?

– Rosanna, você já tem idade suficiente para tomar as próprias decisões. Se *mamma* e *papà* não gostarem, se não forem capazes de ver e apoiar seu talento, é problema deles, não seu. Se o *Signor* Vincenzi acredita que você é boa o suficiente para ganhar uma bolsa e ir estudar em Milão e se vai trazer um amigo importante para ouvir você cantar, nada deve detê-la. – Luca segurou sua mão. – É a notícia que a gente estava esperando, não é?

As palavras de Luca ajudaram a diminuir a tensão de Rosanna.

– É. E é a você que devo agradecer. Por todos esses anos em que pagou minhas aulas. Como vou poder retribuir?

– Tornando-se a grande estrela da ópera que eu sempre soube que seria.

– Luca, você acha mesmo que isso vai acontecer?

– Acho.

– E *mamma* e *papà*?

– Deixe que eu cuido deles. – Luca fez o gesto apontando para si mesmo. – Garanto que eles estarão lá para ouvir você cantar.

Com lágrimas brilhando nos olhos, Rosanna se inclinou por cima da mesa e beijou o irmão na bochecha.

– O que eu teria feito sem você, Luca? Obrigada. Agora preciso ir para casa. Tenho de trabalhar na cantina hoje à noite.

Ela se levantou e se afastou. Luca deixou os olhos se perderem na baía em direção a Capri. Sentiu o coração leve como não sentia havia muitos anos.

Se Rosanna fosse para Milão, o que o prenderia ali?

Nada. Nada mesmo.

# 5

– Canalha! – Carlotta irrompeu em prantos e desabou no sofá. – Como você pôde fazer uma coisa dessas, Giulio?

– Carlotta, por favor. Eu sinto muito. – Giulio a encarou, desconsolado. – Mas estamos casados há cinco anos, e há quatro não posso encostar um dedo em você! Um homem tem suas necessidades...

– Que você supriu com a sua secretária! Com certeza todo mundo na sua firma sabe. Eu devo ser motivo de piada!

– Ninguém sabe, Carlotta. O caso durou só algumas semanas e agora acabou, eu juro.

– E, antes disso, com quem foi? Quantas outras mulheres você levou para a cama sem eu saber?

Ele andou até a mulher. Caiu de joelhos no chão e segurou as mãos dela.

– *Cara*, por favor, será que você não entende? É você que eu quero, só você... você foi a única que eu sempre quis. Mas, desde o dia em que nos casamos, nunca senti que *você* me quisesse. Você se mostrou tão fria... – Giulio estremeceu. – Acho que só se casou comigo por causa do bebê. Não foi?

Carlotta o encarou. Então recolheu as mãos, e cinco anos de ressentimento e infelicidade finalmente transbordaram.

– Tem razão, foi mesmo. Nunca amei você; com certeza não queria me casar com você. Eu poderia ter ficado com quem quisesse! Quando penso na vida que poderia ter tido... E aqui estou, jogando fora meus melhores anos com um homem de quem nem gosto! E sabe o que é mais engraçado? – Carlotta se levantou, trêmula de raiva. – O bebê nem era seu. Nem era *seu*.

Fez-se uma curta pausa antes de ela tapar a boca com a mão, arrependida do que acabara de dizer.

Giulio a encarava. Seu rosto havia adquirido uma palidez de morte.

– Está me dizendo a verdade? Está me dizendo que Ella não é minha filha?

– Eu... – Carlotta foi incapaz de encará-lo.

Enterrou a cabeça nas mãos e começou a chorar.

Giulio se levantou e saiu do apartamento batendo a porta.

Carlotta afundou outra vez no sofá.

– Meu Deus, meu Deus, o que foi que eu fiz? – lamentou, dirigindo-se às paredes silenciosas.

Quisera muito magoá-lo pelo que ele havia feito, por tirar a única coisa que lhe restava: o orgulho.

Duas cruciantes horas mais tarde, Giulio voltou. Quando ele entrou de novo na sala, ela correu na sua direção, aos prantos.

– Me perdoe, Giulio, me perdoe. Fiquei magoada com o que você fez e quis feri-lo. É mentira, eu juro. Ella é sua.

Giulio a afastou enojado, os olhos desprovidos de qualquer emoção.

– Não, Carlotta, não é mentira. Agora que pensei bem, tudo se encaixa. Não consigo acreditar no quanto fui cego. A menina nasceu cinco semanas antes do tempo, mas com tamanho normal e saudável. Soube que você não era mais virgem quando dormimos juntos pela primeira vez, embora nunca tenha comentado nada. Sua cara infeliz no dia do nosso casamento, o modo como você estremecia toda vez que eu a tocava... Me diga, você amou esse outro homem?

Depois de algum tempo, sabendo que não havia como voltar atrás, ela balançou a cabeça devagar, derrotada.

– Não. Foi um erro terrível, uma noite de burrice.

– Pela qual você decidiu *me* fazer pagar? – Giulio se sentou pesadamente no sofá. – *Mamma mia*, Carlotta! Eu sabia que você era egoísta, mas não fazia ideia de que fosse totalmente sem coração. Quem mais sabe disso?

– Ninguém.

– A verdade, Carlotta, por favor. É o mínimo que você me deve.

– Luca sabe – confessou ela.

– Vocês bolaram tudo juntos, não foi? – cuspiu ele.

– Não, Giulio. Não foi assim. Eu estava desesperada. E pensei que, como eu ia mesmo me casar com você...

Ele estendeu a mão e segurou o braço dela.

– Ia mesmo, Carlotta? Pensei que você tivesse dito mais cedo que não me amava, que na verdade nem *gostava* de mim.

— Ai! Por favor, Giulio, você está me machucando. Já falei que disse essas coisas da boca para fora. Eu...

— Só que *não foi* da boca para fora, não é, Carlotta? — Ele soltou o braço dela de repente e deu um suspiro cansado. — Não sou um homem ruim. Sempre quis o melhor para você e para Ella. Passei todos esses anos tentando fazer você me amar como eu a amava. E agora descubro que meu casamento era uma farsa antes mesmo de começar!

— Por favor, Giulio, por favor! — implorou ela. — Me dê mais uma chance. Eu vou compensar você, eu *juro*. Agora que contei, podemos começar tudo de novo, sem mentiras. Um recomeço limpo...

— Não, daqui não há como voltar — disse ele com uma risada amarga. — Enquanto estive fora, fiquei caminhando, pensei um pouco e tomei uma decisão. Agora que você finalmente foi honesta comigo, quero que faça as malas e vá embora. Pode dizer a todo mundo que deixou seu marido porque ele a estava traindo. Ninguém jamais precisa saber a verdade. Estou disposto a assumir a culpa pelo bem de Ella. Mesmo ela *não sendo* sangue do meu sangue, sempre a amei como se fosse. E não quero fazer da vida dela uma desgraça.

— Não, por favor! Para onde eu vou? O que vou fazer? — Carlotta gemia de tanto desespero.

— Isso não é mais problema meu. Minha firma tem escritórios em Roma, e vou pedir transferência para lá assim que puder.

— Mas e Ella? A menina tem você como seu pai. Ela o ama, Giulio.

— Você deveria ter pensado nisso antes de enganar a nós dois. — Ele virou-lhe as costas, ainda trêmulo de raiva e de emoção. — Agora vou para a cama. Estou cansado. Você dorme aqui na sala e amanhã de manhã, quando eu sair para o escritório, pode fazer suas malas e ir embora antes de eu voltar.

☙❧

Antonia abraçou a filha junto ao peito generoso.

— É claro que podem passar um tempo aqui conosco. Não precisa nem pedir. Ah, Carlotta, minha pobre menina, o que foi? O que aconteceu? — Encarou a filha com um ar preocupado. — Você parece um fantasma. Quer deitar um pouco? Pode dormir com Ella no seu antigo quarto, e Rosanna dorme no sofá da sala.

Pálida, Carlotta assentiu com um movimento cansado de cabeça.

– Ai, *mamma*, ai, *mamma*...

Antonia viu que a neta, de 4 anos, olhava aflita para a mãe. Chamou Luca, que apareceu à porta.

– Leve Ella para a cozinha e lhe dê alguma coisa para comer enquanto converso com sua irmã – murmurou. – Só Deus sabe o que aconteceu.

Luca olhou para Carlotta. O rosto abalado da irmã lhe revelou tudo.

Antonia pegou um lenço e enxugou a testa enquanto empurrava a filha até o quarto.

– Minha nossa, hoje está calor demais para ter problemas assim.

– Desculpe. Não vou ficar muito tempo. – Carlotta se deixou cair sentada na cama, e Antonia se sentou pesadamente ao seu lado. – Você está bem, *mamma*? Parece adoentada.

– Estou bem, sim. É só o calor. Por favor, me conte o que aconteceu. Você e Giulio tiveram uma discussão feia, foi isso?

– Sim.

– Não se preocupe. – Ela abraçou a filha. – Todos os maridos e mulheres se desentendem. Seu *papà* e eu vivíamos discutindo. Hoje em dia não temos mais energia. – Deu uma risada tensa. – Vai se sentir mais calma depois de dormir um pouco. Aí pode voltar para Giulio e fazer as pazes.

– Não, *mamma*. Eu nunca vou poder voltar. Nosso casamento acabou. Para sempre.

– Mas por quê? O que você fez?

Carlotta virou as costas para a mãe e começou a soluçar.

Com um suspiro, Antonia se levantou da cama.

– Descanse um pouco, Carlotta. Conversamos mais tarde.

❦

Naquela noite, ao voltar do ensaio com o coral, Rosanna se espantou ao encontrar um pequeno calombo em sua cama. Sua sobrinha Ella estava dormindo profundamente. Rosanna saiu do quarto sem fazer barulho e desceu o corredor comprido até a sala. A porta estava fechada, mas pôde ouvir os pais conversando.

– Não sei o que aconteceu, Marco. Ela não quer dizer nada. Está lá embaixo conversando com Luca. Quem sabe ele consegue fazê-la dizer alguma coisa. Tentei ligar para Giulio, mas ninguém atendeu no apartamento deles.

– É claro que ela precisa voltar para o marido. Seu lugar é lá. Vou dizer isso a ela. – Pelo tom de voz, Marco parecia uma fera.

– Por favor, deixe-a em paz hoje. Ela está muito abalada – pediu Antonia.

Rosanna empurrou a porta e entrou.

– O que houve?

– Sua irmã deixou o marido, e ela e a filha vão passar uns dias aqui. Você pode dormir neste sofá. – A respiração de Antonia estava curta e acelerada. Ela se levantou devagar.

– Está tudo bem, *mamma*? – indagou Rosanna, indo na sua direção.

– Eu... tudo, tudo bem. – Antonia cambaleou um pouco antes de recuperar o equilíbrio. – Preciso descer. Preciso de um pouco de ar puro. – Ela se abanou com violência e se retirou com passos pesados.

– *Papà*, por que Carlotta deixou Giulio? Eu...

De repente, ouviu-se um baque forte na escada.

Marco e Rosanna saíram correndo até o corredor. Antonia estava caída no pé da escada que conduzia à cantina.

– *Mamma mia!* Antonia! Antonia!

Marco desceu apressado até a mulher estendida e se ajoelhou ao seu lado; Rosanna veio logo atrás.

– Vá correndo chamar o médico, rápido! – gritou o pai. – Chame Luca e Carlotta!

Rosanna atravessou correndo a cantina vazia até a cozinha. Luca estava em pé com os braços em volta de Carlotta, reconfortando-a enquanto ela soluçava no seu ombro.

– Rápido! *Mamma* desabou na escada! Vou chamar o médico! – falou, antes de abrir a porta e sair correndo pela rua calçada de pedra.

Carlotta e Luca encontraram Antonia com a cabeça caída para trás, sobre o piso de lajotas. O sangue escorria de um ferimento no meio dos fartos cabelos, sua pele estava descorada e os olhos se encontravam parcialmente abertos. Carlotta se ajoelhou junto à mãe e procurou seu pulso.

– Ela está...?

Em pé, ao lado da mulher, Marco não conseguiu concluir a frase.

– Vamos tentar pelo menos deixá-la mais confortável – sugeriu Luca, aflito.

Pai e filho conseguiram meio carregar, meio arrastar Antonia para um lugar mais amplo, na cantina, enquanto Carlotta ia buscar uma almofada para repousar sua cabeça.

Rosanna voltou com o médico após uma agonia que durou quinze minutos.

– Por favor, me diga que ela não se foi. Não a minha Antonia, não a minha mulher – gemia Marco. – Por favor, doutor, salve-a.

Luca, Carlotta e Rosanna olhavam sem dizer nada enquanto o médico usava um estetoscópio para auscultar Antonia e tentava encontrar seu pulso. Quando ele ergueu a cabeça, todos viram a resposta nos seus olhos.

– Eu sinto muito, Marco – disse o médico, balançando a cabeça. – Acho que Antonia teve um ataque cardíaco. Não há nada mais que possamos fazer por ela. Temos de mandar chamar Don Carlo agora mesmo.

– O padre! – Marco encarou o médico sem acreditar, em seguida se ajoelhou e enterrou a cabeça no ombro sem vida de Antonia. Começou a chorar. – Sem ela eu não sou nada, nada. Ah, *amore mio*, meu amor, meu amor...

Os três filhos observavam em silêncio, chocados, sem conseguir se mexer. O médico guardou o estetoscópio na maleta e se levantou.

– Rosanna, vá chamar Don Carlo. Nós ficamos aqui. Vamos preparar sua mãe.

Rosanna soltou um ganido e, cerrando os punhos para não desmoronar por completo, levantou-se e saiu da cantina.

– O que aconteceu? Por que o *nonno* está chorando? – perguntou Ella, aparecendo no alto da escada.

– Venha com a *mamma*, Ella. Vou explicar o que aconteceu.

Carlotta foi até a filha e a conduziu com delicadeza até os outros.

– Acho melhor você fechar a porta da cantina até Don Carlo chegar, Luca. Tenho certeza de que não vai querer nenhum cliente agora – sugeriu o médico.

– Claro.

Tremendo, Luca andou até a porta da frente e girou a chave. Marco segurava a mão da mulher no colo e a afagava enquanto soluçava descontroladamente. Luca voltou, ajoelhou-se ao lado do pai e pôs o braço em volta dos seus ombros encolhidos. Lágrimas começaram a escorrer por suas faces. Ele estendeu a mão e acariciou de leve a testa da mãe.

Marco ergueu os olhos para ele; a agonia era visível na sua expressão.

– Sem ela, eu não sou nada, nada.

⁂

Dois dias mais tarde, Don Carlo rezou um réquiem particular para a família. Depois da missa, o corpo de Antonia passou a noite na igreja que ela havia frequentado a vida inteira. Na manhã seguinte, seus amigos e parentes encheram o templo para o enterro. Rosanna se sentou na primeira fila, entre Luca e Ella, com um véu preto na frente do rosto obscurecendo, a seus olhos, o caixão que abrigava o corpo da mãe morta. Marco segurou a mão de Carlotta e chorou, desconsolado, durante toda a missa e o enterro. Em seguida, foram todos para a cantina, onde Luca e Rosanna haviam se esforçado para montar uma recepção decente para sua *mamma*.

Horas depois, quando os convidados finalmente se retiraram, a família Menici permanecia sentada na cantina, ainda anestesiada pelo choque. Marco ficou em silêncio, com os olhos perdidos, até Carlotta o ajudar delicadamente a se levantar da cadeira.

– Vocês dois podem limpar aqui embaixo – ordenou ela. – Eu levo *papà* lá para cima.

– Vamos abrir amanhã, *papà*? – indagou Luca baixinho enquanto Marco caminhava devagar na direção da escada.

Seu pai se virou e olhou para ele com um ar desolado.

– Faça como quiser.

Então seguiu Carlotta escada acima como uma criança obediente.

⁂

No dia seguinte, quando Luca abriu a cantina, Marco não desceu para ajudá-lo. Permaneceu na sala do andar de cima, com Carlotta ao seu lado, olhando em silêncio a fotografia da mulher.

– Mais duas pizzas marguerita e uma especial – entoou Rosanna, abrindo a porta da cozinha e cravando o pedido no prego.

– Vai demorar no mínimo vinte minutos. Tenho oito pedidos antes desse – respondeu Luca com um suspiro.

Rosanna pegou duas pizzas e as pôs sobre uma bandeja para servir.

– Talvez *papà* volte ao trabalho em breve. E Carlotta pode nos ajudar.

– Tomara que sim, tomara mesmo – grunhiu Luca.

Passava da meia-noite quando os dois irmãos conseguiram se sentar na cozinha para jantar.

– Tome, beba um pouco de vinho. A gente merece. – Luca serviu um pouco de Chianti em dois copos e passou um para Rosanna.

Eles comeram e beberam em silêncio, exaustos demais para falar. Quando terminaram, Luca acendeu um cigarro.

– Pode abrir a porta, Luca? Luigi falou que fumaça de cigarro é muito ruim para a voz – pediu Rosanna.

– Mil perdões, *Signorina Diva*! – O rapaz arqueou a sobrancelha e foi abrir a porta dos fundos. – Falando nisso, quando vai ser sua *soirée* na casa do *Signor* Vincenzi?

– Daqui a quinze dias, mas a esta altura não vejo como *papà* poderia ir. De toda forma, de que adiantaria? – Seu desespero aumentou ainda mais. – Agora que *mamma* se foi e *papà* não consegue mais trabalhar, vocês vão precisar de mim aqui na cantina.

– Se ele não voltar amanhã, vou ter de pôr um anúncio procurando ajuda. Duvido que consiga convencer Carlotta a servir as mesas.

– Você sabe o que aconteceu entre ela e Giulio? – perguntou Rosanna. – Quando *mamma* morreu, pensei que ele pelo menos fosse aparecer no enterro para prestar uma última homenagem. Coitada da Carlotta... primeiro o marido, agora a *mamma*. Ela parece um fantasma. – Rosanna suspirou.

– É, ela com certeza foi punida pelo erro que cometeu.

– Que erro, Luca?

– Ah, nada que você precise saber.

Ele apagou o cigarro com o sapato e fechou a porta da cozinha.

– Queria que todo mundo parasse de me tratar como criança! Daqui a pouco vou fazer 17 anos. Por que não me conta o que aconteceu?

– Bom, se você quiser se comportar como adulta, Rosanna, precisa pensar no próprio futuro – retrucou Luca. – A morte da *mamma* não muda nada.

– Muda sim, Luca, muda tudo. *Papà* nunca, *nunca* vai me deixar ir para Milão agora que a *mamma* morreu.

– Um passo de cada vez: primeiro vamos tentar convencê-lo a ir ouvir você cantar. Acho que talvez lhe faça bem sair um pouco de casa e poder se orgulhar da filha talentosa.

– Você acha que é certo fazer planos para o futuro tão pouco tempo depois da morte da *mamma*? – indagou ela, culpada. – Não sinto vontade de cantar.

– É claro que não sente. Mas precisa – insistiu Luca. – Passou todos esses anos indo à casa de Luigi, e agora é a sua chance de tornar seu sonho realidade. Carlotta pode cuidar da cantina por uma noite. Vou pedir a Massimo e Maria Rossini para virem ajudá-la.

– Sabe de uma coisa, Luca? Eu acho que deveria estar mais triste pela *mamma* do que realmente estou – confessou Rosanna baixinho. – Mas tudo o que sinto é uma dormência aqui dentro. – Ela apontou para o próprio peito.

– É natural, é o choque. Nenhum de nós consegue acreditar que ela morreu. Mas acho que manter-se ocupado ajuda. E nunca se esqueça, Rosanna, de que a *mamma* teria querido o melhor para você. Agora eu acho que está na hora de dormirmos um pouco. Amanhã vamos ter outro dia cheio. Venha, *piccolina*.

Sem forças, Rosanna seguiu o irmão para fora da cozinha.

# 6

– Então, cante a ária como se estivesse se apresentando para uma plateia.

Rosanna assentiu e foi até o meio da sala de música. As notas suaves do piano flutuaram até onde ela estava, e ela começou a cantar. Quando terminou, viu Luigi encarando-a com um ar pensativo.

– Algum problema?

– Não... Por quê?

– Porque parece que tem uma sucuri esmagando as suas cordas vocais. Venha, sente-se aqui.

Ela atravessou o recinto e sentou-se na banqueta do piano ao seu lado.

– É por causa da sua *mamma*? – perguntou ele com delicadeza.

Ela fez que sim.

– É, e também porque... porque...

– Porque o quê?

– Luigi, não adianta nada eu cantar para o seu amigo na *soirée*. Agora não tenho mais como ir estudar em Milão. – Ela deixou escapar um soluço.

– E por quê?

– Porque *mamma* morreu, e *papà* vai precisar de mim para ocupar o lugar dela. Agora que terminei o colégio, ele vai querer que eu trabalhe na cantina e cuide dele. Não posso deixá-lo sozinho, não posso. Sou filha dele.

– Entendo. – Luigi assentiu. – Bom, nesse caso, quando cantar aqui na terça à noite você não terá nada a perder, certo?

– Acho que não. – Rosanna encontrou o lenço e assoou o nariz.

– Seu *papà* vem ouvi-la?

– Não, acho que não. Ele agora mal desce a escada até a cantina.

Luigi a encarou com seus olhos sábios.

– Existem algumas coisas na vida que estão fora do nosso controle, sabe? Às vezes precisamos deixar tudo a cargo do destino. Mas eu só posso lhe dizer uma coisa: se você cantar como em geral canta quando está comigo, talvez fique surpresa com o resultado. – Ele deu um beijo carinhoso no alto da cabeça da moça. – Então, deixe o destino decidir. Agora vamos lá, de novo.

⸙

Na terça-feira seguinte, Rosanna pegou o ônibus para a *villa* de Luigi. Por ironia, apesar do peso que sentia no coração, o começo de noite estava perfeito e agradável, e o sol poente lançava uma luz rosada sobre Nápoles enquanto ela olhava desanimada pela janela do coletivo. Carlotta havia aceitado cuidar da cantina, e Maria e Massimo a ajudariam. Enquanto subia até a Villa Torini, Rosanna pensou com tristeza que estava usando o mesmo vestido preto que usara no enterro da mãe. Duvidava que fosse ver o pai entre os convidados da *soirée*. Quando Luca dissera a *papà* que ia levá-lo para ouvir Rosanna cantar, Marco o havia ignorado, e nem sequer parecera ouvir o que ele lhe dizia.

Luigi veio recebê-la na porta da frente. Estava diferente e muito elegante, de smoking e gravata-borboleta.

– Entre, Rosanna. Você está linda – falou, em tom de aprovação, enquanto a conduzia até a sala de música.

As portas de vidro estavam abertas e calçadas por dois grandes arranjos de flores, e na varanda lá fora havia diversas filas de cadeiras.

– Olhe. – Luigi guiou Rosanna até o meio da varanda. – É aqui que você vai ficar em pé para cantar. Agora venha conhecer os colegas que também vão se apresentar.

Seis outros cantores que conversavam nervosos na sala de estar pararam de falar assim que os dois entraram.

– Esta é Rosanna Menici. Ela vai ser a última a cantar. Sirva-se à vontade, Rosanna. – Luigi apontou para uma mesa posta com grandes jarras de limonada e travessas de *antipasti*. – Preciso ir receber meus outros convidados.

Rosanna sentou-se em uma poltrona de couro no canto. Os outros cantores retomaram a conversa, mas ela estava nervosa demais para participar.

Ouviu a campainha tocar outra vez, e novamente o murmúrio suave de vozes quando os convidados atravessaram a sala a caminho da varanda.

Luigi passou a cabeça pela porta.

– Senhoras e senhores, cinco minutos – anunciou. – A *Signora* Rinaldi virá buscá-los. Quando terminarem de se apresentar, podem se sentar na plateia. Talvez aprendam uns com os outros. Boa sorte.

Passados alguns minutos, a *Signora* Rinaldi apareceu para buscar o primeiro a se apresentar. Em pouco tempo, o barulho da varanda cessou e Rosanna ouviu o piano de cauda. Um após o outro, seus colegas foram sumindo, até ela ficar sozinha na sala.

Pouco depois, a *Signora* Rinaldi apareceu na porta.

– Venha, Rosanna, agora é sua vez.

A moça assentiu e se levantou; tinha as palmas das mãos suadas e o coração disparado. Seguiu a governanta pelo corredor até parar em frente à porta da sala de música para ouvir o final da última apresentação.

– O *Signor* Vincenzi me pediu para lhe dizer que seu *papà* e seu irmão estão na plateia. – Ela sorriu com afeto. – Garanto que você vai ser maravilhosa.

Uma onda de aplausos marcou o final da apresentação anterior. A *Signora* Rinaldi abriu a porta da sala de música e, com delicadeza, guiou Rosanna lá para dentro.

– E agora, nossa última apresentação, minha aluna muito especial: *Signorina* Rosanna Menici. Rosanna vem tendo aulas comigo há cinco anos, e esta é sua primeira apresentação em público. Espero que, quando a ouvirem cantar, vocês entendam que assistiram à estreia de um talento singular. A *Signorina* Menici vai cantar "Mi chiamano Mimì", de *La Bohème*.

Palmas educadas ecoaram enquanto Luigi voltava para sua banqueta. Rosanna ouviu-o tocar os primeiros compassos com a mente tomada por uma confusão de pensamentos conflitantes. Não ia conseguir, não tinha voz, sua voz não ia sair...

Então uma coisa muito estranha aconteceu. Em meio ao borrão de rostos da plateia, ela viu sua *mamma* a lhe sorrir, incentivando-a, pedindo-lhe para ela cantar.

*Você vai conseguir, Rosanna. Vai conseguir...*

Ela inspirou fundo, abriu a boca e soltou a voz.

✤

Luigi estava com dificuldade para ler as partituras à sua frente, pois tinha os olhos inundados de lágrimas. Cinco anos de trabalho árduo, e nessa noite

Rosanna e sua linda voz tinham alcançado a maioridade, como ele sempre soubera que aconteceria.

※

Paolo de Vito estava sentado na segunda fila, de olhos fechados. Vincenzi tinha razão quanto àquela moça. Sua voz era um dos sopranos mais puros que ele já ouvira. Tinha colorido, tonalidade, força, profundidade; todas as notas da difícil ária saíram com clareza, perfeitamente pensadas. Além do mais, a moça parecia entender sobre o que estava cantando. Ele podia sentir a emoção pura que pairava de modo visível no ar, paralisando os espectadores. Sentiu arrepios percorrerem sua espinha. Rosanna Menici era sensacional, e ele queria ser aquele que apresentaria seu talento ao mundo.

※

Sem conseguir acreditar, Marco Menici tinha os olhos pregados na figura esbelta em pé à sua frente. Será que aquela era mesmo Rosanna, a menina tímida que sempre fora tão fácil de ignorar? Sabia que a filha tinha uma bela voz, mas nessa noite... ora, ela estava cantando na frente de todas aquelas pessoas como se tivesse nascido para isso! Quem dera Antonia estivesse ali para vê-la. Marco secou as lágrimas.

※

Com o rabo do olho, Luca Menici observou a expressão do pai e agradeceu a Deus por tê-lo ajudado a convencer Marco a vir. Também piscou para espantar uma lágrima. A sorte estava lançada. Sabia que nada poderia deter Rosanna agora.

※

Quando as últimas notas foram entoadas, a plateia ficou em silêncio. Rosanna permaneceu parada, como num transe, enquanto via desaparecer o rosto de sua *mamma*, para quem havia cantado nos últimos minutos. Um estrondo de palmas entusiasmadas irrompeu em seus ouvidos, e Luigi então surgiu ao seu lado; juntos, eles se curvaram várias vezes para agradecer. Os outros alunos que haviam se apresentado juntaram-se a eles, e a plateia se pôs de pé.

Luigi ergueu as mãos e pediu silêncio.

– Obrigado por terem vindo. Espero que nossa humilde apresentação tenha lhes proporcionado prazer. Agora vamos servir bebidas e vocês terão a chance de confraternizar com nossos artistas.

Uma nova explosão de palmas seguiu o breve discurso, e ele então foi cercado por pessoas que lhe deram tapinhas nas costas e apertaram sua mão. Sem saber direito o que fazer, Rosanna ficou parada sozinha. Uma garçonete lhe ofereceu uma taça de Prosecco. Ela tomou um gole e engasgou sem conseguir se controlar quando as bolhas fizeram cócegas na sua garganta.

– *Piccolina*, ah, Rosanna, você foi.... magnífica! – Luca havia aparecido ao seu lado. – Um dia vai ser uma estrela e tanto... eu sempre soube.

– Onde está *papà*? Ele gostou? Ficou zangado por não termos lhe contado sobre as aulas? – indagou Rosanna, aflita.

– Quando o *Signor* Vincenzi disse que você vinha fazendo aulas com ele havia cinco anos, a cara dele ficou parecendo um trovão. Mas agora que ele a ouviu cantar, bem... – Luca deu uma risadinha. – Está se gabando com todo mundo que você é filha dele.

Ela olhou para a varanda e viu Marco falando com várias pessoas. Percebeu que o pai estava sorrindo pela primeira vez desde a morte de sua *mamma*.

Luigi se aproximou acompanhado por um homem de meia-idade vestido com elegância.

– Rosanna, queria que você conhecesse uma pessoa. Este é o *Signor* Paolo de Vito, diretor artístico do Scala de Milão.

– *Signorina* Menici, é um prazer conhecê-la. Luigi me falou muito sobre você. E agora que a ouvi cantar devo dizer que ele não estava exagerando. Sua apresentação hoje foi de tirar o fôlego. Como sempre, Luigi fez um trabalho esplêndido. Ele tem faro para talentos especiais.

Luigi deu de ombros com modéstia.

– Só posso trabalhar com as ferramentas de que disponho.

– Acho também, amigo, que você tem a sua dosezinha de genialidade própria. Não concorda, *Signorina* Menici? – Paolo sorriu para Rosanna.

– Luigi foi maravilhoso comigo – respondeu ela, tímida.

– E ele me disse que o seu *papà* está aqui hoje? – falou Paolo.

– Sim.

– Bem, se me der licença, eu gostaria de conversar com ele. Pode nos apresentar, Luigi?

Luca e Rosanna ficaram observando nervosos do outro lado da varanda enquanto Luigi apresentava Paolo de Vito a Marco. Os três se sentaram, e Luigi acenou para a garçonete trazer mais Prosecco.

Rosanna virou as costas.

– Não aguento nem olhar – falou. – Sobre o que você acha que eles estão conversando?

– Você sabe o que eles estão dizendo. Depois da apresentação de hoje, não há motivo para falsa modéstia. – Luca voltou a atenção para uma senhora enfeitada com muitas joias e o marido, que vieram parabenizar Rosanna pela apresentação.

Por fim, Luigi se levantou e acenou para chamar Rosanna e Luca.

– Rosanna, *bravissima!* – Marco se levantou e beijou a filha nas duas faces. – Por que não me contou que estava fazendo aulas de canto? Se eu soubesse, é claro que teria ajudado. Menina danada, hein? – Seu *papà* sorriu. – Bem, são águas passadas. O *Signor* de Vito me disse que acredita que você um dia vai ser uma grande estrela. Ele quer que você vá estudar em uma escola de música em Milão. Tem certeza de que vão lhe oferecer uma bolsa.

Paolo deu de ombros.

– Como diretor da escola e do Scala, posso tomar o que se poderia chamar de decisão executiva.

– E o que o senhor diz, *papà?* – quis saber Luca, ansioso.

– Bem, não há nada de errado em ter um talento desses, mas eu não poderia deixar minha filha ir sozinha para a cidade grande. Quem poderia saber o que aconteceria com ela? – Marco deu um suspiro.

Rosanna sentiu a adrenalina da noite se esvair. Ela estava certa. No final das contas, fora tudo em vão. *Papà* diria não.

– Então o *Signor* Vincenzi sugeriu que alguém deveria acompanhá-la – prosseguiu Marco. – E eu, é claro, fiquei pensando: mas quem? Em quem eu poderia confiar para cuidar da minha filha e mantê-la segura? Então entendi: em Luca, meu filho, que durante todos esses anos tirou dinheiro do próprio bolso para ajudar você.

– Quer... quer dizer que o senhor vai me deixar ir para Milão se Luca for comigo? – Rosanna ergueu os olhos para o pai, assombrada.

– Sim. Parece a solução perfeita – disse Marco.

– Mas e o senhor, *papà*? Não poderíamos deixá-lo sozinho.

– Luca encarava o pai como se ele tivesse perdido a razão.

– Mas Luca, eu não vou estar sozinho. Carlotta e Ella estão em casa agora. E minha filha insiste que não vai voltar para o marido. Então ela pode cuidar do seu velho *papà* e ajudar na cantina. E eu arrumo alguém para substituí-lo. Você cozinhava mal, mesmo – brincou Marco. – E, como disseram esses dois cavalheiros... – Ele meneou a cabeça na direção de Luigi e Paolo. – Precisamos tentar fazer tudo que pudermos para apresentar ao mundo o seu precioso dom, Rosanna. Então é isso. Está feliz?

– Ai, *papà*! Eu.. é claro que estou feliz! Obrigada, obrigada!

– Rosanna lhe deu um abraço apertado, ainda sem conseguir acreditar que o tão ansiado futuro estava agora ao seu alcance.

– E você, Luca? Aceita acompanhar Rosanna a Milão? – indagou Luigi.

Os olhos de Luca brilharam.

– Não consigo pensar em nada que me desse mais satisfação.

– Muito bem, muito bem. Então está combinado – falou Paolo. – Me perdoem, mas preciso ir. Tenho um jantar agora na cidade com o diretor do Teatro di San Carlo. – Ele se levantou e virou-se para Rosanna: – Falarei com meus colegas sobre você assim que voltar a Milão. Se tudo correr bem, nos próximos dias você receberá uma carta oficial confirmando que recebeu uma bolsa. O semestre letivo começa em setembro. Estou muito ansioso para recebê-la na escola e, quem sabe, mais tarde, no próprio Scala. Boa noite, Rosanna. – Ele segurou sua mão e a beijou.

– Jamais poderei lhe agradecer o suficiente, *Signor* de Vito – respondeu Rosanna, com a voz rouca de emoção.

Paolo lhe sorriu e em seguida entrou na casa com Luigi. Os dois foram até a porta da frente.

– Você manejou a coisa toda muito bem, Paolo. Serei sempre grato a você – disse o professor.

– Já lidei muitas vezes com pais difíceis. – Paolo abriu um sorriso repentino. – Sabia que Marco me disse até que Rosanna tinha herdado a voz dele? E preciso lhe agradecer, Luigi, por confiá-la a mim. Darei o melhor de mim para que o talento dela seja cultivado.

– Sei que dará, Paolo. Tudo que lhe peço é um ingresso para a estreia dela no Scala.

– É claro. *Ciao*, Luigi.

O professor fechou a porta, e na mesma hora foi atropelado pela mãe de um de seus alunos. Por fim, conseguiu voltar para a varanda e foi procurar Luca.

– Tenho uma coisa para você, rapaz. – Ele pôs nas mãos de Luca um grosso envelope pardo. – É para você e Rosanna, para ajudar com as despesas em Milão. Você foi um irmão excepcional para ela. E acho que, em troca da sua bondade, também conquistou *sua própria* liberdade, não é?

Luca fez cara de espanto. Luigi lhe deu uns tapinhas no ombro e foi se juntar aos outros convidados.

Quando a família Menici chegou em casa no táxi que Luigi fizera questão de pagar, Luca subiu para o quarto e fechou a porta. Abriu o envelope e centenas de notas de lira caíram sobre a cama. Havia também uma carta, que ele desdobrou e leu:

*Guardei seu dinheiro desde o primeiro dia em que Rosanna me pagou. Queria dar aulas a ela de graça, mas entendo o que é orgulho. Também pensei que o dinheiro pudesse ser útil no futuro. Tenho certeza de que vocês saberão usá-lo. Com meus melhores votos, Luigi Vincenzi.*

Luca se deitou na cama sentindo o coração quase explodir diante daquele inesperado ato de bondade.

# 7

Sentada em uma cadeira da sala, Carlotta, imóvel, ouviu o pai explicar que Rosanna havia ganhado uma bolsa em uma escola de música em Milão e que Luca iria acompanhá-la.

– Tudo acabou dando certo. – Marco sorriu. – Antonia se foi, mas você, minha filha preferida, voltou para ocupar o lugar dela. E como me disse muitas vezes que não vai voltar para Giulio, pode ficar morando aqui com Ella e me ajudar na cantina, como sua *mamma* ia querer que fizesse.

Ele esperou a reação da filha. Carlotta apenas manteve o olhar perdido, como se não tivesse escutado.

– É um bom plano, não é? Para todos nós? – insistiu Marco.

Por fim, ela assentiu. Havia perdido bastante peso e os olhos castanhos se destacavam, imensos, no rosto abatido.

– Sim, *papà*. Ficarei aqui e cuidarei do senhor. Como disse, é o meu dever. Com licença, acho que vou dar uma volta.

Marco a observou se levantar e sair da sala. Torcia para que em breve a filha voltasse a ser como antigamente. Os dois ririam juntos e ele seria para Ella o *papà* que a menina acabara de perder. Servindo-se uma dose de conhaque, Marco pensou que, levando em conta as terríveis circunstâncias, as coisas pelo menos haviam saído melhores do que ele poderia ter esperado.

※

Rosanna estava procurando uma blusa branca limpa dentro de uma gaveta quando Carlotta entrou no quarto.

– Parabéns.

Ela encarou a irmã, apreensiva. Sabia que *papà* havia lhe contado sobre a mudança para Milão e não tinha certeza de qual seria sua reação.

– Obrigada.

– Por que não nos contou seu segredo, Rosanna?

– Porque... porque achei que ninguém fosse aprovar.

Carlotta sentou-se na cama e deu uns tapinhas no espaço ao seu lado. Rosanna se aproximou, nervosa.

– Você acha que estou com inveja, não é? Porque você e Luca em breve vão partir rumo a uma nova vida em Milão, enquanto eu vou ficar aqui e assumir o lugar da *mamma*?

– Luca e eu viremos passar todas as férias aqui. A gente vai ajudar você, eu juro – garantiu Rosanna.

– É bondade sua dizer isso, mas acho que depois que vocês forem embora vão esquecer a vida de antes.

– Não, Carlotta! Eu nunca vou esquecer você, nem *papà*, nem ninguém aqui da Piedigrotta – rebateu Rosanna, na defensiva.

– Não foi isso que eu quis dizer – retrucou sua irmã com voz suave. Ela estendeu a mão e segurou a de Rosanna. – Não vou negar que senti um pouco de inveja quando *papà* me contou, mas estou feliz por você, de verdade. Você ganhou uma chance e tomara... – Ela suspirou. – Tomara que tenha mais juízo do que a sua irmã mais velha e não a desperdice.

– Por favor, Carlotta, não fale assim. Você ainda é jovem. E pode ser que ainda volte com Giulio.

– Não, Rosanna, eu não vou voltar com Giulio – retrucou Carlotta, firme. – E nunca mais vou poder me casar, porque ele nunca vai se divorciar de mim. Você sabe o escândalo que um divórcio causaria por aqui. Então o que estou tentando dizer é que basta um instante de estupidez para arruinar sua vida para sempre. E não quero ver você sofrer o mesmo que sofri por causa disso.

– Tenho certeza de que não vou sofrer – respondeu Rosanna, ainda sem saber muito bem que erro era aquele que a irmã havia cometido. – Vou tomar cuidado, eu juro.

– Você é uma menina ajuizada, mas, em se tratando de homens... – Com um sorriso de ironia, Carlotta balançou a cabeça. – Qualquer mulher pode ser burra.

– Não me interesso por homens. Tudo que me interessa é cantar. Por favor, me conte: o que aconteceu entre você e Giulio?

– Agora não posso, mas um dia contarei. Tudo que sei é que paguei o preço pela minha estupidez e que vou continuar pagando pelo resto da vida – respondeu Carlotta com tristeza.

– E agora, para completar, você vai ter de ficar aqui e cuidar de *papà*! – falou Rosanna, subitamente tomada pela culpa. – Se eu não estivesse indo para Milão, aí...

Carlotta levou um dedo aos lábios da irmã.

– Não pense assim. Por enquanto, Ella e eu precisamos de *papà* tanto quanto ele precisa de nós. Tudo acabou dando certo.

– Não se importa mesmo de irmos para Milão e deixarmos você aqui?

– Não. Estou muito feliz por vocês, de verdade. Só me prometa que vai tomar conta de Luca.

– Claro – respondeu Rosanna.

– Somos muito sortudas de ter um irmão como ele. E é bom que ele vá com você. Você também deu a ele a liberdade, e isso é maravilhoso. Luca merece.

Carlotta se levantou, beijou com carinho o topo da cabeça da irmã e saiu do quarto.

Rosanna tirou a camiseta e vestiu a blusa branca do coral. Estava confusa com a reação de Carlotta. Esperava lágrimas, chiliques e ciúmes da irmã temperamental, não uma aceitação da própria sina quase digna de uma santa, e aquela resignação tão pouco típica de Carlotta à sua situação a perturbava. Além do mais, não conseguia se livrar da terrível sensação de que, ao conquistar a liberdade, ela e Luca, ao que parecia, haviam condenado sua linda irmã a uma vida de infelicidade.

❧

Roberto Rossini aguardou até estar totalmente desperto e só então abriu os olhos para a luz ofuscante daquela manhã de agosto em Milão.

Virou-se na cama e viu o rostinho bonito de Tamara, ainda mergulhado na paz do sono. Tamara era uma moça de fácil convívio e os dois haviam tido três semanas muito agradáveis. Agora, porém, era preciso terminar tudo, pois ela estava se tornando excessivamente possessiva e havia começado a falar sobre um futuro juntos. Quando as mulheres faziam isso, ele sabia que estava na hora de partir para outra.

Cruzou as mãos atrás da cabeça e ficou deitado apreciando o céu azul do outro lado da janela, pensando no dia que tinha pela frente. À tarde teria uma aula de canto e à noite participaria de uma apresentação beneficente no Scala para uma instituição de caridade que cuidava de crianças... não se lembrava de qual, mas todas as pessoas importantes da cidade estariam presentes.

Ele suspirou. Fazia cinco anos que era cantor lírico profissional e, embora agora fosse solista do Scala, sempre interpretava papéis secundários. Outras companhias europeias com as quais havia se apresentado tinham lhe oferecido papéis mais importantes nas futuras temporadas, mas o que ele mais queria era fazer sucesso no Scala. Fora lá que Caruso, seu herói, napolitano como ele, tinha feito fama. E fora também na magnífica ópera milanesa que Callas e di Stefano tinham feito algumas de suas melhores apresentações.

Roberto já estava ficando impaciente de tanto esperar a glória que, ele sabia, tanto sua voz quanto seu carisma mereciam. Embora 34 anos não chegasse a ser uma idade avançada para um cantor de ópera, tinha só mais alguns anos antes de seus belos traços ainda jovens e de seu corpo rijo entrarem na meia-idade. E o momento do verdadeiro sucesso, no auge de toda sua potência, ficaria para trás.

Mas como alcançar esse objetivo a tempo? Sabia ter qualidades que o destacariam dos demais, bastava lhe darem uma oportunidade. Tinha uma voz forte, singular, e que estava encorpando conforme ele amadurecia. Já haviam lhe dito muitas vezes que ele tinha ótima presença de palco e sabia como instilar emoção nos personagens que interpretava. Sendo assim, por que ainda não tivera a chance de brilhar em um papel de protagonista?

Cinco anos antes, ao entrar para a companhia, imaginara que seria apenas uma questão de tempo para ser promovido e poder fazer todos os papéis de tenor pelos quais tanto ansiava. Desde então, porém, papéis para os quais ele se julgava o artista certo, sob todos os aspectos, tinham ido parar nas mãos de outros. Cantores que ele mal considerava estavam ficando mais famosos e importantes do que ele.

Roberto virou as costas para o sol e deu um grunhido. Era preciso admitir que, apesar de todo o talento, ele tinha problemas de relacionamento com seus empregadores. Quando estava na escola de música, ele se prejudicara ao mandar uma série de alunas arrasadas irem chorar suas mágoas de amor nos ombros de seus supervisores. Sua reputação de Casanova não lhe rendera a simpatia de ninguém, e Paolo de Vito – que não era só diretor da escola, mas também diretor artístico da ópera – ficara sabendo de suas peripécias.

No ano anterior, ele tivera um caso com uma soprano convidada, que fora correndo se queixar para Paolo depois de Roberto a dispensar sem a menor cerimônia. O fato lhe custara um baita sermão e Paolo tinha dito que não era bom para a reputação da companhia que uma jovem e promissora soprano jurasse nunca mais pôr os pés ali.

Depois desse vexame, Roberto havia se desculpado com Paolo e prometido que aquilo não voltaria a acontecer. Passara o resto da temporada tentando desesperadamente se controlar, e a ambição de ter sucesso na companhia e de acalmar Paolo havia amenizado suas tendências mais hedonistas.

Muitas vezes ele se perguntara se a questão era um simples conflito de personalidades ou algo de outra ordem. Todos sabiam que Paolo era homossexual, e Roberto tinha certeza de que sua beleza máscula e seu sucesso com as mulheres não eram qualidades que lhe valeriam naturalmente a simpatia do *maestro*, por mais que ele se comportasse bem. E ele *tinha* se comportado bem... pelo menos até Tamara aparecer, vinda da Rússia. Fora impossível lhe dizer não.

Roberto rolou para fora da cama e entrou no banheiro para tomar uma chuveirada. A temporada terminava em setembro. Depois disso, ele iria passar uns dois meses se apresentando em Paris. Voltaria a Milão em novembro para o último ano de contrato e, se não conseguisse os papéis que desejava na nova temporada, tinha prometido a si mesmo desistir de tudo e sair do país para sempre. Até lá, precisaria ter paciência.

✲

Nessa noite, Roberto cantou para uma plateia avaliada em vários bilhões de liras.

Depois do espetáculo, houve uma recepção no foyer do teatro, para a qual a companhia inteira fora convidada. Enquanto bebericava uma taça de champanhe, ele decidiu ir embora assim que possível. Aquele tipo de evento o entediava: havia um número excessivo de esposas maquiadas demais, ostentando os reluzentes frutos da riqueza dos maridos já envelhecidos.

Mal-humorado, ele observou o jovem tenor espanhol, que na sua opinião havia interpretado um Otelo dos mais medíocres, ser elogiado pelo primeiro-ministro italiano e outros figurões conhecidos.

– Boa noite. Gostei de sua apresentação hoje.

Roberto ouviu a voz feminina atrás de si e se virou sem entusiasmo, preparado para cinco maçantes minutos de boa educação.

– Donatella Bianchi. Prazer em conhecê-lo – disse a mulher.

Ele apertou a mão estendida. Donatella Bianchi tinha uma gloriosa cabeleira negra encaracolada, olhos verdes que cintilavam mais do que as caríssimas esmeraldas em volta de seu pescoço e um par de seios sensacional. Embora com certeza passasse dos 40, exalava sensualidade. As unhas compridas e muito bem-feitas se demoraram na palma da mão de Roberto por um pouco mais de tempo do que o necessário.

– O prazer é todo meu. – Ele lhe abriu um sorriso genuíno.

– Já o vi se apresentar muitas vezes. Meu marido é um generoso patrocinador da companhia. Eu o considero um... artista de grande talento.

– A senhora é muito gentil.

O diálogo parecia formal, mas o contato visual entre os dois era elétrico. Donatella pôs a mão dentro da bolsa Gucci e sacou um cartão de visita.

– Me dê uma ligada amanhã de manhã, Roberto Rossini. Precisamos conversar sobre o seu futuro. *Ciao*.

Roberto guardou o cartão no bolso enquanto a observava caminhar em meio aos presentes e passar o braço em volta da considerável cintura de um homem baixo e meio careca.

Minutos mais tarde, Roberto se retirou. Ao atravessar a Piazza della Scala, pensou se ligaria para a *Signora* Bianchi. Casos com mulheres mais velhas em geral não faziam o seu estilo, mas estava claro que Donatella não era uma mulher comum.

Então, ao se deitar em sua cama à noite, ele se pegou pensando em tirar a roupa da *Signora* Bianchi. Nesse momento, soube que, apesar de sua hesitação, telefonaria para ela no dia seguinte.

# 8

– Estou bem?

– Rosanna, você está como sempre esteve: muito bonita.

– Ah, você só está dizendo isso da boca para fora.

– Escute, *piccolina*, é só seu primeiro dia na escola de música, não um concurso de beleza. Venha, senão a gente vai se atrasar.

Luca lhe estendeu as mãos e Rosanna as segurou.

– Ai, Luca, estou muito nervosa.

– Eu sei, mas vai dar tudo certo, eu juro. Agora temos de ir.

Ele trancou a porta do minúsculo apartamento no quinto andar e os dois começaram a descer os muitos degraus da escadaria.

– Eu gosto da nossa nova casa, mas espero que consertem logo o elevador. Ontem à noite contei 75 degraus. – Rosanna deu uma risadinha.

– Assim nós ficamos em forma. Além do mais, a subida vale a pena pela linda vista que temos de Milão.

Luca sabia que eles tinham tido sorte de encontrar um apartamento com uma localização tão central e desconfiava que Paolo houvesse mexido uns pauzinhos para ajudá-los.

Os dois chegaram à portaria e saíram para a larga calçada do Corso di Porta Romana, evitando por um triz colidir com o fluxo contínuo e intenso de pedestres nas duas direções. Luca consultou um papel no qual havia anotado as instruções dadas por Paolo.

– A gente poderia ir de bonde, mas a esta hora da manhã eles ficam lotados.

Nesse exato instante, ele observou um bonde passar sacolejando; havia passageiros pendurados nas janelas abertas. Dois rapazes correram atrás do veículo e, ousados, pularam na plataforma traseira para pegar carona.

– O *Signor* de Vito disse que daqui até a escola são só quinze minutos a pé. Bom, vamos testar e ver se ele está certo – gritou bem alto para superar a barulheira.

– Eu vivo me beliscando para acreditar que tudo isso está mesmo acontecendo – comentou Rosanna, deixando-se invadir pela atmosfera da cidade à medida que eles avançavam pela rua ruidosa, passando por cafés lotados e lojas que abriam as portas para iniciar o dia de trabalho. – O que você vai fazer enquanto eu estiver na escola?

– Acho que turismo – respondeu ele. – Milão tem várias igrejas antigas lindas e é por elas que vou começar. O Duomo fica a poucas ruas daqui. E preciso encontrar um lugar que seja próximo do apartamento. Prometi a *papà* que levaria você à missa todo domingo.

Como Paolo previra, uns quinze minutos depois os dois dobraram à esquerda na Via Santa Marta.

– Olhe a escola ali. – Rosanna parou na esquina e virou-se para o irmão. – Não precisa me levar até lá todas as manhãs. Quero que você também tenha sua própria vida aqui.

– Eu sei. E vou ter. Mas a minha prioridade é você.

Os dois atravessaram a rua e ficaram parados, admirando a entrada do prédio. Outros rapazes e moças passavam por eles e convergiam para a porta que conduzia aos reverenciados corredores da mais ilustre academia de música da Itália.

– Bem, chegamos – disse Luca, e sorriu para a irmã. – Agora vou me despedir. Encontro você aqui de novo às cinco.

Rosanna apertou a mão dele.

– Estou com medo, Luca.

– Vai dar tudo certo. Lembre-se: isto era o seu sonho. – Ele lhe deu dois beijos no rosto. – Boa sorte, *piccolina*.

– Obrigada.

❦

Três horas mais tarde, sentado em um pequeno café, Luca escrevia um postal para o pai enquanto comia uns *crostini* e tomava uma cerveja. Havia passado uma hora dentro do grande Duomo, em seguida passeado pela Galleria Vittorio Emmanuele, onde ficara assombrado com as lojas exóticas e com o preço das mercadorias ali expostas. Saíra da Galleria para a Piazza della Scala e passara um tempo admirando a lendária fachada da ópera de renome mundial onde um dia esperava ouvir a irmã cantar.

Nessa noite, queria organizar um jantar de comemoração para os dois. Olhou para o relógio e viu que ainda tinha muito a fazer antes de ir buscar Rosanna. Terminou de comer, pagou a conta e seguiu em direção ao apartamento. Enquanto caminhava, viu um pequeno supermercado com a vitrine abarrotada de tripas de linguiça caseira e caixotes de madeira com legumes e verduras frescos. Entrou e comprou todos os ingredientes de que ia precisar e uma garrafa de Chianti. Quando voltou para a rua, perdeu o senso de direção, dobrou à direita e foi parar na Via Agnello. Ao se dar conta de que havia errado o caminho, começou a dar meia-volta, mas teve a atenção atraída por uma igreja cuja torre se podia ver por trás dos prédios que margeavam a rua principal.

Decidiu ir ver mais de perto. Avançou por um beco estreito na direção da torre até chegar a uma pequena praça. Atravessou-a em direção à igreja e hesitou em frente à porta de madeira em arco. À direita da porta havia uma plaquinha. Esforçou-se para ler as palavras ali escritas, desgastadas pela ação do tempo.

– La Chiesa della Beata Vergine Maria... Igreja da Santa Virgem Maria – leu em voz alta.

Olhou para o relógio. Ainda tinha duas horas antes de buscar Rosanna. Tempo suficiente para satisfazer uma necessidade urgente de dar uma espiada lá dentro. Assim, entrou no vestíbulo.

Acima da porta que conduzia ao interior da igreja, um afresco antigo e desbotado retratava a Virgem Maria com o Menino Jesus no colo. Passou alguns segundos a fitá-lo em seguida entrou. O espaço estava deserto e seus olhos tiveram de se ajustar à penumbra que contrastava com a luz forte do lado de fora.

Ergueu os olhos para o alto teto em arco marcado por rachaduras no gesso. À sua esquerda, um querubim que segurava uma das pilastras tinha o nariz lascado e só metade das asas, e os bancos das filas à sua frente estavam tão gastos que o verniz sumira por completo. Apesar disso... apesar disso, mesmo com aquele aspecto abandonado e malcuidado, Luca se impressionou com a beleza da igreja e sua atmosfera acolhedora.

Seus passos ecoaram pelo templo quando ele avançou em direção ao altar. Embora não houvesse ninguém ali, teve a sensação de que não estava sozinho. Subitamente tonto e um pouco fraco, sentou-se em um dos bancos e pousou as sacolas de compras aos seus pés.

Ficou encarando a estátua da Virgem Maria no meio do altar. A tinta azul do vestido estava descascando e os seus lábios haviam perdido a cor vermelha original. Luca fechou os olhos, fez o sinal da cruz e começou a rezar.

Quando abriu os olhos, um facho de luz entrava pelas janelas de vitral da fachada e o sol batia na estátua. A luz foi ficando mais forte. Então, no centro da luz, ele viu uma silhueta borrada.

Os braços dela estavam abertos. E ela lhe falou.

Quando ele piscou os olhos, a imagem sumiu, deixando atrás de si apenas a luz forte do sol.

Luca passou um bom tempo parado. Quando enfim se mexeu, sentiu o corpo leve, como se houvesse perdido a gravidade. Levantou-se devagar e desceu o corredor da igreja até o altar. Lá chegando, deixou-se cair sobre um dos joelhos; lágrimas de alegria escorriam por seu rosto. Onde antes havia incerteza, agora havia um objetivo; onde antes havia o vazio, agora havia amor.

Não soube quanto tempo tinha se passado até sentir a mão de alguém no seu ombro. Sobressaltou-se e, ao se virar, deparou com um par de olhos castanhos cheios de sabedoria. Um velho padre lhe sorria, e Luca soube instintivamente que ele havia presenciado e entendido.

– Meu nome é Don Edoardo, sou *il parroco* desta igreja. Se quiser conversar, estou aqui todos os dias entre nove e meia da manhã e meio-dia.

– *Grazie*, Don Edoardo. Eu gostaria... gostaria de me confessar.

O padre assentiu. Luca se levantou, ainda com a sensação de falta de peso, e seguiu o sacerdote até o confessionário.

Quinze minutos mais tarde, ao sair da igreja, sabia que sua vida nunca mais seria a mesma.

※

Rosanna se atirou nos braços do irmão, exultante.

– Como foi?

– Maravilhoso! Aterrorizante, mas maravilhoso! São tantas vozes lindas, Luca... Como é que vou poder competir? E algumas das meninas, apesar de terem a mesma idade que eu, são muito maduras. As roupas que elas usam!

Acho que algumas devem ser muito ricas... e meu instrutor de música, o professor Poli, é muito severo e... Luca? – Ela parou de falar e encarou o irmão. – Tudo bem com você?

– Tudo. Nunca me senti melhor na vida. Por quê?

– Ah, é que você está... bem, não sei por que, mas está diferente. Talvez meio pálido.

– *Piccolina*, eu juro que estou... – Ele tentou encontrar uma palavra que descrevesse como estava se sentindo. – Radiante!

Rindo, fez a irmã atravessar a rua movimentada e os dois voltaram para casa de braços dados. Chegaram ao apartamento ofegantes por causa da escada e, ao destrancar a porta, Luca pensou que a tinta descascada precisava de um pouco de atenção.

– Pode ir tomar banho antes de a água quente acabar – sugeriu ele a Rosanna. – Vou preparar uma coisa especial para o jantar de hoje.

Rosanna olhou encantada para a pequena sala. Desde que havia saído pela manhã, os últimos vestígios das bagagens tinham sido arrumados. O sofá puído no canto fora coberto por uma manta colorida e agora estava aconchegante e convidativo. A mesa bamba junto à janela estava disfarçada por um pano cor-de-rosa franjado, sobre o qual havia um jarro de flores frescas listrado de azul e branco e duas velas dispostas sobre pires.

– Quanto esforço você fez. Obrigada! – exclamou ela.

Apesar das paredes gastas e cheias de buracos e das janelas encardidas que Luca ainda não tivera tempo de limpar, a impressão geral era alegre e agradável.

– Hoje é uma noite especial... para nós dois – respondeu Luca da cozinha minúscula, de onde já emanava um cheiro de alho fresco e ervas de dar água na boca.

– É mesmo – falou Rosanna, cujos olhos brilhavam de alegria. – Não demoro, já venho ajudar você.

Após pegar a toalha e a nécessaire no quarto, ela deixou a porta fechada só no trinco e subiu o corredor escuro até o banheiro coletivo.

Mais tarde, após um jantar de risoto de cogumelos e salada que Rosanna achou excelente, os dois se sentaram, cada um com sua taça de vinho, para ver a noite cair sobre os telhados de Milão.

Rosanna bocejou, em seguida sorriu para o irmão.

– Estou tão cansada...

– Então é melhor ir para a cama. Acho que deve ser a animação.

– É. Não achei que fosse possível me sentir feliz desse jeito depois que *mamma* morreu, sabe?

Luca a observou por cima da mesa, em seguida balançou a cabeça.

– Nem eu, Rosanna. Nem eu.

※

Os portões de ferro forjado se abriram sem fazer ruído e Roberto subiu devagar com seu Fiat o acesso de carros margeado por árvores. Deu a volta no enorme chafariz no meio de um espelho d'água ornamental e desligou o motor.

Embora tivesse passado muitas vezes por Como e feito piqueniques à beira do lago duas vezes, nunca conseguira ver nada além das chaminés das residências que ficavam abrigadas atrás de suas muralhas verdes de vegetação.

Agora, à sua frente se assomava um grandioso *palazzo*. A graciosa fachada branca se erguia do chão com o sol a refletir nas fileiras de janelas perfeitamente dispostas, cada qual ornamentada por uma sacada de ferro forjado de feitio delicado. No centro, acima da porta da frente, havia uma janela de vitral circular emoldurada por uma cúpula elegante.

Roberto desceu do Fiat e fechou a porta. Andou em direção ao *palazzo* e subiu devagar a escada que conduzia à imensa porta da frente ladeada por colunas de *pietra d'Angera*. Não viu uma campainha nem sentiu que bater fosse o modo correto de anunciar sua chegada. Enquanto estava pensando se haveria outra entrada, a porta se abriu.

– *Caro*, que bom que você pôde vir.

Donatella estava usando um roupão branco diminuto. Tinha os cabelos molhados e o rosto sem maquiagem. Estava sensacional.

– Eu estava tomando uma ducha depois de nadar na piscina. Você chegou um pouco cedo.

– Eu... pois é, desculpe.

Roberto engoliu em seco e fez o possível para desviar os olhos dos seios voluptuosos cujo volume o roupão mal conseguia disfarçar.

– Venha.

Ele entrou e seguiu a dona da casa pelo grande hall de entrada de mármore e por uma ampla escadaria.

Donatella abriu uma porta e o fez entrar em um imenso quarto de pé-direito alto.

– Fique à vontade aqui enquanto eu me visto.

Ela apontou para um sofá junto a uma janela e desapareceu no interior de outro cômodo.

Roberto foi até a janela e admirou os jardins perfeitos, cuja extensa área descia até a margem do lago de Como. Alguns minutos depois, sentou-se no sofá espaçoso e deixou escapar dos lábios um pequeno suspiro. Estava óbvio que a riqueza de Donatella Bianchi e seu marido era imensurável.

– Então, *caro*, como vai?

Ela reapareceu usando um jeans branco justo e uma blusa preta que realçava seus dois melhores predicados.

– Eu... vou bem, obrigado.

Ela se sentou ao seu lado e encolheu debaixo de si as duas pernas compridas.

– Que bom. Estou feliz que tenha conseguido vir. Champanhe?

Donatella estendeu a mão para pegar a garrafa dentro de um balde de gelo sobre a mesa de centro. Serviu a bebida espumante em duas taças sem esperar por uma resposta.

– Obrigado – disse Roberto quando ela lhe passou uma das taças.

– A você e ao seu futuro – brindou ela.

Pela primeira vez na vida, Roberto não soube o que dizer. Bebeu um gole de champanhe e tentou recuperar o controle de si.

– Que casa linda – conseguiu falar, e corou, sentindo-se tolo.

– Que bom que você gostou. Faz mais de 150 anos que ela pertence à família do meu marido. – Ela suspirou. – Mas às vezes tenho a sensação de que moro em um museu. Precisamos de vinte empregados para cuidar do *palazzo* e do jardim.

Ela então esticou uma das pernas compridas e aproximou o pé da coxa dele.

– Vocês não têm filhos? – indagou ele, tentando prolongar a conversa.

– Não. Nunca fui muito maternal. – Ela deu de ombros. – Além do mais, meu marido e eu... a gente não conseguiu.

– E o seu, ahn... seu marido, onde está? – perguntou Roberto, nervoso, ao mesmo tempo em que um dedão se aproximava da sua virilha.

Donatella suspirou e fez um biquinho fingido.

– Nos Estados Unidos. Me deixou sozinha outra vez.

– Ele viaja sempre para o exterior?

– O tempo todo. Ele é *marchand*. Fica a maior parte do tempo em Nova York ou em Londres. Eu passo semanas a fio aqui, sozinha. – Ela abaixou o queixo e lhe lançou um olhar inconfundivelmente sugestivo por baixo dos cílios.

– E você não pode ir com ele?

– É claro que posso, mas já viajei o mundo inteiro e vi tantos lugares que ultimamente prefiro ficar em casa. É chato estar em uma cidade estranha enquanto meu marido trabalha. E até mesmo *eu* me canso de fazer compras. Mas me conte mais sobre você, Roberto Rossini.

– Não há muito o que contar – disse ele, dando de ombros.

– Não acredito nisso de jeito nenhum. Você tem namorada? – perguntou ela, lançando a isca.

– No momento, não.

– Acho que está sendo modesto. Deve ter uma fila de mulheres loucas por você. – Com um movimento experiente, Donatella se levantou do sofá e montou em cima das pernas dele. – Com essa voz linda e potente, além dos seus outros... atrativos. – Uma de suas mãos foi descendo em direção aos botões da camisa dele. – Já teve muitas amantes?

– Ahn... – Pego desprevenido pelo atrevimento dela, Roberto teve dificuldade para achar as palavras. – Algumas – respondeu, com um arquejo; sua excitação aumentava a cada segundo.

– Mulheres mais velhas? – Donatella desceu a boca por seu pescoço e o beijou.

Enquanto isso, sua mão encontrou o que buscava.

– Não... eu...

– Então vou ser a primeira – ronronou ela, triunfante.

Perdendo o último vestígio de autocontrole, Roberto enterrou os dedos nos fartos cabelos de Donatella enquanto ela tapava a boca dele com a sua.

✿

Três horas mais tarde, os dois voltaram à frente do *palazzo*. Donatella abriu a porta sorrindo.

– Foi uma manhã muito... agradável. Me ligue amanhã às sete, está bem?
– Sim.
– Ótimo. Da próxima vez falaremos sobre o seu futuro. *Ciao*, Roberto.

Enquanto andava até o carro com as pernas bambas, ele balançou a cabeça ao pensar na ironia daquela situação.

Roberto Rossini, amante experiente e mundano, acabara de ser indiscutivelmente seduzido.

# 9

## *Milão, janeiro de 1973*

Rosanna abriu a porta do apartamento.

— Luca! Cheguei.

— Estou na cozinha, *piccolina*.

— Espero que não se importe, mas trouxe uma amiga da escola para jantar.

Rosanna apareceu na cozinha com os olhos castanhos brilhando e as bochechas coradas por causa da caminhada no ar frio do inverno.

— Eu disse que você sempre faz comida suficiente para meia dúzia — brincou ela.

— É claro que não me importo. — Luca sorriu.

— Obrigada. Abi, este é meu irmão, Luca Menici.

— Oi, Luca. — A moça retribuiu o sorriso com timidez. — Meu nome é Abigail Holmes. Prazer. Ah, e pode me chamar de Abi.

Ela falava bem italiano, com apenas um leve sotaque inglês.

— Ahn... oi, Abi.

Luca se pegou corando. Encarou a moça e sentiu o coração disparar. Abi era uma loura muito bonita, com grandes olhos azuis, traços finos, e o delicado colorido rosado das inglesas.

— Podemos ajudar com o jantar? — indagou Rosanna.

Luca desgrudou os olhos de Abi.

— Não. O molho está pronto e o macarrão vai demorar só mais uns dois ou três minutos. Podem ir se acomodar na sala.

Abi seguiu Rosanna para fora da cozinha. Sentou-se no sofá e deixou escapar um assobio baixo.

— Seu irmão é muito bonito. Tem uns olhos sensacionais.

— Você acha?

– Acho. Não faça essa voz de espanto. – Abi deu uma risadinha. – Ele tem namorada?

– Ah, não. Nunca teve.

– Por quê?

– Não sei, Abi. Ele apenas nunca se interessou por mulheres.

Luca chegou à sala com uma grande tigela de macarrão.

– *Signorine*, tenham a bondade de se acomodar.

– *Grazie, signor*. – Com os olhos brilhando, Abi se sentou à mesa ao lado de Rosanna.

Luca serviu a massa enquanto sua irmã servia o vinho. Os três começaram a comer.

– Que sorte a sua, Rosanna – comentou Abi com um suspiro sonhador.

– Sorte?

– É. Um apartamento lindinho e aconchegante, um irmão que cozinha maravilhosamente bem e, o mais importante de tudo, liberdade para fazer o que quiser.

– Abi está morando com a tia enquanto estuda – explicou Rosanna para Luca. – Sua tia é muito rígida, não é?

– É. Ela me trata como se eu fosse uma criança de 10 anos. É inglesa, e acha que todos os italianos vão tentar me seduzir... como se o próprio marido dela não fosse italiano! – Abi revirou os olhos, irritada. – Na verdade, acho que ela só se sente responsável pelo meu bem-estar. Quando consegui uma vaga na escola, meus pais disseram que eu podia aceitar desde que morasse com ela.

– E você gosta de Milão? – quis saber Luca.

– Ah, adoro – respondeu Abi. – É tão colorido, tão vibrante... principalmente em comparação com a velha e triste Inglaterra. Mas chega de falar sobre mim. E você, Luca, o que fica fazendo quando Rosanna está na escola? Trabalhando?

– Não, eu...

– Luca passa o tempo inteiro em uma igreja caindo aos pedaços bem pertinho daqui – interrompeu Rosanna. – É a segunda casa dele.

– Entendi. – Abi ergueu uma das sobrancelhas.

– Veja bem, Rosanna. Você está explicando mal – repreendeu Luca. – A Beata Vergine Maria é uma linda igreja do século XV que está em péssimo estado. Estou ajudando o padre de lá, Don Edoardo, a levantar dinheiro para restaurá-la e recuperar sua antiga majestade. – Ele deu de ombros. – Mas é uma luta inglória.

– Você é... quer dizer, você deve acreditar em Deus, essa coisa toda? – quis saber Abi.

– Acredito, claro. E a Beata Vergine Maria é um lugar muito especial. Don Edoardo me disse que já houve milagres lá, visões da própria Virgem Maria. Como eu tenho um pouco de tempo livre, tento ajudar. – Ele tornou a dar de ombros. – É preciso fazer alguma coisa em breve, senão a alvenaria e o antigo afresco da entrada vão ficar irrecuperáveis.

– Você já pensou em fazer um recital? – indagou Abi de repente.

– Como assim? – estranhou Luca.

– Bom, minha tia Sonia é líder de um comitê chamado Amigos da Ópera de Milão. Acho que, se você escrever e pedir com educação, talvez ela se disponha a pedir a Paolo de Vito para ele deixar um ou dois cantores do Scala e alguns alunos da escola fazerem um recital na igreja para levantar fundos.

– Abi! Que ideia incrível! – Luca abriu um sorriso. – Você não acha, Rosanna?

– Acho, sim. Especialmente a igreja sendo tão próxima da ópera. Eles não podem dizer não.

– Bom, posso dar o endereço da minha tia para você escrever uma carta, quem sabe ela apresenta para o comitê na próxima reunião.

– Claro. Obrigado, Abi. De verdade – falou Luca, agradecido.

– Ótimo. Então está combinado. – Abi se virou para Rosanna. – E quem sabe a gente não pode cantar "The Flower Duet", da ópera *Lakmé*. Temos ensaiado essa peça na escola. – Ela sorriu para Luca. – Minha voz não é nada comparada à da sua irmã, claro, mas nenhuma voz lá na escola é.

– Por favor, Abi, não exagere. – O elogio da amiga fez Rosanna enrubescer.

– Não é exagero. Você sabe tão bem quanto eu que Paolo quase desmaia toda vez que a ouve cantar. Ele aparece nas aulas o tempo todo só para ouvir sua voz. Imagino que você vá virar solista assim que entrar para a companhia, enquanto todo o resto vai ter de amargar o coro. Lembre-se de mim quando for uma diva famosa, está bem? – provocou ela.

– É claro que vou me lembrar de você. – Rosanna riu.

– Pronto. Viu só? – Abi piscou para Luca. – Ela sabe que vai ficar famosa!

– Caramba, meu cigarro acabou – disse o rapaz. – Com licença, vou ao mercadinho da esquina comprar mais. – Ele se levantou. – Fiquem aí conversando. Volto já.

Quando a porta se fechou atrás dele, Abi se virou para Rosanna.

– Sabe de uma coisa? Acho que eu poderia desenvolver uma paixonite das boas pelo seu irmão. Ele é muito educado e sensível, além de lindo de morrer. Mas, será que ele se interessa por mulheres? Você disse mais cedo que ele nunca tinha tido namorada.

– Não, Abi! – Rosanna ficou passada com o comentário direto da amiga; era um pensamento que ela própria já tivera, mas que jamais havia expressado.

– Não precisa fazer essa cara de horrorizada – disse Abi, em tom de quem se desculpa. – Só achei que fosse melhor perguntar, pois seria inútil perder tempo com ele se você tivesse certeza de que ele não tem interesse por mulheres.

Com o rosto vermelho, Rosanna mudou de assunto, e Abi entendeu a indireta. As duas ficaram jogando conversa fora sobre as aulas do dia seguinte até Luca voltar com os cigarros. No entanto, Rosanna ficou observando com interesse redobrado Abi e Luca conversarem descontraidamente enquanto tomavam café, e reparou na linguagem corporal e no contato visual entre os dois.

Às dez e meia, Abi se levantou a contragosto.

– Muito obrigada pelo jantar. Infelizmente preciso ir, senão tia Sonia vai começar a ficar preocupada. Quando posso ir visitar sua igreja, Luca? Agora que ouvi falar tanto dela, adoraria conhecer.

– Domingo de manhã? Rosanna e eu sempre assistimos à missa das nove.

– Está bem. Nem mesmo a minha tia vai poder se opor ao fato de eu ir à igreja! Nos encontramos aqui às oito e meia e vamos juntos. *Ciao*, Luca.

O rapaz se levantou e a beijou nas duas faces.

– Tchau, Abi. Obrigado pela sua ideia maravilhosa. Nos vemos na missa domingo.

Rosanna acompanhou a amiga até a porta, voltou e se sentou à mesa.

– Gostou da Abi? – perguntou ao irmão.

– Muito. Acho que ela vai ser uma boa amiga para você. Ela tem bom coração.

– E é muito bonita, não é? Eu daria tudo para ter aqueles cabelos louros. Todos os meninos da escola estão apaixonados por ela.

Lembrando-se da conversa que tivera com Abi mais cedo, ela estava tentando obter informações.

– Tenho certeza de que devem estar mesmo. Agora vou tirar a mesa, e você, *piccolina*, precisa ir para a cama.

– Não, não estou cansada. Vou ajudar você com a louça.

– Tudo bem – concordou ele.

Com destreza, ele recolheu os pratos da mesa e os levou até a cozinha. Rosanna o seguiu com as taças de vinho.

– Você lava, eu seco – disse ela.

Em pé, diante da pia, os dois irmãos ficaram trabalhando em um silêncio cúmplice. Depois de algum tempo, Rosanna perguntou:

– Luca, você já... já se apaixonou por alguém?

– Não, acho que não. Por que a pergunta?

– Ah, por nada. Abi achou você muito bonito.

– Ah, foi?

– Foi. Você *é* bonito. Quero dizer, tenho certeza de que faz sucesso com as garotas.

– Rosanna, o que você está tentando dizer? – indagou ele, franzindo o cenho.

– Só que, bom, eu sei que *papà* pediu para você cuidar de mim, mas agora já sou grande. Não tenho medo de ficar aqui no apartamento sozinha. Se algum dia quiser sair à noite, pode sair.

– Se eu quiser, vou sair – disse Luca e meneou a cabeça. – Mas gosto de ficar aqui com você, *piccolina*.

– Você está mesmo feliz?

– Estou, sim. Muito.

– Eu só não quero que você perca futuras oportunidades por minha causa.

– Rosanna, os cinco meses desde que cheguei aqui em Milão foram os mais felizes da minha vida. E nesse intervalo descobri uma coisa muito importante para mim.

– O quê

A insistência obstinada dela o fez rir.

– Você sempre fez muitas perguntas. Tudo que posso dizer é que sei onde o meu futuro está. Na hora certa eu lhe conto. *Alguns* segredos eu preciso ter.

– Claro. Eu só quero que você seja feliz.

– E eu juro que sou feliz. Agora está na hora de você ir para a cama. Já é tarde.

Rosanna abraçou o irmão.

– Lembre-se que eu te amo muito.

– E eu te amo também – disse ele, beijando-a na testa. – Agora vá.

Depois de Rosanna fechar a porta do quarto, Luca também se retirou e acendeu duas pequenas velas em frente à imagem da Virgem Maria sobre o altar improvisado em seu quarto. Ajoelhou-se e começou a rezar. Pela primeira vez desde que havia tomado sua decisão, sentiu a determinação fraquejar. Implorou a Deus que o guiasse, que lhe explicasse por que uma jovem inglesa havia provocado nele sentimentos de uma força tão incomum.

Talvez fosse apenas um teste, pensou dez minutos depois, ao se levantar. Um teste no qual ele estava decidido a passar.

# 10

— E agora, senhoras, sugiro começarmos a trabalhar.

Paolo de Vito deu um sorriso gélido e olhou em volta da mesa para as oito mulheres vestidas de forma impecável. Estavam todos tomando aperitivos no Il Savini, e ele desconfiava que a conta do almoço para a mesa de nove pessoas fosse equivaler ao custo de um semestre inteiro de aulas na escola. Não gostava daquelas reuniões mensais com os Amigos da Ópera de Milão, mas aquelas senhoras representavam alguns dos homens mais ricos da cidade, sem a generosidade dos quais tanto o Scala quanto a escola passariam por dificuldades.

— Paolo, recebi uma carta encantadora de um rapaz perguntando se estaríamos dispostos a organizar um recital para angariar fundos para a Chiesa della Beata Vergine Maria — disse Sonia Moretti.

— É mesmo? Pensei que devêssemos estar angariando fundos para nós mesmos, não para uma igreja.

— Claro, mas esse caso é um pouco diferente. Parece que a igreja tem um afresco raro, que vai se perder em breve se nada for feito. E como ela fica bem próxima da escola e do Scala, tecnicamente poderia ser considerada o local de culto da companhia. Além do mais, seria uma oportunidade para os alunos se apresentarem diante de uma plateia em prol de uma causa urgente. A carta foi assinada por Luca Menici. Acho que a irmã dele é aluna da escola.

— Rosanna? Ela é uma das nossas alunas mais talentosas... junto, é claro, com sua sobrinha Abigail — apressou-se em acrescentar Paolo.

— Eu estava pensando que poderíamos planejar o recital para a Páscoa... ter um concerto à luz de velas, e pedir a um ou dois cantores da companhia para se apresentarem junto com alunos da escola escolhidos a dedo — prosseguiu Sonia. — Dei uma passada para olhar a igreja e seria mesmo um lindo local para ouvir música. Nós poderíamos montar uma lista de convidados impressionante, e o preço do ingresso também custearia um lanche leve.

– Quantas pessoas cabem lá dentro? – quis saber Paolo.

– Segundo o *Signor* Menici, umas duzentas. O que acham da ideia, senhoras?

As cabeças de penteados perfeitos ao redor da mesa assentiram.

De repente, Donatella Bianchi se inclinou para a frente.

– Eu estava pensando que Anna Dupré e Roberto Rossini poderiam ser dois representantes adequados da companhia. Sei que o *Signor* Rossini é muito religioso e estou certa de que teria prazer em ajudar.

A suposição de Donatella fez Paolo arquear uma das sobrancelhas, espantado.

– Certo. Pensarei então em um programa adequado e depois decidirei quem chamaremos para cantar. Concordo que é sempre bom dar aos alunos uma oportunidade de se apresentar e aprender com os colegas profissionais.

– Agora que isso está decidido, precisamos pedir o almoço. Tenho um compromisso às três e preciso ir embora à duas e meia. – Donatella levantou o braço, e um garçom surgiu ao seu lado na mesma hora. – Vou querer o *carpaccio di tonno*, por favor.

※

– Então, você canta no nosso pequeno recital? – Donatella desceu os dedos pela base das costas nuas de Roberto.

Ele havia retornado de Paris dois dias antes e os dois tinham passado várias tardes seguidas na cama de seu apartamento.

– Um recital em uma igreja caindo aos pedaços? Não acho que vá impulsionar minha carreira. – Ele virou a cabeça para encará-la.

– Quem sabe você poderia fazer isso por mim?

Ela deslizou a mão por baixo dos lençóis e acariciou a parte interna da coxa dele.

– Ahn...

– Por favor – implorou ela, subindo um pouco mais a mão.

– Eu me rendo. – Roberto grunhiu, virou-se e cobriu a boca de Donatella de beijos.

Mais tarde, quando ela saiu da cama para tomar uma ducha, ele ficou deitado, saciado, de olhos fechados, pensando que nunca havia conhecido uma mulher como aquela.

O relacionamento entre os dois era puramente sexual, e era o melhor que ele já tivera. Donatella não lhe pedia nada além do seu corpo. Não sussurrava palavras de amor no seu ouvido, nem lhe telefonava às duas da manhã. Não tinha um ataque se ele não dissesse o que ela queria ouvir. Ultimamente, Roberto vinha se perguntando se havia enfim encontrado o relacionamento perfeito.

Ela saiu do chuveiro enrolada em uma toalha, com os cabelos escuros presos no alto da cabeça. De longe, podia passar por 30 e poucos anos, mas Roberto sabia que tinha 45.

– Então, vai cantar para a gente na igreja ou não vai? Sei que Paolo gostaria.

Roberto suspirou.

– Vou! Já falei que vou cantar.

Donatella tirou a toalha e começou a se vestir.

– O que vai cantar nessa temporada?

Os traços do rosto dele se contraíram.

– Não quero falar nisso. Como sempre, Paolo me prometeu mais do que me deu, então essa vai ser minha última temporada no Scala. No outono que vem, quando meu contrato terminar, não vou renová-lo. Portanto, decidi aceitar uma das muitas ofertas estrangeiras que recebi. – Ele deu um fundo suspiro. – A verdade é que Paolo não gosta de mim. Enquanto ele estiver no comando, nunca vou alcançar a glória no Scala.

– *Caro*. – Donatella tentou tranquilizá-lo. – Eu entendo o que está dizendo, mas vai saber? Você tem tanto talento. Tenho certeza de que Paolo está só se certificando de que você está pronto para lhe dar os papéis que merece. – Ela ajeitou os cabelos no espelho. – Vai me encontrar no *palazzo* na quinta, não vai? Giovanni viajou para Londres outra vez.

– Vou – disse Roberto.

Alguns minutos depois, Donatella abriu a porta da frente do prédio de Roberto e espiou lá fora para verificar a rua escura. Então andou apressada pela calçada em direção ao seu Mercedes, destrancou a porta e sentou-se no banco de couro macio.

Fechou os olhos e deixou escapar um suspiro de contentamento. Já tivera muitos amantes, claro, a maioria mais jovem do que ela. Mas Roberto era diferente. Nos últimos dois meses, ela chegara a sentir *saudades* dele e ficara contando os dias para a sua volta de Paris. Esse sentimento a perturbava, pois ela sempre havia considerado os amantes anteriores descartáveis. Eles lhe prestavam um serviço, assim como seus outros empregados. Naqueles últimos dias, ela ficara tão satisfeita em vê-lo que chegara a ser desconcertante. Mas agora ele vinha lhe dizer que estava pensando em se mudar de vez para o exterior...

Ela deu a partida e saiu guiando o Mercedes pelo tráfego pesado da hora do rush em direção a Como. Decidiu que precisava usar todas as armas à sua disposição para garantir que ele ficasse.

Roberto Rossini merecia ser uma estrela de primeira grandeza. Ela o ajudaria, não só por causa de seu talento evidente, mas porque – e mal podia acreditar que esse pensamento havia surgido na sua mente – estava se apaixonando por ele.

Uma coisa era certa: precisava manter Roberto em Milão.

✥

– Ótimas notícias! – Luca passou a carta para a irmã por cima da mesa. – É da *Signora* Moretti, tia da Abi. Segundo ela, o comitê concordou com a ideia de fazer um recital na Beata Vergine Maria.

Rosanna leu a carta rapidamente.

– Que coisa boa, Luca.

– Preciso avisar Don Edoardo. Ele vai ficar muito feliz.

– Claro. Mas eles dizem que o recital vai ser na Páscoa. – Rosanna franziu o cenho. – Estávamos planejando ir a Nápoles visitar *papà* e Carlotta.

– Podemos ir no dia seguinte à apresentação. Tenho certeza de que *papà* vai entender. Isso é tão importante para mim... A *Signora* Moretti falou que dois cantores do Scala aceitaram se apresentar. – Os olhos de Luca brilhavam. – Ela sugeriu cobrarmos 50 mil liras pelo ingresso. Com duzentos e poucos convidados, isso significa que teremos quase o suficiente para restaurar o afresco. Mas haverá muito a fazer, Rosanna! Teremos de providenciar cadeiras extras, decorar a igreja com flores, organizar o lanche...

Rosanna ficou observando o irmão falar animadamente sobre todo o trabalho necessário.

– Luca, o que a Beata Vergine Maria tem que significa tanto para você? Nunca o vi mais feliz do que hoje.

Ele encarou a irmã, tentando encontrar as palavras, mas constatou que não conseguia.

– É difícil explicar, Rosanna. Tudo que posso dizer é que ela é muito especial para mim. Agora, se tiver terminado seu café, vou levá-la até a escola. Quero dar logo a notícia a Don Edoardo.

ɛʚ

Luca se despediu de Rosanna com um aceno quando ela entrou na escola, em seguida andou depressa até a Beata Vergine Maria.

Como Don Edoardo estava ouvindo confissões, foi se sentar em um dos bancos e esperou o padre sair do confessionário e o fiel se retirar.

– Excelente notícia! – falou, entregando a Don Edoardo a carta de Sonia Moretti. – Com certeza vamos levantar bastante dinheiro, não?

– Vamos, sim. – O velho sacerdote assentiu. Estava encantado com a felicidade no rosto do rapaz a quem tanto se afeiçoara. – Acho que a sua Madonna vai ficar muito feliz.

– Espero que sim. – Luca olhou na direção do altar. Seus ombros afundaram, e o sorriso desapareceu do seu semblante. Ele balançou a cabeça. – Mesmo que ao organizar esse recital eu esteja ajudando, ainda que de um jeito pequeno, às vezes fico muito frustrado.

– Eu sei, Luca. Entendo você. – Don Edoardo levou a mão ao seu ombro para reconfortá-lo.

– Mas preciso ser paciente e aguardar. Tenho certeza de que me testar faz parte do plano Dele.

– Bem, vamos orar juntos para que esta igreja seja abençoada, bem como as nossas tentativas de restaurá-la.

As duas cabeças, uma grisalha, a outra escura, se inclinaram juntas para rezar. Após a prece, Don Edoardo fez um café e eles começaram a planejar o recital.

– Vamos precisar de mais cadeiras. Há espaço para mais vinte nos fundos, perto da pia batismal – disse Luca.

– Na cripta tem umas cadeiras, mas estão velhas e sujas. Vá dar uma olhada e, se não estiverem boas, talvez possamos pedir algumas emprestadas à escola. – Don Edoardo entregou a Luca uma chave grande. – Lá embaixo não tem luz elétrica. Use o lampião a óleo pendurado no gancho ao lado da porta. Tem fósforos na prateleira ao lado do lampião. – Ele olhou para o relógio. – Agora preciso ir... tenho de ir visitar uma mãe enlutada.

Depois que o padre saiu, Luca ficou sentado olhando para a estátua da Virgem Maria no altar. Ela não tornara a lhe falar desde aquele primeiro e maravilhoso dia, mas ele podia sentir sua influência tranquilizadora ao redor. Depois de algum tempo, levantou-se, foi até a porta da cripta e a destrancou. Conforme Don Edoardo havia instruído, tirou o lampião do gancho, acendeu-o e então, à luz mortiça que emanava dele, desceu com cuidado a escada, que rangia. Parou no primeiro degrau, no pé da escada, e moveu o lampião para iluminar o recinto.

A cripta, não muito grande, estava abarrotada com todo tipo de velharia. Uma camada de poeira cobria tudo e aranhas haviam criado teias complexas sem que ninguém as impedisse. Ele avançou cuidadosamente por entre as quinquilharias e decidiu que arrumar a cripta seria mais uma tarefa da qual poderia dar cabo. Achou as cadeiras de madeira que Don Edoardo mencionara e começou a desempilhá-las, mas constatou que todas estavam ou sem uma das pernas ou sem encosto. Virou-se e se ajoelhou para recolher de uma pilha no chão um livro de oração já meio apodrecido. Quando o abriu, as páginas se desintegraram entre seus dedos.

De repente, o lampião apagou, e a cripta mergulhou na escuridão completa. Luca levou a mão ao bolso à procura do isqueiro e reacendeu o pavio, mas a chama tornou a se apagar quase na mesma hora. Enquanto ele fazia o possível para cambalear de volta em direção à escada, pensando que uma lanterna seria mais útil, tropeçou em alguma coisa. Soltou um ganido de dor e caiu com um baque; o tornozelo suportou quase todo o impacto da queda.

Ficou deitado no escuro, sem conseguir se mexer, até a dor diminuir. Alguma coisa rastejou pelas costas da sua mão, e ele a espantou depressa. Tentando manter a calma, acabou conseguindo pegar o isqueiro no bolso da calça e deu um jeito de reacender o lampião. Olhou para baixo e viu que tinha tropeçado na quina de um antigo baú revestido de couro, parcialmente escondido por uma pilha de vestes sacerdotais roídas pelas traças. Pousou o lampião no chão ao seu lado, afastou as vestes e tossiu quando uma nuvem de poeira se espalhou pelo ar parado. Delicadamente, ergueu a tampa do baú.

O interior era forrado de veludo roxo e, quando Luca pôs a mão lá dentro, cauteloso, sentiu um objeto grande e pesado. Com algum esforço, tirou-o do baú e, ao iluminá-lo, viu que era um cálice gravado com ornamentadas incisões, escurecido pelos anos e pelo descuido. Pegou um lenço, cuspiu no tecido para umedecê-lo e esfregou um pedacinho do metal para limpá-lo, revelando o brilho claro de um material que com certeza devia ser prata. Cada vez mais animado, pousou o cálice cuidadosamente no chão ao seu lado e começou a retirar as outras coisas de dentro do baú.

O objeto seguinte era um livro de orações com as páginas amareladas e frágeis, mas que, protegido da umidade pelo couro grosso do baú, não tinha se desfeito. Em seguida veio mais um conjunto de vestes sacerdotais. Quando Luca as puxou para fora do baú, sentiu algo sólido enrolado nelas. Nessa hora, o lampião bruxuleou, ameaçando apagar, e, como não queria se ver mergulhado outra vez na escuridão, Luca pegou do chão o cálice e o livro de oração e enrolou as vestes, colocando-as debaixo do braço. Segurou a alça do lampião com um dedo e caminhou tateando até a escada.

Na sacristia, pôs as vestes no chão e as desdobrou bem devagar. No centro de uma das peças, achou uma bolsinha de couro gasto pouco maior do que a sua mão. Retirou com cuidado o conteúdo e se pegou segurando uma pequena tela emoldurada por uma madeira grosseira. Encarou aquele rosto instantaneamente familiar.

Era como se o artista houvesse conseguido retratar toda a sua graça, sua serenidade e sua alma. Era assim que *ele próprio* imaginava a Madonna quando fechava os olhos para rezar. Apesar de simples, o desenho de linhas finas e delicadas em um tom de marrom avermelhado era tão perfeito que Luca não conseguiu desgrudar os olhos.

Passou um tempão olhando para aquela imagem. Por milagre, e como havia sido muito bem protegido da luz e da umidade, o desenho quase não exibia sinais do desgaste do tempo. Segurando a tela pelas bordas, Luca a virou com delicadeza, tomando cuidado para tocá-la o mínimo possível, e procurou algo que lhe desse uma pista em relação ao artista.

Talvez aquele achado não valesse nada, mas, mesmo assim, não pôde evitar que um arrepio lhe subisse pela espinha. Don Edoardo voltaria mais tarde, e ele poderia lhe mostrar o desenho e o cálice e ver se o velho padre sabia da sua existência. Até lá... Ele tornou a guardar a tela dentro da bolsinha com um gesto reverente. Pôs o cálice, o livro de orações e o quadro no armário dos sacramentos e por fim girou a chave e o trancou.

# 11

– Quer dizer que os artistas vão ficar em volta do altar?
– Isso.
– E o piano de cauda vai ficar aqui?
– Isso. – Luca observou a mulher se mover pela igreja com passos decididos.
– E servimos o vinho ali perto da pia batismal, o que acha?
– Boa ideia, *Signora* Bianchi – respondeu Don Edoardo, arqueando uma das sobrancelhas discretamente para Luca, indicando irritação.
– Ótimo. Tudo parece estar sob controle. A demanda por ingressos tem sido excelente. Acho que vamos ter a casa cheia para o nosso pequeno recital. – Donatella avançou em direção ao altar e examinou com ar de desagrado a toalha puída, que obviamente já tinha visto dias melhores. – Vocês têm algum outro pano que possamos usar na noite do espetáculo? Este aqui está meio... esfarrapado.
– Não temos outro. É por isso que estamos fazendo o recital, não é, *signora*? Para angariar fundos para novas toalhas e outras reformas – lembrou-lhe Don Edoardo com paciência.
– Claro. Bem, podemos decorar a igreja com velas e montar arranjos de flores ao lado da Madonna.
– Sim – concordou o padre mais uma vez enquanto observava Donatella pegar o cálice de prata, que fora descoberto por Luca e, após ser amorosamente polido, foi posto no altar.
– Que trabalho lindo este aqui. E muito antigo, imagino. – Donatella virou o cálice nas mãos para estudá-lo.
– Luca o encontrou na cripta algumas semanas atrás. Venho querendo chamar alguém para avaliá-lo, por causa do seguro, sabe? Mas ando preocupado com outras coisas.
– Entendo. – Donatella pôs o cálice no lugar e olhou para Don Edoardo.

– Como meu marido é *marchand*, ele tem amigos que poderiam dar um parecer sobre um artefato assim. Querem que eu peça a ele para encontrar alguém para avaliar a peça?

– Seria uma gentileza imensa – disse Don Edoardo, aceitando. – Seu marido é *marchand*, a senhora disse?

– Sim.

– Então, Luca, acho que você deveria ir pegar o desenho que encontrou.

Luca partiu na direção da sacristia.

– O *Signor* Menici encontrou também um desenho a traço – explicou o padre. – Talvez não tenha valor, mas quem sabe seu marido também possa dar uma olhada?

– Claro. – Donatella assentiu.

Luca logo voltou com o desenho.

– Tome – falou, entregando-o a ela com todo o cuidado.

Donatella encarou a tela.

– Nossa, que retrato lindo da Madonna! – exclamou, admirada. – O senhor disse que o encontrou na cripta?

– É, dentro de um velho baú. Nós verificamos os registros e, pela anotação no livro de orações, temos certeza de que pertencia a Don Dino Cinquetti. Ele foi *il parroco* desta igreja no século XVI.

– Quer dizer que esse desenho tem muitos séculos de idade? Mas ele parece quase intacto... – sussurrou Donatella.

– Acho que deve ser porque estava muito bem protegido. Não deve ter sido exposto à luz por trezentos anos.

– Bom, prometo que vou tomar o maior cuidado com ele. Pode embrulhar o cálice para mim?

Don Edoardo fez uma cara preocupada.

– Seu marido não poderia vir à igreja examinar os objetos?

– Ele é um homem ocupado, Don Edoardo, e só vai estar em casa por alguns dias antes de ir para os Estados Unidos. Dou-lhe a minha palavra de que nem o cálice nem o desenho sofrerão qualquer dano; e assim terei uma resposta rápida para vocês. Vou levá-los direto para casa, onde lhes garanto que temos uma segurança excelente. O senhor confia em mim, não confia?

– Claro, *signora* – murmurou o velho padre, constrangido.

Giovanni Bianchi encarou os dois objetos sobre a mesa à sua frente.

– Onde você disse que foram encontrados?

– Na Chiesa della Beata Vergine Maria. Parece que estavam guardados dentro de um velho baú na cripta junto com as coisas de um padre que já morreu. Pelo visto, o padre viveu no século XVI. Eu achei que o cálice pudesse valer alguma coisa – explicou Donatella.

– Sim, sim, com certeza deve valer, mas isto aqui... – Giovanni pegou o desenho. – Isto aqui é de tirar o fôlego. Século XVI, você disse?

– Foi o que o padre me falou.

Giovanni tirou uma lupa do bolso do paletó e estudou o desenho com cuidado. Quando ergueu o rosto para a mulher, Donatella viu o brilho de empolgação nos seus olhos.

– Quando você olha para este desenho, o rosto lhe parece familiar?

– É claro que parece. É a Madonna – respondeu ela com desdém.

– E como você define a imagem que tem da Madonna na sua mente? – prosseguiu Giovanni, paciente.

– Com base nos quadros e desenhos que já vi dela, suponho.

– Exato. E quem nos deu uma das mais famosas imagens da Madonna?

– Hum... – Donatella deu de ombros. – Leonardo da Vinci, claro.

– Isso mesmo. Espere um instante. – Giovanni saiu da sala e dali a alguns minutos voltou com um catálogo da National Gallery de Londres. Virou as páginas até encontrar o que estava procurando. – Olhe aqui. – Ele pôs o catálogo ao lado do desenho sobre a mesa. – Examine o rosto, os detalhes. Há fortes semelhanças, não é?

Donatella olhou com atenção.

– Sim, Giovanni, mas... enfim... não é possível que seja...

– Terei de investigar com muito cuidado, mas meu instinto me diz que ou isso é uma excelente falsificação, ou então talvez tenhamos encontrado um desenho de Leonardo.

– O velho padre e o rapaz encontraram, você quer dizer – corrigiu Donatella.

– Claro, sem dúvida – concordou Giovanni depressa. – Preciso levar o desenho comigo para Nova York. Quero que um amigo veja. Ele é especialista na confirmação das obras dos grandes mestres. É também um homem bem discreto... em troca de uma porcentagem do lucro, claro – concluiu ele, ardiloso.

– Bom, naturalmente vou ter de pedir permissão a Don Edoardo antes de você levar o desenho – contrapôs a mulher.

– Mas o padre não precisa saber de nada ainda, não acha? Você poderia dizer a ele que tanto o cálice quanto o desenho estão sendo avaliados e que teremos uma reposta para ele daqui a uma semana. E, Donatella?

– Sim, *caro*?

– Não quero que você conte nada sobre isso a ninguém até termos certeza.

– Claro. – Donatella percebeu o brilho de avareza nos olhos do marido. – Farei como você está pedindo.

❧

Dez dias depois, Donatella foi visitar Don Edoardo na Beata Vergine Maria.

– Boas notícias – disse ela, sorrindo. – Excelentes, na verdade.

Ela se sentou em um dos bancos.

– Seu marido acha que o cálice pode valer alguma coisa?

– Sim, parece que é muito valioso. Segundo meu marido, em um leilão ele talvez seja vendido por 50 mil dólares. Isso dá uns 30 milhões de liras.

– Trinta milhões de liras! – Don Edoardo estava pasmo. – Eu nem *sonhava* que valesse tanto!

– Meu marido deseja saber o que o senhor gostaria que ele fizesse... se deseja vender o cálice. Nesse caso, ele pode colocá-lo em um leilão.

– Eu... eu nem tinha pensado na possibilidade de vender. Terei de consultar meu bispo. Não sei ao certo o que ele vai querer fazer. – Don Edoardo suspirou. – Pode ser que a Igreja queira manter o cálice entre seus bens. Não cabe a mim tomar uma decisão dessas.

– Don Edoardo, por favor, sente-se aqui.

Donatella deu alguns leves tapinhas no banco, ao lado dela.

– Por favor, quero que me perdoe se eu estiver sendo enxerida, mas do que é que a sua linda igreja está precisando no momento?

– De dinheiro, claro, para recuperar a glória de antigamente – reconheceu ele, sentindo-se desconfortável com uma conversa sobre esse assunto.

– Exato. Agora, posso saber se o senhor contou para alguém sobre o seu achado?

– Não. Não achei necessário até descobrirmos se tínhamos encontrado algo de valor.

– Entendo. – Donatella assentiu. – Pessoalmente, duvido que, se avisar ao seu bispo, o senhor ou esta igreja vejam grande parte do produto da venda do cálice, isso se ele quiser vender.

– E eu acho, *Signora* Bianchi, que a sua suposição está correta – concordou Don Edoardo, pouco à vontade.

– Mas meu marido e eu talvez tenhamos encontrado uma solução. Ele está disposto a lhe pagar a quantia que, na sua estimativa, o cálice conseguirá levantar em um leilão. A soma que mencionei foi 30 milhões de liras. Ele então venderá o cálice para um colecionador particular. O senhor terá muito dinheiro para ajudá-lo a restaurar sua igreja, e ninguém precisa saber a verdade.

Don Edoardo a encarou.

– Mas *Signora* Bianchi, com certeza meu bispo vai se perguntar de onde veio tanto dinheiro.

– Claro. E o senhor vai dizer a ele, bem como a qualquer outra pessoa que perguntar, que o *Signor* Bianchi ficou tão chocado com o estado da igreja quando ele e sua mulher vieram assistir ao recital que ela havia ajudado a organizar que decidiu fazer uma generosa doação ali mesmo, na hora.

– Entendo.

– Don Edoardo, entendo que o senhor não queira cometer nenhum ato desonesto. Meu marido e eu agiremos como o senhor preferir. Mas, pessoalmente, acho que, como a sua linda igreja precisa de tantas reformas, e como o cálice foi encontrado aqui, talvez seja a vontade de Deus ele ser usado para benefício exclusivo da igreja, não?

– Talvez a senhora tenha razão. Mas como ter certeza de que ninguém nunca ficaria sabendo?

A testa de Don Edoardo estava coberta de gotas de suor. Donatella reparou e entendeu que sua presa estava na mira. Então partiu para o ataque.

– Quanto a isso, eu lhe dou a minha palavra. O cálice poderá ser vendido a um colecionador particular no exterior. Meu marido tem uma longa lista de colecionadores muito ricos que desejam ser discretos. E pense só em quanto trabalho em nome de Deus poderia ser feito com esse dinheiro.

– Eu... eu preciso pensar. – Don Edoardo deu um suspiro profundo. – Preciso pedir a orientação divina.

– Claro. – Donatella tirou um cartão da bolsa. – Por que não me telefona quando tiver decidido?

– Farei isso. Obrigado por toda a sua ajuda, *Signora* Bianchi.

– Imagine, não foi nada. – Ela se levantou para ir embora. – Ah, ia quase me esquecendo do desenho – acrescentou então, casual. – Meu marido não acha que tenha qualquer valor. Sem dúvida é um belo desenho, mas afinal de contas a Madonna já foi retratada muitas, muitas vezes, pelos artistas mais ilustres do mundo. Ele duvida que, em comparação com essas obras, aquele pequeno esboço possa gerar muito interesse.

– Claro. Já imaginávamos que seria assim – disse o padre com um meneio de cabeça respeitoso.

– Mas me afeiçoei muito ao desenho – prosseguiu Donatella, abotoando o casaco de alfaiataria perfeita. – Então gostaria de lhe fazer uma oferta particular para adquiri-lo. O que acha de 3 milhões de liras?

Don Edoardo a encarou, incrédulo.

– Parece-me uma soma generosa. A senhora é muito gentil, mas preciso pensar. Não deixarei de avisá-la assim que tiver tomado uma decisão.

– Então ficarei aguardando notícias suas. Boa tarde. – Ela meneou a cabeça num gesto gracioso e saiu da igreja.

– Boa tarde, *Signora* Bianchi – murmurou Edoardo para a mulher, que se afastava.

✧

Dois dias depois, Donatella passou uma taça de champanhe ao marido quando ele entrou na sala.

– O padre aceitou?

– Sim. Ele me telefonou hoje à tarde.

– *Cara*, você foi maravilhosa – falou Giovanni. – Agora preciso ligar para Nova York e dar a boa notícia ao meu cliente. E você, claro, precisa comprar alguma coisa com o lucro. Qualquer coisa que quiser.

Donatella encarou o marido e um leve sorriso curvou os cantos de seus lábios vermelhos.

– Prometo pensar em alguma coisa.

## 12

A igreja estava começando a encher quando Luca ajudou a conduzir os bem-vestidos convidados até seus lugares. As velas que enfeitavam o corredor e o altar tremeluziam em seus suportes, criando uma bela atmosfera, e o aroma dos densos arranjos de lírios dominava o ambiente.

Depois da oferta do *Signor* Bianchi, Luca havia rezado com Don Edoardo pedindo orientação e ambos haviam chegado a conclusões semelhantes. Tinham decidido que a oferta era uma dádiva divina. Como poderia ser outra coisa? Se aceitassem, a reforma da igreja poderia começar sem demora.

Don Edoardo se aproximou, agitado.

– Acho que quase todos os nossos convidados já chegaram e os artistas estão prontos. Luca, eu lhe agradeço do fundo do coração. Parece que, desde o dia em que pisou na minha igreja, você só trouxe bênçãos para ela.

– Foi Deus quem me trouxe até aqui, Don Edoardo – respondeu Luca, em tom suave.

– Eu sei, e que Ele o abençoe também. – O padre deu um tapinha no ombro do rapaz e desceu o corredor em direção ao altar. Luca foi atrás e cruzou olhares com a irmã, sentada em um dos primeiros bancos junto com os outros que iam se apresentar. Ela lhe deu um pequeno aceno e ele respondeu com uma piscadela. Foi então que viu uma silhueta conhecida vestindo smoking, alta e de cabelos escuros, descer apressada o corredor. Virou as costas e tentou conter a repulsa automática que sentiu. Nada estragaria aquela noite para ele. Nada.

Don Edoardo e Paolo de Vito subiram os degraus e se postaram em frente ao altar.

– Senhoras e senhores – começou Don Edoardo. – Obrigado por terem vindo aqui hoje, nesta noite tão especial. Esta é uma época de celebração, de ressurreição e renascimento, e é isso que esperamos conseguir para nossa igreja também. Gostaria de fazer um agradecimento especial aos Amigos da Ópera de Milão, por tornarem possível este evento. E agora, o *Signor* Paolo de Vito, diretor artístico do Scala, vai apresentar o programa.

– Boa noite, senhoras e senhores. – A plateia aplaudiu Paolo. – Para começar nossa programação, gostaria de apresentar os alunos da *scuola di musica*, que vão cantar o sexteto de *Lucia di Lammermoor*.

Ele desceu os degraus e seis alunos avançaram até a entrada da igreja e se posicionaram diante do altar lindamente enfeitado. O recital começou.

Roberto, porém, não estava prestando a menor atenção na igreja e mal conseguia escutar a música. Fascinado, encarava Donatella, sentada do outro lado do templo acompanhada do marido. Pensou se os dois ainda teriam relações; imaginava que devessem ter, às vezes. Era incrível o que o dinheiro podia comprar, pensou, e nessa hora foi despertado por uma salva de palmas educadas, e os primeiros alunos se inclinaram para agradecer.

Roberto constatou que não conseguia se conter e, na sua imaginação, começou a despir Donatella. Enquanto o fazia, porém, ouviu uma voz tão melodiosa e pura que parecia pertencer naturalmente a um lugar de adoração. E era uma voz que ele já tinha escutado. Estava cantando uma de suas árias preferidas: "Sempre libera", de *La Traviata*. Todos os pensamentos relacionados a Donatella desapareceram de sua mente e ele olhou para a frente para examinar a dona da voz.

Ela havia crescido vários centímetros, mas continuava esguia feito um caule de junco. Os cabelos volumosos e escuros caíam em ondas suaves e lustrosas até abaixo dos ombros. A pele clara quase brilhava à luz das velas e as maçãs do rosto altas exibiam apenas um leve toque de maquiagem. Os olhos castanhos magnéticos expressavam cada emoção da ária que ela cantava. A voz agora havia sido treinada e desenvolvida, e estava mais madura, mas era a mesma voz, aquela que o fizera chorar ao cantar "Ave Maria" em Nápoles, tantos anos antes. A voz de uma menininha que tinha virado uma linda mulher.

❧❦

Rosanna se sentou e suspirou aliviada. Abi apertou sua mão.

– Você foi maravilhosa – sussurrou. – Muito bem.

Paolo se levantou.

– E agora, queiram por favor dar as boas-vindas aos nossos dois convidados muito especiais do Scala, Anna Dupré e Roberto Rossini, que vão cantar "O soave fanciulla", de *La Bohème*.

Rosanna encarou Roberto Rossini enquanto ele começava a cantar. Fazia seis anos desde a última vez que o vira. Ao vê-lo, sentiu o coração se acelerar e as palmas das mãos se umedeceram.

Havia descartado o sentimento que tivera por ele tantos anos antes, em Nápoles, como uma paixonite boba de menina, mas, ao vê-lo agora, entendeu que o sentimento era real e que ainda estava muito vivo dentro dela. Quando a voz de Roberto se juntou à de Anna Dupré em um glorioso *crescendo*, Rosanna lembrou-se da ambição de cantar com ele um dia, de ver seus dois talentos reunidos... um sonho que ela desejava com fervor realizar.

O recital terminou e fortes aplausos choveram sobre os artistas, que se curvavam para agradecer. Don Edoardo se levantou e dirigiu-se aos presentes.

– Obrigado, senhoras e senhores, por terem vindo aqui hoje escutar esse magnífico recital. E agora, Sonia Moretti, presidente do comitê, gostaria de dizer algumas palavras.

Sonia foi se juntar a Don Edoardo na frente da igreja.

– Senhoras e senhores, graças à sua generosidade e à dos artistas do Scala e alunos da *scuola di musica*, quase 10 milhões de liras foram arrecadados aqui hoje. – Sonia aguardou os aplausos arrefecerem. – Mas isso não é tudo. Tenho aqui um cheque para Don Edoardo de Giovanni e Donatella Bianchi. O casal ficou tão comovido ao ver esta linda igreja que decidiu fazer uma contribuição pessoal. Sua modéstia não me permite revelar a quantia doada, mas ela contribuirá, e muito, para que a Beata Vergine Maria recupere sua antiga glória. Don Edoardo, por favor, queira receber o cheque.

O padre recebeu o cheque com uma mesura humilde em seguida se virou para o público.

– Não sou capaz de expressar a gratidão que sinto pelo *Signor* e pela *Signora* Bianchi. Estou subjugado pela generosidade dos dois. Que Deus os abençoe. Obrigado também a cada um de vocês, por terem contribuído para o nosso recital. Espero que todos voltem quando a reforma estiver concluída, para ver a diferença que sua contribuição fez. Agora serviremos vinho nos fundos da igreja para quem desejar.

A plateia começou a se levantar dos bancos. Abi e Rosanna subiram o corredor juntas e Abi sorriu para a amiga.

– A noite foi um sucesso retumbante. Seu irmão deve estar exultante.

– Sim. – Os olhos de Rosanna brilhavam de felicidade. – É maravilhoso. Luca deve estar muito empolgado.

– Você se importaria se eu fosse falar com ele e Don Edoardo? Queria conversar com ele sobre uma ideia que tive.

– É claro que não me importo. Nos vemos mais tarde.

De repente, sentiu a mão de alguém tocar seu ombro de leve por trás.

– Perdoe a intrusão.

Ao se virar, Rosanna deparou com um par de olhos azuis dolorosamente conhecido. Seu coração disparou dentro do peito.

– Rosanna Menici?

– Sou eu.

– Está lembrada de mim?

– É claro que sim, Roberto – respondeu ela, encabulada.

– Já faz muitos anos que nos vimos, embora minha mãe tenha escrito contando sobre sua mudança para Milão e a morte de sua *mamma*. Lamentei muito receber essa triste notícia. Como vai seu *papà*?

– Vai bem, dentro do possível. Sente muita falta da *mamma*. Amanhã, Luca e eu vamos a Nápoles por uma semana.

– Nesse caso, transmita a ele meus pêsames e meus melhores votos.

– Farei isso, obrigada.

Ficaram em silêncio por um instante, e as bochechas pálidas de Rosanna enrubesceram quando seus olhares se cruzaram. Roberto rompeu o silêncio:

– Quer dizer que Luigi Vincenzi a ajudou, como eu sabia que faria?

– Sim. Ele foi maravilhoso. Organizou até uma visita de Paolo de Vito para me ouvir cantar em um recital na sua *villa*, no verão passado. Paolo me ofereceu uma bolsa, e agora estou aqui, em Milão. E tudo graças a você – concluiu ela, suave.

– Eu não fiz nada, Rosanna. Quem merece o crédito é Luigi Vincenzi. E, pelo que ouvi hoje, acho que ele fez um excelente trabalho. Tenho certeza de que não vai demorar muito para você se apresentar no palco do Scala. – Roberto lhe sorriu e seus olhos estavam cheios de simpatia.

– Você também cantou lindamente.

– Que bom que você acha isso.

Uma nova pausa desconfortável interrompeu a conversa.

– Bem – falou Roberto depois de algum tempo. – É melhor eu ir cumprir meu dever e conversar com os convidados. Foi muito bom revê-la. Se algum dia você precisar de ajuda ou de conselhos, pode me encontrar sempre no Scala.

– Obrigada.

– Até logo, pequena. Estude bastante.

Com um aceno, ele subiu o corredor em direção às pessoas reunidas nos fundos da igreja. Rosanna o acompanhou com olhos ávidos até que um dos convidados, ansioso para parabenizá-la, atraiu sua atenção.

Alguns minutos depois, Abi apareceu de novo ao seu lado.

– Não sabia que você conhecia o *bad boy* do Scala.

– Como assim? – Rosanna franziu o cenho.

– Ah, segundo minha tia Sonia, Roberto Rossini tem uma reputação horrível com as mulheres. Já se deitou com a maior parte do coro e das solistas. Enfim, não me espanta. – Abi deu de ombros. – Ele é mesmo divino, você não acha?

– É, imagino que seja. – Rosanna continuava a observar Roberto.

– E, pelo jeito como a encarava, acho que você poderia muito bem ser sua próxima vítima – provocou Abi.

– Ah, não. Não é nada disso. Nós dois somos napolitanos e nossos pais eram muito amigos. De toda forma, ele é famoso demais para se interessar por mim. Sem falar que é bem mais velho – arrematou, na defensiva.

– Ah, sério, eu só estava brincando. Como você é rígida às vezes.

Luca se aproximou delas e Abi lhe abriu um largo sorriso.

– É mesmo uma noite maravilhosa, não é, Rosanna?

– É, sim. Você deve estar muito feliz.

– Estou. Graças à doação do *Signor* Bianchi, outros convidados também doaram. Don Edoardo ainda está recolhendo os cheques. – A expressão nos seus olhos era de pura alegria.

– Acho que deveríamos comemorar em um bar – sugeriu Abi.

– Eu bem que gostaria, mas infelizmente preciso ficar aqui e ajudar Don Edoardo a liberar a igreja para a missa amanhã de manhã.

– Que pena. Rosanna e eu vamos sair para tomar alguma coisa, então – respondeu Abi.

– Certo, mas não chegue tarde em casa, Rosanna.

– Pode deixar. *Ciao*. – Rosanna beijou o irmão no rosto.

As duas se despediram e saíram da igreja.

– Conheço um lugar bem ali na esquina onde podemos pedir uma garrafa de vinho e alguma coisa para comer. Estou faminta – falou Abi.

O bar estava lotado, mas elas conseguiram uma mesa e pediram vinho e dois pratos de massa.

– *Cheers*, como dizemos lá na Inglaterra – falou Abi, erguendo o copo. – Ao vinho, aos homens e ao canto. – Ela riu.

– *Cheers* – imitou Rosanna. – A propósito, sobre o que você queria conversar com Luca e Don Edoardo?

– Ah, eu tinha pensado que, se a igreja vai ser reformada, seria maravilhoso voltar a ter um coral. Segundo Don Edoardo, faz anos que o coral não existe mais. Pensei que eu poderia ajudar, com meus contatos da escola, e eles também precisariam de alguém para dirigir os cantores.

Rosanna olhou para a amiga com ar de surpresa.

– Mas como vai arrumar tempo com seus horários na escola? Além do mais, você disse muitas vezes que não se interessa por religião.

– Não, mas com certeza tenho interesse por uma pessoa que pratica a religião – respondeu Abi, astuta.

Rosanna a encarou.

– Está falando de Luca?

– É, estou. Ele parecia tão feliz hoje... Seu irmão ama mesmo aquela igreja, não é? Mas fico me perguntando o que ele faz no resto da vida. Afinal, não dá para viver o tempo para a igreja.

– Você não conhecia Luca antes – respondeu Rosanna, na defensiva. – Ele trabalhava para *papà* na cantina e não tinha tempo nenhum para a própria vida. E fez isso para pagar minhas aulas de canto. Se ver a igreja reformada o fizer feliz, também vou ficar feliz por ele.

– Desculpe, eu não o estava criticando. Na verdade, muito pelo contrário. Como você talvez tenha percebido, Luca me fascina – confessou Abi. – É tão diferente dos outros homens... Quero dizer, a maioria dos rapazes da idade dele tem carreiras e namoradas. Mas Luca não parece precisar de nenhuma dessas coisas.

Rosanna tomou um gole de vinho e observou com atenção o rosto da amiga.

– Você gosta mesmo dele... *desse jeito?*

– Ah, sim. Gosto sim. Luca é tão... misterioso. Acho que ele tem profundezas escondidas, só esperando para serem exploradas pela mulher certa.

E agora que arrumei um jeito de nos vermos com mais frequência organizando um coral, tenho mais chances de descobrir quais são elas. Você não se importa, não é?

Rosanna fez que não com a cabeça e deu uma risadinha.

– Você só pensa em namorar.

– E em que mais poderia pensar?

– No seu futuro como cantora de ópera, para começo de conversa.

– Ah, sim, tem isso também, mas sou uma moça sensata, Rosanna. Sei que tenho uma voz até decente, mas que não é nada em comparação com a sua. Com sorte, talvez consiga entrar para o coro, mas sou realista o suficiente para saber que nunca vou ser a próxima Callas. Assim, ao contrário de você, que é casada com sua arte, preciso pensar em homens para não ficar deprimida quando ouvir você cantar. – Ela abriu um sorriso forçado.

– Bom, acho que você tem uma voz linda. Caso contrário, não estaria na escola. Pare de se depreciar.

– Caia na real, Rosanna. – Abi balançou a cabeça. – Minha tia é uma figurona do comitê de patrocínio. É casada com um homem extremamente generoso, tanto com a ópera quando com a escola. Você não acha que isso talvez tenha influenciado para eu conseguir uma vaga? Daqui a três anos, quando você ocupar o lugar ao qual tem direito na companhia, ela vai ter de mexer uns pauzinhos para me garantir um futuro na última fila do coro. Para ser sincera, não sei nem se vou querer essa caridade, sabe? – Uma sombra de tristeza cruzou seu semblante. – E, bem, morar aqui em Milão é bom para o meu italiano, e passar um tempo no estrangeiro é o que toda moça inglesa de boa família precisa fazer antes de se casar com um marido adequado.

– Nesse caso... talvez seja eu a estranha. – Rosanna tomou mais um gole de vinho.

– Em que sentido?

– Bom, nunca penso em homens... nunca.

– Sério? – Abi arqueou uma das sobrancelhas com ceticismo. – Quando vi você conversando com Roberto Rossini hoje, não me pareceu totalmente imune ao charme dele.

– Roberto é diferente.

– Diferente por quê? – Abi a encarou com atenção.

– Porque... porque é, e pronto. – Rosanna suspirou. – Enfim, não quero falar nisso. Ah, olhe, lá vem nosso espaguete – falou. Queria distrair Abi e afastá-la daquele interrogatório.

– Bom, como quiser – falou Abi alegremente. Pegou o garfo para atacar a tigela fumegante pousada à sua frente. – Mas você não me engana nem um pouco, Rosanna Menici.

⁕

Don Edoardo e Luca observavam o entulho que ainda precisava ser retirado.

– Luca, lembra-se de mim?

Alguém deu um tapa no seu ombro e o fez se sobressaltar. Ele se virou e, quando viu quem era, engoliu em seco.

– Claro. Como vai, Roberto?

– Bem, muito bem. Que mundo pequeno, não? Você também está morando em Milão?

– Estou cuidando da minha irmã aqui – respondeu Luca, tenso.

– Pois é, falei com ela mais cedo. Ela cresceu bastante desde a última vez que a vi. E como vai sua outra irmã, a bela... ahn... – Roberto coçou a cabeça.

– Carlotta. Vai bem. Agora, com licença, preciso ajudar Don Edoardo. Boa noite. – Luca deu um meneio seco de cabeça e se afastou depressa.

Roberto percebeu aquele menosprezo e, já desestabilizado pela emoção que sentira ao rever Rosanna Menici, foi tomado por um desejo irrefreável. Atravessou a igreja, postou-se ao lado de Donatella e discretamente pôs a mão no seu traseiro firme.

– Cuidado, alguém pode ver – sussurrou ela, furiosa, afastando-se como se ele fosse um leproso.

– Mas seu marido já foi, não? Eu o vi sair da igreja mais cedo. Além do mais... – Roberto se inclinou na direção dela e deu um sorriso lascivo. – Eu quero você. Agora.

⁕

Alguns minutos depois, Luca encontrou Don Edoardo afundado em uma cadeira na sacristia.

– Vá para casa – falou para o velho padre. – Sobrou pouca coisa para fazer aqui e o senhor está exausto. Deixe que eu tranco a igreja.

– Obrigado, Luca. Pode guardar isto aqui no armário dos sacramentos? – Ele lhe entregou um envelope cheio de cheques. – O dinheiro ficará mais seguro aqui do que no meu apartamento, e vou compensar os cheques amanhã bem cedo. Que noite extraordinária, não?

– Foi, mesmo.

– E tudo graças a você, meu caro amigo. Quando chegar a hora, você sabe que vou lhe fazer a mais elogiosa recomendação. – O padre sorriu. – Boa noite, Luca.

Depois que o sacerdote saiu pela porta dos fundos da sacristia, Luca destrancou o armário de sacramentos e pôs os cheques dentro de uma latinha de metal onde eles guardavam algumas liras para comprar chá e café. Tornou a trancar o armário, escondeu a chave, então se ajoelhou diante do pequeno altar que Don Edoardo usava para sua contemplação pessoal. Agradeceu a Deus por aquela noite e também por tê-lo ajudado a encontrar o valioso cálice de prata. Ficara decepcionado quando Don Edoardo lhe disse que, conforme informara o marido de Donatella, o desenho valia muito pouco e lamentou eles não terem podido mantê-lo ali na igreja. Mas Don Edoardo ficara tão agradecido pelo dinheiro do cálice de prata que se sentira incapaz de recusar o pedido pessoal de Donatella Bianchi para comprar o desenho.

Ele passou mais alguns minutos imerso em uma oração silenciosa. Por fim, levantou-se, apagou a luz, saiu e fechou a porta. Quando estava margeando uma das laterais da igreja em direção à porta da frente, ouviu um ruído vindo do altar. Virou-se naquela direção. Seriam ladrões? Com o coração aos pulos, avançou de fininho para investigar.

Em um dos lados do altar, enlaçados no chão, estavam um homem e uma mulher. Apesar de estarem ambos vestidos, o que faziam era bem evidente. O homem estava deitado por cima da mulher, que gemia de prazer, com as pernas cruzadas atrás das costas dele. Os gemidos alcançaram o ápice, o homem deu um grito e então desabou, esgotado, por cima da mulher.

Chocado e atônito demais para confrontá-los, Luca se escondeu atrás de uma coluna e ficou olhando o casal se levantar, ajeitar as roupas e subir de braços dados pelo corredor central da igreja. Sabia exatamente quem eram.

– *Caro*, você é mesmo um danadinho! Ligo para você na quinta, está bem?

– Claro.

O homem beijou o alto da cabeça morena da mulher, e ambos seguiram caminhando na direção da porta como se nada houvesse acontecido.

As duas silhuetas desapareceram na noite, deixando para trás um Luca horrorizado e sua igreja conspurcada.

༺༻

O rapaz chegou em casa bem mais tarde, com o coração em polvorosa. Cometer um ato desses *naquele lugar*... Aquela visão tinha varrido da sua mente a felicidade do restante da noite.

Sem fazer barulho, ele abriu a porta do quarto da irmã para verificar se ela estava na cama. A luz estava acesa e, apesar de estar com os olhos fechados, Rosanna segurava na mão o livro que estava lendo. Ele atravessou o quarto para apagar a luz.

– Luca? – falou Rosanna, abrindo os olhos.
– Sim, *piccolina*?
– A noite não foi incrível? – indagou ela, sonolenta.
– Foi... foi sim.
– O que houve? – Ela franziu o cenho e se apoiou nos cotovelos. – Você não parece feliz.
– Está tudo bem. Estou cansado, só isso. Agora volte a dormir.
– Roberto não foi maravilhoso? A voz dele é tão linda e ele é tão bonito... – Rosanna se espreguiçou e deu um bocejo.
– Rosanna, não acho que Roberto seja um homem bom.
– Foi o que a Abi falou. Ela disse que ele...
– Que ele o quê?
– Ah, nada. Boa noite, Luca.
– Boa noite.

Ele apagou a luz e foi para o seu quarto.

Nessa noite, o sono demorou a chegar. Luca não conseguia esquecer o ar sonhador no rosto de Rosanna ao falar de Roberto, o homem responsável por arruinar a vida de Carlotta e que agora nem sequer conseguia lembrar o nome dela. Roberto, que havia cometido um ato sacrílego na sua amada igreja. Luca sentia o estômago se revirar toda vez que pensava naquilo.

Embora tenha tentado se convencer de que as palavras de Rosanna eram apenas uma coincidência inoportuna, seu instinto lhe dizia que a história de Roberto Rossini com sua família ainda não havia terminado.

# 13

– Obrigada por me encontrar hoje, Paolo.

Donatella sorriu, sedutora, quando ele se sentou à sua frente. O restaurante da moda já estava lotado de clientes abastados.

– Aceita um aperitivo? Eu vou tomar um Bellini.

Ela estalou os dedos de modo imperioso para chamar o garçom.

– Eu a acompanho – respondeu Paolo. – Como vai, *Signora* Bianchi?

– Muito bem. E, por favor, pode me chamar de Donatella.

– Então... – Paolo não estava com disposição para jogar conversa fora. – Sobre o que você queria conversar comigo?

– Tenho uma sugestão a lhe fazer.

– Entendo – disse ele, desconfiado. – Diga, por favor.

– Recentemente, ganhei uma pequena quantia em dinheiro... um generoso presente do meu marido. E você sabe como considero a *scuola di musica* parte vital do mundo das artes aqui de Milão.

– De fato, a escola é um solo fértil para novos talentos e sem ela a companhia de ópera estaria perdida – concordou Paolo, perguntando-se aonde aquela conversa ia levar.

– Exato. Sendo assim, eu estava pensando em fazer uma generosa doação única para disponibilizar três bolsas a alunos talentosos cujos pais não podem pagar a anuidade. Sei que hoje vocês financiam os estudos de um ou outro aluno, mas que os recursos da escola são limitados.

– É verdade. De quanto exatamente estamos falando?

Donatella disse o valor.

– Nossa. – Paolo se espantou. – É uma quantia muito alta.

– Ah, nossos Bellinis chegaram. – Donatella ergueu o copo. – Aceita a minha oferta?

– É um gesto muito generoso. E o que você...?

– O que vou querer em troca? Que a bolsa se chame "Bianchi", claro, e...

– Ela fez uma pausa e correu o dedo pela lateral do copo. – E que Roberto Rossini abra a nova temporada no Scala como protagonista.

Em seu íntimo, Paolo soltou um grunhido. Sabia que haveria um preço. Com uma mulher como Donatella, sempre havia.

– Entendo.

– Já faz alguns anos que venho acompanhando a carreira dele e acho de fato que sua capacidade não está sendo aproveitada o suficiente. Ele tem o perfil de um astro. Todas as minhas amigas concordam comigo – ressaltou Donatella, como se isso encerrasse o assunto.

– Também concordo que Roberto Rossini é um artista de grande talento. Mas às vezes, Donatella... – Paolo escolheu as palavras com cuidado. – Às vezes existem... coisas que podem impedir alguns cantores de conquistar papéis dignos de suas habilidades. Você está coberta de razão. Ele de fato possui capacidade vocal e física para deixar sua marca no mundo da ópera, mas sua personalidade... – Ele suspirou. – Bom, digamos apenas que ele não ajuda muito a si mesmo.

– Quer dizer que você não gosta dele? – perguntou Donatella, direta.

– Não, garanto que não é esse o problema. O que quero dizer é que tenho ressalvas com ele como integrante da companhia. Ele não é confiável, é meio imaturo e, devo dizer, egoísta no palco. Muitos colegas acham difícil trabalhar com ele.

– Mas todo artista pode ser temperamental, não pode? E eu sei, Paolo, que Roberto Rossini está destinado a um futuro grandioso. Se não no Scala, em outra companhia. E nós não queremos isso, certo? – Donatella o encarou, esperando uma resposta.

– Hum...

Paolo lutava com a própria consciência. Ele compreendia perfeitamente o que estava em jogo naquele acordo. Seu único consolo era que poderia dar a três jovens cantores a oportunidade de estudar. Por fim, deu um suspiro profundo.

– Por acaso, agendei *Ernani* para abrir a próxima temporada e, apesar da minha opinião pessoal, devo admitir que o homem de quem estamos falando é perfeito para o papel-título.

– Viu? É o destino – incentivou ela.

– Está bem, Donatella. – Ele tornou a suspirar. – Roberto Rossini vai abrir a próxima temporada como protagonista.

– Maravilha! Tenho certeza de que você não vai se arrepender. – Donatella bateu palmas; seu deleite era evidente. – Só mais uma coisa. Você precisa me prometer que Roberto jamais vai saber desta nossa conversa.

– Claro.

– Ótimo. Agora vamos pedir?

※

Uma hora mais tarde, Paolo saiu do restaurante. Enquanto caminhava em direção ao Scala, perguntou-se quanto tempo havia que Roberto Rossini estava tendo um caso com Donatella Bianchi.

※

Donatella dirigiu até sua casa com um sorriso de satisfação nos lábios. Havia custado muito dinheiro, mas era um preço pequeno a pagar para manter Roberto em Milão.

※

Roberto recebeu um recado pedindo-lhe que fosse encontrar Paolo de Vito em sua sala após os ensaios da manhã. Perguntando-se o que teria feito de errado dessa vez, mas decidindo que pouco importava, foi até a sala do diretor artístico e bateu.

– Pode entrar.

Roberto abriu a porta.

– Você queria falar comigo?

Paolo estava sentado atrás de sua mesa, de braços cruzados. Sorriu para Roberto.

– Sente-se, por favor.

Roberto se sentou.

– Estou pensando em pôr você no papel principal de *Ernani*. Vai ser a primeira produção da temporada. Você acha que está pronto?

Roberto o encarou, surpreso. Seu choque foi tanto que ele não conseguiu responder.

– Então? – insistiu Paolo, olhando para ele com ar de expectativa.

– Ahn... é claro que estou! Desde que eu era estudante, minha ambição sempre foi abrir a temporada aqui em um papel-título.

– Não duvido disso. E decidi que está na hora de lhe dar essa chance. Acho que você tem as qualidades necessárias para se tornar um tenor de primeira grandeza.

– Obrigado, Paolo. – Roberto deu o melhor de si para parecer humilde, mas, na verdade, mal conseguia conter sua euforia.

– Resolvi lhe falar sobre meus planos agora porque ainda temos quatro meses da atual temporada e, em seguida, o intervalo de verão. Isso lhe dará tempo para estudar o papel. Em suma, você tem sete meses para me provar que estou tomando a decisão certa.

– Vou trabalhar muito, Paolo, eu juro – assegurou-lhe Roberto enfaticamente.

– Mas preciso avisar: se você me decepcionar, seu futuro aqui não vai ser muito promissor. De agora em diante, chega de atrasos e de chiliques no palco. Assumir um papel de protagonista exige compromisso em um nível que você jamais assumiu. Quero que me mostre que tem maturidade para isso. Está me entendendo?

– Paolo, se você me der essa oportunidade, prometo não decepcioná-lo. Quem vai ser minha Elvira?

– Anna Dupré.

– *Magnifico!* Acho que trabalhamos bem juntos.

– Somente no palco, espero. – Paolo arqueou uma sobrancelha, em alerta.

– Claro. – Roberto teve a elegância de enrubescer. – Na verdade, no momento estou comprometido.

– É mesmo? – Paolo fingiu surpresa. – Vamos torcer para continuar assim, tanto no plano pessoal quanto no profissional. Lembre-se: abrir a temporada no Scala é uma das maiores honras que qualquer tenor pode ter. Se você fizer o sucesso que todos esperam ao estrear como Ernani, torço para que isso não lhe suba à cabeça.

– É claro que não.

– Bem, então é isso. – Paolo meneou a cabeça.

Roberto se levantou e estendeu a mão para apertar com energia a do diretor.

– Obrigado, Paolo. Juro recompensar a confiança que você está depositando em mim.

– Ótimo.

Quando o rapaz saiu da sala, Paolo deu um suspiro preocupado. Então chegou à conclusão de que as três partes envolvidas tinham conseguido exatamente o que desejavam.

❧

Sete meses depois, Paolo observava pela janela de sua sala a fila aparentemente interminável de limusines que deslizavam pela Piazza della Scala em direção ao imponente arco triplo que formava a grandiosa fachada da ópera. Funcionários uniformizados acorriam para abrir as portas dos carros. Saraivadas de flashes estouravam quando os passageiros saltavam. As mulheres usavam casacos de pele magníficos que escondiam pesadas joias de diamante, safira e esmeralda, e seus maridos ostentavam smokings impecáveis arrematados na cintura por faixas de seda de cores vivas. Câmeras de TV registravam o evento mais glamouroso do calendário da ópera, que marcava também o início da temporada social milanesa. A praça estava rodeada por policiais ocupados em conter várias centenas de pessoas, todas fitando o teatro com ar ansioso. Embora a noite de dezembro estivesse fria e uma chuva fina congelasse seus ossos, pelo menos a famosa névoa – que podia se abater sobre Milão em um segundo, cobrindo e paralisando a cidade – não havia chegado.

Políticos, estrelas de cinema, modelos e aristocratas, todas as pessoas importantes da Itália estavam presentes nessa noite. Os dois mil lugares do Scala estariam ocupados pelos ricos e famosos, além, é claro, da claque nas galerias superiores.

Paolo detestava reconhecer que a claque ainda existia. Segundo esse sistema, um empresário comprava vários assentos baratos e os distribuía gratuitamente a pessoas que deveriam aplaudir os artistas que lhe pagaram regiamente por isso e vaiar os que se negaram a fazê-lo. Paolo tinha certeza de que Roberto Rossini devia ter pagado. Rezava apenas para que o restante da plateia desejasse aplaudi-lo por livre e espontânea vontade.

Desde que havia anunciado Roberto como seu Ernani, Paolo vinha observando com preocupação o frenesi da mídia. Era coisa rara um jovem e talentoso tenor formado pela própria companhia ter também o *físico* certo para o belo herói, e Roberto sem dúvida havia somado ao seu fã-clube a maioria das jornalistas da cidade. Tinha de reconhecer que, desde o momento em que lhe oferecera aquela grande chance, Roberto havia se mostrado um modelo de dedicação e decoro. Até mesmo o maestro da companhia, Riccardo Beroli, famoso por ser temperamental, havia começado a se afeiçoar ao rapaz.

Paolo endireitou a gravata-borboleta e verificou o relógio. Tinha o tempo exato para ir falar com Roberto no camarim e lhe desejar boa sorte antes de a cortina subir.

– Entre. – Roberto interrompeu um *arpeggio* no meio quando a porta se abriu e o diretor entrou.

– Como você está?

Roberto sorriu.

– Com um pouco de frio na barriga, mas tudo bem.

Os olhos de Paolo recaíram sobre um elegante buquê de lírios brancos sobre a mesa.

– Que lindos. Quem mandou? – quis saber.

– Riccardo. Ele disse que posso pôr as flores no meu túmulo depois de ser crucificado pelos críticos amanhã de manhã. – Roberto deu um sorriso de ironia.

– E as rosas? – Paolo apontou para outro buquê, bem mais extravagante, que ocupava quase todo o pequeno sofá.

– Uma amiga – respondeu o tenor, casual.

– Bem, vou receber nossos ilustres convidados na plateia. Se você fracassar hoje à noite, será diante das pessoas mais importantes da Itália.

– Obrigado por me reconfortar – retrucou Roberto, seco.

– Seja brilhante – incentivou Paolo. – Prove-me que não fui louco ao lhe dar essa chance.

– Darei o melhor de mim para não decepcioná-lo.

– Ótimo. Voltarei no intervalo. – O diretor arrematou com a fórmula tradicional de boa sorte. – *In bocca al lupo*, Roberto.

– *Crepi il lupo* – rebateu Roberto, revirando os olhos.

Paolo assentiu e saiu do camarim.

Roberto apoiou a cabeça nas mãos, fechou os olhos e enviou uma prece para o céu.

– Deus, faça com que eu dê o melhor de mim hoje. O melhor.

❧

O clima no teatro nunca era tão emocionante quanto na abertura da temporada, refletiu Paolo ao se sentar no camarote dos funcionários e admirar as graciosas fileiras de sacadas folheadas a ouro que se erguiam do chão ao glorioso teto abobadado com seu único lustre elegante. O som discordante dos instrumentos sendo afinados subia do poço da orquestra. Viu os últimos integrantes da plateia de famosos se enfiarem entre as fileiras da plateia e ocuparem seus lugares, qual borboletas exóticas que vêm pousar em um jardim florido. Olhou para a direita e viu Donatella Bianchi, resplandecente com um vestido de veludo negro decotado e reluzentes diamantes, acomodada no seu camarote, ao lado do marido. Uma salva de palmas se fez ouvir quando Riccardo Beroli ocupou seu lugar na tribuna do maestro, curvou-se e pegou a batuta.

As luzes diminuíram, o teatro silenciou e a lenta e ameaçadora abertura de *Ernani* começou. Paolo fechou os olhos e inspirou fundo. Agora não dependia mais dele.

No intervalo, viu se confirmar aquilo de que vinha desconfiando nas últimas semanas. No bar lotado, só se falava em Roberto, que exibia uma performance vocal estarrecedora. Até mesmo o diretor havia relaxado ao ver o tenor dominar o palco e seu magnetismo fazer sombra ao dos outros integrantes do elenco.

– O que foi que eu lhe disse? – Donatella surgiu ao seu lado. Estava quase ronronando de tanta satisfação.

– É, ele com certeza está fazendo uma apresentação e tanto.

– Ah, mas é mais do que isso, não é? Ele tem uma presença de palco fenomenal. Você hoje deve ser um homem feliz, Paolo. Nós e o Scala criamos uma nova estrela.

❧

Ao fim do espetáculo, enquanto observava Roberto sair e voltar ao palco repetidas vezes para agradecer, enquanto buquês de flores choviam sobre ele e os aplausos ensurdecedores ecoavam pela casa, Paolo se perguntou o que, exatamente, eles haviam soltado no mundo.

## Ópera Metropolitana, Nova York

*Como você pode imaginar, Nico, a noite em que Roberto Rossini cantou Ernani foi o divisor de águas da sua carreira. Até hoje eu queria tê-lo visto cantar; quem viu ainda se lembra. É claro que esse papel fez de Roberto, até então um solista pouco conhecido, uma estrela de primeira grandeza. Ao longo dos anos seguintes, sempre que eu abria um jornal ou uma revista, via uma nova fotografia ou entrevista dele. Depois das apresentações, a entrada dos artistas era tomada de assalto pelas fãs. Sua vida particular era tão bem-documentada quanto as apresentações no palco, mas o acúmulo aparentemente sem esforço de lindas mulheres pelo visto só fazia aumentar seu prestígio e seu poder de atração.*

*Eu acompanhava a carreira dele com imenso interesse. Após o triunfo da noite de estreia, mandei-lhe um recado de parabéns, mas ele nunca respondeu. Entendi, é claro. Eu era uma jovem aluna da escola de música e ele estava a caminho de se tornar um dos maiores tenores de sua geração. Isso, porém, não me impediu de sonhar que um dia nós dois cantaríamos juntos os grandes duetos de amor. Abi e eu muitas vezes comprávamos ingressos para vê-lo cantar das galerias superiores. Essas noites me serviam de incentivo para me esforçar ainda mais nas aulas de canto.*

*Recordo com muito carinho os quatro anos que passei estudando em Milão. Dediquei-me inteiramente ao meu sonho, pois queria justificar a confiança que Luca, Luigi Vincenzi e Paolo de Vito haviam depositado em mim. Luca, ainda envolvido com sua igreja, viu-a, aos poucos, recuperar a antiga glória. Conforme a sugestão de Abi, reinstaurou o coro, e ela, fiel à sua promessa, o ajudou a recrutar e formar os novos cantores. Os dois passavam muitas horas juntos, trabalhando e conversando sobre seu projeto preferido. Eu observava com interesse a amizade entre eles crescer. Luca também havia arrumado um emprego de meio período como garçom, em um café na esquina do nosso apartamento, e em muitas noites Abi e eu íamos encontrá-lo lá para comer, tomar vinho e conversar.*

*Apesar de às vezes me perguntar o que Luca queria da vida e sentir sua inquietação, nunca lhe expus isso. Talvez, no fundo, eu soubesse que seus planos poderiam um dia afastá-lo de mim, e detestava pensar nisso.*

*Nas férias de verão, íamos a Nápoles. Devo admitir que eu achava essas visitas cada vez mais difíceis. Todo mês de julho e agosto, Luca e eu passávamos algumas semanas viajando no tempo. Ele ficava na cozinha preparando comida, e eu servia as mesas da cantina com Carlotta. Ela quase nunca perguntava sobre minha nova vida em Milão e, como eu não queria chateá-la, tampouco lhe fazia muitas perguntas sobre a sua. Podia ver que ela estava infeliz, que não era uma mulher realizada; que sua vida com papà e Ella não era o que havia sonhado quando mais jovem. E talvez eu não quisesse que a sua infelicidade contaminasse o otimismo que eu própria sentia em relação ao futuro. No fundo, tanto Luca quanto eu ficávamos contentes quando o verão acabava e podíamos fugir de volta para Milão e para a vida à qual agora ambos sentíamos pertencer.*

*Eu tinha 21 anos quando me formei na scuola di musica. Ganhei a medalha de ouro do meu ano, a maior honraria concedida pela instituição. Minha voz havia se tornado a minha vida e, enquanto as outras moças da minha idade viviam se apaixonando e se desapaixonando, os relacionamentos amorosos não tinham qualquer participação na minha vida. Talvez, se tivessem tido... bem, quem pode saber? Eu era muito inocente e estava totalmente despreparada para o que me aconteceria, como você vai saber agora...*

## 14

### *Milão, junho de 1976*

– Obrigado por ter vindo falar comigo. – Paolo a acolheu em sua sala com um sorriso caloroso. – Sente-se, por favor.

Rosanna se sentou.

– Tenho certeza de que você não vai se espantar se eu lhe disser que quero que você entre para a companhia.

– Que notícia maravilhosa. Obrigada, Paolo. – Os olhos dela brilharam de satisfação.

– Depois de ganhar a medalha de ouro deste ano, você sem dúvida deve ter consciência de que o Scala espera muito de você. O problema é onde colocá-la na companhia. Sua voz merece algo melhor do que o coro, mas... – Paolo remexeu alguns papéis sobre a mesa. – Não quero pressioná-la. Você tem apenas 21 anos e uma carreira pela frente que pode durar mais quarenta. Precisa ganhar maturidade e experiência antes de podermos lhe dar os papéis que sua voz merece. Entende o que estou dizendo?

– Acho que sim – respondeu ela, assentindo.

– Sei que outras companhias já entraram em contato com você e imagino que tenham lhe oferecido papéis, não é?

Rosanna corou e se perguntou como Paolo soubera.

– Sim. Tanto Covent Garden quanto a Ópera Metropolitana de Nova York demonstraram interesse.

– Naturalmente, a decisão é sua. Mas, se ficar, Rosanna, Riccardo e eu prometemos construir seu futuro do modo que consideramos o melhor caminho. Nossa sugestão é a seguinte: fazer um contrato como solista para a temporada que vem. Já pensei em vários papéis menores para você. Mas não vai precisar se apresentar mais de duas ou três vezes por semana. Isso lhe permitirá continuar com as aulas de canto sem submeter sua voz a um esforço excessivo. Enquanto isso, Riccardo concordou em trabalhar com você uma vez por semana para montar e incrementar seu repertório. Acho que também seria uma boa ideia você ser a substituta de alguns dos papéis principais da temporada. Assim, terá chance de interpretar esses papéis durante os ensaios dos substitutos e poderá ir se acostumando com o palco. Mas receio que não haja oportunidade para interpretar os papéis de verdade, pois, como sabe, a prática é trocar as sopranos principais dentro da própria companhia quando uma delas adoece. Mesmo assim, acho que a experiência vai ser muito benéfica quando se tornar solista principal, o que, espero, vai acontecer em breve. Então, o que acha? – indagou ele.

Rosanna foi incapaz de reprimir uma pontada de decepção com os planos de Paolo. Pouco antes, a Ópera Metropolitana de Nova York tinha mandado uma carta lhe oferecendo uma temporada que incluía estrear como Julieta em *Romeu e Julieta*, e o Covent Garden havia acenado com papéis igualmente tentadores. Mas ela sabia que o que Paolo estava dizendo fazia sentido. Além do mais, aquele era o homem que a vinha apoiando desde os 17 anos.

– Parece-me muito bom, Paolo – respondeu, forçando um sorriso que torceu para parecer agradecido.

O diretor estudou o rosto dela e na mesma hora leu seus pensamentos.

– Por favor, não pense que estamos tentando impedir você de evoluir, mas já vi muitas sopranos promissoras empurradas para os holofotes antes de estarem prontas. Quando chegam aos 30, já estão esgotadas. Sua voz é preciosa, Rosanna, e nem Riccardo nem eu queremos exigir demais nem de você, nem dela. Meu plano pode não ter o mesmo glamour das suas outras propostas, mas você precisa ganhar experiência e poder cometer seus erros sem que ninguém veja.

– Claro. – Rosanna assentiu. – Eu entendo, Paolo, entendo mesmo.

– Daqui a um ano, espero que faça sua estreia aqui. Estou pensando em abrir a próxima temporada com *La Bohème*. Você, naturalmente, faria Mimi, e talvez tentemos convencer Roberto Rossini a fazer Rodolfo.

Os olhos dela se acenderam.

– Fazer a Mimi de *La Bohème* sempre foi meu sonho.

– Ótimo. Então está tudo combinado, menos o que vamos lhe pagar. Nesse caso, também, não vai ser tanto quanto você poderia ganhar fazendo a protagonista no Met de Nova York, mas, acredite, não vai lhe faltar dinheiro no futuro. Eu acho que a quantia de 400 mil liras pela temporada deveria suprir adequadamente as suas necessidades e haverá horas extras e adicionais por espetáculo. Parece aceitável?

– Sim, é mais do que generoso. Obrigada.

– E, Rosanna, se a qualquer momento você se sentir infeliz, por favor, não hesite em vir falar comigo. Lembre-se: estamos fazendo isso não só por nós, mas por você também. Então, aceita nossa proposta?

Paolo mal sabia que acabara de lançar a isca perfeita. Rosanna ainda estava perdida em fantasias nas quais cantava *La Bohème* com Roberto Rossini dali a um ano.

– Aceito, Paolo. Obrigada por tudo.

– Fico muito feliz. E acho que você deveria procurar uns amigos e beber alguma coisa para comemorar!

– Vou fazer isso! Antes de ir, posso perguntar uma coisa?

– Claro.

– Abi Holmes vai entrar para a companhia? Prometo não dizer nada.

– Ela é muito amiga sua, não é?

– É, sim.

– Então posso confirmar que sim, ela vai entrar para a companhia. Vocês não vão precisar se separar ainda.

– Que bom! Por ela e por mim. – Rosanna uniu as mãos, feliz com o fato de o seu futuro imediato estar agora completo. – Obrigada mais uma vez, Paolo.

Ele esperou Rosanna sair da sala para dar um suspiro de alívio. Não tinha certeza se ela aceitaria a proposta. E, se incluir Abi Holmes na companhia fosse manter feliz sua protegida, ele arrumaria um lugar para a inglesa no fundo do coro. Ao longo dos anos seguintes, Rosanna precisaria de todo apoio que pudesse ter. Por enquanto, inocente, não tinha consciência da turbulenta correnteza subjacente de inveja e competição que existia nas coxias entre os cantores. Se quisesse ocupar o lugar que lhe era de direito, no topo da profissão, seria obrigada a desenvolver uma couraça bem dura. Tinha muito a aprender, e entrar para a companhia seria um despertar violento.

– A nós duas! – falou Abi.

– A vocês duas! – emendou Luca.

Os três copos tilintaram uns nos outros pela enésima vez naquela noite. A pequena mesa do apartamento de Luca e Rosanna estava agora coalhada com os resquícios da celebração improvisada pelas duas moças para brindar às boas notícias.

– Não consigo acreditar que Paolo me colocou na companhia! – exclamou Abi. – Quase desmaiei quando ele ligou para me avisar. Estava prestes a fazer as malas, e sei que meus pais estavam me esperando na Inglaterra a qualquer momento.

– Então você está satisfeita? Achei que não ligasse para ter uma carreira de cantora lírica – comentou Rosanna.

Abi ergueu as mãos em um gesto de desespero fingido e virou-se para Luca.

– Meu Deus, como a sua irmã pode ser ingênua às vezes. É *claro* que eu queria um lugar na companhia, mas estava fingindo que não ligava para me proteger da rejeição. É assim que os britânicos fazem, sabe? Eles não demonstram o que estão sentindo de verdade; sempre bancam os durões. Ao contrário de vocês italianos, emotivos, sempre com os sentimentos à flor da pele. Bom... quase todos, pelo menos. – Ela encarou Luca com ar travesso.

– O que exatamente a senhorita quer dizer com isso? – indagou ele, rindo baixinho e, o que era bem raro, deixando-se levar pela brincadeira descontraída.

– Meu irmão é a ovelha preta – entoou Rosanna no seu melhor inglês.

– Ovelha "negra", para ser mais exata – corrigiu Abi, rindo. – Você é mesmo, não é, Luca?

O rapaz deu de ombros, bem-humorado.

– Se é você quem diz, Abi.

– Eu digo, sim. – Ela secou o último gole de vinho da taça. – Que pena que a garrafa acabou. Eu hoje seria capaz de beber muito mais.

– A gente já tomou duas. Lembre-se do que Paolo diz sobre o efeito do álcool na voz – falou Rosanna, bem-comportada.

– Eu sei, eu sei. – Abi suspirou. – E imagino que, agora que sou uma integrante oficial da companhia e talvez tenha até um futuro como cantora, precise começar a levar essas coisas a sério. Que chatice!

Rosanna disfarçou um bocejo.

– Ah, olhe só... nossa pequena solista está cansada – provocou Abi. – Escute, por que não vai para a cama? A gente arruma tudo, não é, Luca?

– Se vocês não se importarem mesmo... Confesso que estou um pouco cansada. – Um vinco de preocupação atravessou seu semblante. – Espero não estar pegando um resfriado. Segunda-feira tenho minha primeira aula com Riccardo.

– Ah, escute só a diva falando! Daqui para a frente só vai piorar, viu, Luca? – comentou Abi, fingindo sarcasmo. – E isso é só o começo das tendências de *prima donna*: ela vai ficar neurótica em relação ao seu estado de saúde, vai reclamar da fumaça de cigarro que alcançar suas delicadas narinas a 100 metros de distância, vai...

Uma das almofadas do sofá acertou Abi bem no meio do peito.

– A diva está partindo rumo ao seu sono de beleza. Durmam bem. – Com uma piscadela para a amiga, Rosanna saiu da sala.

Luca se levantou e começou a levar pratos e copos para a pequena cozinha, enquanto Abi vasculhava a bolsa que trouxera com suas coisas de dormir.

– Olhe o que encontrei! – disse ela quando Luca voltou, acenando com uma garrafa de conhaque. – Esqueci que tinha trazido – mentiu, desenvolta. – Quer um pouquinho?

– Não, Abi. Obrigado. Já bebi bastante.

– Deixe de ser chato, Luca. Hoje é uma noite muito especial e vou ficar muito ofendida se você não tomar um conhaque para comemorar comigo. Só unzinho... por favor?

– Está bem – concordou ele, relutante.

Observou-a encher um copinho e lhe passar. O volume de bebida o fez arquear as sobrancelhas.

– Eu bebo o que você não quiser. *Cheers* – falou Abi, tomando um gole grande e sentando-se no sofá.

– A Abi. *Bravissima!* Estou muito feliz por você. – Luca sorriu.

– Está mesmo? Eu às vezes me pergunto se você liga para o que acontece comigo – falou ela abruptamente.

As palavras deixaram Luca espantado.

– Que bobagem dizer isso, Abi. Você deveria saber que eu a considero uma das minhas amigas mais próximas.

– Sim, claro. Desculpe. – Percebendo que já estava perigosamente embriagada, Abi mudou de assunto. – Mas, então, o que vai fazer agora que Rosanna atingiu a maioridade, por assim dizer? Você não tem mais serventia, certo?

– Bom, acho que isso é um exagero. Ela ainda vai precisar de apoio e da família por perto quando entrar para a companhia.

– Sim, mas ela agora é adulta. Você com certeza deve ter alguma ideia do que quer fazer no futuro. Vai ficar em Milão e continuar trabalhando na cantina?

– Não. Esse emprego é só para ganhar dinheiro. Sei exatamente o que vou fazer. – Ele se sentou no sofá e tomou um golinho de conhaque.

– Então me conte o seu plano. Estou morrendo de curiosidade. Abrir um restaurante, talvez?

– Não. Com certeza não. – Luca deu um sorriso pesaroso.

– Mas com certeza um dia você vai querer se casar, ou não? Formar família?

– Pode ser.

– Luca, posso fazer uma pergunta íntima?

O álcool dera coragem a Abi para insistir na questão.

– Pode, mas se vou responder é outra história – respondeu ele, neutro.

– Certo. Então, em todos esses anos, desde que o conheci, você nunca teve namorada? Quer dizer, você é... você... prefere homens?

Luca deixou escapar uma súbita risada de espanto que mais pareceu um latido.

– Essas suas perguntas, sinceramente... Não, Abi. Só porque um homem não tem mulher não significa que ele seja gay.

– Mas você me acha atraente? – A pergunta saiu sem querer.

Luca examinou a moça sentada ao seu lado. Os belos cabelos louros caíam de modo gracioso em volta do rosto oval e os olhos muito azuis cintilavam de vida. Involuntariamente, ele olhou para as pernas compridas e bem-torneadas que ela havia dobrado sob o corpo.

– Acho você linda. Teria que ser cego para não reparar.

– Bom... se você gosta da minha companhia e me acha linda, por que nunca tentou... – perguntou ela devagar.

– Por favor! Você não deveria me perguntar isso.

Luca se levantou, foi até a janela e olhou para a rua ainda movimentada. Casais passeavam de mãos dadas, serpenteando daquele jeito que as pessoas fazem quando não têm nenhum destino específico a não ser estar ao lado de alguém que lhes agrada. Sentiu uma pontada ao reconhecer silenciosamente que ser igual àquelas pessoas não era o seu destino. E, se havia alguém que ele poderia escolher, esse alguém era a moça à qual tanto havia se afeiçoado... a moça sentada ali no sofá atrás dele, a moça que, na verdade, *amava*. Ele tomou mais um gole de conhaque e pousou o copo no peitoril da janela. Sabia que, para o bem dos dois, precisava ser sincero com Abi e consigo mesmo.

– Luca, você deve saber o que sinto por você, por que me envolvi com o coral da sua igreja, por que praticamente moro aqui no seu apartamento – insistiu ela.

– Imaginei que fosse porque é a melhor amiga da minha irmã e porque queria ajudar. – Ele se virou para ela.

– Claro, claro – garantiu Abi depressa. – Adoro Rosanna, ela significa muito para mim. E adorei montar e treinar o coral também. Mas você deve estar vendo que não foi só por isso...

– Abi, por favor. Eu não sei o que dizer.

Houve um curto silêncio enquanto ela esvaziava seu copo. Era agora ou nunca.

– Luca, posso dizer uma coisa? Uma coisa muito íntima? Eu... acho que estou apaixonada por você.

Ele a encarou; seu rosto era uma máscara de infelicidade.

– Meu Deus, isso é tão terrível assim? – perguntou ela.

– Não... sim... quero dizer... – Ele tornou a lhe virar as costas e abaixou a cabeça.

Abi se levantou e foi até ele devagar.

– Por favor, me responda a verdade. Pode dizer com honestidade que não sente nada por mim?

Ela chegou mais perto até ficar logo atrás dele. Por fim, ele respondeu:

– Não, não posso.

Abi correu os dedos pelas costas dele.

– Então me dê um beijo.

– Não... eu... – Luca se virou com um movimento abrupto, e seu rosto ficou provocantemente próximo do dela.

Abi o puxou para si e encostou os lábios nos seus. Luca sentiu a tensão diminuir conforme ela o fazia abrir a boca usando os próprios lábios. Ela o envolveu com os braços e por fim ele começou a retribuir.

Abi já tinha vivenciado aquele instante muitas vezes na imaginação, mas mesmo assim a realidade era muito superior a qualquer coisa que ela poderia ter sonhado.

Então, com um grunhido, ele se afastou.

– Pare com isso! Por favor!

– Ahn? Por quê? Eu já sabia o que você sentia por mim. Não estava imaginando coisas, estava? Nestes últimos quatro anos tive namorados, sim, mas eles não significaram nada. No meu coração nunca existiu mais ninguém. Vai ser sempre você, sempre. – Ela avançou, mas Luca recuou para longe dela como um animal acuado.

Então afundou no sofá e enterrou o rosto nas mãos.

– Eu... ai, Luca, qual é o problema? Por favor, me diga o que é.

Quando ele ergueu o rosto, Abi viu que estava chorando.

Ele balançou a cabeça devagar.

– Você não vai entender.

– Vou sim, juro. Se a gente sente a mesma coisa um pelo outro, então vai arrumar uma solução, seja qual for o problema. – Ela se sentou ao seu lado.

– Não, Abi, não dá. A gente não vai poder ter um futuro juntos. Sinto muito, muito mesmo ter deixado você acreditar, nem que tenha sido só por um segundo, que isso seria possível.

Ela respirou fundo e afastou os cabelos do rosto com um movimento de cabeça, para recuperar o autocontrole.

– Então é melhor você me explicar por quê.

– Está certo, vou falar. Minha querida Abi, vou fazer o melhor que puder. – Ele inspirou fundo e começou a contar o que ela queria saber: – Quando eu era mais novo, vivia me perguntando por que não me sentia feliz, sabe? Era como se estivesse buscando alguma coisa, algo que eu sentia que nem as mulheres, nem uma carreira poderiam me dar. Aí cheguei aqui em Milão com Rosanna e, por ironia, no meu primeiro dia, descobri o que era.

– Como? Onde?

– Fui parar na Chiesa della Beata Vergine Maria. Quando estava lá, eu a vi.

– Viu quem? – Os lábios dela tremeram.

– A Virgem Maria – respondeu Luca baixinho. – Sei que isso vai soar estranho e ridículo, mas ela falou comigo. Desse momento em diante, todas as coisas se encaixaram e eu entendi o que deveria fazer com a minha vida. Então... – Ele estendeu a mão e segurou a de Abi. – Eu não posso ficar com você; não posso ficar com mulher nenhuma, nem amar mulher nenhuma. Eu entreguei minha vida a Deus.

Tudo que Abi conseguiu fazer foi encará-lo em um silêncio aturdido. Depois de algum tempo, tornou a encontrar a voz:

– Mas eu também acredito em Deus. Com certeza isso não significa que você precisa parar de amar alguém, ou significa? Eu pensei que Deus fosse *amor*.

– E é. Mas, Abi, eu preciso assumir o compromisso total. Estava adiando isso até Rosanna terminar a escola de música. Ela era minha prioridade. Mas muito em breve vou entrar para um seminário em Bergamo. Vou passar sete anos lá. Vou estudar para ser padre, Abi. É por isso que não posso ficar com você. – Ele expirou; mal conseguia acreditar que enfim havia pronunciado aquelas palavras. – Pronto, falei. Não espero que você entenda, nem mesmo Rosanna, mas é isso que eu quero mais do que tudo.

O choque de Abi foi tão grande que ela quase se deixou dominar pelo impulso de dar uma gargalhada histérica. Ao encará-lo e examinar a expressão suave de seu rosto, porém, viu que aquilo não era um jogo nem uma desculpa. Aquilo explicava tudo que Luca era.

Ele a observava com atenção.

– Você acha que sou louco, não acha?

– Não... é claro que não acho isso. Sério, não acho mesmo – reiterou ela. – Mas, se você virar padre, isso significa abrir mão de todos os prazeres mundanos. Está mesmo preparado para isso?

– Sem dúvida.

– Mas mesmo assim não consegue me dizer que não sente nada por mim?

– É, não consigo mesmo – reconheceu ele. – Na primeira vez em que a vi, senti por você uma coisa difícil de descrever. E desde então você mora no meu coração. A gente ficou muito próximo nesses últimos quatro anos...

– Pois é. E talvez, Luca, essa "coisa" que você não consegue descrever se chame "amor".

– É – concordou ele por fim. – Acho que você tem razão. Mas será que não entende? Você é só um dos testes que Deus pôs na minha frente. Um teste no qual acabei de ser reprovado. – Ele abaixou a cabeça, infeliz.

– Não sei muito bem se estou me sentindo lisonjeada ou ofendida – disse Abi com voz débil.

– Desculpe, essa frase soou insensível – ele se apressou em dizer. – Mas digo isso no melhor sentido possível. Você é a primeira e única mulher que amei.

– Quer dizer que você admite que me ama?

– Sim, acho que amo. Passei muitas noites pensando em você, desejando você e pedindo a Deus para me guiar. Sua presença tão assídua aqui em casa tornou as coisas bem difíceis para mim. Por isso, às vezes pareci... distante, talvez – admitiu ele.

– Então... – Com o coração pesado, Abi entendeu que não tinha forças para mudar aquela situação. – Quando pretende entrar para esse tal... seminário?

– Já fiz as entrevistas. Se tudo correr bem, viajo para Bergamo daqui a um mês e meio, quando Rosanna e eu voltarmos de Nápoles.

– Entendi. E Rosanna já sabe?

– Não. Eu estava planejando contar, mas não quis estragar a sua alegria com a boa notícia que recebeu.

– Ela vai ficar arrasada. Vocês dois são tão grudados...

– Não acho que ela vá ficar arrasada. Se ela me amar como acho que ama, vai ficar feliz por mim.

– Pode ser. – Abi deu um suspiro. – Mas me perdoe se não posso ficar feliz por você também, pelo menos não ainda. Não há nada que eu possa fazer para você mudar de ideia?

A emoção na voz dela tocou o coração de Luca, mas ele sabia que precisava se manter firme.

– Não. Nada.

Abi não conseguiu mais segurar o choro.

– Então me dê um abraço. Por favor.

Luca abriu os braços e ela se aninhou ali. Ele acariciou seus cabelos e, ao fazer isso, sentiu o próprio corpo despertar.

– Isso não vai mudar nada, sabia? – murmurou ela.

– Como assim?

– O que sinto por você. O que já compartilhamos.

– Vai mudar, sim, Abi, prometo. Você é uma moça linda e ainda é muito jovem. Um dia vai encontrar alguém que a ame como eu não posso amar. Vai me esquecer.

Ela enxugou os olhos com as costas da mão.
– Nunca – falou. – Nunca.

⚜

No dia seguinte, Rosanna sentou-se à mesa e escutou o que o irmão tinha para lhe contar. De modo surpreendente, apesar da tristeza ao pensar que ficaria sem ele, sentiu alívio com o fato de o mistério da sua vida solitária ter sido enfim solucionado.

– Quando você viaja?
– No outono, quando a gente voltar de Nápoles.
– Ai, Luca, eu vou poder visitá-lo em Bergamo?
– Não durante algum tempo.
– Entendi.
– Você entende, não entende? Por que preciso ir?
– Entendo, contanto que seja realmente o que você quer.
– Eu queria isso há muitos anos e nem me dava conta.
– Nesse caso, estou feliz por você. Mas, Luca, não sei como vai ser isso, vou sentir tanta saudade...
– Eu também. Mas você não vai estar sozinha. Acho que a Abi está louca para se mudar para cá. Você gostaria, não é?
– Claro, mas não vai ser a mesma coisa.
– Você vai estar tão envolvida com sua nova vida no Scala que mal vai reparar que fui embora, *piccolina*.
– Entendo que você precisa ir e encontrar seu caminho, mas isso não quer dizer que vou parar de precisar de você. – Decidida a não chorar, Rosanna arrematou em tom alegre. – O que será que *papà* vai dizer?
– Ah, acho que ele vai gostar de poder se gabar do filho padre e da filha cantora lírica, então deve ficar bastante feliz. – Luca segurou as mãos da irmã. – Você sabe que ainda amo você, não sabe, Rosanna? Que você é a pessoa mais preciosa da minha vida?
– Sei.
– Mas acho que ir embora agora é a coisa certa. Você também precisa se tornar um pouco independente.

Ela assentiu com tristeza.

– É, acho que você tem razão. Está na hora de eu crescer.

Os dois meses em Nápoles voaram. O movimento na cantina foi grande e Rosanna não pôde passar tanto tempo quanto queria com Luca. Conforme seu irmão previra, ao receber a notícia, Marco passou a se gabar com todo mundo que seu filho ia virar padre. Era essa a notícia que valia ser comemorada, e não o fato de sua filha ter entrado para o Scala. Rosanna aceitou essa aparente falta de interesse na sua carreira; isso apenas demonstrava quanto ela havia se afastado do mundo seguro, porém estreito da Piedigrotta. E ela não esperava mesmo que o pai entendesse.

Antes de voltar a Milão, sabendo que levaria algum tempo para conseguir ir a Nápoles outra vez, foi visitar Luigi Vincenzi. Os dois se sentaram na linda varanda protegida do sol forte de agosto e saborearam taças de vinho branco gelado. Rosanna ficou um pouco triste por agora se sentir mais em casa ali, com Luigi, do que na cantina do pai.

— Acha que estou certa em seguir os planos de Paolo? — perguntou ela enquanto ele enchia sua taça.

— Sem dúvida. Ir para o exterior cantar os grandes papéis soa muito glamouroso, mas Paolo tem razão em mantê-la aqui e lhe dar o tempo de que você precisa.

— Às vezes tenho a sensação de que estou praticando desde que nasci — falou Rosanna com um suspiro. — Já faz quase dez anos que comecei as aulas aqui.

— E vai continuar a praticar até morrer — retrucou Luigi. — Isso faz parte do seu trabalho, e é assim que você vai continuar melhorando. Pense da seguinte forma: seria bem mais rentável para Paolo colocar você imediatamente em um papel de protagonista. Ele sabe a grande estrela que você vai virar e a atenção que vai atrair. Em vez disso, porém, ele e Riccardo Beroli querem alimentar seu talento, lhe dar todo o tempo de que precisar para aumentar sua confiança e seu repertório. Acha que outras sopranos recebem esse tipo de tratamento especial do diretor artístico de uma das maiores companhias de ópera do mundo?

Ela pôde ver a centelha de bom humor no olhar dele.

— Não. Desculpe. Estou sendo impaciente e egoísta.

— Isso tudo faz parte do seu temperamento de artista, que vai se desenvolver junto com a sua voz. — Luigi deu uma risadinha. — Você está exatamente onde deveria estar, Rosanna. Confie em mim e confie em Paolo e Riccardo. Estamos todos do seu lado.

Meia hora mais tarde, Luigi a acompanhou até a porta da frente.

– Mande um abraço para o seu irmão. Espero que tudo corra bem para ele no caminho que escolheu.

– Mandarei – disse Rosanna. Então ficou na ponta dos pés e beijou Luigi afetuosamente nas bochechas. – Obrigada, Luigi. Quem sabe o verei em Milão na minha noite de estreia?

– Eu não perderia isso por nada neste mundo. – Ele retribuiu os beijos. – *Ciao*, Rosanna. Pratique bastante.

– Pode deixar. – Ela sorriu e se afastou acenando.

Quatro dias depois de voltarem a Milão, Rosanna acompanhou Luca até a Stazione Centrale, onde ele embarcaria para Bergamo. Enquanto o irmão subia no trem, ela deu-lhe um último abraço.

– Estou muito orgulhosa de você, Luca.

– E eu de você, *piccolina*. Só uma palavrinha antes de eu ir embora: você tem um dom incrível e, assim como acontece com todas as bênçãos, o preço a pagar vai ser alto. Não confie em ninguém a não ser em você mesma – recomendou ele.

– Não vou confiar, prometo.

– Abi vai cuidar de você. E você também precisa cuidar dela.

– Claro. Acho que foi ela quem ficou mais chateada com a sua partida.

– É... tínhamos ficado bem próximos. – A resposta dele foi propositalmente leve, para disfarçar seus verdadeiros sentimentos.

– Vai escrever para a gente, não vai?

– Vou tentar, mas me perdoe se passar algum tempo sem notícias. As regras para os noviços são bem rígidas. *Ciao, bella*. – Ele a beijou nas duas faces. – Que Deus abençoe e proteja você enquanto eu estiver fora.

– *Ciao*, Luca.

Rosanna esperou o trem sumir de vista e só então parou de acenar. Ao voltar caminhando devagar pela plataforma e sair para as movimentadas ruas de Milão, sentiu-se perdida. Luca sempre estivera ao seu lado. Agora ele tinha ido embora e ela precisava encarar o futuro sozinha.

## 15

Roberto foi acordado pelo telefone. Soltou um palavrão e estendeu a mão para tirar o fone do gancho.

– *Pronto.*

– *Caro*, sou eu, Donatella.

– Por que está me ligando a esta hora? Você sabe que cheguei tarde ontem à noite – disse ele, irritado.

– Desculpe, mas é que você passou um mês e meio fora e eu queria ouvir sua voz e me certificar de que você tinha chegado bem. Não fique bravo comigo, *caro* – suplicou ela.

Roberto amoleceu.

– É claro que não estou bravo. Só estou cansado.

– Como foi em Londres?

– Não parou de chover. E em agosto, ainda por cima. Peguei um baita resfriado.

– Coitadinho – consolou ela. – Mas isso não tem importância. Li as críticas ao *Turandot*. Simplesmente impressionantes.

– Foram bem boas mesmo – reconheceu ele, modesto.

– Passo na sua casa hoje à tarde? Precisamos recuperar o tempo perdido.

– Não, hoje à tarde não vai dar. Tenho reunião com Paolo de Vito sobre a próxima temporada.

– Amanhã, então?

– Tudo bem. Amanhã.

– Mal posso esperar. Chego às três. *Ciao.*

– *Ciao.*

Roberto pôs o fone no gancho e tornou a se deitar com um suspiro. Sentiu o alívio por ter voltado a Milão e dissipar o cinza londrino.

Nos últimos três anos, Donatella havia mudado. No início, o relacionamento era baseado em uma forte atração mútua e a ameaçadora presença do marido dela impedira que as coisas atingissem um nível mais sério. Aos poucos, porém, à medida que a fama de Roberto fora crescendo, o mesmo acontecera com a possessividade de Donatella. O processo fora tão gradual que ele mal havia notado, mas, no ano anterior, palavras de amor haviam começado a surgir no vocabulário dela. Ela ficava brava se visse reportagens de jornal ou fotos em revistas de Roberto com outras mulheres. Vivia acusando-o de ter casos e, de vez em quando, estava certa. No entanto, embora Donatella ainda fosse rica e influente, não era sua dona. Ele podia não ser ninguém antes de conhecê-la, mas agora era uma estrela internacional, e ninguém, *ninguém* ia mandar nele.

Mas nenhuma outra mulher o excitava sexualmente como ela. A centelha física que havia acendido o relacionamento ainda existia, e ele a considerava tão difícil de resistir que chegava a ser enlouquecedor.

Refletindo sobre o seu dilema, saiu da cama e foi até o banheiro. Abriu o chuveiro e entrou sob a ducha. Pensou se Donatella teria visto suas fotos com Rosalind Shannon, uma jovem soprano de Covent Garden. O tempo londrino deprimente tinha sido consideravelmente melhorado por ela, que esquentara sua cama em mais de uma ocasião. É claro que ela havia ficado chateada com sua partida na véspera, mas ele prometera as coisas de sempre, o que parecera tranquilizá-la. Duvidava que fosse se dar o trabalho de procurá-la outra vez. Fora divertido enquanto havia durado, mas...

Ele se secou com a toalha e vestiu uma calça esporte Armani e uma camisa de seda. Foi até a cozinha preparar a bebida especial à base de mel que sempre tomava para aliviar e proteger as cordas vocais. Enquanto esperava a água ferver, não pôde evitar sorrir ao olhar em volta para tudo que o sucesso havia lhe proporcionado. Podia haver quem dissesse que bens materiais não tinham importância, que eram um adendo da fama. Ele discordava. Adorava ser rico.

Seu novo apartamento ficava bem pertinho da Via Manzoni, a poucos metros do Scala, e atendia bem às suas necessidades. Era pequeno o bastante para ser fácil de administrar. Não lhe agradava a ideia de um exército de empregadas que pudessem surpreendê-lo em flagrante delito. No entanto, o lugar era suficientemente estiloso para reforçar seu status de um dos maiores tenores vivos do mundo.

O caminho tinha sido longo, e Roberto gostava de pensar que o havia trilhado sozinho.

Se Donatella quisesse uma parte dele, teria de aprender a jogar segundo as regras. Caso contrário, seria adeus.

⁂

Na tarde seguinte, Donatella entrou em sua Ferrari nova. Conferiu a maquiagem no espelho, deu a partida no motor e saiu rugindo do acesso de carros do *palazzo*, ansiosa para estar outra vez nos braços de Roberto. Mal conseguia acreditar em quanto sentira sua falta.

Estava cansada daquele relacionamento em tempo parcial, de ser obrigada a manter o caso secreto quando o que mais queria era gritar para o mundo inteiro que *ela* era a mulher na vida do grande Roberto Rossini.

Havia passado a maior parte do verão com o marido em uma casa de praia em Cap Ferrat. Deitada à beira da piscina, tomando sol, ficara examinando Giovanni: baixote, quase calvo, com traços grosseiros e uma barriga que crescia com os anos. Já quase não suportava que ele a tocasse. Antigamente, o sacrifício valia a pena. A riqueza, o poder e o status do marido tinham lhe proporcionado as coisas pelas quais ela ansiava.

Nos últimos tempos, porém, um homem que a fazia se sentir jovem outra vez tinha entrado na sua vida, tão bem-sucedido quanto seu marido, mas, acima de tudo, um homem que ela amava e desejava. Enquanto nadava de um lado para outro na espetacular piscina da casa com vista para o Mediterrâneo, ela havia se convencido de que o único motivo pelo qual Roberto nunca tinha dito que a amava era porque sabia que a situação era complicada. Afinal de contas, ela era uma mulher casada, que não tinha a menor intenção de largar o marido, e havia deixado isso claro desde o início.

Mas... e se ela fosse solteira?

Ao voltar da França, já estava decidida. Pediria o divórcio a Giovanni e, após um intervalo suficiente para manter as aparências, se casaria com Roberto. Enquanto isso, depois de anunciar a separação, ficaria livre para viajar pelo mundo com o jovem amante. Não aguentava mais ler sobre os namoricos dele nos jornais. Queria-o só para si.

Afinal de contas, era ela a responsável pelo sucesso dele.

⁂

– Ah, *caro*, eu estava morrendo de saudades.

Roberto grunhiu enquanto a língua dela descia feito uma cobra pela sua barriga. Ela agitou a língua para um lado e para o outro na parte mais sensível do seu corpo.

– Diga que me ama – exigiu, e a sensação de repente parou.

– Adoro você – sussurrou ele, perdido naquele instante e nas próprias necessidades.

Ao abocanhá-lo, Donatella sorriu para si mesma.

Era tudo que ela precisava ouvir.

༄

Rosanna e Abi ocuparam seus lugares no palco do Scala com o restante da companhia. Após três semanas na sala de ensaios, aquele era o primeiro ensaio no teatro.

– Que lugar imenso – sussurrou Rosanna, nervosa, erguendo os olhos do palco para o vasto espaço do auditório vazio.

– Me sinto um pontinho aqui dentro – emendou Abi, igualmente nervosa.

Rosanna estava admirando o grande lustre suspenso 167 metros acima de suas cabeças, sonhando em fazer sua estreia bem ali debaixo dele, quando Riccardo Beroli bateu com as mãos e a trouxe de volta à realidade.

– Vamos passar o Ato 1.

O coro assumiu suas posições iniciais no complexo cenário e Rosanna viu Anna Dupré surgir das coxias, muito entretida em uma conversa com Paolo de Vito. Era ela quem iria interpretar Adina em *L'Elisir d'Amore*, de Donizetti, a ópera que abriria a temporada. Rosanna tinha recebido o papel de Gianetta e cantaria uma ária curta com o coro feminino. Havia muitos dias que esperava a aparição de Roberto Rossini, o intérprete de Nemorino. Embora os ensaios já durassem um mês, ele ainda não dera as caras.

– Muito bem, vamos cantar! – Riccardo fez um gesto para o pianista começar.

Seis exaustivas horas mais tarde, Abi e Rosanna deixaram o teatro. Ao saírem, deram-se os braços e partiram na direção de um café bem próximo à Piazza della Scala.

– Meu Deus! Eu preciso de uma bebida – anunciou a inglesa.

Sentaram-se a uma mesa junto à janela. Abi pediu uma taça de vinho e Rosanna, uma água mineral.

– Foi exaustivo – comentou Rosanna, suspirando. – O pior é a espera enquanto eles acertam a luz.

– É, e você reparou que as estrelas não precisam esperar, não reparou? Anna Dupré só passou uma hora no teatro hoje de manhã, e o grande *Signor* Rossini, claro, sequer se deu o trabalho de aparecer – desdenhou Abi.

– Ouvi Paolo comentar com Anna que Roberto foi dar um concerto em Barcelona ontem à noite.

– Alguém me disse que ele fez um ou dois ensaios particulares e, pelo visto, só vai aparecer para os gerais. É óbvio que não quer se associar a nós, meros mortais.

Rosanna saiu em defesa de Roberto imediatamente:

– Pare de julgar, Abi, você nem o conhece.

– Não, não conheço, mas até você sabe que as histórias sobre o mau comportamento dele são uma lenda na companhia. Parece que na temporada passada, em *Carmen*, ele chegou a traçar uma das cantoras do coro entre "A canção do toureiro" e "O coro dos contrabandistas". E ainda teve fôlego para cantar o final!

Rosanna teve de rir.

– Abi, você não presta. Com certeza isso é tudo exagero.

– Deve ser, mas por mais Don Juan que ele seja, uma noite com Roberto Rossini deve valer a pena. Ouvi dizer que ele é ótimo de cama. – Abi tomou um gole de vinho e saboreou a expressão chocada da amiga. – Além do mais, agora que Luca foi para o seminário, tenho que desistir de vez de ter meus sentimentos retribuídos, então com certeza mereço um pouco de reconforto, para mim e para o meu coração partido... ou não?

– Desculpe, eu não tinha percebido que a coisa com ele era mesmo séria.

– Ah, era sim. – Por um instante Abi exibiu uma expressão solene. – Eu perdi e Deus ganhou – murmurou ela. – Enfim, não adianta chorar sobre o leite derramado. Aliás, você reparou no tenor que estava sentado ao meu lado nos degraus?

– Quem, aquele meio parecido com Luca?

– É, talvez ele seja mesmo um pouquinho parecido – admitiu Abi, corando. – Acho que ele vai ser meu primeiro alvo. *Cheers*. – Ela ergueu o copo e bebeu o que restava do vinho.

※

Uma semana depois, vestidas com pesados figurinos, Rosanna e Abi foram na direção das coxias para o ensaio geral. Rosanna podia ouvir os sons dissonantes da orquestra afinando os instrumentos e viu que um ou outro carpinteiro ainda martelava pregos no palco espaçoso, para não sobrar nenhuma ponta à mostra.

Paolo reuniu o coro e o elenco.

– Muito bem, senhoras e senhores, espero ensaiar o espetáculo inteiro, sem pausas. Vamos fazer o máximo que conseguirmos. Certo, todo mundo em suas posições iniciais. – Ele meneou a cabeça para Riccardo, que foi ocupar seu lugar no poço da orquestra.

O coro só havia entoado uma ou duas palavras quando se ouviu alguém na plateia gritar "Parem!". Seguiu-se uma espera de vinte minutos enquanto algo invisível era ajustado ao gosto de Paolo. Por fim, eles recomeçaram.

Quatro horas depois, Rosanna e Abi estavam sentadas na plateia, tomando café em copos de plástico e esperando Paolo prosseguir com o restante do Ato 1.

Abi cutucou a amiga.

– Ora, ora, ora... veja só quem decidiu nos honrar com sua presença.

Rosanna ergueu os olhos e soltou um arquejo ao ver Roberto Rossini conversando com Paolo no palco.

– Meu Deus, como ele é bonito, não é? Ih, preciso ir. O coro vai começar outra vez.

Rosanna observou a amiga voltar para o palco. O coro cantou os dois últimos compassos antes de se retirar para as coxias; as luzes baixaram e Roberto Rossini entrou.

Ficou parado, banhado pela luz branca do refletor. Então começou a cantar "Una furtiva lagrima" enquanto Rosanna ouvia, enfeitiçada.

※

Dois dias depois, nas coxias, ela aguardava o momento de pisar no palco e cantar seu solo diante de uma plateia ansiosa de noite de estreia. Embora soubesse a ária toda e esta não exigisse muito de sua voz, sentiu a adrenalina correr pelas veias. Para tentar se acalmar, engoliu em seco e se concentrou na respiração. Uma estrondosa irrupção de aplausos veio da plateia quando Roberto terminou de cantar e saiu do palco, vindo em sua direção. Ela achou que ele fosse passar direto, mas não: ele parou à sua frente. Estava ofegante e ela pôde ver gotas de suor em sua testa.

– *In bocca al lupo*, Srta. Menici – sussurrou ele.

– *Crepi il lupo* – retrucou ela, tímida.

Ele se inclinou e lhe deu um beijo delicado na testa.

– Sua estreia vai ser perfeita. Agora vá.

Rosanna ouviu a deixa e, sem mais tempo para pensar, pisou no palco.

Dez minutos depois, estava de volta ao camarim que dividia com outra solista. O nervosismo havia desaparecido quando ela começara a cantar e os anos de prática haviam lhe possibilitado curtir o ambiente da sua primeira noite de estreia. Os aplausos foram calorosos, e ela soube que tinha cantado bem. E mais: Roberto havia reparado nela. Levando os dedos à testa, tocou o lugar em que ele a havia beijado.

No final do concerto, a companhia, reunida no palco, recebia os aplausos do público. Roberto e Anna voltaram ao palco cinco vezes para agradecer. Por fim, encaminharam-se de volta a seus camarins. Sorrindo para o seu reflexo no espelho enquanto gravava na memória aquele momento mais do que especial, Rosanna tirou o figurino, pôs um vestido e subiu o corredor para ir falar com Abi no camarim que ela dividia com as outras integrantes do coro.

– *Bravissima!* – A amiga a beijou nas duas faces. – Você cantou lindamente, Rosanna. O coro inteiro achou isso. Pronto, agora já fez sua primeira aparição no palco do Scala. Talvez amanhã até ganhe uma crítica no jornal...

– Você acha?

– Quem sabe? Mas sinceramente, querida, ainda não consigo acreditar que você não comprou nada novo para usar na festa! Esse seu vestido preto velho está pedindo para ser jogado no lixo – disse Abi, tirando do cabide um vestido de festa vermelho novo.

Rosanna ignorou o comentário. Tinha pouco interesse em roupas. Alisou o vestido enquanto Abi se enfiava no seu, em seguida escovava os cabelos louros e retocava a maquiagem com gestos experientes.

– Você está linda, Abi – falou, com admiração.

– Obrigada, querida. Vamos, Cinderela, ande logo, senão vamos perder toda a diversão.

As duas foram até o foyer do teatro, já lotado de integrantes do elenco e membros seletos da plateia.

– Champanhe? – indagou Abi a Rosanna, pegando um par de taças de uma garçonete que passava.

– Obrigada.

– Que esta seja a primeira de muitas noites de estreia! – Abi sorriu. – Olhe o homem ali em pessoa, cercado por seu adorado público.

Rosanna se virou e viu o alto da cabeça de Roberto despontando acima da multidão.

– Ele está conversando com minha tia. A oportunidade perfeita. Venha, vamos lá nos apresentar. – Abi segurou a amiga pela mão.

– Não, hoje não. Quer dizer, tem muita gente... ele está ocupado demais – protestou Rosanna, subitamente tomada pela timidez.

– Sim, mas nós *somos* da mesma companhia, ainda que o *Signor* Rossini se comporte como se vivesse em um planeta superior.

Decidida, Abi foi abrindo caminho por aquele mar de gente, e Rosanna a seguiu com docilidade. Mas antes de chegarem ao grupo em volta de Roberto, uma figura conhecida apareceu ao lado de Rosanna.

– *Ciao*, Paolo. – Ela sorriu, aliviada.

– *Ciao*, Rosanna. Estava torcendo para você vir se juntar a nós.

Para grande irritação de Abi, Paolo pegou Rosanna pelo braço e a guiou com firmeza para longe dali. A inglesa deu de ombros e continuou a avançar em direção à tia e a Roberto.

– Então, como foi sua primeira noite de solista na companhia? – perguntou Paolo enquanto os dois atravessavam o foyer.

– Maravilhosa – respondeu Rosanna baixinho.

– Ótimo, ótimo. Você cantou lindamente. Foi uma estreia perfeita. Agora me diga com honestidade: queria ter estado no lugar de Anna Dupré hoje à noite?

– Claro – admitiu ela com relutância.

– Bom, pela sua apresentação de hoje, tenho certeza de que não vai demorar. E Riccardo me disse que você está evoluindo bastante nos estudos que estão fazendo juntos. Os ensaios dos substitutos começam na quinta. Esforce-se bastante, Rosanna. Esses ensaios são uma excelente oportunidade para aperfeiçoar os papéis que um dia vai cantar.

– Vou me esforçar – prometeu ela.

Paolo baixou a voz.

– Tem um cavalheiro ali que está desesperado para conhecer você. Ele é um grande patrocinador da escola e, como você foi a estrela do ano passado entre os alunos, acho que seria prudente apresentá-la. Você faria a gentileza de me acompanhar?

Rosanna assentiu e permitiu que Paolo a conduzisse.

※

Abi levou a mão ao ombro de sua tia Sonia, que se virou e, ao ver a sobrinha, lhe deu dois calorosos beijos nas bochechas.

– Querida, parabéns. – Ela sorriu. – Certamente já conhece Roberto Rossini?

– Não – respondeu a jovem, ousada, e encarou o tenor. – Embora sejamos da mesma companhia, não fomos formalmente apresentados.

– Bem, Roberto, esta é minha sobrinha Abigail Holmes – falou Sonia. – Só sei que ela um dia vai ser uma grande estrela.

– Muito prazer em conhecê-la, *signorina*. Mas acho que já a vi antes... Não foi a senhorita que cantou no recital beneficente da Chiesa della Beata Vergine Maria?

– Que boa memória você tem, Roberto – bajulou Sonia.

– Nunca esqueço um rostinho bonito. – Ele abriu um sorriso predatório. – A senhorita estava sentada ao lado de Rosanna Menici.

– Isso mesmo.

– A ária que ela cantou hoje foi esplêndida. Rosanna está aqui na festa?

– Sim, está em algum lugar com Paolo. – Abi murchou um pouco diante daquele aparente interesse no paradeiro da amiga.

Roberto reparou na expressão dela e prosseguiu:

– Eu a conheço desde que ela era criança, sabia? Na verdade, pode-se dizer que eu a descobri. Ela tem uma voz linda, mas tenho certeza de que a senhorita também tem, *Signorina* Holmes.

O modo como ele pronunciou seu sobrenome fez um arrepio subir pela espinha de Abi. Antes de conseguir dizer mais alguma coisa, porém, ela sentiu a mão de alguém no seu braço.

– Você vai ter de me dar licença, querida, mas preciso circular – falou Sonia. – Cuide dela para mim, Roberto.

— Mas é claro. — Ele fez uma mesura galante quando Sonia se afastou, em seguida olhou para Abi. — Uma taça de champanhe, *Signorina* Holmes?

— Sim, adoraria. E, por favor, pode me chamar de Abi.

Roberto pegou uma taça de um garçom que passava e lhe entregou.

— Certo, Abi. Agora me conte tudo sobre você.

⁂

Somente uma hora mais tarde foi que Rosanna conseguiu se esquivar de uma situação que estava ficando complicada. O patrocinador da ópera, um senhor de mais idade com um brilho cobiçoso no olhar, começou a alisar suas costas com o braço enquanto eles conversavam. Em determinado momento, teve até a petulância de pôr a mão no seu traseiro. Após conseguir escapar sob o pretexto de ir ao toalete, único lugar que lhe ocorreu ao qual ele não podia segui-la inventando alguma desculpa, ela vasculhou a multidão já mais esparsa à procura de Abi. Viu Sonia e foi até ela.

— Oi, *Signora* Moretti. Viu Abi por aí?

— Não, já faz meia hora que não a vejo. Ela estava conversando com Roberto, mas... — Sonia correu os olhos pelo recinto. — Parece que agora sumiu. Talvez já tenha voltado para o seu apartamento, querida.

— Ah, não. Ela teria me avisado se fosse embora.

— Talvez estivesse cansada. Volte para casa; tenho certeza de que Abi vai estar lá. — Sonia lhe deu um sorriso e virou-se para falar com outro convidado.

Ao chegar em casa, Rosanna encontrou o apartamento às escuras. Afundou na cama pensando em como era estranho a amiga não ter lhe avisado antes de deixar a festa.

⁂

Deitada na cama, Abi observou a silhueta do homem ao seu lado. Imediatamente após o sexo, que tinha sido de uma delicadeza surpreendente, Roberto havia pegado no sono. Agora ela não sabia muito bem se devia ficar ali ou ir para casa.

Não havia oposto qualquer resistência quando ele a convidara a acompanhá-lo até a Via Manzoni. Os beijos haviam começado dentro da limusine dele e, ao entrar no apartamento, os dois mal tiveram tempo de chegar à cama. No escuro, Abi deu um suspiro. A dor passageira de perder a virgindade logo fora suplantada pelo prazer, sem falar, refletiu ela, na empolgação com o fato de a escolhida nessa noite ter sido *ela*. Por um breve instante, pensou em Rosanna. Mordeu o lábio ao imaginar a decepção que a amiga sentiria com seus atos, mas depois de algum tempo entrou em um sono profundo e sem sonhos.

# *16*

– Desculpe, o que foi que você disse?

– Isso mesmo que você ouviu. Vou deixar você. – Donatella continuou comendo calmamente seu tiramisù do outro lado da mesa.

– Ficou maluca? – explodiu Giovanni. – Sentamos aqui para comer como sempre fazemos, você espera a sobremesa e anuncia isso como se estivesse me pedindo um vestido novo?!

– Não queria estragar seu apetite, *caro* – retrucou ela.

Giovanni bateu com a colher na mesa.

– Não me trate como criança! – gritou ele. – Quem é o sujeito?

– Não entendi a pergunta.

– Imagino que o único motivo que você pode ter para me deixar é que esteja dando para outro homem.

– Giovanni, por favor, não fale assim à mesa do jantar. – Donatella falou em tom de zombaria, o que deixou o marido ainda mais possesso.

– Eu falo como quiser! Esta mesa é minha e posso dizer quantos palavrões me der na telha quando estiver sentado aqui! Assim como posso proibir você de me deixar, se quiser. – O rosto dele havia ficado roxo e uma veia latejava na têmpora esquerda.

– Por favor, *caro*, tente se acalmar – tranquilizou ela. – Desculpe se meu anúncio foi uma surpresa. Pensei que você talvez já soubesse.

– Donatella, há muitos anos sei que você tem amantes. Sempre fingi que não via, da mesma forma que você fez comigo. Nosso casamento é assim e tem funcionado para nós dois. Portanto, só posso supor que o motivo pelo qual você quer se separar é porque deseja estar com outro homem em tempo integral.

– Como você é observador, Giovanni – comentou ela, com sarcasmo. – E depois do intervalo adequado, podemos nos divorciar.

– *O quê?* – Ele a encarou. – Não vou me divorciar de você de jeito nenhum. Você... você é minha esposa! Isso está completamente fora de cogitação. Nossa posição social em Milão, minha reputação...

– Ora, *caro*, deixe de ser antiquado. Sim, reconheço que alguns anos atrás o divórcio não era uma alternativa, mas agora, bom... – Ela virou as palmas para cima e deu de ombros, casual. – Muitos amigos nossos já passaram por isso. Não é nada de mais.

– Para mim é. – Giovanni havia enfim percebido que ela estava falando sério. – Mas, Donatella, por quê? Você sabe como essas coisas podem ser difíceis, como a imprensa vai se aproveitar. Somos pessoas muito conhecidas aqui em Milão. Por que as coisas não podem continuar como sempre foram? Você pode ter a liberdade que quiser.

– É mesmo? Até a de viver abertamente com outro homem? – perguntou ela baixinho, examinando as unhas vermelhas compridas.

Giovanni afundou na cadeira e ficou observando a mulher, sem dizer nada. Depois falou:

– Finalmente estou entendendo. Você se apaixonou por esse outro homem.

– É.

– Quem é ele?

– Isso não tem importância.

Decidido a exercer sua autoridade, Giovanni se levantou, limpou a boca no guardanapo de linho e encarou a mulher com fúria.

– Estou avisando, Donatella: não vou permitir que você me humilhe diante de toda Milão. Assunto encerrado. Você vai ficar aqui e esquecer essa ideia ridícula.

– Ah, eu acho que você vai me dar o que eu quero. – Donatella sabia que tinha um trunfo nas mãos e que agora era o momento de usá-lo. – Afinal de contas, tenho certeza de que não iria querer que as autoridades italianas se inteirassem do lindo desenho que neste exato momento está pendurado na cobertura de um texano rico, nem dos vários milhões de dólares que ele rendeu à sua conta na Suíça.

Giovanni estreitou os olhos e encarou a esposa.

– Quer que eu lembre quem foi que me trouxe esse desenho? Quem foi que mentiu para aquele padre ingênuo dizendo que a obra não tinha valor algum? E quem recebeu 1 milhão de dólares de presente como resultado da venda? – Deu uma risada amarga e balançou a cabeça. – Ah, não, Donatella, você não vai procurar as autoridades, pois ia se incriminar também.

– Sim, *caro*, mas lembre-se: eu não apenas sou *ótima* atriz, como também sou bem mais bonita que você. Acho que sairia muito bem nos jornais como a esposa usada por tão terrível criminoso e traidor da pátria. – Ela levou as costas da mão à testa e ergueu os olhos para o céu, imitando uma vítima que desfalece.

Com a boca entreaberta, sem acreditar, Giovanni nada disse.

Ela se levantou rapidamente.

– Não há pressa, *caro*. Amanhã você viaja e vai passar um mês fora. Pense no assunto, e, quando voltar, conversamos. Não vou ser gananciosa. Só quero esta casa e uma boa pensão, mas aceito se você quiser divulgar que estou me divorciando de você por causa de um adultério *seu*. Entendo o orgulho masculino. Boa noite, *caro*. Sucesso na viagem para Nova York.

Ela se retirou, altiva, e deixou para trás apenas o leve aroma do perfume que sempre usava, Joy. Giovanni nunca tinha gostado daquele perfume, ainda que cada frasco custasse uma fortuna. Nessa noite, o cheiro lhe deu ânsia de vômito.

Ela o havia encurralado e sabia disso. Se ele procurasse as autoridades, sua reputação, seus negócios, sua *vida* estariam arruinados.

Donatella havia apostado que ele não ia correr o risco e estava certa. E mais: se ela estava disposta a encarar um divórcio complicado e público, que mancharia a reputação de ambos, ou havia perdido a razão ou então, como ela mesma admitira, tinha se apaixonado.

Giovanni foi até seu escritório. Em pé atrás da imensa escrivaninha de mogno, agitado demais para se sentar, procurou um número no Rolodex e tirou o telefone do gancho. O primeiro passo era descobrir quem era o tal amante. Donatella se achava esperta, mas ele ia lhe mostrar que ela o havia subestimado. Era um homem poderoso, com amigos poderosos. E agora os usaria.

❧

Rosanna havia se adaptado com surpreendente facilidade à nova vida de integrante da companhia do Scala. Gostava dos espetáculos e adorava a oportunidade de estudar e aprender com os cantores titulares com quem trabalhava. Quando não estava se apresentando nem ensaiando, tinha aulas de canto ou praticava sozinha para aprender um novo papel. Suas sessões semanais com Riccardo Beroli estavam se mostrando inestimáveis. O maestro franzino e grisalho era volátil e irascível, mas era também um gênio musical, capaz de lhe ensinar pequenos truques, como articular as palavras de um trecho de *coloratura* particularmente difícil de forma a fazer as notas soarem mais longas e mais cheias do que de fato eram.

 Toda quinta-feira à noite, Rosanna ensaiava para ser substituta, o que lhe permitia cantar e praticar a movimentação dos papéis principais no palco. À medida que a temporada avançava e mais óperas se somavam ao seu repertório, percebeu que Paolo estava certo em relação a seus planos para ela. Ficar em pé no grande palco, de jeans e suéter de moletom, enquanto um piano tocava o acompanhamento podia não ser tão glamouroso quanto se apresentar de figurino com a orquestra inteira diante de duas mil pessoas, mas lhe permitia errar. Cantar uma ária de dois ou três minutos era uma coisa, aprender a dar conta de um papel exigente por até três horas era bem diferente.

 Ela às vezes tinha a sensação de que estava tentando dar conta de muito mais coisas do que deveria. Não precisava só lembrar as palavras, as notas e os deslocamentos no palco, mas também estava aprendendo como dar vida a um personagem. Como Riccardo nunca parava de lhe lembrar, as grandes sopranos tinham mais do que vozes fantásticas: eram também atrizes consumadas, capazes de emocionar uma plateia.

 De vez em quando, Rosanna conseguia acertar tudo, todos os ingredientes se juntavam e, como Paolo tanto gostava de dizer, a "magia" acontecia. Ela vivia para esses momentos, mas sabia que tinha muito caminho pela frente antes de conseguir fazer que eles se repetissem o tempo todo.

❧❧❧

Em meados de maio, Rosanna estava em pé no palco cantando o difícil dueto "Vogliateme bene", do final do Ato 1 de *Madame Butterfly*. Sem que ela o visse, Paolo havia se juntado a Riccardo na plateia. Os dois ficaram sentados em silêncio enquanto a voz dela subia até alcançar um puro dó agudo.

 – Ela está evoluindo, não é? – comentou Riccardo.

– Está ganhando experiência, traquejo de palco e, o mais importante de tudo, maturidade. Ao ritmo em que está progredindo, meus planos para *La Bohème* em dezembro próximo parecem mesmo que vão vingar – respondeu Paolo.

– É ela, não é? – filosofou Riccardo. – Nossa prata da casa, nossa revelação.

– Sim. Mas não podemos esquecer Roberto Rossini, claro.

– Alguém citou meu nome?

Paolo se levantou.

– *Ciao*, Roberto.

O tenor fez cara de irritado.

– Nós tínhamos marcado na sua sala às três. Sua secretária disse que você estava aqui e vim encontrá-lo. Tenho de sair para Copenhague daqui a duas horas.

– Mil desculpas, Roberto. Perdi a hora.

Mas Roberto agora estava de olho no palco.

– Aquela é Rosanna Menici.

– Sim. Ela está substituindo as protagonistas nesta temporada.

– Ouvi dizer. Que voz... Mas o tenor que está fazendo Pinkerton é péssimo. Deixem-me cantar com ela, para lhe mostrar como deve ficar.

Antes que Riccardo ou Paolo conseguissem protestar, Roberto já descia o corredor da plateia em direção ao palco.

– Pare de tocar – ordenou ele ao pianista.

Rosanna e Fabrizio Barsetti, o jovem que interpretava Pinkerton, se calaram, espantados, e ficaram espiando por cima das luzes do proscênio enquanto Roberto subia os degraus até o palco.

– Me perdoe, mas a *Signorina* Menici e eu somos velhos amigos. O senhor se importaria de eu assumir seu lugar para cantar o dueto de amor?

O jovem tenor aceitou; não tinha como recusar. Em seguida, afastou-se deles em direção às coxias.

– Vamos começar com os dois últimos compassos de "Viene la sera" – disse ele ao pianista. Virando-se para Rosanna, Roberto sorriu e a segurou pelas duas mãos. – Não tenha medo. Cante como sempre cantou e eu me adaptarei – sussurrou ele. – Está bem, pode começar – ordenou ao pianista.

Roberto começou a cantar e, quando chegou a hora, Rosanna se juntou a ele.

Riccardo e Paolo afundaram outra vez nas cadeiras, encantados com o que ouviam. As duas vozes, uma tão experiente e potente, e outra pura e jovem, se mesclavam de forma esplêndida. Em pé, lado a lado no palco vazio, os dois também ficavam perfeitos juntos: ela muito delicada, ele muito másculo.

– Magia – sussurrou Paolo, satisfeito.

Sempre tivera certeza de que a voz de Rosanna era o achado de sua vida, mas agora, ao ver como ela reagia a Roberto, sem se deixar intimidar pela sua fama, entendeu que ela estava acumulando a confiança de que precisava para alçar voo.

Com as últimas notas do dueto de amor ainda flutuando no ar do auditório vazio, Rosanna e Roberto ficaram parados se olhando, aparentemente alheios a tudo que os cercava.

Riccardo segurou Paolo pelo braço.

– Precisamos colocá-la para estrear com ele. Os dois ficam incríveis juntos.

– Que estranho... eu pretendia mesmo falar com Roberto hoje à tarde sobre *La Bohème* – retrucou Paolo.

– Você está aprendendo, pequena – disse Roberto a Rosanna, que estava corada e com a respiração acelerada. – Talvez um pouco mais de *vibrato* na última nota, mas, tirando isso, bem... você é uma profissional de verdade. Me desculpe, preciso ir, Paolo está me esperando. – Ele sorriu, beijou a mão de Rosanna, desceu do palco e tornou a subir o corredor da plateia.

– Certo, vamos conversar – falou, gesticulando para Paolo. – *Ciao*, Riccardo.

Os dois se encaminharam para fora do auditório.

– Você está preparando Rosanna Menici para o estrelato, é isso? – indagou Roberto quando eles começaram a subir a escada rumo à sala de Paolo.

– Digamos que eu ache que ela tem um potencial enorme.

Roberto parou na escada.

– Prometa para mim que, quando a puser para estrear em um papel principal, vou cantar com ela.

Paolo teria sido capaz de lhe dar um beijo.

– Na verdade, Roberto, eu já estava falando sobre isso com o seu agente. Quero que você e Rosanna abram a temporada que vem como Rodolfo e Mimi.

– Perfeito! Acho que vamos tirar o melhor um do outro, não é?

Ao ver a centelha de animação nos olhos do tenor, Paolo franziu o cenho de leve.

– Claro – respondeu, e os dois recomeçaram a subir os degraus.

❧

Nessa noite, após o espetáculo, Rosanna e Abi voltaram juntas para casa. Rosanna vibrava de tanta adrenalina por ter cantado com Roberto mais cedo, mas Abi parecia mais calada do que o normal.

– Quer um café? – perguntou Rosanna quando as duas entraram no apartamento.

– Não, obrigada. Acho que vou deitar cedo.

– Abi... por favor, me diga por que está com essa cara tão triste. É por causa do Roberto?

– Não, ahn... ah, é, é por causa dele, sim... – Abi desatou a chorar e sentou-se no sofá abruptamente.

Rosanna se sentou ao lado dela e, hesitante, passou o braço em volta de seu ombro. Depois que Abi enfim confessou o caso com Roberto, Rosanna ficou arrasada. De alguma forma, porém, em nome da amizade com Abi, tinha conseguido sufocar os profundos sentimentos que nutria por Roberto, convencendo-se de que seu interesse nele era apenas profissional. E também de que aquele comportamento cafajeste com as mulheres devia significar que não valia a pena desperdiçar seus sentimentos com ele. No entanto, por mais que tentasse, ainda achava difícil e perturbador conversar com Abi sobre o caso entre eles.

– Pensei que ele estivesse fazendo você feliz, Abi – conseguiu dizer. – O que aconteceu?

– Nada. É justamente esse o problema. No começo foi tudo bem, sabe? Quando ele estava em Milão, eu costumava ir me encontrar com ele no teatro depois do espetáculo e íamos para o seu apartamento. Mas desde a Páscoa ele tem me ignorado solenemente. – Abi enxugou as lágrimas.

– Mas você sabia como ele era, Abi. Você mesma me disse que não ligaria se tudo acabasse, que ia só aproveitar enquanto durasse.

– É, é, eu sei. Eu sou burra, muito burra. Prometi a mim mesma não ser igual às outras e não me apaixonar por ele, mas me apaixonei. Ai, Rosanna, você acha que ele arrumou outra?

– Não sei, Abi – respondeu Rosanna com honestidade, querendo reconfortar a amiga, mas achando que a suposição dela devia estar correta. – Por favor, tente não se preocupar. Seja como for, vai esquecê-lo bem depressa. Vai aparecer outra pessoa para você.

– Me desculpe dizer isso, mas você nunca sequer gostou de ninguém, não é? Não sabe o que a gente sente.

– Não, nunca. Mas tudo o que posso dizer é que ele pode ser um milagre no palco, mas nas coisas do coração eu acho que ele é... um filho da mãe!

Um arremedo de sorriso ameaçou surgir nos lábios de Abi.

– Rosanna... você xingou!

– É, bom, eu acho que desta vez Deus vai me perdoar. Sei que não sou nenhuma especialista em matéria de relacionamentos, mas você vai superar Roberto. Afinal, uns poucos meses atrás você me disse que amava meu irmão Luca. E parece já ter superado isso – lembrou-lhe Rosanna com delicadeza.

– Será? – Por um instante, Abi viu o rosto de Luca em pensamento, mas balançou a cabeça para espantar a visão. – Enfim, que falta de sorte a minha conhecer mais um homem fora do meu alcance – falou, fazendo biquinho. – Ah, sabe do que mais? Você provavelmente está certa. Tenho certeza de que logo vou superar Roberto. E, apesar do que você possa pensar, não sinto a mesma coisa por ele que sentia pelo seu irmão. Estou me sentindo usada e com o orgulho ferido, só isso. Mas com Roberto nada é permanente, não é? Meu Deus, ele é mesmo um merda, mas nos momentos em que a gente está com ele é como se fosse a única mulher do mundo. Ele faz a gente se sentir muito... especial.

– Bom, você é *mesmo* especial, não precisa dele para isso. Agora vou fazer um café e conversamos mais, tá?

– Está bem. Obrigada.

Mais tarde, em vez de se deitar na cama e sonhar com Roberto e com a sensação que tivera naquela tarde quando eles haviam cantado juntos, Rosanna se forçou brutalmente a pensar em *arpeggios*.

⚜

Na quinta-feira seguinte, Rosanna chegou ao ensaio de substitutos e encontrou Roberto no palco.

Riccardo viu na hora que ela estava insegura.

– O *Signor* Rossini acha que pode ser útil você ensaiar a *Butterfly* com um dos titulares do papel. Algum problema?

– Ah, não. Claro que não. É muita bondade do *Signor* Rossini se oferecer para me ajudar – respondeu ela, tensa.

– Certo, vamos começar!

☙❧

Duas horas mais tarde, Rosanna estava guardando as partituras na pasta.

– Vai sair? – quis saber Roberto.

– Vou. Quero comer alguma coisa antes do espetáculo de hoje à noite.

– Posso acompanhar você?

– Não. Vou encontrar uma pessoa. Com licença.

Roberto a observou sair apressada do palco. Fazia muito tempo que mulher nenhuma lhe dizia não. Franziu o cenho, intrigado, tentando entender por que Rosanna Menici o fascinava tanto. Ela era muito contida e não parecia nem um pouco intimidada por ele. Na verdade, acabara de tratá-lo com grosseria.

– Está de saída, *Signor* Rossini? Os faxineiros querem entrar no auditório – disse o administrador do teatro.

– Sim, estou de saída.

Roberto voltou para as coxias e foi andando em direção ao seu camarim. Abriu a porta e sentiu o coração murchar ao ver Donatella sentada no sofá.

– *Caro.* – Ela se levantou, enlaçou-o pelo pescoço e o beijou com firmeza na boca.

– O que está fazendo aqui? – indagou ele, irritado.

– E eu lá preciso de pretexto?

Uma das mãos dela desceu sorrateiramente até o botão da sua braguilha. Ele tentou afastar a mão.

– Donatella, tenho coisas a fazer. Hoje à noite tenho espetáculo e...

A mão abriu seu zíper e se insinuou para dentro da calça.

– O resto pode esperar – sussurrou ela.

Ele grunhiu e, odiando a si mesmo pela própria fraqueza, não resistiu mais.

☙❧

Donatella saiu do teatro pela porta dos artistas. A câmera clicou cinco vezes. Dois minutos mais tarde, Roberto Rossini também saiu pela mesma porta. A câmera tornou a clicar. O fotógrafo sorriu. Aquela era a prova que faltava. Também tinha fotos dela saindo do apartamento de Rossini na semana anterior. Abriu a porta do carro, deu a partida e foi revelar o filme.

⚜

Alguns dias mais tarde, um envelope foi depositado sobre o capacho do apartamento em Nova York.

Em cinco minutos, Giovanni Bianchi estava examinando o conteúdo com interesse. Então era por Roberto Rossini que sua mulher tinha se apaixonado.

Aquilo lhe causou surpresa. Todas as mulheres da Itália eram apaixonadas por Rossini e ele não conseguia imaginar que o tenor fosse dado a relacionamentos exclusivos.

Talvez Donatella estivesse só cega de amor, ou quem sabe a menopausa estivesse prejudicando sua capacidade de avaliação. Roberto Rossini era anos mais jovem do que ela. Era óbvio que ela estava se iludindo.

De todo modo, era chegada a hora de tirar Rossini da jogada.

# 17

Em uma ensolarada manhã de julho, Paolo estava esperando Roberto chegar para discutir a temporada seguinte. Houve uma batida rápida na porta.

– Pode entrar.

Roberto meneou a cabeça para Paolo enquanto entrava na sala e se acomodava.

– Desculpe o atraso. Dormi demais. Alguma chance de um café?

– Claro. – Paolo escondeu a irritação e ligou para a secretária pedindo um café. – Roberto, precisamos repassar a programação dos próximos seis meses. Sei que você vai a Londres em agosto cantar *La Traviata* e que em setembro vai tirar férias, como de costume. Depois disso, ficará em cartaz por mais três semanas em Covent Garden, além de gravar *Ernani* para a EMI.

Roberto assentiu.

– Estará de volta aqui em meados de novembro para ensaiar *La Bohème*?

Roberto assentiu outra vez.

– Isso. E depois de ir a Paris em fevereiro, volto para cá e faço Il Duca, de *Rigoletto*, certo?

– Sim. Vamos precisar de você para um ou dois ensaios preliminares. Um cenário totalmente novo está sendo construído e você precisa se familiarizar com ele.

– Muitos degraus? – perguntou Roberto, revirando os olhos.

– Sim, muitos degraus – confirmou Paolo.

– Depois disso, acho que vou viajar para fazer *Tosca* na Ópera Metropolitana de Nova York, seguida por um concerto no Central Park, mas você precisa confirmar as datas com meu agente.

– Claro. Combinamos de nos falar ao telefone amanhã de manhã.

O aparelho sobre a escrivaninha de Paolo tocou.

– Com licença – disse ele e pegou o fone. – O que foi? Falei que não queria ser incomodado... Entendi. Então transfira, já que não tem jeito mesmo... Anna, bom dia. – Ele sorriu para Roberto como quem se desculpa. De um segundo para o outro, o sorriso desapareceu de seu rosto. – Você está com *o quê?* Tem certeza absoluta? Não, claro que não. Vamos ter que reorganizar as coisas, só isso. Cuide-se. Ligo para você amanhã de manhã. Sim, é claro que entendo. *Ciao, cara.* – Paolo pôs o fone no gancho e fez uma careta.

– Algum problema? – quis saber Roberto.

– O problema é que a nossa Madame Butterfly está com escarlatina.

– Escarlatina?

– É, escarlatina. A bebezinha dela teve a doença quinze dias atrás. Isso significa, é claro, que Anna não vai poder vir hoje nem no resto da semana, a menos que a gente queira a companhia inteira contaminada. Me desculpe, Roberto, preciso ligar para Riccardo. Ele está lá embaixo com a orquestra e não vai ficar nem um pouco feliz.

Paolo ligou para as coxias e, dez minutos depois, Riccardo subiu a escada bufando. Depois de se sentar, olhou para Roberto; era óbvio que esperava que ele se retirasse.

– Quero ouvir quem vocês vão escolher. É com ela que vou cantar hoje, não esqueçam – falou Roberto, sem sair do lugar.

– É claro, como quiser. Acho que Cecilia Dutton deve assumir o lugar de Anna – falou Riccardo.

– Ela tem um recital em Paris hoje à noite – lembrou-lhe Paolo.

– E Ivana Cassall ou Maria Forenzi? – sugeriu Riccardo.

– Forenzi é uma possibilidade, mas...

– Não, ela é a escolha errada. É velha demais. Não consegue lembrar as letras. Eu me recuso a cantar com ela – declarou Roberto, direto.

Paolo e Riccardo passaram cinco minutos sugerindo diversos nomes e Roberto vetou um a um. Por fim, esgotadas as sugestões, os três ficaram sentados em um silêncio derrotado. Quem o quebrou foi Roberto:

– Cavalheiros, eu tenho a resposta que os senhores buscam.

Os dois o encararam com olhos sem expressão.

– Ah, é?

– Claro. Não é óbvio? Vocês precisam deixar Rosanna Menici cantar *Butterfly* hoje à noite. Afinal de contas, ela é a substituta, e é para isso que servem os substitutos, não é? Faz semanas que temos ensaiado juntos, então ela conhece bem o papel. E vou estar lá para ajudá-la.

– De jeito nenhum – falou Paolo, seco, erguendo as mãos para protestar. – Não passamos esse tempo todo cultivando o talento dela para ver a moça ser empurrada para um papel desses antes de estar pronta. *Butterfly* é para uma cantora madura e experiente. Poderia ser um desastre.

– Originalmente, a personagem de *Butterfly* tem 15 anos – lembrou-lhes Roberto. – Se ela se sair bem, como sei que se sairá, sob certos aspectos é melhor do que estrear em *La Bohème*. Pensem só nas matérias que ela vai gerar.

– Pense só nos críticos – grunhiu Paolo. – O que você acha, Riccardo?

O maestro respirou fundo.

– Acho que não temos alternativa. Já é tarde para mandar trazer alguém, mesmo de avião. Ou Rosanna Menici faz o papel ou cancelamos o espetáculo. Meu instinto me diz que ela não vai nos decepcionar. Talvez seja o destino. – Ele deu de ombros.

– Isso por acaso é uma conspiração? – Os olhos de Paolo chisparam de Roberto para Riccardo e de volta a Roberto, avaliando a situação. Ele passou alguns instantes esfregando o queixo, pensativo. – Deixem-me dar um telefonema para tentar localizar Cecilia e ver se ela já foi para Paris. Se tiver ido, direi a Rosanna que ela vai subir ao palco hoje.

– Maravilha! Você não vai se arrepender. – Roberto pulou da cadeira, animado. – Avise a Rosanna que estou disponível hoje à tarde para repassar qualquer coisa que a estiver preocupando. – Após um meneio curto de cabeça, ele se retirou.

Paolo olhou para Riccardo demonstrando dúvida.

– Será que ele está certo?

– Acho que sim.

Paolo bateu na mesa com o lápis.

– Todo esse interesse de Roberto por Rosanna... será que é só profissional?

– Parece que sim. Quando está trabalhando com ela, ele se comporta como um perfeito cavalheiro.

– Ele sempre se comporta assim antes de dar o bote – murmurou Paolo.

– O mais importante é que Rosanna não parece nem um pouco interessada nele – acrescentou Riccardo.

– Bem, tomara que continue assim, para o bem dela, porque, se Roberto Rossini tocar em um fio de cabelo dela que seja, eu vou...

– Paolo, entendo quanto Rosanna é especial para você, mas realmente não é da sua conta o que os cantores fazem em sua vida pessoal.

– Eu sei, Riccardo – respondeu Paolo, sucinto. – Agora deixe-me dar uns telefonemas.

❧

Ao meio-dia, Abi atendeu o telefone.
– Alô? Abi falando.
– Abigail, é Paolo. Rosanna está?
– Sim, mas está no banho. Quer deixar recado?
– Não. Acho melhor você dizer a ela para atender.
– Está bem.
Dois minutos depois, enrolado numa toalha, Rosanna pegou o fone.
– O que houve, Paolo?
Abi a viu empalidecer ao ouvir o que o diretor da companhia lhe disse.
– Está bem, então nos vemos no teatro às duas, certo? *Ciao*. – Rosanna pôs o fone no gancho e se deixou cair em uma cadeira.
– Pelo amor de Deus, o que houve? Alguém morreu? – quis saber Abi.
– Não.
– Então o que foi? Você está com uma cara horrível.
Rosanna inspirou fundo e encarou a amiga.
– Hoje à noite eu vou cantar *Madame Butterfly* no Scala.

❧

Sentada em frente ao espelho enquanto a maquiadora a transformava na jovem japonesa Cio-Cio-San, Rosanna, aturdida, não conseguia pensar direito. Não estava nervosa nem animada; na verdade, quase não sentia nada. Olhou para o grande buquê de rosas vermelhas na mesa à sua frente.

*Rosanna,*
*Estarei com você.*
*Roberto*
*P.S.: Paguei a claque para aplaudir você.*

Não conseguiu evitar um sorriso. Durante o ensaio da tarde, Roberto tinha sido maravilhoso: calmo, atencioso, sempre disposto a ajudar. Não fosse o fato de saber como o tenor havia se comportado com Abi, ela poderia ter se entregado por completo ao que sentia por ele. No entanto, não importava o que acontecesse naquela noite no palco, jurou para si mesma que Roberto Rossini não conquistaria seu coração.

– A peruca está confortável?

– Como?

– Perguntei se a peruca está confortável.

Rosanna se obrigou a deixar de lado os pensamentos para responder à camareira.

– Está.

– Ficou meio grande, mas enfiei tantos grampos que não vai sair do lugar nem se houver um tufão. – A camareira riu. – Certo. Vou deixá-la se preparar. Boa sorte, *Signorina* Menici.

– Obrigada.

Um minuto mais tarde, alguém bateu na porta.

– Sou eu, Paolo.

– Por favor, entre.

– Como você está? – perguntou ele, abrindo a porta.

– Bem, eu acho.

– Ótimo. Você parece calma. Vim levá-la até as coxias. Riccardo quer vê-la antes de o espetáculo começar.

Rosanna se levantou, deu uma última olhada no espelho e seguiu Paolo pelo corredor até as amplas coxias, onde Riccardo estava à sua espera. Ele a beijou nas duas faces.

– Rosanna, vou estar no poço da orquestra olhando você. Se precisar de orientação, olhe para mim. Está nervosa?

– Não. É estranho, mas não estou nem um pouco nervosa.

– Que bom que está calma. Você conhece o papel muito bem. Vai deixar o Scala orgulhoso, *cara*.

– Vou dar o melhor de mim, Riccardo. Juro.

– Agora vou lá cumprimentar um amigo seu muito especial – falou Paolo.

– Quem?

O diretor fez um gesto de quem guarda um segredo.

– Espere e verá.

Dez minutos mais tarde, o espetáculo começou. As pessoas se revezavam ao redor de Rosanna fazendo os últimos ajustes no figurino e na maquiagem e verificando os adereços, mas ela mal reagiu. Era a noite com a qual havia sonhado, mas mesmo assim se sentia distante, como se aquilo na verdade não estivesse acontecendo com ela.

A música que marcava sua entrada começou a tocar. Ela fez uma prece ao céu, fez o sinal da cruz e pisou no palco do Scala.

❦

Sentado no camarote de Paolo, Luigi Vincenzi observava a silhueta esguia, tão pequena e contida. A voz que cantava sem esforço algum, combinada à juventude e à vulnerabilidade, faziam dela a Butterfly mais perfeita que ele já vira. E que presença, que magnetismo... Era raro uma plateia daquela casa ficar totalmente calada, mas, ao olhar em volta, ele constatou que todos os olhos estavam fixos em Rosanna; o silêncio era palpável, como se duas mil pessoas estivessem prendendo a respiração ao mesmo tempo. Sim, houve algumas imperfeições técnicas, mas elas seriam fáceis de resolver. Luigi sentiu lágrimas escorrerem pelas faces. A sua Rosanna, que ele havia descoberto e aperfeiçoado, estava fazendo a estreia mais perfeita possível. Ele sabia que estava testemunhando um momento histórico.

❦

Quando as flores finalmente caíram aos pés de Rosanna, Paolo deixou escapar um suspiro de alívio. Gritos de "bravo" ecoaram pelo teatro. A plateia se levantou para aplaudir o nascimento de uma estrela. Não era assim que ele previra a estreia de Rosanna, mas soube que não poderia ter pedido mais. Ela havia sido magnífica. Virou-se para Luigi, que tentava encontrar um lenço para enxugar os olhos. Sem dizer nada, os dois se abraçaram fortemente.

❦

Em pé em frente à cortina, vendo a enxurrada de flores se derramar da plateia, Rosanna saboreava os vivas entusiasmados. Era incapaz de lembrar se conseguira cantar uma nota sequer, quanto mais no tom certo. Como um robô, deixou Roberto conduzi-la até a frente do palco várias vezes para agradecerem.

Então tudo acabou. A companhia lhe deu os parabéns, cercando-a por todos os lados para dizer que ela fora incrível. Ela voltou atordoada para o camarim, abriu a porta, e arquejou ao ver quem a esperava.

– Luigi! – Atirou-se nos braços dele e começou a soluçar bem alto.

– Ah, Rosanna, me ver é mesmo tão ruim assim? – perguntou ele, rindo, enquanto dava tapinhas nos seus ombros convulsos.

– Não... claro que não. Estou muito feliz por você ter vindo. Eu... eu na verdade nem sei por que estou chorando.

– É a tensão sendo liberada – disse Paolo, que havia acompanhado Luigi até o camarim. – Ela estava tão calma antes de subir no palco, Luigi... quase calma demais! Cheguei a ficar com medo. Mas não precisava ter me preocupado.

Rosanna levantou a cabeça do peito de Luigi e viu no espelho que a pesada maquiagem havia começado a escorrer pelo seu rosto. Pegou um lenço de papel e tentou consertar a situação da melhor maneira que conseguiu. Ouviu-se outra batida na porta e Roberto entrou no camarim.

Ignorando os dois homens, encaminhou-se direto para Rosanna e viu seu rosto manchado de lágrimas.

– Ora, Rosanna, o que houve?

– Nada... eu estou bem. – E de repente tudo ficou bem de verdade. O mundo readquiriu um foco preciso quando ela se virou e sorriu para ele.

– Acho que é só uma reação natural. Ela agora é uma verdadeira artista, Roberto, com as emoções à flor da pele – falou Luigi, encarando os dois cantores, encantado.

– E você, Luigi, ajudou-a a se tornar uma artista. Que prazer revê-lo. – Roberto abraçou o antigo professor.

– Você também foi magnífico hoje. Acho mesmo que está melhorando com a idade.

– Vou interpretar isso como um elogio – respondeu Roberto, irônico.

– Eu fui horrível? – Rosanna encarou ansiosa os três homens agora reunidos ao seu redor. – Não consigo me lembrar de nada.

– Rosanna. – Luigi segurou-lhe as mãos. – Não, você não foi horrível... muito pelo contrário. Deveria ficar feliz. Você hoje fez a estreia perfeita.

– Foi mesmo?

Luigi assentiu.

– Foi. Estou muito orgulhoso de você, e Paolo e Riccardo também.

– E eu também, minha pequena Butterfly. Pouquíssimas vezes vi um público tão fascinado. – Roberto pegou as mãos de Rosanna e a puxou para si. Nessa hora, o olhar que os dois trocaram foi como uma reação química. – Vim só lhe dar os parabéns – disse ele, suave. Então, subitamente consciente dos dois outros pares de olhos a encará-los, arrematou. – E dizer que reservei uma mesa no Il Savini. Depois de dar autógrafos, vou convidar vocês todos para um jantar de comemoração.

– Parece-me uma excelente ideia – concordou Luigi.

Rosanna olhou para Roberto e, embora cada fibra de seu corpo estivesse reagindo à presença dele, um instinto de autopreservação a conteve.

– É muita generosidade sua, mas acho melhor eu ir para casa. Estou muito cansada.

– Como quiser – falou Roberto, surpreso. Olhou para Paolo. – Depois de conquistar o Scala, sua Butterfly agora quer ir para casa dormir.

– Rosanna teve um dia cheio. Agora venha, Roberto, vamos deixar esses dois conversarem em paz.

Roberto beijou a mão dela e deixou os lábios se demorarem sobre a pele uma fração de segundo a mais do que mandava a simples boa educação.

– Boa noite, pequena. Sonhe com os anjos. – Ele caminhou até a porta com Paolo em seu encalço. – Vejo-o no meu camarim, Luigi. E nós três poderemos brindar à estrela ausente.

Luigi assentiu. Quando a porta se fechou e os dois ficaram sozinhos, Rosanna se deixou cair em uma cadeira e bocejou.

– Espero que ele não tenha me achado grossa. Sério, estou exausta demais para me mexer.

– Claro. É perfeitamente compreensível.

Em seu íntimo, Luigi achava bom Rosanna ir para casa cedo. Assim como Paolo, não havia deixado de notar a química extraordinária entre Roberto e sua coprotagonista. Isso o deixava estranhamente perturbado.

– Luigi, me diga a verdade: cantei bem hoje? – A voz aflita de Rosanna interrompeu seu devaneio.

– Estou começando a achar que você está tentando colher elogios. – Ele sorriu. – Sim. Você cantou muito mais do que bem. Algumas coisinhas ainda poderiam melhorar, claro, truques que só o tempo e a experiência poderão ensinar, mas se eu lhe disser que causou mais impressão ainda do que o próprio *Signor* Rossini, você vai entender como cantou bem.

– Sério mesmo?

– Sim, e mesmo assim ele quer levá-la para jantar!

– Ele tem sido muito gentil.

– Qualidade bastante rara no cavalheiro em questão. Acho que talvez ele tenha um fraco por você, não é?

– Não sei. – Rosanna tornou a bocejar.

– Mas agora vou deixá-la. Ficarei em Milão até amanhã. Quem sabe podemos almoçar? Aí poderei fazer observações concretas sobre a sua apresentação, que tal? – Os olhos de Luigi brilharam.

– Claro.

– Ótimo. Nos vemos amanhã no Biffi Scala ao meio-dia.

Luigi saiu do camarim e Rosanna enfim ficou sozinha.

Com os olhos perdidos no vazio, recostou-se na cadeira e tentou recordar o espetáculo.

Tudo que conseguia lembrar eram os olhos de Roberto mergulhados nos seus enquanto ele cantava palavras de amor.

# 18

Paolo pôs o fone no gancho e olhou pela janela, mal-humorado.

Todo o trabalho que tivera, as horas de conversas com Riccardo, e agora, por causa de um ataque de escarlatina, seus planos para o futuro de Rosanna tinham virado fumaça.

Sabia que alguns diriam que o que havia acontecido era melhor: a estreia inesperada dela em um papel tão difícil havia gerado uma enxurrada de críticas positivas. Os críticos tinham sido unânimes em relação à sua voz, que julgavam impressionante, e previam para ela um futuro grandioso.

Isso tudo era positivo, claro, mas Paolo vinha torcendo para Rosanna voltar discretamente aos papéis de solista pelo restante da temporada, para então abrir a temporada seguinte com *La Bohème*, conforme planejara. Só que isso agora se mostrava impossível. Ela era a nova jovem soprano que Milão inteira queria ver. A notícia de sua estreia sensacional se espalhara como incêndio na mata. A bilheteria do Scala fora tomada de assalto por pessoas à procura de ingressos para suas próximas apresentações. A situação se exacerbara ainda mais pelo fato de a escarlatina de Anna Dupré tê-la deixado muito debilitada e de seu médico ter indicado total repouso nos meses seguintes. Isso significava que a vaga de soprano titular estava livre e Paolo se deixara convencer que Rosanna era a escolha óbvia para ocupá-la. Sem ter outra alternativa, cerrou os dentes e deu ao público o que ele queria: sua nova jovem estrela, Rosanna Menici.

Precisava admitir que a moça dera conta dos papéis de modo brilhante. E era agora, ainda que meio sem querer, a queridinha da cidade.

Outras companhias de ópera começavam a assediá-la loucamente. Com alguma relutância, Paolo aconselhou Rosanna a arrumar um agente. Chris Hugues, o agente americano de Roberto, ficara muito feliz em aceitar a incumbência.

Paolo sabia que sua cria finalmente tinha aberto as asas e levantado voo.

Rosanna e Chris Hugues estavam ocupando uma das melhores mesas do Il Savini. Chris pedira uma garrafa de champanhe e insistira para ela tomar uma taça.

– A você, minha mais nova cliente. Acho que vamos formar uma boa equipe.

Ela assentiu para o louro atraente sentado à sua frente. Chris a fazia pensar em todos os americanos perfeitos que ela já vira nos filmes de Hollywood.

– Espero que sim.

– Então... andei pensando. Antes de lhe falar sobre os compromissos que marquei, acho que deveria explicar a você exatamente como eu trabalho.

– Está bem.

– Vou cuidar da sua agenda para você e, por enquanto, vou me encarregar também de todo o trabalho de relações-públicas. Talvez chegue uma hora em que você tenha tanto sucesso que precise de alguém para cuidar das relações-públicas em tempo integral, como Roberto.

Rosanna concordou.

– Tenho escritórios em Londres e Nova York e uma secretária em cada um deles. São elas que vão organizar todas as suas viagens, reservar os voos e hotéis e tudo o mais. Se um dia houver algum problema, você pode falar com o escritório de Londres durante o dia e com o de Nova York até meia-noite. Também vou lhe deixar meus telefones de casa. Já falamos sobre a minha comissão e imagino que por você esteja tudo bem, certo?

– Sim.

– Ótimo. Agora, o que preciso mesmo saber é onde você quer que o seu dinheiro seja depositado. Todos os seus cachês serão pagos a mim, e é bem mais fácil você me dar um número de conta bancária para eu poder depositar os cheques diretamente, sem precisar incomodá-la.

– Eu não tenho conta no banco – falou Rosanna, sentindo a cabeça girar com tudo que ele estava lhe dizendo.

– Sério? Bom, então acho melhor abrir uma, meu bem. – Chris sorriu. – Você tem fortes chances de se tornar uma jovem muito rica nos próximos anos. As companhias de ópera sempre pagam em dólares. Isso simplifica as coisas para todo mundo, mas posso mudar para qualquer outra moeda que quiser. Então a parte financeira está resolvida. Vamos pedir. Aí podemos passar à parte interessante e falar sobre a sua agenda. – Chris passou alguns minutos estudando o cardápio, em seguida fez sinal para o garçom. – O que você vai querer?

– *Vitello tonnato* com salada, por favor.

– Boa pedida. Vou querer a mesma coisa.

– Pois não, senhor.

O garçom anotou o pedido no bloquinho e se retirou sem fazer barulho. Chris serviu um pouco mais de champanhe na taça de Rosanna.

– Então, vamos à agenda. As notícias são todas boas, Rosanna. Você com certeza é a dona do mundo atualmente. Covent Garden lhe ofereceu o papel de Violetta junto com o Alfredo interpretado por Roberto. Eles estão desesperados, pois sua soprano acaba de anunciar que está grávida e vai tirar licença. São quatro dias de ensaios e oito apresentações em agosto.

Rosanna empalideceu.

– Quatro dias de ensaios? Mas nunca cantei esse papel!

– Tenho certeza de que Paolo e Roberto vão ajudá-la antes de você viajar. Depois de Covent Garden, você tem um mês de férias e a seguir volta a Londres para um concerto beneficente no Albert Hall. Existe uma possibilidade de eu conseguir seu primeiro contrato de gravação com a Deutsche Grammophon. Eles estão interessados em gravar *Madame Butterfly* com você e Roberto, que já tem contrato com eles, mas os detalhes ainda não estão acertados. Naturalmente, querem conhecê-la, e eu lhe avisarei a data do encontro. Enfim, se esse acordo sair mesmo, há uma janela para gravar em Londres no mês de outubro. Além disso, o Palais Garnier de Paris a quer para um concerto de gala no final do mês, e depois você volta a Milão para ensaiar *La Bohème*.

Nervosa, Rosanna tomou um gole de champanhe.

– Quanto tempo vou ter para ensaiar isso? Uma hora?

– Uma semana, na verdade.

Rosanna balançou a cabeça.

– Não, Chris. Preciso de mais tempo. Fazer Mimi no Scala sempre foi meu sonho. Quero ter certeza de que terei tempo suficiente para me preparar e também para dar à minha voz um intervalo para descansar.

– Bom, devemos conseguir dez dias. – Chris mal ergueu os olhos da agenda antes de prosseguir. – Depois disso você vai a Viena cantar *Madame*

*Butterfly* por duas semanas, em março, o que Paolo já aprovou, antes de voltar a Milão para fazer Gilda com o Duca interpretado por Roberto. Aí passa dois meses em Nova York se preparando para sua estreia na Ópera Metropolitana em *Romeu e Julieta*.

O garçom chegou com a comida.

– Parece excelente. Bom apetite, Rosanna – incentivou Chris, empunhando o garfo.

Ela fez o possível, mas havia perdido a vontade de comer.

Chris verificou o relógio.

– Certo, temos quinze minutos para o café. Daqui a 45 minutos você tem uma entrevista com o *Le Figaro*. Tem alguma pergunta que queira me fazer?

– Tenho, mas fico exausta só de ouvir você falar – respondeu ela, sincera.

– Peço desculpas. Paolo me disse para não pressionar você e farei o possível. Prometo tentar lhe dar o máximo de espaço que puder, mas, meu bem, se você é um sucesso, não há como fugir.

Ele estendeu as mãos no gesto de quem pergunta: "O que você esperava?"

– É que tudo aconteceu depressa demais, só isso. – Rosanna mordeu o lábio e olhou para o outro lado; estava com medo de começar a chorar.

Chris reparou no quanto ela estava assoberbada e estendeu a mão para apertar a sua, num gesto tranquilizador.

– Entendo. Olhe, se em algum momento você sentir que está sendo pressionada além da conta, é só falar. Estou do seu lado, lembra?

– Então pode me dar mais tempo para me preparar para *La Bohème*? – pediu ela.

– Para isso teríamos de cancelar o Palais Garnier... – Ele correu um dedo pela lista de compromissos. – Mas se for tão importante assim para você...

– É, sim.

– Tudo bem. – Ele suspirou. – Pode contar com isso.

☙❧

Após a entrevista para o *Le Figaro* no foyer do Scala, Rosanna foi até a sala de Paolo. Tudo estava acontecendo muito depressa e ela sentia a cabeça girar. Os planos de Chris eram empolgantes, mas será que ela estava aceitando compromissos demais? Precisava conversar com Paolo e ver o que ele achava.

Bateu na porta e Paolo veio abrir.

– Entre, Rosanna. Tudo bem? Você parece um pouco pálida.

Ela se sentou em uma cadeira.

– Me sinto pálida, mesmo. Acabei de almoçar com Chris e ele parecia um rolo compressor! Já organizou coisas para mim para o próximo ano e meio. Ele passou a agenda tão depressa que nem consegui acompanhar.

– Chris é muito dinâmico – concordou Paolo. – Mas acho que é isso que faz dele um agente bem-sucedido.

– Só me preocupo de estar fazendo tudo depressa demais. Ainda tenho tanto a aprender...

– Então você *precisa* dizer a Chris o que está sentindo.

– Eu disse.

– Ótimo. Lembre-se: é ele quem trabalha para você, não o contrário. Ele é um homem decente, Rosanna, muito melhor do que outros que eu poderia mencionar. Tem gente que faria você voar até o outro lado do mundo para um único concerto se o dinheiro fosse bom o bastante.

– Eu sei e entendo a sorte que tenho por todas essas pessoas me quererem. Mas eu disse a Chris que minha prioridade é o Scala. As outras companhias são importantes, mas o que realmente me importa é isto aqui. – Ela fez uma pausa e olhou pela janela. – Não fazia ideia de que fosse ser assim...

– Ainda está no começo, é natural que você ache a coisa toda estranha. Tenho certeza de que, quando se acostumar, vai tirar tudo de letra – tranquilizou Paolo, com uma demonstração externa de segurança que na verdade não sentia. – Mas me diga, o que acha de ir a Londres com Roberto?

– Acho que nós cantamos bem juntos – respondeu Rosanna, cautelosa.

– E cantam mesmo. Todo mundo acha que vocês formam um par inspirado. – Apesar de achar que não devia, ele não pôde resistir e arrematou. – Sei que isso não é da minha conta, mas Roberto pode ser... muito sedutor quando quer e...

Rosanna não o deixou terminar.

– Está tudo bem. Entendo o que você está tentando dizer e juro que sei me cuidar.

– Que bom ouvir isso.

Paolo a acompanhou até o foyer e a beijou nas bochechas.

– Não esqueça: sempre que precisar de conselhos ou se quiser só conversar, você sabe onde eu fico. Estou orgulhoso de você, Rosanna. *Ciao*.

– *Ciao*, Paolo. Nunca serei capaz de lhe agradecer o bastante.

Ele a observou sair do foyer, em seguida subiu a escada de volta até a sala, pegou o telefone e discou o número do apartamento de Roberto. Ninguém atendeu. Tornou a pôr o fone no gancho e tentou se concentrar em tarefas administrativas.

# 19

Roberto ouviu o telefone tocar, mas ignorou. Chegou ao orgasmo com um rugido e desabou por cima de Donatella.

– Que maravilha, *caro* – disse ela, aos arquejos.

Roberto rolou para o lado e se deitou com os olhos fechados e as mãos cobrindo o rosto.

– Meu amor, tenho novidades muito boas. – Ela acariciou de leve o ombro dele.

– Ah, é?

– Vou poder ir para Londres com você em agosto. Na verdade, daqui em diante, aonde você for eu poderei ir também.

Sem se lembrar de algum dia ter expressado o desejo de que ela o acompanhasse quando ele fosse cantar no exterior, Roberto afastou as mãos do rosto devagar e se virou para encará-la.

– Como assim?

– Vou largar Giovanni. Já falei com ele e está decidido. Posso me mudar para cá quando você quiser. De agora em diante, vamos poder ficar sempre juntos.

Roberto a encarou sem acreditar.

– Não faça essa cara de preocupado, *caro*. Não foi uma decisão difícil. Estou muito feliz. É o que eu queria.

Roberto conseguiu encontrar a voz:

– Deixe-me ver se entendi direito: você disse a Giovanni que ia deixá-lo?

– Isso.

– Mas por que faria uma coisa dessas?

– Você precisa mesmo perguntar? Porque é você que eu amo, porque qualquer relacionamento que eu tenha tido com meu marido acabou faz tempo, porque...

Roberto a cortou.

– E ele concordou com tudo e pronto?

– Ele não pode me impedir. Não tem escolha.

– Ele... – Roberto pigarreou, nervoso. – Ele sabe sobre mim?

– Não, ainda não, mas vai saber, claro. – Ela viu a preocupação atravessar o semblante de Roberto. Inclinou o queixo dele na sua direção. – Não se preocupe, *caro*. Eu me certifiquei de que ele não vai poder atingir nenhum de nós dois. Tenho meu próprio dinheiro, muito dinheiro. Não vai nos faltar nada pelo resto das nossas vidas.

Roberto estava começando a se dar conta da realidade da situação. Pulou da cama feito um gato que leva um banho de água fria e arrancou o roupão do encosto de uma cadeira.

– Aonde você vai?

– Tomar uma ducha. Acabei de lembrar que preciso estar no teatro cedo hoje.

– Mas precisamos conversar. Encontro você depois do espetáculo e o trago de carro para casa.

– NÃO! Tenho outro compromisso. – Ele parou na porta do banheiro e se virou para olhar para ela. Apesar de estar deitada na cama em uma pose muito sedutora, nesse exato momento ela lhe causou repulsa. – Donatella, você não pode organizar minha vida sem que eu também tenha alguma participação! Não acredito que fez uma coisa dessas sem me consultar!

– Mas os seus desejos são sempre a minha primeira preocupação. É por isso que vou deixar Giovanni, para podermos ficar juntos e um dia nos casar e...

– Chega, Donatella, por favor. Quero que você vá embora!

Roberto viu a expressão dela desmoronar, ao mesmo tempo que se virava para enterrar o rosto no travesseiro. Tomado pelo remorso, ele se sentou pesadamente em uma cadeira, passou as mãos pelos cabelos e inspirou fundo.

– Certo, desculpe ter gritado. É que... bom, é que foi um choque. Pense só no escândalo, Donatella. Seu marido é um homem poderoso em Milão. Não posso acreditar que ele vá deixar a esposa ir embora sem brigar.

– Vai, sim. Ele tem que deixar. Desculpe, Roberto. Eu deveria ter falado com você antes sobre os meus planos. Vou fazer o que você pediu, vou embora. – Com visível esforço, ela desceu da cama e começou a se vestir.

Roberto a observou.

– *Cara*, preciso de um tempo para pensar, só isso. – Ele a seguiu até a porta da frente. Quando tentou beijá-la, ela virou o rosto. – Ligo para você hoje à noite, está bem?

Donatella desceu o corredor em direção ao elevador sem olhar para trás. Roberto fechou a porta com a mente em turbilhão. Fazia semanas que vinha tomando coragem para dizer a Donatella que estava tudo acabado, que a diversão que os dois tinham tido nos últimos anos havia chegado à sua conclusão natural. No entanto, ela acabara de lhe informar que já tinha pedido o divórcio ao marido para os dois poderem ficar juntos.

Era tão ridículo que ele teve vontade de rir. Pensar que Donatella de fato acreditava que ele fosse desposá-la... Ela estava com quase 50 anos, pelo amor de Deus, e não era nem de longe uma mulher no auge da idade fértil.

O telefone tornou a tocar. Automaticamente, ele foi atender.

– *Pronto?*

– Sou eu, Paolo.

– O que você quer? – perguntou Roberto, grosseiro, ainda tonto com a notícia de Donatella.

– Só avisar que Covent Garden pediu para Rosanna Menici acompanhar você a Londres – respondeu Paolo, ríspido.

– É, Chris me falou ontem. – Roberto fez um esforço para recuperar o autocontrole. Precisava pensar na carreira. – Estou encantado, claro. Nós cantamos bem juntos, não é?

– Sim, Roberto, você sabe que cantam. Mas precisa me prometer uma coisa.

– O quê?

– Rosanna nunca viajou para o exterior. Ela vai para um país desconhecido e está nervosa. Quero que tome conta dela direitinho para mim.

– Nem precisa pedir, Paolo. Você sabe quanto eu gosto de Rosanna. Não vou deixar nada de ruim acontecer com ela, juro.

– Ótimo. Você estaria disposto a ensaiar *La Traviata* antes de irem? Ela precisa praticar o máximo que puder.

– Claro.

– Obrigado. E Roberto?

– Sim?

– Não esqueça que tenho meus espiões em Londres. *Ciao.*

Roberto bateu o fone no gancho com força. Por que todo mundo vivia o tratando como um menino levado, a quem precisavam dizer como se comportar? Estava farto de Paolo, de Donatella e de Milão. Que bom que ia passar uns meses fora. Depois de Londres, iria para a casa de praia na Córsega, que havia comprado alguns anos antes. Estava exausto. Precisava de um descanso.

A única luz no horizonte era o fato de Rosanna estar com ele em Londres. Estava admirado com o quanto havia se afeiçoado à moça e refletiu que esse talvez fosse um dos motivos pelos quais os encantos de Donatella haviam perdido a graça de forma tão dramática nos últimos tempos. Rosanna não fazia exigências, não lhe pedia coisas como todos os outros. Era serena, equilibrada, e cantar com ela era uma alegria. Sem falar, claro, naquele rosto e corpo divinos. Ele se pegava pensando nela sem parar e já havia sonhado com ela várias vezes.

Um estranho pensamento surgiu em sua mente, e Roberto se perguntou se poderia estar só um pouquinho apaixonado por Rosanna. Afastou o pensamento com a mesma rapidez com que ele havia surgido. Tinha quase certeza de que o fato de ela parecer tão imune aos seus encantos era o que o fazia querê-la mais.

Quanto a Donatella, teria de lhe dizer que ela havia entendido tudo errado. Roberto se levantou e andou até o chuveiro com o semblante fechado, tentando se convencer de que a amante compreenderia.

❧

Mais tarde, nessa noite, Roberto chegou em casa cansado após uma apresentação particularmente difícil de *Don Giovanni*. A plateia estava ruidosa e havia distraído os artistas. Na festa depois do espetáculo, os patrocinadores lhe pareceram ainda mais fúteis e exigentes do que de costume. Ele aproveitara a primeira oportunidade para se retirar, louco para ter paz e dormir um pouco.

Ao girar a chave na fechadura, viu que a porta já estava aberta. Repreendendo a si mesmo pelo descuido, desceu o corredor e abriu a porta da sala.

– *Signor* Rossini. – O homem se levantou do sofá e lhe sorriu com uma falta de simpatia de gelar o ossos.

– Co-como conseguiu entrar aqui? – gaguejou Roberto.

– Foi muito simples. Fiz uma cópia da chave da minha mulher. Meu nome é Giovanni Bianchi. Acho que já nos encontramos em diversas ocasiões no Scala. Espero que não se importe, mas me servi de conhaque enquanto esperava. Quer um?

Roberto assentiu, chocado demais para se opor. Sentou-se enquanto observava Giovanni servir o conhaque em um copo. Ficou procurando mentalmente um objeto com o qual pudesse se defender e pensou se, caso gritasse, os vizinhos viriam ver o que estava acontecendo. Seu coração pesou quando lembrou que os vizinhos estavam acostumados a ouvi-lo exercitar regularmente as cordas vocais a qualquer hora do dia e da noite.

Era isso. Giovanni Bianchi tinha vindo matá-lo por transar com sua mulher. Decerto havia trazido no bolso interno uma arma, que sacaria a qualquer momento. Roberto pegou o conhaque e o levou aos lábios; suas mãos tremiam.

Giovanni puxou uma cadeira e sentou-se à sua frente.

– Então minha mulher Donatella quer me deixar e vir morar com você. Bem... – Giovanni olhou em volta. – Este apartamento com certeza é um pouco menor do que ela está acostumada. – Pousou seu conhaque na mesa ao lado dele e se inclinou para a frente. – *Signor* Rossini... ou será que posso chamá-lo de Roberto?

Roberto assentiu, nervoso.

– Roberto, vou ser sincero com você. Estou em uma posição estranha e complicada. Minha adorável esposa de muitos anos de repente me diz que quer me deixar. Isso por si só já é ruim o suficiente, mas aí descubro que o alvo do seu *amore* é um dos tenores mais famosos da Itália e, com certeza, do mundo. Então penso na imprensa e em como alguns jornalistas iam se deliciar arrastando na lama nós três e nossas reputações.

Giovanni parou para tomar um gole do conhaque.

– Sou um homem com certo status em Milão. Você talvez entenda bem que meu orgulho não me permitiria ser humilhado por você e minha esposa. Além do mais, devo lhe dizer que nunca houve um divórcio na família Bianchi. Minha *mamma* ia se revirar no túmulo. É... fico pensando que a situação é totalmente inaceitável. Então, o que devo fazer? Providenciar para que Roberto suma? – Giovanni encarou o rosto muito branco do cantor, sorriu e balançou a cabeça. – Não. Mesmo ele tendo cometido adultério com minha esposa, sou um homem de paz. Decidi que o melhor seria conversar com ele de forma civilizada. Não concorda?

– Concordo.

– Então, aqui estou. Me diga: você convidou minha mulher para vir morar com você?

– Não, não convidei. Nunca. – Roberto se espantou com a veemência da própria voz. – Hoje à tarde ela me disse que estava deixando você. Fiquei horrorizado, *Signor* Bianchi, acredite.

– Me chame de Giovanni, por favor. Você ama minha mulher?

– Eu... ela é muito bonita e gosto muito dela, mas...

– Vocês tinham um arranjo agradável, que Donatella agora está tentando transformar em algo mais permanente – falou Giovanni, terminando a frase por ele. – Devo entender então que isso não é um desejo seu?

Roberto fez que não com a cabeça, nervoso, sem querer ofender a esposa do outro homem, mas cioso de esclarecer sua posição.

Giovanni meneou a cabeça, pensativo.

– Imaginei que pudesse ser assim. Donatella está em uma idade... difícil. Está perdendo a juventude, os hormônios podem estar lhe pregando peças, e ela acha que está apaixonada por você. Então, Roberto, o que podemos fazer para impedi-la de tomar essa decisão ruim?

– Amanhã, vou dizer a ela que está tudo acabado entre nós. De certa forma, terminar vai ser um alívio – respondeu Roberto, sincero.

– E acha que isso vai impedi-la de correr atrás de você?

– Claro. Não vou atender seus telefonemas, vou evitá-la por completo.

Giovanni balançou a cabeça.

– Não é tão fácil evitar uma mulher decidida. Sobretudo uma mulher como a minha esposa. Vocês dois fatalmente vão se encontrar em muitas ocasiões no futuro. Minha esposa e eu sempre tivemos um acordo tácito entre nós, entende? Nós dois olhamos para o outro lado e sempre mantivemos a discrição. Eu sou um homem tolerante, mas ficaria muito infeliz caso qualquer alusão ao seu caso com minha mulher saísse em algum jornal.

– Mas não vai sair. Nós sempre tomamos cuidado.

– Pode ser, mas isso foi antes de Donatella se apaixonar por você. Agora que ela está tão instável, talvez não queira mais ser tão cuidadosa. Eu imagino que ela queira que o mundo inteiro saiba. Não. – Ele tornou a balançar a cabeça. – Simplesmente dizer a ela que acabou não é a solução.

– Mas, então... o que você sugere?

– Acho que consegui pensar no melhor plano. Distância, eis a chave. Se você não estiver aqui, ela não poderá vê-lo.

– Vou viajar para Londres em algumas semanas. Passarei três meses fora. Deveria ser tempo suficiente para a poeira baixar.

– Com certeza é um bom começo, Roberto, mas acho que vai levar mais do que isso para Donatella desistir da sua obsessão. Eu sugeriria que você ficasse fora de Milão... ou melhor, fora da Itália, por pelo menos cinco anos. Talvez para sempre, se preciso for.

Roberto o encarou como se ele estivesse louco.

– Mas tenho obrigações profissionais, apresentações no Scala já programadas para o ano que vem...

– Então sugiro que as cancele. – O sorriso continuava no mesmo lugar, mas o olhar de Giovanni era duro e frio. – Como eu disse, sou um homem razoável. Se você concordar, podemos resolver esse quebra-cabeça de forma bem simples. Caso contrário, as coisas vão ficar... um pouco mais complicadas.

– Você está me ameaçando.

– Não. Estou sugerindo uma solução.

– E se eu recusar?

Giovanni pegou o conhaque e secou o copo.

– Infelizmente, Roberto, a vida é cheia de perigos e acidentes horríveis que não se pode prever. Eu detestaria pensar que você possa sofrer alguma coisa desse tipo. – Ele se levantou. – Acho que nos entendemos. Você é um homem sensato. Vai tomar uma decisão sensata. Para ajudá-lo, providenciei dois cavalheiros que irão acompanhar cada movimento seu. Eles ficarão do seu lado até você sair da Itália. E lembre-se: se um dia decidir voltar, não terá uma acolhida agradável.

– Mas Donatella vai me ligar. Se eu não falar com ela, é capaz até de vir aqui sem avisar.

– Não. Amanhã, Donatella vai viajar comigo para Nova York. Ela aceitou ir pensando que fôssemos conversar sobre um acordo de separação. Passaremos três semanas fora. Quando voltarmos a Milão, você já terá ido embora. E não pense que poderá voltar discretamente para outra região qualquer da Itália. Eu tenho... amigos que me vão me informar sobre a sua chegada. Estamos combinados?

– Estamos – murmurou Roberto, desalentado, sabendo que não tinha outra escolha.

– Ótimo. Combinado, então. Estou satisfeito. Odeio mesmo violência de qualquer tipo. Adeus, Roberto. Sentirei sua falta no Scala.

Roberto ficou olhando Giovanni se retirar e ouviu a porta da frente se fechar depois que ele saiu. Após alguns segundos, levantou-se e foi até a janela. Lá embaixo, viu um carro estacionado do outro lado da rua. Dois homens encostados na carroceria tinham os olhos erguidos para o seu apartamento. Ele se afastou da janela.

Uma hora mais tarde, depois de tomar mais três doses de conhaque, tornou a olhar. O carro e os capangas continuavam lá.

Será que ele deveria ligar para a polícia e contar o que havia acontecido? Não, de nada adiantaria. Giovanni era poderoso demais. Era quase certo que tivesse vínculos com a Máfia, e, mesmo que a polícia conseguisse acusá-lo de intimidação, Roberto ia temer pela própria vida toda vez que pisasse em solo italiano.

Tentou pensar em como aquilo tudo afetaria seu futuro. A não ser *La Bohème* e *Rigoletto*, no Scala, não tinha mais nenhum compromisso previsto na Itália. Paolo ficaria furioso quando soubesse, mas, nas atuais circunstâncias, não havia outro jeito. Foi se deitar um pouco mais calmo. Afinal de contas, poderia ter sido pior. Poderia estar morto.

E pelo menos Donatella não era mais problema seu.

## 20

Quando o avião começou a taxiar pela pista, Roberto suspirou aliviado e relaxou contra o estofado de couro da poltrona da primeira classe. As três semanas mais longas de sua vida haviam enfim terminado. Desde a visita de Giovanni, ele mal dormia. A todo lugar que ia, via o mesmo carro com os mesmos dois capangas seguindo sua limusine. Eles o haviam acompanhado até o guichê de check-in do aeroporto de Linate.

Depois de muito pensar, Roberto havia decidido fixar residência em Londres pelos próximos anos. Seu apartamento de Milão seria vendido, todo mobiliado, e o dinheiro da venda, somado ao saldo de suas contas bancárias milanesas, seria transferido para a capital inglesa. Enquanto estivesse trabalhando em Covent Garden, procuraria uma casa adequada para morar. Chris Hugues, seu agente, não fazia ideia de que a mudança de Milão fosse permanente. Roberto lhe contaria sobre seus planos quando chegasse a hora certa.

Virou-se para examinar o rosto pálido de sua companheira de viagem, que olhava pela janela. Reparou que ela torcia as mãos no colo. Estendeu uma das suas e a pousou sobre as dela.

– Não entre em pânico, *principessa*. Logo, logo, estaremos no ar, bem alto acima das nuvens.

As turbinas começaram a rugir e o avião disparou pela pista. Roberto disse um adeus silencioso à Itália; então viu Rosanna fechar os olhos e se benzer ao mesmo tempo em que o nariz do avião empinava e as rodas deixavam o chão. Riu baixinho.

– Se vai ser uma estrela internacional do mundo da ópera, pequena, é melhor se acostumar a voar de avião.

– Já subimos? – indagou ela, com os olhos ainda fechados com força.

– Sim. Já decolamos. Pode olhar agora.

Ela abriu os olhos, espiou pela janela, e arquejou com um misto de medo e empolgação.

– Olhe! Tem nuvens debaixo da gente! – sussurrou, admirada.

– É. Mas se o dia estivesse claro você veria o campanário do grande Duomo lá embaixo.

– Champanhe, senhor? – Uma aeromoça atraente lhes ofereceu duas taças e uma garrafa.

– Obrigado. – Roberto se virou para Rosanna. – Beba um pouco... um pouquinho de champanhe vai deixar você mais calma. Eu em geral não bebo em avião, porque o álcool desidrata, mas hoje estou com vontade de comemorar.

A aeromoça serviu o champanhe em duas taças e sorriu com timidez para Roberto.

– Vi o senhor fazendo o papel de Nemorino no Scala. Nossos lugares eram na galeria superior, e de lá não se vê tão bem, mas eu o achei incrível.

Roberto retribuiu o sorriso dela.

– Obrigado, *signorina*...? – Ele esperou ela dizer seu nome.

– Pode me chamar de Sophie – respondeu ela, e corou. – Vai passar muito tempo em Londres?

– Um mês. Vou cantar *La Traviata* em Covent Garden.

– Ah, que lindo! Quem sabe eu consigo ingressos?

– Ligue para mim no Savoy. Tenho certeza de que daremos um jeito de arrumar alguns.

– Ah, obrigada, Sr. Rossini. Farei isso com certeza. – Ela agitou sedutoramente os cílios cobertos por uma grossa camada de rímel.

Quando a aeromoça avançou para servir os passageiros das poltronas mais à frente, Roberto acompanhou com os olhos suas bem-torneadas pernas.

– Bem, *principessa, salute!* – Ele tomou um gole de champanhe. Rosanna, que havia observado o flerte entre os dois sem dizer nada, o encarava com ar de repulsa.

– O que houve? O que eu fiz? – protestou ele.

Rosanna suspirou e balançou a cabeça.

– Nada – respondeu.

– Não, por favor, me diga por que está olhando para mim com tanto desdém.

– Não, não é da minha conta.

– Quero saber por que está brava comigo – insistiu ele.

– Certo, já que você insiste. Mas não me culpe se não gostar do que tenho a dizer – alertou ela. Hesitou por um segundo. – Acho você um horror com as mulheres – deixou escapar, enfim.

Roberto jogou a cabeça para trás e deu uma gargalhada.

– Não acho graça nenhuma, na verdade. Principalmente quando você as trata tão mal... como fez com minha amiga Abi Holmes.

O semblante de Roberto ficou sério na mesma hora.

– Ah, agora entendi. Você me odeia porque tive um caso com sua amiga.

– Não. Eu não conheço você bem o suficiente para odiá-lo. É só que, bom... – Rosanna lutou para encontrar as palavras certas, mas desistiu e balançou a cabeça. – Não importa.

– Importa, sim. Por algum motivo, prezo a sua opinião.

– Bom, acho que você nunca leva em consideração os sentimentos das mulheres. Promete coisas para elas, depois as abandona quando lhe convém.

– E você ouviu isso de uma fonte fidedigna, não é?

Rosanna ficou vermelha.

– O mundo inteiro sabe como você é.

– Rosanna, sei a reputação que tenho. E preciso assumir a maior parte da responsabilidade por ela. Sim, gosto da companhia feminina e na minha posição não me faltam oportunidades, que muitas vezes aproveito. Não nego isso. Mas você não entende que é porque amo as mulheres? Eu as venero. Acho que elas são uma das poucas coisas neste nosso planeta que fazem a vida valer a pena. E nunca faço promessas que não posso cumprir. Elas sabem como Roberto Rossini é. Se não conseguem aceitar isso, não deveriam se envolver comigo. É simples. – Ele deu de ombros.

– Você já disse a uma mulher que a amava?

– Não por livre e espontânea vontade.

– Elas o forçam a dizer, é isso?

– Há momentos em que, no auge da paixão, uma mulher faz uma pergunta e você responde. Mas nunca amei ninguém. – Roberto bebericou seu champanhe com um ar pensativo. – Sabe, Rosanna, você precisa entender o outro lado da história antes de me julgar. Sou uma presa fácil para as mulheres. Elas gostam de ser vistas comigo porque isso faz bem ao seu ego e, em alguns casos, às suas campanhas publicitárias também. Muitas vezes elas estão me usando mais do que eu a elas.

Rosanna revirou os olhos, sem acreditar naquela defesa.

– Está vendo? Ninguém entende o pobre Roberto. Todos sempre pensam o pior dele. Um dia, quando você também for uma grande estrela, vai ver por si mesma como isso pode ser solitário.

Por fim, Rosanna cedeu, balançou a cabeça e riu daquela tentativa explícita de angariar simpatia.

– Não consigo sentir pena de você, Roberto.

Ele a encarou com firmeza.

– Você não gosta de mim, não é?

– É claro que gosto.

– Gosta mesmo?

– Gosto mesmo. Agora queria estudar a partitura de *La Traviata*.

Vermelha, Rosanna pôs a pasta de partituras sobre os joelhos, pegou a que queria e virou as costas para ele.

Roberto fechou os olhos e se perguntou mais uma vez por que ter a aprovação de Rosanna Menici lhe importava tanto.

༺༻

Uma limusine lustrosa os aguardava em frente ao Terminal 3 do aeroporto de Heathrow, e os dois foram levados até o centro de Londres. A conversa se ateve a superficialidades, pois Rosanna passou a maior parte do tempo olhando a paisagem pouco familiar, dos subúrbios cinzentos aos prédios cada vez mais imponentes que margeavam a rua quando eles atravessaram os bairros de Kensington e Knightsbridge. O carro por fim parou debaixo do imponente toldo art déco do hotel Savoy, onde o gerente os esperava no lobby. Roberto foi conduzido a uma suíte especial e Rosanna, a um quarto que achou uma graça. Estava começando a desfazer a mala quando alguém bateu à porta. Ela abriu e Roberto entrou sem pedir licença. Olhou em volta e balançou a cabeça.

– Não, nada disso. Este quarto não serve. – Ele foi até o telefone e ligou para a recepção. – Aqui é Roberto Rossini. Diga ao gerente que a *Signorina* Menici vai precisar de uma suíte especial. Ele precisa subir agora mesmo para falar com nós dois no meu quarto.

– Roberto, por favor, este quarto está mais do que bom – protestou Rosanna, enquanto ele jogava as roupas dela de volta na mala.

– Rosanna, você veio a este país como artista convidada da Royal Opera House e tem direito a tudo que eu tiver. Agora vamos para o meu quarto até eles arrumarem uma suíte especial para você.

Percebendo que era inútil discutir, ela o seguiu pelo corredor.

– É preciso deixar essas coisas claras desde o início, entende? Senão as pessoas vão tirar vantagem de você. Lembre sempre que *você* está fazendo um favor a *elas*, não o contrário. Ah, meu amigo gerente está aqui.

Eles chegaram à porta do quarto de Roberto, onde o gerente já os aguardava. Roberto passou um braço em volta dos seus ombros.

– Temos só um probleminha. Queremos que a *Signorina* Menici tenha uma suíte especial no seu lindo hotel.

– Naturalmente, senhorita. Mil perdões pelo equívoco. Por aqui.

– Espere, preciso pegar minha mala. – Ela estava a ponto de dar meia-volta, mas Roberto a deteve pousando uma das mãos no seu braço.

– Não, pequena. O carregador leva a mala para o seu novo quarto. Lembre-se de quem você é. Eu a pego no seu quarto às oito para irmos jantar no restaurante. – Roberto lhe deu uma piscadela, destrancou a porta e desapareceu no interior da suíte.

Duas horas mais tarde, Rosanna se deliciava imersa na grande banheira enquanto bolhas perfumadas acariciavam sua pele. Sentia-se desorientada, mas feliz. O silêncio da imensa suíte era ensurdecedor, e ela percebeu que aquela viagem a Londres seria a primeira vez que passaria muitas horas sozinha. Em Nápoles, sempre tivera *mamma*, *papà*, Carlotta e Luca. Depois de se mudar para Milão, sua companhia era Luca, em seguida Abi. Agora, ao longo de um mês, ela teria de aprender a se virar sozinha, e sua única fonte de conselhos seria Roberto.

Ela se ensaboou com uma toalhinha. Seus sentimentos em relação a Roberto estavam confusos. Por um lado, achava sua arrogância insuportável, mas por outro... não podia evitar se sentir atraída por ele.

*Igualzinho a centenas de outras mulheres antes de mim*, repreendeu a si mesma enquanto saía da banheira e se secava com uma toalha.

Depois de se vestir, sentou-se diante da penteadeira com bordas douradas e passou um pouco de rímel e batom. Demorou-se mais alguns minutos mexendo nos cabelos, levantou-se e alisou um dos novos e elegantes vestidos que Abi havia insistido em que ela comprasse antes de viajar. Ao ver seu reflexo no espelho, suspirou, pensando por que uma garota que não ligava a mínima para a própria aparência acabara de passar quase uma hora se arrumando para o jantar daquela noite.

※

Roberto bateu na porta do quarto. Quando Rosanna veio abrir, ele soltou um arquejo. O vestido preto curto se ajustava de forma suave à sua silhueta esguia, acentuando as pernas finas e compridas, e os cabelos recém-lavados brilhavam sob a luz. Ela era tão jovem, tão inocente, tão linda... Roberto se surpreendeu com a forte impressão que ela lhe causou, pois não tinha nenhum dos atributos que ele em geral considerava atraentes em uma mulher: nem seios fartos, nem quadris largos. Era quase como se seu corpo ainda estivesse suspenso em algum lugar entre a infância e a idade adulta.

– Rosanna, me permita dizer: você está um espetáculo.

– Obrigada. – Ela sorriu com timidez.

Ele lhe ofereceu o cotovelo, e ela lhe deu o braço.

– Vai ser uma honra jantar com você.

Os dois saíram pelo corredor em direção ao elevador.

※

Na manhã seguinte, apesar de a Royal Opera House ficar a meros cinco minutos a pé, um carro os aguardava para conduzi-los aos ensaios. Eles foram deixados em frente à entrada dos artistas, não ao acesso principal com sua fachada de colunas, mas mesmo assim Rosanna se impressionou ao entrar no prédio. O diretor artístico os levou até o palco e lhes mostrou o cenário que estava sendo construído.

Os ensaios começaram depois do almoço. Quando Roberto estava em pé no palco estudando a partitura, o coro entrou atrás dele em fila indiana.

– Não, não, não! – gritou ele, gesticulando com impaciência para que saíssem. – Nessa parte eu canto sozinho no palco.

Paciente, o diretor artístico Jonathan Davis lhe deu um sorriso.

– Eu sei que é diferente, mas, por causa da mudança de cenário acontecendo lá atrás, precisamos trazer o coro para a frente. Não dá tempo de fazê-lo sair do palco e depois entrar outra vez. Mas a plateia não vai vê-lo.

– Mas eu vou *sentir* que eles estão atrás de mim, é isso que importa. –

Roberto bocejou e olhou o relógio. – Já são mais de quatro da tarde, estou cansado. Vou voltar para o hotel e descansar um pouco. A *Signorina* Menici também vai. Ela também está cansada por causa da viagem.

– Eu estou bem – afirmou Rosanna, em tom defensivo.

– Mas Sr. Rossini, nós precisamos passar o...

As palavras de Jonathan se perderam quando Roberto saiu andando em direção às coxias.

Rosanna permaneceu no palco.

– Eu ainda não quero ir. Tem alguma parte que possamos passar sem o Sr. Rossini?

– Claro. Podemos ensaiar "Sempre libera". – Jonathan abriu um sorriso cansado.

– Sinto muito Roberto ir embora desse jeito. – Por algum motivo, ela se sentiu compelida a se desculpar pelo comportamento dele.

– Srta. Menici, estamos todos acostumados com as... com as excentricidades das estrelas, digamos assim. Agora vamos prosseguir.

Duas horas mais tarde, Rosanna voltou para seu quarto cansada e irritada. Não podia suportar pensar que, dali a quatro dias, estaria fazendo sua estreia em Covent Garden no exigente papel de Violetta. Sentia-se inteiramente despreparada.

O telefone tocou quase na mesma hora que ela entrou.

– *Pronto?* Quer dizer: alô?

– Sou eu, Roberto. Onde você estava?

– Onde você acha que eu estava? Ensaiando, da melhor maneira que consegui, sem você.

– Ah, deixe disso. Você vai se sair bem. Hoje à noite vou levá-la para jantar no Le Caprice. É um ótimo restaurante.

– Não, Roberto – disse ela, firme. – Ao contrário de você, não descansei à tarde. Vou pedir alguma coisa ao serviço de quarto, estudar minhas partituras e depois dormir. Boa noite!

Alguns segundos mais tarde, o telefone tornou a tocar, mas ela o ignorou. Quando o aparelho silenciou, ligou para o serviço de quarto e pediu uma salada. Então disse à recepção para bloquear sua linha e se acomodou para estudar as partituras.

Na manhã seguinte, Rosanna acordou cedo. Chegou a Covent Garden antes da maior parte do elenco e passou uma hora com Jonathan Davis repassando os trechos sobre os quais ela ainda tinha dúvidas.

Os ensaios começaram oficialmente às dez. Às onze, Roberto ainda não havia chegado.

– Não se preocupe, Srta. Menici. Ele é sempre assim nos ensaios. Aí, na hora que precisa, faz uma apresentação sublime. – Jonathan parecia calmíssimo.

Rosanna não externou o que estava pensando sobre o companheiro de palco e tentou se concentrar no ensaio. Por fim, ao meio-dia, quando eles estavam a ponto de parar para almoçar, Roberto apareceu.

– Mil desculpas. Esqueci de pedir para me acordarem ontem à noite – anunciou ele, casual.

– Certo, todo mundo, vamos continuar por mais uma hora agora que o Sr. Rossini chegou – anunciou Jonathan com paciência ao resto do elenco.

Uma hora depois, Roberto disse que estava com a garganta doendo e que ia voltar ao Savoy para se recuperar na cama.

– É este clima... quanta umidade. – Acenando com os braços de forma exagerada, ele se retirou. – Nos vemos no hotel, Rosanna.

Ela virou-lhe as costas.

Mais tarde, nessa noite, Rosanna estava no banho quando ouviu alguém bater à porta. Ignorou. Do jeito que estava se sentindo, não tinha plena confiança de que conseguiria controlar seu temperamento. Saiu da banheira, secou-se e vestiu o grosso roupão. Quando saiu para a saleta, espantou-se ao ver Roberto recostado no sofá vendo TV.

– Que droga você acha que está fazendo aqui? – perguntou, unindo mais um pouco as lapelas do roupão.

– A porta estava destrancada. – Ele abriu um sorriso que desarmaria qualquer um. – Você deveria tomar mais cuidado. Nunca se sabe quem pode entrar. Vim levá-la para jantar.

Com todos os sentidos em alerta, ela se deixou cair em uma cadeira.

– Pensei que você estivesse com dor de garganta.

– Estava, mas passou. Vamos, ponha uma roupa e vamos sair.

– Não. Eu não quero.

Roberto fez cara de surpresa.

– Por quê?

– Porque estou exausta e... além do mais, não quero jantar com você.

– Rosanna, acho que você está brava comigo. O que eu fiz?

– O que você fez? *Mamma mia!* – De tanta frustração, ela socou uma das almofadas.

– Por favor, me diga – insistiu ele.

Ela não conseguiu mais se controlar.

– Então está bem, *Signor* Rossini, *vou dizer*. Eu vim aqui para fazer minha estreia em Covent Garden. Estou nervosa, com medo, sinto que não ensaiei o suficiente. E nos poucos dias que tenho para dominar direito o papel, constato que o meu companheiro de palco não se digna a dedicar mais de duas horas aos ensaios, de modo que a companhia e eu vamos ter de nos virar sem ele, e a pouco mais de dois dias da estreia! Isso sem falar...

Rosanna se calou ao ver os cantos da boca de Roberto estremecerem. Ele começou a rir.

– Está rindo de quê? Não acho graça nenhuma!

– Ah, só porque finalmente vejo que Rosanna Menici tem o pavio curto... o temperamento de uma verdadeira artista.

– Eu? Pavio curto? – Rosanna se levantou e avançou na direção dele, ameaçadora. – Vou lhe dizer uma coisa sobre temperamento, *Signor* Rossini. Ouvi todas as histórias sobre como você era difícil, mas, como me ajudou em Milão, concluí que os outros deviam estar com inveja do seu sucesso e decidi ignorar os boatos. Mas, depois dos últimos dois dias, vejo que errei. Você é um completo egoísta. Trata a mim e a todos os outros membros da companhia como se não fôssemos dignos de pisar no mesmo palco que você. Quando aparece nos ensaios, se comporta feito um garoto mimado se algo não sai exatamente a seu gosto. Não sei por que alguém deveria suportar os seus caprichos. Se eu fosse Jonathan Davis, teria mandado você embora no primeiro dia.

Ela ficou parada na frente dele, com o corpo retesado de raiva.

Ele a encarou.

– Sabe que você fica ainda mais linda quando está com raiva?

Antes que ela atinasse o que estava acontecendo, ele já a havia segurado pelas mãos e puxado para o seu colo. Como em um transe, ela viu a boca dele se aproximar da sua. Bem na hora em que seus lábios iam se encontrar, porém, deu por si e arrancou uma das mãos de dentro das dele. Ergueu-a no ar e deu-lhe um tapa no rosto.

Os dois passaram alguns segundos sentados, em choque. Rosanna então se levantou e virou-lhe as costas. Tremia de tanta emoção.

– Quero que vá embora agora.

Não se virou, mas ouviu Roberto se levantar e caminhar até a porta, que bateu com força atrás dele.

Rosanna desabou no chão e começou a chorar.

# 21

Foi acordada por uma batida na porta. Ainda sonolenta, procurou o interruptor do abajur. Acendeu-o, olhou para o relógio na mesinha de cabeceira e viu que eram quase oito da manhã. Vestiu o roupão e foi até a porta.

– Quem é? – perguntou, nervosa.

– Entrega para a senhora.

Quando ela abriu a porta, deparou com um carregador soterrado por um luxuriante buquê de orquídeas e lírios.

Ele entrou na saleta com as flores.

– Onde ponho? Naquela mesa ali?

– Sim, está ótimo, obrigada.

Ela aguardou o rapaz sair e fechar a porta, então foi até o buquê. Entre as flores havia um pequeno envelope branco. Pegou-o e abriu.

*Você estava certa. Eu sou um traste. Mil desculpas. Nos vemos na ópera (pontualmente). R*

Ela picou o bilhete em mil pedacinhos e jogou com desdém no cesto de lixo. Então foi se vestir.

✣

– Você está exatamente um minuto e 25 segundos atrasada.

Roberto já estava em pé no palco, com um cachecol de lã enrolado no pescoço.

Rosanna o ignorou e atravessou o palco para falar com Jonathan Davis.

Ao longo dos dois dias seguintes, Roberto se comportou feito um anjo. Mostrou-se solícito e educado e não discutiu quando Jonathan lhe pediu que fizesse algo diferente. Chegou a se oferecer para ficar até mais tarde e ensaiar com Rosanna seus duetos complicados. Ela ficou grata, mas, mesmo assim, manteve distância.

Todas as noites, quando voltava para o Savoy, meio que esperava ouvir uma batida na porta, mas nada aconteceu. Ele tampouco ligou para o seu quarto.

Rosanna odiou a si mesma por ficar decepcionada.

※

Quando entrou no camarim na noite de estreia, ela encontrou dois belos buquês. Correu para ler os cartões e ficou arrasada ao ver que um era de Paolo e o outro, de Chris Hugues. Roberto obviamente havia ficado ofendido por ela não ter agradecido pelas flores que lhe enviara. Tentou afastar os pensamentos relacionados a ele enquanto sua camareira a ajudava a pôr o extravagante vestido de seda que ela usaria para interpretar a linda porém desenganada Violetta. Começou a se preparar mentalmente, mas sentiu muito frio e viu que suas mãos estavam tremendo. Dois minutos depois, sua temperatura havia subido muito e suas mãos tinham começado a suar. Seu coração batia depressa e ela ficava enjoada toda vez que pensava em subir no palco. Tentou abrir a boca para treinar alguns *arpeggios*, mas tudo que saiu foi um guincho.

*Rosanna*, disse a si mesma, com firmeza, *isso é medo de subir no palco. Luigi avisou que poderia acontecer. Concentre-se na respiração*. Ela examinou seu reflexo no espelho e tentou se acalmar.

Depois de maquiada e vestida, tremia tanto que mal conseguia ficar em pé. Teve vontade de chorar e desejou ardentemente que Paolo ou Luigi estivessem ali para segurar sua mão e lhe dizer que tudo ficaria bem.

– Os primeiros no palco, por favor!

O chamado do assistente de palco a despertou quando este passou pela porta do camarim convocando os primeiros artistas que apareceriam em cena a assumirem suas posições. Sem saber como, conseguiu chegar às coxias, trôpega. A orquestra afinava os instrumentos, e Rosanna pôde ouvir o zunzum de expectativa da plateia por trás das cortinas vermelhas.

Quando estava ali, tremendo feito vara verde ao vento, alguém pôs a mão em seu ombro.

– Boa sorte. Hoje à noite vamos triunfar juntos.

Roberto estava gloriosamente másculo, com o figurino de fraque e cartola.

– Estou me sentindo mal... – sussurrou ela, em desespero.

Ele segurou suas duas mãos frias e as esfregou.

– Ótimo. Seu papel é de uma tísica, então sua atuação hoje vai ser sublime.

Ela estava nervosa demais para registrar a brincadeira.

– Mas estou sem voz.

– É raro eu ter voz antes de um espetáculo também. Pense o seguinte: você está na sala de música da *villa* de Luigi. O piano está tocando e você está cantando para si mesma porque adora cantar. Não tem ninguém ouvindo... você está sozinha. – Roberto sorriu e lhe deu um beijo em cada bochecha. – Vamos ser fantásticos hoje. Tenho certeza.

Ele a deixou para assumir sua posição e, sozinha nas coxias, Rosanna ficou ouvindo as primeiras notas da abertura. Fechou os olhos e pensou na tranquilidade da sala de música de Luigi, na felicidade que sentia ao cantar lá. Então entrou no palco e sua voz tomou o ambiente.

❧❦❧

Muitas horas depois, ela voltou ao seu quarto no Savoy. Ainda estava tomada pela adrenalina, com os nervos à flor da pele.

Os aplausos ao fim do espetáculo pareciam não terminar nunca. Segundo Jonathan, ela e Roberto tinham voltado ao palco 22 vezes para agradecer. Na festa após a apresentação, ela fora cercada por desconhecidos que lhe faziam elogios rasgados e diziam que, desde Callas, não se via uma Violetta como a dela.

Rosanna se sentou em uma cadeira. Sem dúvida aquelas tinham sido as três horas mais incríveis de sua vida. Pela primeira vez, sentira de fato o poder que tinha sobre a plateia. Sua confiança havia aumentado e ela começara a gostar de estar ali, representando aquela heroína trágica como uma mulher de ânimo, tentações e medos ardentes. Naquela noite, sua Violetta havia ganhado vida.

E Roberto... Roberto a ajudara. No papel de Alfredo, lhe dera um apoio generoso, sem nunca sobrepujá-la no palco, e cantara seus duetos com uma calma que conseguira transmitir para ela. Era quase como se houvesse dado um passo para trás e lhe permitido voar. E houve momentos em que ela ergueu os olhos para ele, quando estavam cantando "Parigi, o cara", e sentiu toda a força do amor condenado de seus personagens. Rosanna suspirou. Independentemente de como Roberto agisse, por mais que seu comportamento fosse egoísta, sabia que parte de si o amava desde a infância. E depois daquela noite, apesar de todo seu esforço para se convencer do contrário, percebeu que o amor ainda estava vivo..

Nessa noite pretendia fazer as pazes com ele, agradecer-lhe por suas palavras antes do espetáculo e por toda a sua ajuda. Na festa, entretanto, ele fora cercado por tanta gente que ela não tivera oportunidade de se aproximar. Quando por fim o procurou, ele tinha desaparecido.

Ela ficou andando de um lado para outro no quarto, perguntando-se o que deveria fazer. Por fim, abriu a porta e seguiu pelo corredor até o quarto dele.

Sua leve batida ficou sem resposta. Tentou, mas não conseguiu ouvir nada. Tornou a bater. Então pensou ter ouvido um soluço abafado. Intrigada, verificou se estava no quarto certo. Ao ver que sim, tornou a escutar. Não havia dúvida. Alguém lá dentro estava chorando.

– Roberto – disse ela suavemente. – Sou eu, Rosanna.

O ruído não cessou. Ela girou a maçaneta e, ao constatar que a porta estava destrancada, abriu-a e entrou, hesitante. À primeira vista, a saleta parecia deserta, mas os soluços a conduziram até atrás do sofá. Ainda com a roupa da festa, Roberto, encolhido no chão com a cabeça entre mãos, chorava tanto que não a ouvira entrar. Sobressaltou-se quando ela pôs a mão em seu ombro.

– Sou eu – sussurrou ela, ajoelhando-se ao seu lado. – O que houve, Roberto? O que aconteceu?

Ele a encarou com tanta angústia nos olhos que ela só conseguiu reagir passando os braços em volta dos seus ombros e lhe dando um abraço meio sem jeito.

– Recebi um recado hoje, durante a festa. Minha *mamma*... minha *mamma* morreu.

– Maria? Ah, Roberto, sinto muito.

– Meu pai chegou em casa e a encontrou na cama, como sempre, mas não conseguiu acordá-la. Ela não se mexeu, então ele percebeu que não estava respirando. Os médicos acham que foi um derrame. Eu vivia prometendo visitá-los, mas não fui, e agora... agora é tarde. Minha *mamma* está morta. Nunca mais vou vê-la. Ela se foi.

A afirmação causou um novo ataque de soluços.

– Você prefere que eu vá embora? Talvez queira ficar sozinho.

– Não. Por favor... por favor, fique. Você a conhecia...

– Quer beber alguma coisa?

Ele assentiu.

– Tem conhaque naquele armário ali.

Rosanna encontrou a garrafa. Serviu uma boa dose e entregou a ele.

– Obrigado. – Ele bebeu de um gole só.

– Quer que eu ligue para a recepção e veja se eles conseguem pôr você em um voo para Nápoles o mais rápido possível?

Roberto a encarou com os olhos molhados.

– Não. Eu não posso ir a Nápoles. Fui tão ruim, tão egoísta, que agora não posso sequer ir ao enterro da minha própria *mamma*.

Seus ombros se sacudiram numa convulsão.

– Roberto, todo mundo vai entender se você precisar cancelar um espetáculo. Sua mãe morreu e você precisa voltar para casa.

– Você não entende. Não posso ir e pronto!

– Venha. Por que não se senta no sofá? – sugeriu ela, com suavidade.

Ele permitiu que Rosanna o ajudasse a se levantar e o guiasse até o sofá, onde se deixou cair pesadamente. Rosanna se acomodou ao seu lado e estendeu a mão para segurar a dele. Roberto tinha o olhar perdido.

– Acho que só amei uma única pessoa na vida, sabe? Minha *mamma*. E a decepcionei, do mesmo jeito que decepcionei todo mundo. Sou um grande traste que não posso sequer me despedir dela.

– Tenho certeza de que ela não achava que você a decepcionou. Você é um dos tenores mais famosos do mundo. Sei o orgulho que ela sentia de você. Sempre que ia à nossa cantina, Maria não falava em outra coisa – disse Rosanna para confortá-lo.

Entendia que ele estava histérico, em choque. Nada do que ele dizia fazia sentido.

– Sim, mas não reservei tempo para ela quando fiquei famoso. Só a vi duas vezes nos últimos seis anos e mesmo assim ela que foi até Milão para me ver. – Ele se virou e a encarou com pesar. – Você tinha razão quando disse que eu era totalmente egoísta. Sou um filho da mãe, Rosanna. Eu me odeio.

Ele apoiou a cabeça nas mãos e começou a chorar de novo. Rosanna ficou sentada ao seu lado sem dizer nada, pois entendia que nada do que pudesse fazer ajudaria. Por fim, ele parou de soluçar e secou os olhos.

– Nunca chorei assim antes. Estou me sentindo tão culpado...

– É natural se sentir culpado, Roberto. Quando minha *mamma* morreu, fiquei me sentindo péssima por um dia ter pensado coisas ruins a respeito dela. Tenho certeza de que Maria entendia que você é um homem ocupado. As mães sabem entender e perdoar melhor do que ninguém, sobretudo quando se trata dos filhos.

– Você acha que ela perdoaria o filho por não ir ao seu enterro? – perguntou ele baixinho.

– Tenho certeza que sim, se houvesse um bom motivo para isso.

Roberto suspirou e assoou o nariz com força no lenço.

– Sinto muito ter estragado o fim de sua noite. Você foi espetacular hoje, Rosanna. Deveria estar comemorando, não sentada aqui confortando um velho enlutado.

– Agora *sim*, você está se rendendo à autopiedade – repreendeu ela em tom suave.

– Um homem de meia-idade, então. Por que veio falar comigo? – perguntou ele de repente. – Já é tarde.

– Porque eu queria pedir desculpas.

– Não, quem deve pedir desculpas sou eu. Eu sou um traste. É verdade.

Rosanna tornou a segurar a mão dele.

– E queria agradecer por hoje à noite. Sem você, eu não teria conseguido.

– Está falando sério?

– Sim – respondeu ela, baixinho.

– Então, mesmo minha *mamma* tendo morrido, pelo menos posso pensar que fiz alguma coisa hoje que não foi egoísta... pelo menos dessa vez.

– Fez, mesmo. E nunca vou me esquecer. Obrigada. – Ela lhe deu um beijo no rosto. – Agora acho que você deve tentar dormir um pouco.

Quando ela fez menção de se levantar, Roberto a encarou.

– Por favor, acho que eu não suportaria ficar sozinho. Pode ficar comigo?

– Roberto, eu...

– Não, não estou pedindo o que você está pensando. Você e eu já temos uma longa história. Eu só queria que você estivesse aqui, só isso. Nada mais. Juro.

– Então está bem – concordou ela, relutante.

– Venha sentar aqui ao meu lado. – Ele estendeu os braços.

Ela tornou a se sentar e se deixou envolver por aquele abraço. Ficou assombrada ao constatar quanto aquilo parecia natural.

– Deve ter sido o destino que mandou você aqui hoje. – Ele beijou com carinho o topo da cabeça dela. – Ainda me lembro muito bem de quando a ouvi cantar pela primeira vez, sabia? Vi que *mamma* chorou ao escutar você. Sabia que você se tornaria uma grande estrela.

– Sabia mesmo? – Rosanna ficou feliz por conseguir ajudá-lo a pensar em uma época mais feliz.

– Sim. Sua voz tinha muita clareza, muita emoção.

– Também me lembro de ouvir você cantar. Escrevi no meu diário naquela noite que ia me casar com você quando crescesse.

A lembrança a fez sorrir.

– E se casaria mesmo? Agora que sabe como sou de verdade? – perguntou ele, ríspido.

Houve uma pausa antes de Rosanna responder:

– Não acho que você seja do tipo para casar.

– Eu não daria um bom marido?

– Não. Me desculpe.

– Você tem razão, claro – concordou ele por fim. – Hoje à noite, quando soube da morte de minha mãe, eu me vi como o que realmente sou. Também não gostei do que vi. Então preciso mudar. Talvez precise da mulher certa para me ajudar. – Ele baixou os olhos para a garota em seus braços, tão doce, tão pura, tão intocada pelas decepções da vida. – Rosanna, tenho algo a lhe dizer.

– Tem?

– Tenho.

– O quê?

– Lembra quando eu disse que nunca me apaixonei?

– Lembro.

– Eu estava mentindo. Estou apaixonado.

– Por quem?

– Por você.

Rosanna se endireitou no sofá e o encarou.

– Não vou para a cama com você, Roberto. Você não pode me usar só para aliviar a dor que está sentindo.

Ele não conseguiu conter uma risada.

– Ah, *principessa*, pelo menos você me fez sorrir. É claro que quero fazer amor com você, pois você é muito bonita. Mas é algo mais do que isso. É uma experiência muito estranha para um homem que nunca teve esses sentimentos. Na verdade, quero agradá-la, quero a sua felicidade, me importo com o que você pensa de mim. Fiquei muito chocado quando me deu um tapa, não de raiva, mas porque não suportava a ideia de que você me odiava, que sua opinião a meu respeito era tão ruim. Fiz o melhor que pude para corrigir meu comportamento nos últimos dias. E depois de hoje à noite vou tentar ainda mais. Amanhã preciso ir à missa, acender uma vela para *mamma* e me confessar. Então vou recomeçar do zero. Vou me tornar uma pessoa melhor. Rosanna, por favor, diga que dará uma chance ao novo Roberto – pediu ele.

Ela o examinou com atenção, mas não disse nada.

– Você não acredita que eu a ame, não é? – perguntou ele, tornando a afundar no sofá.

– Acho que você está simplesmente subjugado pela emoção.

– Você... sente algo por mim?

– Não tenho nada com que comparar meus sentimentos – respondeu ela, com cautela.

– Então você reconhece que sente algo? – pressionou Roberto.

– Como sei da sua reputação, não me atrevi a pensar no que eu sinto.

– Rosanna, estou dizendo a verdade. Estou apaixonado por você. Tenho certeza. Aqui dentro. – Ele tocou o próprio peito. – É terrível! Quando você não está comigo, meu peito dói. Fico louco para vê-la, sonho com você à noite, eu...

– Eu vou embora, Roberto. Está muito tarde e nós dois estamos exaustos. – Ela se levantou. – E você precisa de um tempo para aceitar a perda que sofreu hoje – acrescentou ela com delicadeza.

– Rosanna, por favor, fique comigo – implorou ele.

– Não. – Ela o beijou de leve na testa. – Conversaremos amanhã de manhã. Boa noite, Roberto – sussurrou e saiu do quarto.

Ele não se mexeu.

– Eu amo essa mulher – declarou. – Amo essa mulher – repetiu mais alto, saboreando o som das próprias palavras e o alívio que experimentava ao dizê-las.

Sabia que era errado se sentir subitamente eufórico quando sua pobre *mamma* estava morta a centenas de quilômetros dali, mas não pôde evitar. Era um sentimento maravilhoso e assustador. Ele ia mudar, *podia* mudar. Rosanna fazia dele uma pessoa melhor. Aquela noite era uma catarse. Ele se ajoelhou no chão e pediu à sua *mamma* que o perdoasse.

Por fim, levantou-se e foi até o quarto devagar.

Talvez, pensou, na mesma noite em que sua mãe tinha morrido, ele tivesse nascido de novo.

❦

O telefone despertou Rosanna de um sono profundo.

– Alô?

– Rosanna, sou eu, Chris. Você viu os jornais?

– Não. Ainda estou dormindo... ou melhor, ainda estou na cama.

– Bom, sugiro que ligue para a recepção e peça que levem para você exemplares do *The Times*, do *Telegraph* e do *Guardian*. Além de algumas ótimas fotos, os críticos em geral sisudos se derramaram em elogios à sua apresentação de ontem. Já recebi ligações da BBC e de uns dois jornais dominicais querendo entrevistá-la assim que possível.

– Ah – fez Rosanna.

– Você não parece muito contente. Talvez não entenda a importância de críticas como essas. Estão chamando você de nova Callas. Você é uma sensação, meu bem!

– Estou satisfeita, Chris, estou mesmo, mas... você soube da mãe de Roberto?

– Soube. Uma triste notícia para ele, mas a vida continua, infelizmente. Pode me ligar de volta quando tiver acordado de verdade e me avisar quando poderia falar com esses jornalistas? Eles estão muito ansiosos. Vou estar aqui no apartamento na próxima meia hora. Parabéns, Rosanna. Até já.

Ela se deixou cair de volta sobre os travesseiros com um suspiro. Estava totalmente exausta e perguntou-se como Roberto estaria se sentindo. Na noite passada ele tinha dito que estava apaixonado pela primeira vez na vida e *por ela*...

Não. Rosanna se conteve. Ele estava perturbado com a morte da mãe, não estava raciocinando direito. Decerto pediria desculpas hoje por ter se deixado levar pelas emoções e o relacionamento deles poderia seguir como antes.

Tirou o fone do gancho, pediu à recepção que enviasse os jornais, depois retornou a ligação de Chris e combinou as entrevistas para aquela tarde.

Uma hora depois, ainda estava tomando café quando alguém bateu à porta.

– Quem é? – perguntou, alto.

– Sou eu, Roberto.

Ela se levantou e foi abrir.

– *Cara!*

Ele a segurou pelos ombros com delicadeza e lhe deu dois beijos carinhosos no rosto.

– Entre.

– Obrigado.

Rosanna fechou a porta e ele a seguiu até a mesa do café. Tinha um ar cansado e pensativo, mas estranhamente em paz, levando-se em consideração os acontecimentos da noite anterior.

– Como eu disse, fui à missa hoje de manhã. Confessei meus pecados e rezei para ser perdoado. Sinto-me purificado. E mais: estou decidido a provar a *mamma*, lá no céu, que posso ser uma pessoa melhor.

– Ah, Roberto, que bom!

Rosanna o observou piscar os olhos para conter as lágrimas e, em seguida, pegar um jornal que estava em cima da mesa.

– Eu li as críticas. Acho que você chegou a Londres, pequena. Parabéns – disse ele, com um sorriso caloroso.

– As críticas a você também são boas – disse ela, generosa.

– É, são, sim. – Ele descartou o assunto com um gesto. – São sempre iguais. "Roberto Rossini, como sempre, empresta ao papel de Alfredo grande personalidade e sua voz notável." Eu sou notícia velha, *cara*. É em você que estão interessados agora. Posso lhe dar um conselho?

– Claro.

– Aproveite este momento. Saboreie cada segundo. A primeira vez que essas coisas acontecem é um milagre, uma maravilha. E mesmo que você volte a se apresentar em Covent Garden e que as críticas sejam ainda mais rasgadas, já as terá lido antes, então elas não vão lhe proporcionar tanto prazer quanto hoje. – Ele examinou o rosto dela com cuidado. – Está feliz, não está?

– Estou, claro. Quero dizer, sonhei tantas vezes com este momento... E agora que ele chegou me sinto quase culpada.

Ela deu um suspiro.

– Tudo aconteceu com muita facilidade para mim, enquanto muitos outros nunca receberam os aplausos que merecem.

– Rosanna, milhares de pessoas vão ler as críticas à sua apresentação, ver as fotos da jovem e linda estrela da ópera e desejar ser você. Só que elas não veem o preço que você precisa pagar: os anos de trabalho árduo, o isolamento, a inveja, a pressão de ter a vida exposta ao público. É muita coisa para suportar, sobretudo para alguém tão jovem.

– Não tenho nenhum motivo para estar triste, mas hoje me sinto para baixo.

Ela engoliu em seco para conter o súbito nó que se formou em sua garganta.

– Pequena, ontem à noite você fez uma estreia triunfal em Covent Garden, em um papel que nunca tinha representado. Hoje está tudo acabado e a adrenalina passou. Não é de espantar que esteja emotiva. Está totalmente exausta. Venha cá. Agora é minha vez de reconfortá-la.

Ele deu alguns tapinhas no assento do sofá, junto a onde estava sentado.

Rosanna se levantou, deu a volta na mesa e sentou-se ao lado dele.

– Você entende – sussurrou.

– É claro que entendo. E estou aqui para cuidar de você.

Ele se inclinou na direção dela e afastou uma mecha de cabelos de seu rosto.

– Tudo que eu lhe disse ontem à noite é verdade. E sim, eu falei quando estava muito emocionado, mas sei que amo você, Rosanna Menici. Não sei por que nem como, mas é verdade. Acredita em mim?

– Não sei – respondeu ela com sinceridade.

– Bom, se me permite, vou tentar convencê-la. Mas você precisa me dizer uma coisa: eu tenho alguma chance?

Ela examinou sua expressão aflita e deu de ombros.

– Não tenho gostado muito de você nos últimos tempos, mas sei que no meu coração sempre o amei.

– Então vou beijá-la.

Ele ergueu o queixo dela na direção do seu e se deteve pouco antes de os seus lábios se tocarem.

– Você sabe que isso vai mudar nossa vida, não sabe? Depois disso não haverá mais volta.

– Eu não quero voltar.

Ela então fechou os olhos e se entregou por completo ao beijo dele.

# Ópera Metropolitana, Nova York

Então, Nico, foi assim que Roberto e eu começamos nosso caso de amor. Quando eu lhe disse que nem sempre tinha gostado dele, era verdade. Não podia aprovar o modo como ele se comportava com as outras mulheres, sem se importar com o que elas sentiam. Eu o amava, sempre amara. Não era tão burra a ponto de pensar que ele não me causaria dor no futuro, mas também sabia que a dor sem ele seria pior.

Desde o primeiro beijo, soubemos que nosso destino estava selado, que estávamos fadados a ficar juntos, qualquer que fosse o custo. Não consigo nem lhe dizer como foram lindos esses dias em Londres, enquanto descobríamos o que era estar apaixonado.

Dizem que a dupla que formamos em La Traviata naquele mês de agosto foi uma das melhores que já se viu. Cantamos habitados por uma paixão verdadeira e acho que isso fez ambos chegarmos a níveis nunca antes alcançados. Em algum lugar lá em casa está a gravação que fizemos para a Deutsche Grammophon. Fico muito triste ao pensar que você nunca vai poder ouvi-la de verdade.

Naturalmente, como estávamos muito envolvidos um com o outro, não demos muita importância para o que os outros poderiam pensar. E para ser sincera, na época acho que nenhum de nós se importou com isso. Roberto sabia do interesse que nosso relacionamento despertaria na mídia e me avisou que eu precisava estar preparada para lidar com isso. Hoje, quando penso no que aconteceu, vejo que o fato de nenhum de nós ter tido oportunidade de explicar nosso amor para quem nos era importante antes de o mundo inteiro ficar sabendo causaria muita dor.

Sem falar, claro, que ainda havia muitas coisas em relação a Roberto que eu desconhecia...

## 22

Uma semana depois de seu primeiro beijo, Rosanna acordou nos braços de Roberto. Com todo cuidado, tirou da cintura o braço dele, que a impedia de se mexer, saiu da cama, vestiu o roupão e foi na ponta dos pés até a saleta. Abriu as cortinas, destrancou as portas da varanda e as abriu. Embora ainda fosse cedo, o sol que bateu no seu rosto já estava quente, e o céu azul sem nuvens prometia tempo bom para o resto do dia. O barulho da margem do Tâmisa, o Embankment, e do rio em si a alcançava. Entretidas com as próprias vidas, as pessoas cuidavam de seus afazeres. Ela quis gritar lá para baixo o que lhe acontecera: dizer que de repente sua vida havia se transformado em uma emocionante montanha-russa de felicidade.

Virou-se para dentro e foi até o banheiro. Examinou o rosto no espelho. Seus traços estavam iguais, mas era como se ela tivesse sido iluminada por dentro. Embora estivesse exausta por causa da apresentação da véspera, seus olhos estavam acesos e seus cabelos brilhavam.

Ela estava apaixonada por Roberto Rossini, e ele por ela.

Na última semana, quase não tinham se largado. Embora dormissem juntos, nos dois primeiros dias Roberto não tentara nada em relação a sexo, por medo de ela pensar que era só isso que ele queria.

No fim das contas, fora Rosanna quem havia implorado para que fizessem amor. Na véspera, pela primeira vez, os dois haviam deixado o quarto e ido almoçar tranquilamente no Le Caprice.

Na noite anterior, Rosanna tinha certeza de ter cantado Violetta melhor do que nunca, pois seus sentimentos correspondiam às suas palavras. A apresentação valera aos dois uma extraordinária sessão de aplausos de pé.

– *Cara.* – Um braço se insinuou em volta da sua cintura, e ela viu o cenho franzido de Roberto refletido no espelho. – Acordei e você não estava na cama.

– Desculpe. Deixei você dormindo.

Ele a virou.

– Nunca vá embora sem me dizer aonde está indo. Quero saber tudo que você faz, tudo que você pensa.

– Tudo mesmo? – provocou ela.

– Claro.

– Bom, neste exato momento estou pensando que gostaria que você saísse do banheiro para eu poder ter privacidade.

– Está bem, está bem. – Ele começou a recuar. – Não demore.

– Não vou demorar. Pode pedir o café? Estou faminta.

– Nunca vi uma mulher comer tanto!

Ele fechou a porta do banheiro, rindo. Atravessou a saleta, ligou para o serviço de quarto e pediu um café da manhã completo para os dois. Então foi até a porta do quarto, abriu-a e pegou a pilha de jornais que estava lá fora. Sentou-se no sofá e começou a folhear um tabloide.

ESTRELAS DA ÓPERA VIVEM
SUA PRÓPRIA CANÇÃO DE AMOR

Uma foto mostrava ele e Rosanna saindo de mãos dadas do Caprice. Ela o fitava com uma inconfundível expressão de amor. Roberto leu o texto abaixo da foto.

O belo astro da ópera Roberto Rossini foi flagrado ontem saindo de um dos melhores restaurantes londrinos de mãos dadas com sua companheira de palco, a bela jovem soprano italiana Rosanna Menici. Os dois estão estrelando uma temporada de *La Traviata* em Covent Garden com lotação esgotada.

O Sr. Rossini é conhecido por suas conquistas amorosas. A julgar pela fotografia, parece ter capturado em sua rede mais uma linda borboleta...

Roberto fechou o jornal depressa e o escondeu debaixo do sofá. Até esse momento, estava tão envolvido no prazer que acabara de descobrir que raramente pensava além da hora seguinte. Embora aquele jornal fosse inglês, sabia como era a mídia. Qualquer fofoca a seu respeito em Londres não demoraria a aparecer nas manchetes de Milão. O segredo estava revelado.

Naquela noite, a história ia se espalhar por Covent Garden, no dia seguinte pelo Scala, e Paolo ficaria sabendo...

– Que droga! – praguejou ele.

Detestou o colunista de fofocas por diminuir o que ele sentia por Rosanna. A suposição de que ela podia ser comparada às suas outras amantes fez seu sangue ferver. Mas era uma reação natural. Não havia motivo para ninguém pensar que seu caso com Rosanna fosse diferente dos que o haviam precedido.

Só que *era*. *Ela* era diferente. Roberto sabia, sem a menor dúvida, que havia encontrado o que buscava. Rosanna tinha preenchido os espaços vazios, feito dele um homem inteiro. Quando estava ao lado dela, gostava de si mesmo. Ela trazia à tona o que ele tinha de melhor. Pensar que ela um dia poderia deixá-lo, pensar em voltar a viver como vivia poucos dias antes, provocava nele um calafrio.

Mas ela ainda era muito jovem, refletiu ele. Havia uma diferença de 17 anos entre os dois. Ele sabia que era seu primeiro amor. E se ela o usasse do mesmo jeito que *ele* havia usado outras mulheres e depois seguisse em frente?

Roberto se recostou no sofá e deu um suspiro. Sabia que muitas pessoas, quando soubessem, tentariam dissuadir Rosanna de continuar o romance com ele. Paolo de Vito, em especial, ficaria arrasado. Rosanna era sua protegida. Ele se comportava com ela como um pai possessivo, e pensar que Roberto talvez tivesse tirado vantagem da moça o deixaria furioso.

– Meu Deus, por favor, me ajude a ficar com ela – sussurrou.

Foi então que lhe ocorreu um jeito de convencer Rosanna de que aquilo era para sempre e também de silenciar os detratores.

Ia se casar com ela.

༺༻

Mais tarde, nessa manhã, Roberto e Rosanna pegaram um táxi até Mayfair.

– Para onde estamos indo? – ela quis saber.

Sua voz soou como a de uma criança, ansiosa e animada, e o vestido cor-de-rosa simples que ela usava também a fazia parecer quase uma menina, pensou Roberto.

– Tenha paciência, *principessa*.

– Estou tentando, mas...

– Chegamos – anunciou Roberto quando o táxi parou em New Bond Street.

– Onde? – perguntou ela enquanto ele pagava o motorista.

– Na Cartier, uma das maiores joalherias do mundo. Vou lhe comprar um presente – respondeu ele, ajudando-a a sair do táxi e a entrar na loja.

Rosanna ficou parada à porta e encarou com apreensão os balcões com vitrines de vidro que abrigavam uma profusão cintilante de joias espetaculares. Um senhor mais velho de terno escuro apareceu ao seu lado.

– Senhora, senhor, posso ajudá-los?

– Sim. Estamos procurando uma joia especial para minha linda dama – respondeu Roberto, meneando a cabeça de modo galante na direção de Rosanna.

– Entendo. Vocês têm algo específica em mente?

– Podemos ver alguns anéis, colares e brincos?

– Naturalmente, senhor.

O cavalheiro destrancou a parte de trás de várias vitrines e dispôs sobre o balcão bandejas forradas de veludo com quatro colares e alguns anéis e brincos.

– Aponte se vir algo de que goste, *principessa* – falou Roberto.

Ele pegou um intrincado colar de ouro cravejado de safiras e diamantes.

– Mas Roberto, eu não preciso de...

– Shh. – Ele levou um dedo aos lábios dela. – É falta de educação reclamar quando um homem quer lhe comprar um presente para demonstrar seu afeto.

O colar foi preso no pescoço de Rosanna. Ela se olhou no espelho.

– Como é pesado – comentou, e moveu a cabeça, desconfortável.

– Posso sugerir este aqui? É mais delicado, portanto talvez seja mais adequado para a senhora.

O vendedor segurava outro colar, uma finíssima corrente de ouro com um único diamante pendurado; a pedra tinha uma cravação linda.

Rosanna o experimentou.

– Nossa! – murmurou, movendo os ombros para um lado e para outro a fim de examinar o modo como o diamante se aninhava perfeitamente entre as clavículas.

– Ficou uma beleza, senhora, se me permite dizer. Posso lhe mostrar também estes aqui?

O vendedor estendeu-lhe um par de brincos que faziam conjunto com o colar e um lindo anel solitário de diamante.

Rosanna se virou para Roberto com ar de dúvida.

– Sim, experimente os brincos.

Ela o fez.

– Perfeito. – Roberto sorriu.

Então pôs o anel de brilhante no anular da sua mão esquerda. Ficou enorme.

– Que pena, ficou grande – disse ele, com um suspiro. – Combina tão bem com as outras peças... Você gostou?

Rosanna estendeu a mão diante de si e admirou o modo como a pedra reluzia sob a luz.

– É lindo, assim como o colar e os brincos. Mas Roberto...

– Já falei que reclamar é falta de educação. – Ele se virou para falar com o vendedor. – Vamos levar os brincos e o colar.

– Ótimo, senhor. Deixe-me ajudá-la a tirar as joias, assim mando embrulhar para a senhora levar.

– Rosanna, por que não dá um pulo na loja de sapatos aqui do lado enquanto eu pago? Você comentou que estava precisando de um novo par.

– Está bem. Nos encontramos lá. Obrigada, Roberto.

Ela o beijou no rosto e saiu da joalheria.

Dez minutos depois, Roberto saiu da Cartier 20 mil libras mais pobre, mas feliz por ter conseguido alcançar seu objetivo sem despertar a suspeita de Rosanna. O anel seria ajustado e todas as joias seriam entregues no Savoy mais tarde naquele dia.

Quando ele abriu a porta da loja ao lado, Rosanna estava experimentando um par de elegantes sapatos de salto alto. Levantou-se e veio ao seu encontro, cambaleando pelo chão acarpetado.

– O que acha?

– Acho que eles deixam suas pernas ainda mais compridas. Você parece quase adulta – brincou ele. – Vamos levar – falou para o vendedor.

Os dois saíram da loja de braços dados.

– Ai, Roberto, nunca ganhei presentes assim antes. Muito obrigada!

Ela lhe deu um abraço e o cobriu de beijos.

– Agora você precisa de roupas novas. Vamos à Harrods.

Ele chamou um táxi e os dois embarcaram.

– Seu guarda-roupa é uma lástima e não posso ser visto com uma mendiga. Não é bom para a minha imagem – brincou ele.

– Você acha que eu me visto mal?

– Não, não acho que se vista mal, só acho que não se importa com o *modo* como se veste. É bem diferente. Mesmo correndo o risco de ficar vaidosa, você tem de aprender. É preciso estar à altura da imagem pública que tem agora.

– Mas não me interesso por roupas – falou Rosanna, na defensiva.

– *Principessa*, você é uma moça linda. Tem belas pernas compridas... – Roberto passou a mão por sua coxa – a cintura fininha... – enlaçou-a pelo meio do corpo – e dois maravilhosos seios empinados...

– Pare com isso – disse ela, rindo.

– E um rosto lindo, muito lindo. – Ele a beijou nos lábios. – Precisa aprender a valorizar seus atributos, por você e pelo homem que a ama. Ah, chegamos.

Roberto pagou o motorista e conduziu Rosanna para dentro da loja.

Ao longo da hora seguinte, ela desfilou na sua frente com várias roupas diurnas e noturnas, enquanto ele, sentado em uma cadeira dourada, ia dando seu veredito sobre cada peça.

– Não – falou, balançando a cabeça. – Essa aí deixa você parecida com minha amada *nonna*, minha santa vovozinha.

Rosanna pegou um chapéu de um suporte e o pôs na cabeça. De tão grande, este cobriu seu rosto até o queixo.

– Ah! A mulher sem cabeça – falou Roberto, rindo, quando ela estendeu a mão e veio andando na sua direção. – Saia daqui, sua menina boba, e vá encontrar algo tão bonito quanto você para vestir.

Ele tirou o chapéu da cabeça dela e lhe deu um beijo, brincalhão.

Rosanna acabou encontrando cinco roupas que Roberto aprovou. Ele pagou e a levou até o departamento de lingerie.

– Agora que testemunhei o estado de suas roupas íntimas, acho que devo amar você de verdade para ainda achá-la atraente – brincou. – Então agora vamos comprar umas peças de lingerie que condigam com esse seu corpo maravilhoso. – Ele acariciou a curva esguia de seu quadril, e os dois passearam por entre as araras e escolheram delicadas peças de seda para ela experimentar.

Por fim, carregados de sacolas e caixas, desceram dos andares superiores.

No térreo, Roberto parou para admirar um cachecol de seda com estampa *paisley*.

– Tipicamente inglês – filosofou.

– Gostou? – perguntou Rosanna.

– Gostei.

– Então vou comprar para você.

Ela caminhou apressada até um dos caixas antes que ele pudesse detê-la.

– Aqui está – falou ao voltar e, com ar de triunfo, amarrou o cachecol em volta do pescoço dele.

Roberto tocou a peça com delicadeza.

– É o melhor presente que já recebi. Obrigado, *cara*.

❧

Após um almoço demorado no Grill Room do Savoy, eles passaram uma tarde preguiçosa estirados em uma encosta de grama nos jardins de Victoria Embankment, de braços dados, igualzinho aos outros casais à sua volta.

– Pode esperar aqui cinco minutos? – pediu Roberto. – Preciso voltar ao quarto para dar um telefonema.

Ela assentiu e tornou a fechar os olhos por causa do sol forte.

– Claro, é lindo aqui.

– Não se mexa – ordenou ele, e partiu depressa na direção do Savoy.

Rosanna se deitou na grama e ficou curtindo a sensação do sol sobre a pele e a textura da grama recém-aparada sob os dedos. Desejou que fosse possível congelar aquele instante, preservá-lo para sempre. O que quer que o futuro reservasse, sabia que se lembraria eternamente de estar deitada ali, sob o sol, esperando Roberto voltar.

Alguns minutos depois, sentiu os dedos dele acariciarem sua bochecha e o cheiro conhecido de sua loção pós-barba.

– Por favor, não abra os olhos. Tenho uma coisa para lhe dizer e não quero que você veja mais nada enquanto eu estiver falando. Eu amo você, Rosanna Menici. Não entendo o que aconteceu com nós dois desde que chegamos a Londres. Tudo que sei é que eu mudei. É como se eu fosse outra pessoa. Não estou só feliz, estou em êxtase. Não quero que você me deixe nunca. – Ele fez uma pausa e ficou admirando o lindo rosto dela, com os

longos cílios dos olhos fechados dispostos feito um leque sobre os malares.
– *Cara*, quero que você seja minha mulher.

Rosanna sentiu-o segurar seu dedo anular e pôr nele um anel.

– Se me disser não, vou voltar para o meu quarto e me afogar na banheira – anunciou ele. – Agora já pode abrir os olhos.

Rosanna olhou primeiro para ele, em seguida para o anel de brilhante em seu dedo. Soltou um pequeno arquejo.

– Mas como...?

– Aquele senhor da Cartier ajustou para caber no seu dedo. Rosanna, por favor, esqueça o anel. Sou um homem atormentado. Sua resposta é sim?

Ela ficou olhando para o solitário sem dizer nada, observando o modo como o sol se refletia na pedra. Emoções conflituosas se agitavam em sua mente. Por um lado, estava eufórica com o pedido dele. Por outro, seria loucura aceitar, levando em conta seu passado suspeito?

Roberto leu seus pensamentos.

– *Cara*, acredite, nunca me senti assim antes – insistiu ele. – Saber, no fundo da alma, que uma coisa está certa, que é isso que deve acontecer. Dei-me conta de que passarmos a vida juntos é nossa melhor chance de sermos felizes. E lhe pedir que seja minha mulher é a minha maneira de mostrar a você e ao mundo todo que esse amor que temos um pelo outro é permanente.

Rosanna não olhou para ele e continuou a estudar o anel.

– Você pensa mesmo isso, Roberto? Não acha que vai mudar de ideia? Como mudou com todas as outras?

– Entendo que você deva fazer essas perguntas por causa dos meus tropeços do passado, mas o amor me fez mudar. *Você* me fez mudar. Rosanna, quer que eu implore?

– Eu lhe disse que um dia escrevi no meu diário que me casaria com você – sussurrou ela, encarando-o por fim. – Devo ser uma moça inteligente. Minha profecia está se realizando.

– Isso significa que você aceita o meu pedido?

– Sim, aceito ser sua mulher, mas só se você me jurar que nunca haverá outras.

– Não, nunca, nunca. Acredite em mim, por favor.

– Roberto... – Os olhos dela brilharam com uma súbita dor. – Estou avisando: se um dia houver outra, *qualquer* outra, abandono você e nunca mais volto.

– Não duvide de mim, *cara*. Nunca haverá ninguém a não ser você. Estamos falando de um acontecimento feliz, não estamos? Nunca pedi mulher nenhuma em casamento.

– Eu sei. E isso me assusta. Talvez a gente devesse esperar um pouco...

– Não! Eu tenho certeza. – Ele a envolveu com os braços. – *Amore mio*, amo você e sempre vou protegê-la. Você não vai se arrepender do que está fazendo, juro.

Quando ele a beijou afetuosamente e a apertou contra o peito com tanta força que ela mal conseguiu respirar, Rosanna entendeu que, mesmo se quisesse, não havia nada que pudesse fazer.

Roberto Rossini sempre havia sido o seu destino.

# 23

– Maldito, maldito!

A secretária de Paolo entrou correndo na sua sala.

– O que houve, *Signor* de Vito?

– Me perdoe, Francesca, estou com raiva por causa de uma coisa que li no jornal.

Francesca fez um meneio nervoso com a cabeça e saiu da sala.

Paolo correu uma das mãos pelos cabelos enquanto examinava a foto de Rosanna e Roberto saindo do Le Caprice.

– Por que, Rosanna? Por quê? – gemeu.

Tirou o fone do gancho e ligou para o Savoy de Londres.

– Poderia me transferir para o quarto da *Signorina* Menici? – pediu à recepcionista. – Obrigado.

Alguns minutos depois, a recepcionista lhe informou que ninguém atendia no quarto da Srta. Menici.

– Entendo.

Paolo olhou para o relógio. Eram só oito e meia da manhã na Inglaterra. Adivinhou onde Rosanna devia estar e se perguntou se deveria pedir à recepcionista para transferir a ligação para o quarto de Roberto.

– Poderia pedir para a *Signorina* Menici ligar para Paolo de Vito quando puder?

– Claro. Até logo, senhor.

Paolo pôs o fone no gancho e tentou se concentrar nos detalhes da proposta de cenário para *Rigoletto* sobre a mesa à sua frente.

※

Donatella também vira a foto no jornal. Caiu em prantos, então secou os olhos e andou de um lado para outro, com toda a raiva de uma mulher desprezada.

Fazia três semanas que Roberto estava em Londres. Ela havia tentado falar com ele muitas vezes no Savoy. Tinha boas notícias a lhe dar. Durante a estadia em Nova York, Giovanni havia aceitado que ela pedisse a separação. Chegara até a afirmar que consideraria um divórcio no futuro. Parecera muito calmo e quase não houve discussão entre eles.

De volta a Milão, Donatella fora correndo ao apartamento de Roberto, convencida de que enfim os dois poderiam ficar juntos, mas se assustara ao encontrar um corretor de imóveis tirando as medidas do lugar. O corretor lhe dissera que o apartamento seria vendido mobiliado, mas que não fazia a menor ideia de onde Roberto estava planejando morar.

Donatella tinha voltado para Como furiosa. Por que Roberto não lhe dissera que pretendia se mudar? Por que não estava atendendo seus telefonemas?

Nessa noite, Giovanni havia se mostrado particularmente amável. Recebera-a com um sorriso e lhe dera de presente um lindo colar de pérolas. Ela conseguira disfarçar quanto estava abalada e fingira que seus planos de se mudar ainda eram iminentes. Mas isso fora antes daquela manhã, quando enfim tinha visto a prova do que temia desde o início. Roberto havia arrumado uma nova amante.

Para tentar aliviar sua raiva, Donatella jogou uma cara estatueta de jade do outro lado da sala. Contudo, a peça aterrissou, intacta, sobre o grosso tapete Aubusson.

Tentou se consolar pensando que aquele caso com Rosanna Menici decerto seria uma coisa passageira, que ele voltaria para ela com o rabo entre as pernas musculosas, pediria perdão e prometeria nunca mais traí-la. Não era tão grave, afinal de contas. Ele não tinha se casado com a garota.

– Não faça isso comigo, Roberto, por favor. Eu amo você – gemeu ela, ajoelhando-se para pegar a estatueta.

Não havia praticamente mais nada que pudesse fazer até ele voltar para Milão. Dispusera-se a abrir mão de muita coisa por causa do *Signor* Rossini. E de jeito nenhum o deixaria ir embora sem lutar.

≈

– Carlotta! Carlotta! Olhe aqui! – Marco Menici abriu o jornal sobre uma das mesas da cantina. – Está vendo? É Rosanna com Roberto Rossini.

Carlotta parou de limpar o chão, apoiou o esfregão na parede e foi olhar a foto por cima do ombro do pai. Ao ler as palavras escritas logo abaixo, teve de se apoiar no encosto de uma cadeira para não cair.

– Quem imaginaria uma coisa dessas? Eles formam um belo casal, não é? Já pensou, Carlotta, se Rosanna se casar com o filho dos nossos melhores amigos?

– Sim, *papà*, seria mesmo incrível. Mas preciso continuar a faxina. Está ficando tarde e ainda tenho de fazer compras.

Ela se afastou para pegar o esfregão enquanto Marco ia até a cozinha.

Assim que o pai saiu, a dor que Carlotta sentia dentro do peito a fez soltar um grunhido. Roberto e Rosanna...

– Não! Isso não pode acontecer! – choramingou.

Mais tarde, nesse mesmo dia, foi até a igreja do bairro. Entrou, acendeu uma vela para *mamma* e se ajoelhou para rezar.

Ao voltar para a cantina, estava um pouco mais calma. Os jornais viviam publicando fotos de Roberto Rossini com mulheres diferentes; com certeza Rosanna devia ser só mais uma e o relacionamento não daria em nada.

Luca... desejou poder falar com o irmão. Ele não devia ter visto a foto, pois vivia no mundo isolado do seminário em Bergamo. Precisava lhe escrever e pedir seu conselho. Ele lhe diria que tudo ficaria bem.

Carlotta subiu para o quarto, tirou uma folha do bloco de notas, pegou uma caneta e começou a escrever.

❧

Duas semanas depois, os protagonistas de tantas emoções estavam num táxi a caminho do cartório de Marylebone. Roberto segurava com força a mão de sua noiva.

O táxi parou em frente aos degraus do cartório e ele saltou. Como não tinha contado a ninguém sobre o noivado, com exceção de Chris, marcara a cerimônia para as nove e meia da manhã, pensando que nesse horário seria menos provável que os vissem. Sua última apresentação em Covent Garden fora na noite anterior. Dali a três horas, os dois estariam dentro de um avião a caminho de Paris e depois disso... ele levaria a esposa para passar três semanas inteiras em um lugar secreto, onde os paparazzi não conseguiriam encontrá-los. Ainda não estava preparado para dividi-la com o resto do mundo.

– O caminho está livre – falou.

Ajudou Rosanna a descer do táxi e, juntos, subiram correndo a escada.

Chris Hughes os esperava lá dentro e lhes abriu um sorriso.

– Rosanna, você está linda. – Beijou-a nas duas faces, em seguida apertou calorosamente a mão de Roberto. – Trouxe minha secretária Liza para ser sua outra testemunha. Ela só foi ao banheiro.

– Ótimo, ótimo – falou Roberto, assentindo. – A gente só quer umas semanas de paz antes de os jornais ficarem sabendo do casamento, entende?

– Claro. Ah, lá vem ela.

Chris apontou para uma jovem magra que descia os degraus na sua direção.

– Liza, obrigado por ter vindo – falou Roberto, apertando a mão da moça. – Você jurou segredo, claro?

Ela assentiu, trêmula.

– Claro. Achei tudo muito romântico.

– Certo, vamos andar logo. Vocês têm um avião para pegar, e eu também – disse Chris, apressado.

O tabelião saiu de sua sala.

– Bom dia. Vamos entrando?

Os quatro o seguiram até uma sala contígua, que tinha uma mesa em um dos cantos e três fileiras de cadeiras na frente. O tabelião pediu às testemunhas que se sentassem, em seguida fez sinal indicando que os noivos se aproximassem.

Em pé diante da mesa, ao lado de Roberto, Rosanna ficou triste por nenhum de seus parentes ou amigos estar ali para dividir com ela aquele momento especial. Mas Roberto havia insistido para que eles se casassem antes de irem embora de Londres.

– Podemos muito bem fazer uma cerimônia decente depois, *cara*, e convidar todos os nossos amigos e parentes, mas não quero dar a você nenhuma oportunidade de mudar de ideia. Nem aos outros de fazerem a sua cabeça – arrematara ele, sombrio.

Luca, *papà*, Carlotta, Abi, Paolo, Luigi... Rosanna pensou em todos eles enquanto escutava as palavras que criariam um vínculo jurídico entre ela e Roberto para o resto da vida. Sabia que eles ficariam extremamente magoados por ela não os ter avisado, mas não havia outro jeito.

Repetiu as palavras que o tabelião recitou enquanto Roberto sorria para incentivá-la.

Então ele pôs a aliança em seu dedo.

– A cerimônia está concluída – disse o tabelião em tom alegre. – Vocês agora são o senhor e a senhora Roberto Rossini. Permitam-me ser o primeiro a lhes dar os parabéns.

– Obrigado – falou Roberto, e apertou a mão do tabelião. – Podemos contar com a sua discrição?

– Claro. Se eu recebesse uma libra por cada casamento clandestino que já celebrei, seria um homem rico. Não abrirei a boca. Agora, não quero parecer obcecado pelas tradições, mas acho que o senhor deveria beijar a noiva – instou o tabelião.

– Lógico. Como fui esquecer?

Roberto então se inclinou para Rosanna e lhe deu um beijo carinhoso nos lábios.

– Só falta agora os senhores e as testemunhas assinarem o registro, por favor.

Dez minutos depois, o casal embarcou em um táxi que Chris havia chamado.

– Tenham uma excelente lua de mel – disse o agente ao fechar a porta.

– Teremos, Chris. Você sabe onde vamos estar, mas só entre em contato se for realmente urgente – disse Roberto pela janela aberta.

– Claro. Mas é melhor vocês me avisarem como, quando e onde vão querer que o mundo fique sabendo dessa feliz notícia. – Chris arqueou uma sobrancelha, cúmplice. – Preparem-se para um furacão de interesse da mídia, especialmente de Milão. Nos vemos quando vocês voltarem para Londres.

Ele acenou quando o táxi começou a se afastar.

Roberto sorriu para a esposa.

– Bem, *Signora* Rossini. Conseguimos.

– É, eu me casei com um velho. – Ela entrelaçou os dedos nos dele.

– Bom, quando chegarmos a Paris, eu lhe mostro quanto você faz eu me sentir jovem.

Ele a beijou com delicadeza na testa.

– Vai ser a primeira vez que fará amor com uma mulher casada? – perguntou Rosanna, saboreando as carícias dele.

– Claro – murmurou Roberto. – Claro que sim.

Quando eles chegaram a Paris, uma limusine os levou até o hotel Ritz.

– Bem-vindos, sejam muito bem-vindos *monsieur et madame*. Queiram me acompanhar. Seu quarto já está pronto. – O gerente os conduziu rapidamente até o elevador.

Ao entrar no quarto atrás do gerente, Rosanna soltou um arquejo. A saleta era elegante e mobiliada com peças ornamentadas, e pesadas cortinas de adamascado dourado emolduravam as janelas que desciam até o chão, com vista para a Place Vendôme.

Roberto pegou uma garrafa de champanhe no balde de gelo e sacou a rolha.

– Este é o início da mais maravilhosa lua de mel, *Signora* Rossini – falou.

Rosanna aceitou a taça que ele lhe ofereceu.

– *Principessa*, quero lhe dizer que você fez de mim o homem mais feliz do mundo. A nós.

– A nós.

Suas taças se tocaram. Ele a conduziu até o quarto e, segurando seu rosto entre as duas mãos, começou a beijá-la.

– *Ti amo, cara*. Te amo.

Começou a abrir os botões da sua blusa. Fez a peça escorregar pelos ombros e deixou os dedos deslizarem pelos contornos lisinhos dos seios, mal tocando a pele. Os dois caíram na cama grudados em um abraço.

Mais tarde, quando estavam deitados nus sobre os lençóis emaranhados, com as pernas entrelaçadas, Roberto afastou uma mecha de cabelos de Rosanna de seus olhos. Ela se apoiou nos cotovelos e baixou os olhos para ele.

– Estou com fome – afirmou.

– Então vou ligar lá para baixo e pedir que tragam nosso banquete matrimonial. Que tal *foie gras* e filé mignon, hein?

– Acho que eu preferiria um macarrão – falou Rosanna, dando de ombros.

Roberto revirou os olhos.

– Macarrão! Você está no Ritz de Paris, a capital gastronômica do mundo, e quer comer macarrão?

– É. Um pratão de macarrão e uma salada. E você deveria cuidar da forma. – Rosanna o enlaçou pelo peito. – Não quero um marido com gordurinhas de meia-idade – brincou ela.

Ele encolheu a barriga com uma expressão magoada no rosto.

– Você me acha gordo?

– Não, mas como qualquer homem da sua idade, acho que precisa prestar atenção.

– Faz só algumas horas que estou casado e minha mulher já quer me pôr de regime! Bom, hoje é noite de banquete e amanhã eu jejuo... talvez.

Ele foi até o telefone e ligou para o serviço de quarto enquanto Rosanna ia ao banheiro tomar uma chuveirada.

Depois de comerem, eles se enfiaram entre os macios lençóis de linho e ficaram deitados juntos admirando a linda pintura do teto. Roberto acariciou preguiçosamente o corpo nu de Rosanna.

– *Cara*, sei que digo isso sempre, mas você me transformou. Antes de transarmos pela primeira vez, eu achava que sexo e amor eram duas coisas diferentes. Agora enfim entendi por que é possível ser monogâmico. Quando alguém vive o que estamos vivendo, nunca precisa buscar prazer com outra pessoa.

– Agradeço a Deus por você sentir isso – murmurou Rosanna. – E rezo para que continue assim.

– *Principessa*, você sabe que muita gente vai dizer que cometeu uma estupidez, não sabe?

– Sim, Roberto, eu sei.

– Que eles vão dizer que ninguém muda? Que o que temos não pode durar?

– Sim.

– Por favor, Rosanna, não importa o que você venha a escutar a meu respeito, só lhe peço uma coisa: lembre-se deste momento, lembre-se de mim olhando para você e dizendo quanto eu te amo, quanto preciso de você. Você encontrou um lugar no meu coração e vai morar lá até o dia da minha morte. Me diga que nunca vai deixar nada nos separar.

– Contanto que você sempre me olhe nos olhos como está fazendo agora e nunca minta para mim, vamos ficar juntos para sempre. – Ela se acomodou para dormir nos seus braços. – Quando voltarmos da lua de mel, *caro*, podemos ir a Nápoles antes de voltar para Londres? – pediu, sonolenta. – Estou me sentindo muito mal por não ter avisado à minha família que íamos nos casar. Quem sabe se formos visitá-los juntos eles nos perdoam? Também podemos ir a Milão visitar Paolo.

– É... podemos, se tivermos tempo.

– Amanhã podemos passear um pouco por Paris? – sussurrou ela. – Nunca estive aqui.

– Sim, se conseguirmos tomar cuidado para nos esconder daqueles malditos paparazzi. – O semblante dele endureceu por um instante, mas logo ele tornou a falar em tom mais suave: – Depois vou levar você para um lugar onde ninguém vai poder nos encontrar. Durma bem, *amore mio*.

Ele se esticou na cama e apagou a luz. Apesar de cansado, não conseguiu pegar no sono. Depois de um tempo, quando ouviu a respiração de Rosanna ficar regular, saiu da cama e foi até a janela. Abriu-a e deixou o ar fresco da noite penetrar o quarto abafado. Mesmo às duas da manhã, Paris ainda estava acordada.

*Contanto que você nunca minta para mim...*
Sentia-se perturbado, inseguro. Toda vez que Rosanna falava em voltar à Itália, seu coração disparava.

E outro pensamento o atormentava bem lá no fundo da mente, algo que ele sabia que devia contar a Rosanna, para que ela não descobrisse sozinha. Em uma noite quente de verão, muito tempo antes, em Nápoles... Balançou a cabeça. Ela o detestaria por isso, muito mais do que o havia detestado pelo que tinha feito com Abi.

Roberto só podia rezar para que sua estupidez do passado não arruinasse seu futuro com a mulher que amava.

❧

Na tarde seguinte, quando os dois estavam passeando de mãos dadas no Jardim das Tulherias, um jovem fotógrafo com olhos de lince reconheceu Roberto, apesar do chapéu e dos óculos escuros. Em pé atrás de um arbusto, ajustou a poderosa teleobjetiva da câmera e deu zoom bem na hora em que Rosanna pôs os braços em volta do pescoço de Roberto e o beijou. O obturador disparou doze vezes antes de os lábios dos dois se separarem. O fotógrafo ainda os seguiu a uma distância segura quando eles continuaram andando, escondendo-se atrás da vegetação após cada clique. Apesar do alerta de Roberto a Rosanna na noite anterior, nenhum dos dois percebeu nada.

❧

Mais tarde, ao observar as fotos serem reveladas no laboratório do jornal onde trabalhava, o jovem fotógrafo não conseguiu acreditar na própria sorte ao ver os dois anéis no anular esquerdo de Rosanna Menici. Verificou rapidamente o arquivo de imagens e viu que três semanas antes, em Londres, não havia anel naquele dedo. Com as fotos ainda molhadas, cruzou o corredor às pressas e bateu feito um louco na porta da sala do editor.

Vinte minutos depois, um jornalista foi despachado para Londres para descobrir a verdade.

## 24

Donatella olhava a manchete sem conseguir acreditar.

– Não! Não! – gemeu.

Tornou a ler a matéria e então soltou um uivo de raiva. Examinou o rosto de Rosanna tentando encontrar algum defeito. Como não conseguiu, sua raiva aumentou. Rosanna era linda e, pelo que todos diziam, dona de um enorme talento. Mas o principal é que ela era muito jovem. Donatella a odiou por isso.

O caso devia ter começado antes de os dois saírem de Milão. Isso explicava a venda do apartamento e o fato de Roberto se recusar a atender seus telefonemas. Ah, sim! Enquanto Donatella lhe falava sobre seus planos de se mudar para a casa dele, Roberto estava organizando seu futuro com Rosanna.

Dividida entre a fúria e o desconsolo, Donatella passou o dia se embriagando. Quando Giovanni chegou em casa, ela havia adormecido no sofá.

Ele pegou o jornal caído no chão ao lado da esposa, viu a fotografia e leu a legenda.

Roberto Rossini era mesmo um homem muito sensato.

୧༄༅

Chegando ao seminário, Carlotta foi conduzida a um pequeno cômodo cujas paredes caiadas estavam nuas, a não ser por um crucifixo. A única e diminuta janela era fechada por barras de ferro, como na cela de uma prisão. Embora o dia lá fora estivesse quente, o recinto estava frio e cheirava a umidade. Carlotta sentiu um calafrio e sentou-se em uma das cadeiras de madeira espartanas. Cinco minutos depois, a porta se abriu.

– Luca, ah, Luca!

Ela se levantou e se jogou nos braços do irmão, aos prantos.

O rapaz lhe acariciou os cabelos.

– Não chore, vamos. O que aconteceu?

Carlotta se afastou, tentando se controlar. Deu um sorriso fraco e secou os olhos.

– Desculpe vir até aqui, mas eu não sabia o que mais fazer.

– Você disse a Don Giuseppe que era uma emergência – disse Luca, tenso. – A gente não tem muito tempo. Por favor, Carlotta, me diga o que aconteceu.

– Você recebeu minha carta?

– Recebi. E escrevi de volta dizendo para você não se preocupar. Roberto não é do tipo casadouro. É uma pena Rosanna ter se envolvido com ele, mas...

Ele parou de falar no meio da frase ao fixar os olhos no jornal que Carlotta tinha posto bem debaixo do seu nariz.

– Você estava errado, Luca. – Ela se sentou abruptamente. – O que eu vou fazer? Deveria ter contado a Roberto sobre Ella muito tempo atrás, aí essa situação terrível não estaria acontecendo... Ah, *mamma mia*, o que foi que eu fiz? O que foi que eu fiz? – Ela começou a soluçar.

– Carlotta, você fez o que achava melhor para sua filha e para sua família. Não tinha como prever uma coisa dessas.

Em geral tão certo do que Deus ia querer, Luca constatou que nesse momento não sabia. Tentou ser racional.

– Se você contar para Rosanna, talvez destrua o casamento dela antes mesmo de ele começar. Se não contar, nós dois vamos ter de guardar segredo pelo resto das nossas vidas.

– Mas será que vamos conseguir? Ela é nossa irmã. Ah, é impossível! – Carlotta deixou a cabeça cair. – Será que já não fui punida o suficiente pelo meu erro? Mais essa agora?

– Carlotta... – Luca foi reconfortá-la. – Por favor, tente acreditar que Deus tem um motivo para tudo.

– Eu tento. Todos os dias, quando estou trabalhando lá na cantina, eu tento. A única coisa que me faz viver é Ella, mas às vezes, quando penso que talvez tudo que ela vá ter no futuro é uma vida igual à minha, me pergunto se vale a pena continuar. A culpa me pesa tanto no coração... Eu enganei Ella, enganei *papà* e agora vou enganar Rosanna.

Alguém bateu à porta.

– Já vou sair, só mais alguns minutos – pediu Luca. Ele segurou as mãos da irmã. – Carlotta, preciso ir. Acho que talvez não seja tão ruim quanto parece. Afinal de contas, só nós dois sabemos disso. Não há outro jeito de Rosanna descobrir. Às vezes é melhor deixar os segredos no passado. E nossa irmã vai ter muito com que se preocupar: ela se casou com um homem bastante... difícil. Que Deus me perdoe, mas talvez esse casamento nem dure. Lembre-se: se Rosanna souber, então Roberto, *papà* e, sobretudo, Ella também terão de saber.

– Está dizendo que eu não devo falar nada?

– Sim, acho que é o melhor. Mas a decisão é sua.

Houve uma nova batida na porta.

– Preciso ir. – Ele a beijou no rosto com afeto. – Tente não ficar aflita. Mande um beijo meu para *papà* e Ella. Como eles estão?

– Estão bem – respondeu Carlotta com um meneio de cabeça. – Sentimos todos a sua falta... e de Rosanna.

– Eu sei. E você precisa se cuidar. Está muito magra... magra demais. Vá com Deus. *Ciao, cara.*

Por uma janela, Luca ficou olhando a irmã ser conduzida para fora dos portões do seminário. A moça tinha os ombros caídos. Seu desespero era evidente. Quando eles eram mais jovens, tinha certeza de que a irmã que sempre precisaria da sua proteção seria Rosanna. Agora, pelo visto, era Carlotta.

༺༻

Após vinte e quatro horas em Paris, Rosanna e Roberto embarcaram em um avião com destino à Córsega. Quando o voo pousou no aeroporto de Ajaccio, Roberto alugou um carro. Eles saíram da cidade em um horário de pouco tráfego, a não ser por um ou outro agricultor guiando um jumento que puxava uma carroça sobre a qual os filhos viajavam em equilíbrio precário. O sol do fim de tarde começava sua descida em direção ao mar e Rosanna abriu a janela do carro que percorria a sinuosa estrada costeira. A cada curva, uma nova vista do Mediterrâneo surgia lá embaixo, com enseadas secretas e praias aninhadas no pé dos morros. Conforme eles subiam, começaram a aparecer oliveiras presas às encostas, e os arbustos de alecrim e hortelã selvagem à margem da estrada perfumavam o ar com seu aroma embriagante.

– É lindo aqui – elogiou Rosanna. – O mar tem um azul incrível.

– É. O litoral da Itália era assim antes de os turistas chegarem. Completamente selvagem. É por isso que adoro a Córsega. Venho aqui sempre que preciso de paz e tranquilidade.

– Para onde estamos indo?

– Espere e verá. – Ele sorriu. – Quero fazer uma surpresa.

Duas horas depois, Roberto passou por um aglomerado de casas caiadas encarapitadas bem no alto de um morro. Dobrou à direita e desceu uma estradinha em declive acentuado margeada por pinheiros. Eles seguiram por essa estrada por alguns minutos antes de pegarem outra, mais íngreme e ainda mais estreita. Ao final, avistaram uma bela casa de pedra, com telhado de terracota e uma trombeta repleta de flores de um laranja vibrante subindo pelas paredes.

– Chegamos, *principessa*. Esta é a Villa Rodolpho, sem dúvida o lugar de que mais gosto no mundo.

Roberto pulou do carro ao mesmo tempo que uma velha e corpulenta senhora saía da casa. Ela andou até ele com os braços estendidos e o envolveu em um abraço de urso, cobrindo-o de palavras carinhosas.

– Nana, esta é minha esposa Rosanna, com quem acabei de me casar.

– Muito prazer em conhecê-la, *Signora* Rossini – falou a mulher.

Um sorriso iluminou seu rosto enrugado e muito queimado de sol.

– Nana cuida da casa quando não estou, e, quando estou, cuida *de mim*. Ela mora logo ali com o marido, Jacques. – Roberto apontou para um chalé branco a alguma distância. Passou o braço pelos ombros de Rosanna. – Está vendo aquela trilha que desce o morro?

– Estou.

– Ela vai até nossa praia particular. Venha. – Roberto a conduziu em direção à casa. – Você gostou?

Rosanna parou quando eles se aproximaram da porta e observou o sol, que mergulhava no horizonte. Respirou fundo e sentiu o aroma de resina de pinheiro e o cheiro salgado de iodo da maresia.

– Acho que é o lugar mais lindo que já vi.

– Você precisa ver lá dentro antes de dizer isso. É confortável, mas sem luxo.

Ele a fez entrar pela porta da frente em um espaçoso hall com piso de lajotas e acionou um interruptor para iluminar o ambiente.

– Aqui é o quarto – falou, indicando um cômodo caiado à direita, onde Rosanna viu de relance uma cama grande coberta por uma colcha alegre de patchwork. – E aqui fica a cozinha.

Ele a fez atravessar o hall e segurou a porta aberta enquanto ela espiava por tempo suficiente para ver o aconchegante fogão à lenha e a comprida mesa de madeira sem verniz com suas cadeiras desemparelhadas. Então subiram uma estreita escada de madeira.

– E aqui fica a sala. A vista é um espetáculo.

Rosanna ficou parada no alto da escada. O chão de tábuas corridas estava coberto por vários tapetes de cores vivas. Havia um sofá de couro surrado coberto de almofadas e uma estante repleta de romances. Em um dos cantos ficava um velho piano, e portas de vidro davam para uma varanda com vista para o litoral rochoso. Roberto as abriu, puxou a mulher para si e os dois saíram para o ar cálido da noite. Como ele havia prometido, a vista era mesmo mágica. Os últimos raios do sol se refletiam no mar, entre o amarelo e o dourado, e as primeiras estrelas surgiam no horizonte cada vez mais escuro.

– De quem é esta casa? – perguntou Rosanna.

– Minha. Comprei há três anos. Podemos vir para cá e viver completamente isolados. Ninguém nunca vai nos encontrar. Jacques e Nana compram tudo de que preciso na cidadezinha no alto do morro.

– Que maravilha. – Com um suspiro, Rosanna se deixou afundar no confortável sofá.

– Ah, *principessa*, você deve estar exausta. Vou buscar uma taça de vinho, aí você pode tomar uma ducha. Vamos jantar à luz de velas na varanda.

Mais tarde, nessa noite, deitada na cama, Rosanna sentia a cabeça girar com todos os acontecimentos da última semana. Olhou de relance para Roberto e pensou como era estranho que alguém, depois de passar anos correndo atrás da fama, assim que ficava famoso começasse a buscar privacidade.

༺༻

Rosanna e Roberto curtiram três semanas perfeitas na Villa Rodolpho. Acordavam tarde, nadavam, liam e faziam amor. Comiam peixe fresco na esplêndida varanda com vista para o mar e bebiam o vinho de sabor forte fabricado na região.

– Espero perder este bronzeado a tempo da estreia de *La Bohème*, daqui a algumas semanas. Afinal, a personagem que vou interpretar está morrendo tísica – comentou Rosanna certa noite quando estavam na varanda, depois de jantar, admirando a paisagem enluarada lá embaixo.

Roberto respirou fundo.

– *Cara*, a gente precisa conversar sobre o futuro.

– Ai, Roberto, sério? Não dá só para ficar aqui e...

– Não. Você sabe que não.

– Mas conversar sobre o quê? No domingo, pegamos um avião até Nápoles para visitar *papà* e dar a notícia. Depois vamos para Londres.

– Acho que a esta altura todo mundo já deve estar sabendo.

– Você acha?

– Rosanna, escute. Eu não quis lhe contar isso antes, mas... não vou poder ir a Nápoles com você e também não vou a Milão interpretar Rodolpho.

Rosanna o encarou.

– Como assim? Não estou entendendo...

– Você me pediu para nunca mentir e não vou mentir. Mas vou logo avisando: vai ser difícil para você ouvir a verdade.

– Mas... – O medo tomou os olhos dela.

– Sente-se, *cara*, e vou contar tudo. Imploro que não me despreze depois de ouvir o que tenho a dizer.

Rosanna se sentou como ele pedia, com uma expressão ansiosa. Roberto se sentou de frente para ela.

– Seis anos atrás, quando eu era um solista sem importância no Scala, comecei um caso com uma rica mulher casada. O caso continuou sempre que eu estava em Milão. Aí, no verão deste ano, essa mulher anunciou que queria viver comigo. Não pediu minha opinião sobre o assunto, mas resolveu que estava apaixonada por mim e ia se divorciar do marido. Fiquei chocado, horrorizado. Acredite, Rosanna, nunca amei essa mulher. Três semanas antes de virmos para Londres, recebi a visita do marido dela, um homem muito rico e poderoso em Milão. Pensei que ele fosse me matar, mas não: ele me aconselhou que seria do meu mais alto interesse passar um longo tempo afastado da Itália. Deu a entender que, se eu voltasse, as consequências seriam muito desagradáveis. E é por isso, *cara*, que não posso voltar com você para a Itália. – Ele segurou a cabeça entre as mãos. – Estou com tanta vergonha, Rosanna, tanta...

Os dois passaram muito tempo sentados, em silêncio. Por fim, ela falou:

– Então foi por isso que você não pôde ir ao enterro da sua *mamma*?

– Sim. Não pude ir por causa do meu comportamento idiota. E agora o nosso sonho, cantar Rodolpho e Mimi no Scala, não vai poder se realizar. Daria tudo para que não fosse assim. Sei que eu mereço ser punido, mas você não.

– E você já sabia que não ia poder voltar a Milão desde que a gente chegou a Londres? – perguntou Rosanna em voz baixa, engasgada.

– Sabia. *Cara*, eu queria lhe contar, mas sabia como você ficaria chateada...

– Você deveria ter me contado antes, Roberto. Prometeu que nunca mentiria. Essa... essa mulher, qual era o nome dela?

– Rosanna, por favor! Ela não tem importância.

– Me diga. Eu preciso saber – insistiu Rosanna.

– Donatella. Donatella Bianchi. Você não conhece.

– Pelo contrário. Como você e eu sabemos muito bem, ela e o marido são grandes patrocinadores da ópera. Eles fizeram uma doação importante à igreja da Beata Vergine Maria. Eu sei exatamente quem é Donatella Bianchi – declarou ela, fria.

– Por favor, acredite em mim, tudo isso é passado – implorou ele.

– Começou há seis anos, você diz. Não faz nem seis semanas que estamos juntos e você já me escondeu um segredo.

– Rosanna, acabou. Não existe mais nada. Não teve importância. Agora, por favor, me diga: como você se sente tendo que voltar sozinha para Milão?

– Eu não consigo... – A voz dela tremeu. – Não consigo nem pensar numa coisa dessas. – Ela se levantou e foi se apoiar no guarda-corpo da varanda. – Por que você não procura a polícia e diz que foi ameaçado por esse homem?

– Não vai adiantar. Você sabe como são as coisas na Itália. Há corrupção por toda parte e pode apostar que Giovanni está metido nela. Eu não teria a menor chance contra ele e seus contatos.

– Quer dizer que você acha que o *Signor* Bianchi vai cumprir a ameaça?

– Não tenho nenhuma dúvida.

– E Paolo? O que vai dizer a ele?

– Bem, não posso contar a verdade. Vou pedir a Chris para dizer que preciso de um descanso, que minha voz está cansada, qualquer coisa. Não estou ligando muito para isso, mas pensar em você voltando para Milão sem mim, em ficarmos separados... isso eu quase não consigo suportar. Não posso impedi-la de ir, claro. Na verdade, você *precisa* ir.

Rosanna se virou para ele; lágrimas brilhavam em seus olhos.

– E o que as pessoas vão achar de eu voltar para a Itália sozinha? Tudo que você disse que elas vão pensar vai ser reforçado pela sua ausência. Como não posso dizer a elas o verdadeiro motivo, vão pensar que o casamento já deu errado. Fico pensando se elas não têm razão...

– Não! – Roberto se levantou com um pulo e foi até seu lado. – Rosanna, por favor, não diga uma coisa dessas.

– E o que devo dizer, então? Que estou satisfeita por você ter tido um caso com uma mulher casada cujo marido o ameaçou de morte? Que estou feliz por ter de voltar a Milão sozinha e passar semanas sem meu marido? E, pior de tudo, que você me enganou desde o início? Não consigo acreditar! Eu...

Chocada demais para dizer qualquer outra coisa, ela saiu correndo da varanda e entrou em casa. Roberto ouviu a porta do quarto se fechar com um estrondo.

Ele expirou devagar e encheu a taça com o vinho da garrafa ainda pela metade. A reação dela não tinha sido pior do que ele esperava. Nem melhor do que ele merecia.

❧

Deitada na cama, Rosanna segurava um travesseiro sobre a cabeça, numa tentativa inútil de impedir que a dor da confissão de Roberto penetrasse sua mente. A sensação deliciosa semelhante a um sonho que a havia acompanhado por cinco semanas tinha desaparecido em um instante.

O homem com quem ela acabara de se casar não apenas havia lhe contado sobre um caso sórdido, mas também anunciado que, por causa disso, não poderia voltar à Itália. Não haveria nenhum retorno triunfal para visitar suas respectivas famílias, nem agora, nem no futuro. Ela se deu conta de que Roberto sabia desde o início que não havia essa possibilidade.

E o Scala... e *La Bohème*. Quantas vezes ela havia imaginado os dois recebendo os aplausos extasiados do público na noite de estreia? Ela estava agendada para cantar no Scala em diversas datas até setembro. E agora, sempre que fosse a Milão, seria sem Roberto.

É claro que não precisava voltar à Itália. Outras casas ficariam felizes em fazê-la estrear no papel de Mimi; Chris já tinha lhe falado sobre as inúmeras propostas desde Londres. Até então, ela havia recusado todas sem pestanejar.

Mas decepcionar Paolo, depois de tudo o que ele fizera por ela... Como poderia fazer uma coisa dessas?

No entanto, se permitisse a Chris alterar sua agenda, poderia cantar com Roberto em óperas espalhadas pelos quatro cantos do mundo. Todos os queriam juntos e, uma vez divulgada a notícia do casamento, ela sabia que o interesse pelo casal aumentaria ainda mais.

Sabia também que, no fundo, o que ela temia era deixá-lo sozinho. Acreditava no amor de Roberto, mas uma pequenina parte sua ainda se perguntava se ele conseguiria resistir à tentação, caso ela estivesse a centenas de quilômetros de distância.

Tinha certeza de que a única chance de seu casamento dar certo era ficar ao lado dele. Isso significaria fazer o maior dos sacrifícios e magoar Paolo, mas o que era mais importante para ela?

Rosanna já sabia a resposta.

Com um grito abafado de frustração, apertou ainda mais o travesseiro sobre a cabeça.

❦

Bem mais tarde, voltou à varanda. Apesar do aspecto calmo, estava pálida por baixo do bronzeado.

Roberto se sobressaltou.

– Tudo bem? Vai se divorciar de mim?

– Tomei uma decisão. Mas antes de falar, preciso fazer uma pergunta. Tem mais alguma coisa que eu deva saber a seu respeito? Algum outro segredo que você esteja escondendo de mim?

Roberto hesitou por um segundo, então negou com a cabeça.

– Não, *cara*. Já contei tudo.

– Então vou dizer o que decidi. Não posso voltar para Milão sem você. Quando ligar para Chris Hugues e avisar que não vai retornar ao Scala, pode falar por nós dois. Existem outros lugares em que podemos cantar *La Bohème*. – Ela forçou um sorriso débil.

Roberto ficou estarrecido.

– Está falando sério?

– Estou. Sou sua mulher. Preciso estar ao seu lado. Não existe alternativa possível porque... porque eu te amo – disse ela com tristeza.

– *Cara, cara mia*, fazer um sacrifício desses por mim... – Ele lhe estendeu os braços. – Vou compensar você por isso, juro. Você é um anjo, um anjo de perdão. E, sim, precisamos ficar juntos sempre. Tenho certeza de que você tomou a decisão certa.

Quando Rosanna se entregou ao abraço dele, pensou em muita gente que não teria a mesma opinião.

※

– Ele *o quê?* – A voz do outro lado da linha foi como um tiro.

Chris Hugues repetiu a última frase. Houve silêncio.

– Sinto muito, Paolo. E Roberto está arrasado, mas ele acha que a voz dele não vai dar conta.

– Mas estamos falando de uma temporada inteira aqui, Chris, não de uma única apresentação! Ele cancelou os outros compromissos também?

– Hum... não, não cancelou.

– Então inventou essa desculpa esfarrapada da voz. Chris, o mínimo que você me deve é me dizer a verdade. Por que ele não quer se apresentar no Scala? A esposa dele tem muitas apresentações agendadas conosco.

– Ah, sim, era aí que eu queria chegar. Rosanna também pediu para cancelar.

Paolo passou alguns segundos calado, então disse:

– Chris, não acredito que estou ouvindo isso.

– Infelizmente, é verdade. Parece que ela escreveu para você explicando. Rosanna lamenta muitíssimo e espera que você entenda, mas sente que precisa ficar com o marido.

– Não! NÃO! – gemeu Paolo, sentindo o desespero aumentar. – Cantar *La Bohème* no Scala era o sonho dela. Sei que Rosanna não ia cancelar isso por nada.

– Ela acabou de cancelar, Paolo. O que você quer que eu diga?

– *Mamma mia!* Não consigo acreditar. Preciso falar com ela, Chris. Onde ela está?

– Olhe, Paolo, Rosanna não quer falar com você agora. Ela e Roberto...

– Rosanna não quer falar *comigo?* Ela e esse merda de marido que arrumou acabaram de arruinar completamente a minha temporada, que, como você talvez lembre, começa em menos de dois meses. Isso sem falar no fato de eu ter conduzido pessoalmente a carreira dela nos últimos cinco anos!

Chris sentiu grande alívio por não estar no mesmo recinto que Paolo naquele momento. Tinha dias em que odiava o seu trabalho.

– Olhe, entendo como você se sente. Também estou no mesmo barco. Já tinha aceitado alguns compromissos para Rosanna e hoje de manhã ela me disse que queria alterar tudo para se adaptar à agenda de Roberto.

– Ela vai destruir a carreira antes mesmo de começar – vociferou Paolo. – Todo aquele talento e...

– Eu sei, eu sei. Mas veja as coisas da seguinte forma, Paolo: se você for duro com ela agora, talvez a perca para sempre. Por outro lado, se mantiver a calma e deixar que brinque de família feliz com Roberto por um tempo, talvez daqui a pouco ela comece a ver as coisas com mais clareza.

– Está me dizendo então que Rosanna está cega de amor?

– Pelo visto, é mais ou menos isso. Eu disse a ela que, mesmo que Roberto se recusasse a cantar no Scala este ano, ela precisava ir. Só que ela não quis nem me escutar. Na minha opinião, essa história está mal contada, mas não faço a menor ideia de qual possa ser a verdade.

– Eu poderia processar Roberto por quebra de contrato, mas você sabe muito bem que, em relação a Rosanna, estou de mãos atadas. O contrato dela está aqui em cima da minha mesa para que ela assinasse quando voltasse. Eu jamais poderia ter previsto uma coisa dessas... Bom, está claro que não a conheço tão bem quanto pensava – concluiu Paolo, seco.

– Com certeza você poderia processar Roberto, e com razão. Mas, como nós dois sabemos, Rosanna está se tornando uma grande estrela. Se você processar o marido dela, não vai ter a menor chance de convencer nenhum dos dois a voltar ao Scala.

Paolo suspirou.

– Eu não entendo. Não mesmo. Isso deve ser coisa do Roberto. Rosanna parece ter perdido a razão.

– Bom, o mínimo que posso dizer é que ela está totalmente decidida a passar cada segundo dos dias junto do marido.

– Você acha que ele a ama? – perguntou Paolo, sentindo-se mal com aquela situação irremediável e com a perda da sua prata da casa.

– Ele com certeza se comporta com ela de modo muito protetor. Sim, eu diria que a ama.

– Bom, até onde sei, Roberto Rossini não ama ninguém a não ser ele mesmo – rosnou Paolo.

– Quem pode saber? Só o tempo dirá. Enfim, me desculpe mais uma vez por ser o mensageiro de notícias tão ruins. Avise se eu puder ajudar de alguma forma a encontrar substitutos para os dois.

– Nos falamos. – Paolo pôs o fone no gancho e segurou a cabeça com as mãos.

൧൨

Na manhã seguinte, uma carta chegou de Londres endereçada a ele.

*Caro Paolo,*
*Com certeza a esta altura Chris Hughes já avisou que não voltarei a Milão para cantar Mimi. Sinto muito, muito mesmo por decepcionar você, Riccardo e o Scala, principalmente depois de toda a ajuda que você me deu. Não posso entrar em detalhes, Paolo, mas é impossível qualquer um de nós dois voltar a Milão. Roberto é meu marido e é a ele que devo minha lealdade agora. Preciso estar ao seu lado onde ele estiver. Como você sabe, cantar Mimi no Scala era o meu sonho, mas, por favor, acredite, não tenho escolha.*
*Entendo como você deve estar bravo e lamento muito mesmo. Não é hora de agradecer por tudo que você fez por mim, mas agradeço mesmo assim.*
*Eu queria, de todo o coração, que as coisas pudessem ter sido diferentes.*
*Com amor,*
*Rosanna*

Paolo releu a carta duas vezes. Agora tinha certeza de que aquilo não era coisa de Rosanna, e sim de Roberto.

# Ópera Metropolitana, Nova York

Como você pode ver, Nico, nosso casamento já começou turbulento. Mesmo assim, considero que os dois anos que se seguiram ao casamento estão entre os mais felizes da minha vida.

E, Nico, se há uma coisa que desejo para o seu futuro, é que você encontre o amor que Roberto e eu tivemos durante esse tempo. Nós não nos desgrudávamos. Não éramos apenas inseparáveis como marido e mulher, mas nossos nomes também se fundiram no palco. Cantamos Puccini em Londres, Verdi em Nova York e Mozart em Viena, e viramos um fenômeno do mundo da ópera. Éramos celebrados aonde quer que fôssemos. A paixão que vivíamos só melhorava nossas apresentações e todas as óperas do mundo imploravam para nos ter no palco. Tínhamos a agenda lotada com três anos de antecedência.

A tristeza que eu sentia pelo fato de o único lugar em que não cantávamos ser o nosso país de origem nunca me abandonou. Mas foi o preço que tive de pagar pela felicidade que compartilhamos.

E Roberto? Bem, Nico, queria que você o tivesse visto nessa época. Eu não poderia ter pedido um marido mais dedicado ou amoroso. Ele me protegeu, me incentivou e me amou de um jeito que as pessoas que o tinham conhecido antes acharam difícil de acreditar. É verdade que ele tomava a maioria das decisões importantes sobre a nossa carreira, e eu raramente questionava o que ele resolvia. Contentava-me em estar com ele e cantar onde ele quisesse que eu cantasse. Nessa época, era como se o Roberto de antigamente tivesse de fato desaparecido. O amor – o meu amor – o havia transformado, para sempre, eu acreditava.

Logo depois do casamento, compramos uma bela casa no bairro londrino de Kensington, que usávamos como base e à qual voltávamos sempre que possível. Em abril de 1980, voltamos de Nova York para lá. Íamos cantar La Bohème em Covent Garden (enfim), nosso teatro preferido fora da Itália, e tudo parecia perfeito...

# 25

## *Londres, abril de 1980*

Rosanna acordou com o barulho do cano de descarga entupido de um carro na rua. Levantou a cabeça no escuro e olhou para o radiorrelógio ao lado da cama. Eram seis da manhã. Tornou a se deitar com um suspiro. Sabia que ia passar a maior parte do dia exausta. O avião de Nova York havia aterrissado tarde na noite anterior e a diferença de fuso lhe causava um mal-estar terrível.

Como sabia que não conseguiria voltar a dormir, retirou delicadamente a mão de Roberto pousada sobre sua barriga e saiu da cama. Vestiu o roupão e deixou o quarto pé ante pé.

Lá embaixo, na cozinha, fez café e sentou-se à mesa para observar os passarinhos trinando na árvore do pequeno jardim nos fundos da casa. Sorriu satisfeita, feliz por estar de volta. Adorava aquela casa. Depois das intermináveis e impessoais suítes de hotel na qual eles se hospedavam durante as viagens, era o único lugar no qual sentia ter um lar. A casa tinha quatro andares: uma cozinha grande e lavanderia no subsolo, sala de estar, de jantar e de música no térreo, e quartos e banheiros nos dois pisos superiores.

Faltavam três semanas para começarem os ensaios de *La Bohème* em Covent Garden. Roberto tinha sugerido uma escapulida para a Córsega, mas pela primeira vez Rosanna havia batido pé. Queria estar na *sua* casa, na *sua* cama, rodeada pelas *suas* coisas. Os últimos dois anos tinham sido exaustivos e ela se sentia extenuada.

Quando comentou com Roberto sobre o seu cansaço, ele se mostrou preocupado e sugeriu que tudo de que ela precisava era um bom descanso. Prometera-lhe que durante as férias não haveria concertos, entrevistas ou festas. Ela ouviu o barulho da caixa de correio sendo aberta e subiu a escada para pegar a correspondência no hall. Havia uma carta sobre o capacho, e ela reconheceu na hora a caligrafia. Sentou-se no primeiro degrau da escada e rasgou o envelope.

*Seminário de San Borromeo*
*Bergamo*
*12 de abril*

**Minha querida Rosanna,**
Como vão as coisas? Tento acompanhar seus passos, mas agora que você é uma estrela internacional ficou difícil! Espero que não demore muito a receber esta carta.
Já faz quatro anos que não a vejo. Por motivos que nem eu nem os outros entendemos, você e Roberto nunca mais voltaram à Itália. Talvez apenas estejam ocupados demais. Então acho que devo tentar ir visitá-la. Tenho um pouco de dinheiro guardado e, se você for passar um tempo em Londres em breve, gostaria muito de pegar um avião até aí. O início de maio seria bom para mim, pois tenho alguns dias de folga no seminário. Você me avisa as melhores datas, para eu poder reservar a passagem? Já falei com papà sobre meus planos e ele sugeriu me acompanhar, mas recusa-se a pôr os pés dentro de um avião. Ele escuta todos os discos que você manda, mas espero que um dia volte ao Scala, para ele poder ouvi-la cantar ao vivo.
Pelas cartas que me escreve, Carlotta parece bem e Ella está crescendo depressa; em breve vai fazer 13 anos. Duvido que você a reconheça da próxima vez que a vir. A cantina acaba de passar por uma reforma e tem agora uma cozinha sob medida novinha em folha, um bar de verdade e mesas e cadeiras novas. Papà gastou uma fortuna, mas espera recuperar tudo aumentando os preços no verão.
Mal consigo acreditar que faz quatro anos que entrei para o seminário. E ainda faltam mais três para me ordenar. Devo confessar que às vezes sinto falta do mundo aí fora e anseio pelos curtos intervalos de verão, mas ainda estou seguro de ter tomado a decisão certa.
Como vai Abi? Tem notícias dela de vez em quando? Caso tenha, diga que mandei um beijo e desejo tudo de bom para ela.
Preciso ir agora, pois tenho aula. Por favor, me avise se maio seria bom para a visita.

*Você está feliz, Rosanna? Tomara que sim.*
*Todo meu amor para você,* piccolina.
*Beijos,*
*Luca*

Rosanna suspirou, dobrou a carta e tornou a guardá-la no envelope. Os dois últimos anos tinham sido maravilhosos, mas seu único pesar era não ter conseguido ver a família, embora tivesse implorado a Carlotta e ao pai que fossem vê-la cantar em Londres. Também sentia culpa não só por não ter contado a Abi na época sobre seu casamento, mas por depois não ter mantido contato regular com a amiga. A verdade nua e crua era que sua vida girava em torno de Roberto e do amor que os unia.

Entrou na sala e verificou o calendário sobre a escrivaninha. Em um fim de semana no início de maio, logo depois de eles começarem a ensaiar *La Bohème*, Roberto tinha dois concertos agendados em Genebra. Normalmente ela iria com ele, mas poderia muito bem ficar em Londres e dizer para Luca ir visitá-la nesses dias. Queria dedicar atenção total ao irmão e sabia que isso seria difícil com o marido por perto. Sentou-se diante da escrivaninha, tirou da gaveta papel um envelope e começou a escrever para o irmão.

– *Principessa*.

Ela se sobressaltou ao sentir duas mãos cálidas rodearem seus ombros e Roberto se abaixar para beijá-la no alto da cabeça.

– Onde estava? Acordei e não a encontrei.

– Não quis incomodá-lo, querido. – Ela sorriu enquanto ele massageava seus ombros. – E recebi uma carta do meu irmão. Ele vem a Londres me visitar. Vou sugerir que venha quando você estiver em Genebra.

– A gente vai passar três dias separados?

– Sim, mas faz tanto tempo que não vejo ninguém da minha família... Você não vai ficar chateado por eu querer passar esse tempo com meu irmão, vai?

– É claro que não. – Ele deu um suspiro culpado. – Nós dois sabemos que a culpa é minha. Vou sentir saudades durante cada minuto que passar fora. Deixe-me olhar para você. – Ele inclinou o rosto dela na sua direção e balançou a cabeça. – Continua abatida – sentenciou. – Acho que você deveria voltar para a cama. Está cedo demais para acordar.

– Mas você vai me deixar dormir?

Ela riu, sentindo a mão dele se esgueirar para dentro do seu roupão.

– Depois, *cara*. Depois...

Então ele a pegou no colo e a levou para o quarto.

❧

Embora Rosanna tenha descansado nos sete dias que se seguiram, constatou que não estava melhorando. Não conseguia espantar o cansaço e muitas vezes se sentia tonta e fraca. No final da semana, quando ficou evidente que o simples descanso não era a solução, Roberto marcou uma hora para ela com seu médico e insistiu em acompanhá-la à Harley Street.

– Quer que eu entre com você? – perguntou quando ela foi chamada.

Ela fez que não com a cabeça, firme.

– Espere aqui.

– Como quiser, mas não se esqueça de dizer ao Dr. Hardy exatamente como está se sentindo.

– Pode deixar – prometeu ela e seguiu a enfermeira pelo corredor.

O Dr. Hardy fez um check-up completo em Rosanna.

– Não há nada de grave comigo, há? – indagou ela, nervosa, depois de o médico concluir o exame.

– De forma alguma. Muito pelo contrário, na verdade. Sua saúde está excelente. E, pelo que pude ver, a do bebê também.

– Hein? – Rosanna ficou pasma. A possibilidade nem havia lhe ocorrido. – Tem certeza?

– Tenho, 99 por cento. É claro que vamos comprovar mandando seu sangue para o laboratório analisar. A senhora não fazia ideia de que os sintomas que está tendo poderiam ser sinal de um início de gestação?

– Não. Nunca tive ciclo regular e... – Ela corou. – Roberto e eu... sempre tomamos cuidado.

– Bom, Sra. Rossini, essas coisas acontecem. Os pequenos às vezes chegam de maneira inesperada e sem planejamento.

– De quanto tempo estou?

– Eu diria que três meses, talvez um pouco mais. – Ele encarou seu rosto pálido. – Depois de aceitar a ideia, tenho certeza de que a senhora vai ficar feliz.

– Sim. – Ela se levantou. – Obrigada, Dr. Hardy.

– Me ligue amanhã. Precisamos marcar uma ultrassonografia e decidir em que hospital a senhora vai dar à luz.

Atordoada, Rosanna desceu o corredor em direção à sala de espera. Roberto notou imediatamente sua expressão aflita e se levantou, mas ela foi direto em direção à porta, e ele a seguiu até a rua.

– *Amore mio*, por favor, me diga... O que o médico falou? Más notícias?

– Ai, Roberto.

Ela desabou nos braços dele e começou a chorar.

– Seja o que for, a gente resolve. Vou arrumar os melhores médicos e cirurgiões, tudo de que você precisar... Por favor, querida, não chore, estou aqui.

– Você vai ficar bravo comigo. É culpa minha. Eu...

– Rosanna, por favor! Diga logo qual é o problema – instou ele, frustrado.

Ela deixou os ombros caírem e encarou os próprios pés.

– Eu estou grávida.

Ele a encarou com uma expressão vazia.

– Grávida? De mim, você quer dizer?

– Claro!

– Mas... mas essa é a notícia mais incrível que já recebi! Eu, Roberto Rossini, vou ser papai! – Ele soltou um grito de alegria, levantou Rosanna do chão e começou a girá-la e a cobrir seu rosto de beijos. – Ah, minha menina mais esperta, minha *mamma* mais esperta! Para quando é?

– O médico acha que é para meados de novembro, mas tenho de fazer um ultrassom para ter certeza. Você não está bravo comigo? – perguntou ela enquanto ele a pousava no chão.

– Bravo? – Ele revirou os olhos, fingindo desespero. – Rosanna, quem você acha que eu sou? Quando descubro que a mulher que amo vai ter um filho meu e que vou me tornar *papà* pela primeira vez, acha que eu poderia ficar bravo? Sua boba! Estou maravilhado, louco de alegria por começar uma família... você mais uma vez fez de mim o homem mais feliz do mundo. Venha. – Ele a segurou pela mão. – Vamos comemorar.

Rosanna observou Roberto se sentar na sua frente no Le Caprice e pedir uma garrafa de champanhe e se desculpou profusamente ao lembrá-lo com delicadeza que não podia ingerir bebidas alcoólicas.

– Desculpe, *cara* – disse ele. Tornou a chamar o garçom e pediu um suco de laranja para ela. – É que não estou conseguindo acreditar. Quero comemorar com o mundo inteiro. – Ele riu. – Imagine só o talento que essa criança vai ter. Com as nossas vozes, ele ou ela vai vir abençoado com um dom tremendo. Temos de pensar em nomes e em qual cômodo daria o melhor quarto de bebê. Você acha que devemos comprar uma casa nova? Talvez nosso filho devesse crescer no campo, onde o ar é mais puro...

Rosanna ficou ouvindo Roberto tagarelar, animado, mas não conseguiu compartilhar seu entusiasmo. Por fim, falou:

– Mas, Roberto, e a minha carreira?

– Bom, naturalmente não vai ter problema nenhum você cantar *La Bohème* em julho. Vou estar ao seu lado para me certificar de que descanse e se cuide. Depois disso, vai ter que ficar em Londres recolhida até o nascimento.

– Mas temos apresentações marcadas para outubro em Nova York. Como vai ser?

Roberto deu de ombros.

– A Met vai entender. Mulheres têm bebês o tempo todo. Terei que ir sozinho.

– E me deixar aqui em Londres por um mês? Eu não poderia ir também? – Ela sentiu as lágrimas surgirem.

– Rosanna, a companhia aérea não transporta mulheres em estágio avançado de gravidez, nem se forem estrelas como você. Além do mais, é só por um mês.

– E se eu for de navio?

– E se você entrar em trabalho de parto antes da hora? Em um estágio tão avançado assim, estaria pondo em risco a si mesma e ao nosso filho. Tenho certeza de que o Dr. Hardy vai concordar que você deve passar as últimas semanas em casa descansando.

– Você não poderia cancelar a apresentação?

Ele negou com a cabeça.

– Não, Rosanna. Você sabe que não.

– Eu já cancelei por sua causa quando foi preciso – disparou ela.

Ele a encarou do outro lado da mesa.

– Não seja injusta. É uma ópera nova que eu vou estrear e essas oportunidades são raras. Na hora de você ter o bebê, já estarei de volta ao seu lado, e só tenho um ou outro concerto marcado até o Natal. Depois disso, veremos. Por favor, *cara*, não pense no lado ruim. Vamos celebrar essa notícia maravilhosa, esse presente de Deus. Você quer esse filho, não quer?

Ela olhou para ele e assentiu.

– Quero, claro.

※

Nos dias seguintes, foi impossível não se deixar afetar pela euforia de Roberto e Rosanna começou a se acostumar com a ideia de ser mãe. As dúvidas que ainda existiam em relação a ter um filho e como isso complicaria sua vida perfeita começaram a se atenuar. Sua carreira teria de ficar em segundo plano por alguns meses, mas não havia motivo para ela não voltar a cantar depois do parto. Hoje em dia, bebês viajavam para o exterior o tempo todo. Ela contrataria uma boa babá e o problema estaria resolvido.

Roberto queria contar a todo mundo sobre a chegada iminente do herdeiro, mas Rosanna o fez jurar guardar segredo.

– Primeiro me deixe contar para minha família – pediu. – Vou falar com Luca quando o vir, daqui a duas semanas, e depois escrevo para *papà*.

# 26

– Senhoras e senhores, queiram retornar a seus assentos. Estamos iniciando a descida em direção a Heathrow.

Quarenta e cinco minutos depois, Luca passou pela alfândega empurrando o carrinho de bagagem e chegou ao saguão de desembarque. Viu Rosanna debruçada na barreira com uma expressão ansiosa. Da última vez que vira a irmã, ela ainda era uma menina. Agora tinha se tornado uma mulher. Havia cortado os cabelos logo acima dos ombros e eles caíam em ondas lustrosas ao redor do rosto. Seus traços tinham amadurecido e a maquiagem que ela usava realçava sua beleza natural.

– Luca!

Ela o viu e correu na sua direção. Abriu os braços e o enlaçou com força.

– Não acredito que esteja aqui. Ai, que maravilha ver você!

– Para mim também, *piccolina*.

– Venha. Tem um carro esperando lá fora para levar a gente para casa.

※

Na casa de Kensington, Rosanna levou Luca até a cozinha do subsolo. Enquanto ela estava ocupada fazendo café, ele andou pelo cômodo, admirando o espaço e olhando as fotografias sobre a bancada. Os dois se sentaram à mesa, cada um com uma caneca na mão.

– Que casa mais linda, Rosanna. Um pouco mais confortável do que nosso apartamento em Nápoles, não é?

– Pois é. Roberto e eu adoramos este lugar.

Luca se inclinou por cima da mesa e segurou a mão dela.

– Aqui estamos nós, dois irmãos, reunidos depois de tanto tempo. Você está radiante, Rosanna. O rosto é o mesmo, o corpo também, mas você agora está muito... sofisticada.

– Sério?

Luca viu que o elogio parecera lhe agradar.

– Sério. Ainda me lembro de quando era uma menininha. E agora essas roupas, esse cabelo... e esse inglês perfeito. – Ele sorriu. – Você virou uma mulher cosmopolita.

– Você acha que foi uma mudança ruim?

– É claro que não. Todo mundo cresce.

– Bom, por dentro continuo sendo a mesma menininha. Não acredito que faz quase quatro anos que não o vejo. Você emagreceu, Luca... Tem comida lá no seminário?

– É claro que tem. – Ele riu baixinho.

Fez-se uma pausa, e então os dois falaram ao mesmo tempo.

– Você já...

– Você está...

Os dois riram. Rosanna balançou a cabeça.

– Tenho tanta coisa para contar que nem sei por onde começar. E quero que você me fale tudo sobre *papà*, Carlotta e Ella. Mas, como temos dois dias, o melhor seria começar por você. Está feliz, Luca? Foi a decisão certa?

– Acho que depois de tantos anos de buscas, encontrei minha vocação, sim. – Ele tomou mais um gole de café. – É claro que é impossível ser feliz o tempo todo e às vezes eu sinto que o que preciso aprender no seminário tem menos a ver com Deus e mais com as tradições humanas. São muitas regras e regulamentos e sinto que algumas delas talvez restrinjam o trabalho que desejo fazer no futuro. – Ele deu de ombros. – Mas na verdade estou bem, só ansioso para sair de lá e começar a ajudar.

– Entendo o que você está dizendo. Afinal de contas, pratiquei por dez anos antes de fazer minha estreia – refletiu Rosanna. – Pode ser frustrante, mas no final todo o trabalho vale a pena, acho.

– Bom, com certeza no seu caso parece ter valido. Você parece muito feliz, *piccolina*.

– E estou mesmo. Também sinto que encontrei meu destino.

– Na carreira?

– É. Mas, mais importante, com Roberto.

Luca se forçou a não fazer nenhum comentário. Se Rosanna estava feliz como parecia, ele também estava. *Quaisquer* que fossem seus sentimentos em relação a Roberto.

– Desde aquela primeira noite que ele cantou na nossa cantina, no fundo eu sabia que o amava. É estranho, porque lembro que nesse dia ele só tinha olhos para Carlotta. Apesar de eu ter só 11 anos, fiquei muito enciumada. Sabia que nessa noite eu escrevi no meu diário que um dia me casaria com ele?

Luca engoliu em seco e cravou as unhas na palma da mão para se conter e não reagir.

– Falando em Carlotta, como ela está? – quis saber Rosanna.

– Bem... ela está bem.

– Escrevi uma carta para ela. Tinha uma coisa para contar.

– O quê?

– Uma notícia que recebi há pouco tempo. Ela é a única que vai entender de verdade como estou me sentindo.

– E como você está se sentindo?

– Bom, no início foi um choque enorme. Que surpresa! Quer dizer... eu não fazia a menor ideia, mas, agora que me acostumei, sei que era o que devia acontecer.

– *O que* devia acontecer?

Rosanna viu a confusão na expressão dele e sorriu, encantada.

– Ai, Luca, eu vou ser *mamma*! Meu bebê vai nascer em novembro e foi por isso que escrevi para Carlotta, para contar que ela vai ser tia e pedir alguns conselhos sobre a gravidez. Estava pensando que ela talvez pudesse vir a Londres passar umas férias. Roberto precisa passar um mês em Nova York e vou ficar sozinha. Então, o que acha? Você vai ser titio. E eu queria que fosse o padrinho, também – concluiu ela.

Como Luca ficou calado por um momento além do normal, Rosanna franziu a testa.

– Não está feliz por mim?

– Estou, claro. É uma notícia maravilhosa.

– Tem certeza de que está contente? Não parece.

– Desculpe. – Luca se forçou a abrir um leve sorriso. – É que pensar na minha irmã caçula virando mãe... É uma mudança grande.

– Luca, eu estou com 24 anos. Acho que é idade suficiente.

– E Roberto? Está feliz?

– Nunca o vi mais feliz. Achei que ele pudesse ficar bravo porque o bebê não foi planejado, mas não... ele ficou mais animado do que eu. Não consegue acreditar que vai ser *papà* pela primeira vez aos 41 anos!

– E ele tem sido um bom marido para você?

– Eu não poderia ter querido ninguém que me amasse mais. Sei que todo mundo reprovou o nosso casamento, mas ele agora é outro homem. Agradeço a Deus todos os dias por tê-lo encontrado. E agora um bebê... Nós somos abençoados, Luca, de verdade.

– Mas você disse que ele terá de ir para Nova York no último mês da sua gravidez?

– É. Uma pena, mas não tem jeito. É por isso que eu estava pensando que Carlotta poderia vir ficar comigo. Faz tanto tempo que não a vejo... Ela saberia o que fazer se o bebê nascesse.

Luca escolheu as palavras com cuidado.

– Não posso falar por Carlotta, mas acho que seria complicado. Ela precisa cuidar de Ella e de *papà*, além de administrar a cantina.

– Claro, mas de vez em quando ela deveria tirar uma folga. Você acha que ela é feliz?

– Acho que ela aceitou seu destino.

Rosanna deixou o olhar se perder ao longe.

– Quando eu era mais nova, Carlotta era tão vibrante, tão linda... Depois que se casou com Giulio e teve Ella, tudo mudou. Espero que não aconteça a mesma coisa comigo.

– Às vezes acontecem coisas que nos modificam das formas que menos esperamos, *piccolina*. Veja só seu encontro com Roberto.

– Você acha que ele mudou quem eu sou?

– Bom, a sua *vida* com certeza mudou. Faz tempo que você não vai à Itália. Tem algum motivo para isso?

– É... tem... é que Roberto não pode... – Rosanna balançou a cabeça. – É uma longa história. Eu precisava estar com Roberto onde ele estivesse. Por isso não voltei ao Scala para cantar Mimi em *La Bohème*. Ainda me sinto péssima por ter deixado Paolo na mão, mas senti que não tinha escolha.

– Então estou certo. Casar com Roberto mudou você, *sim*. Talvez não caiba a mim dizer isso, mas tome cuidado para não isolar todas as outras pessoas da sua vida, Rosanna. Sua família ainda a ama, e sei que *papà* ficou magoado por vocês não terem ido visitá-lo desde que se casaram. Ele está ficando velho, sabe?

– Eu sei. – Rosanna deu um suspiro. – Também sinto falta de vocês, mas, além de todo o resto, nossa agenda tem andado muito cheia. Vivo querendo escrever ou tentar visitar muita gente. Mas, no final de julho, quando *La Bohème* terminar, pelo menos vou ter tempo para pôr as coisas em dia. E talvez quando o bebê nascer eu pegue um avião e vá visitar *papà* e Carlotta. Ah, você deve estar com fome.

Aflita para mudar de assunto, ela se levantou e foi até a geladeira. Pegou uns frios, um patê e uma salada que havia preparado mais cedo. Luca a observou pôr a mesa e fatiar com destreza um pão. Conhecia a irmã bem demais para pressioná-la mais em relação a Roberto.

– Tem notícias de Abi de vez em quando? – perguntou, sentando-se de frente para ela.

– Que engraçado você perguntar isso. Recebi um postal dela hoje de manhã – respondeu Rosanna, e lhe passou a saladeira. – Parece que está viajando pela Austrália e depois pretende visitar o Extremo Oriente. Mas disse que virá a Londres no outono. Para ser bem sincera, não me esforcei tanto quanto podia para manter contato. Abi teve um caso passageiro com Roberto, sabe. Foi difícil para mim e acho que nós duas precisávamos de um tempo para a poeira baixar. Talvez a gente consiga se ver quando ela voltar para Londres.

Luca escondeu uma pontada de dor ao pensar que, pelo visto, Abi também havia sucumbido aos encantos de Roberto Rossini.

– Seria ótimo para você. É bom manter contato com velhos amigos. Você e Abi eram muito próximas.

Ele passou um pouco de patê no pão.

– Mas e *você*, Luca, tem notícias dela de vez em quando?

A expressão nos olhos dele se suavizou e ele fez que não com a cabeça.

– Não. Eu gostava dela, muito.

– Mas gostava mais de Deus?

– Ele é minha prioridade, Rosanna, assim como Roberto é a sua.

– Você às vezes se sente sozinho no seminário?

– Como assim?

– Bem, você não pode dividir a vida com ninguém...

– Eu tenho Deus, e Ele é tudo de que preciso. Existem muitos tipos diferentes de amor, sabia? Assim como o seu pertence a Roberto, o meu pertence a Ele. Agora me conte sobre todos os lugares que visitou desde que suas viagens começaram.

No dia seguinte, Rosanna levou Luca para passear por Londres e, à noite, eles foram à Royal Opera House ver uma montagem de *Aída*. Voltaram de táxi para Kensington.

– Queria que fosse você nesse palco, Rosanna. Fico triste por nunca tê-la ouvido cantar desde que estudava na escola de música em Milão – lamentou Luca.

– Daqui a algumas semanas *serei* eu. Mas foi bom assistir ao espetáculo e depois arrasar o desempenho daquela soprano ruim – disse ela, com uma risadinha.

No domingo, os dois foram à missa na catedral de Westminster e Rosanna fez rosbife para o almoço. Depois foram passear em Kensington Gardens e voltaram para casa cansados, mas relaxados.

– Está tudo bem, *piccolina*? – perguntou Luca ao entrar na sala à noite e ver a cara triste da irmã.

– É que eu não queria que você fosse embora amanhã.

– Eu sei. Foi maravilhoso encontrar você. Fiquei me lembrando dos velhos tempos em Milão. Apesar do trabalho duro, a gente se divertia muito, não é?

– É – concordou ela. Então bocejou. – Ai, ai, tenho ficado com sono muito cedo ultimamente. Será que é normal?

– Claro que é, e você precisa ir para a cama. Prometa que vai se cuidar quando começar a fazer *La Bohème*. Você agora tem outro serzinho em quem pensar.

– Vou me cuidar – disse ela. – Que pena você não encontrar Roberto, mas pelo menos tivemos tempo de pôr a conversa em dia, só nós dois.

– É.

No íntimo, Luca achava que, quanto menos o seu caminho e o de Roberto se cruzassem, melhor seria para todos os envolvidos.

Rosanna se levantou e deu um abraço no irmão.

– Você não sabe como gostei de revê-lo. Por favor, podemos tentar fazer isso com mais frequência.

– Podemos tentar, mas você sabe que é difícil.

– Eu sei. Há sempre um preço a pagar por tudo, não é?

Luca a beijou no rosto.

– Lembre-se: se eu não estiver presente em pessoa, estarei sempre pensando em você.

– Você vem visitar seu afilhado ou afilhada depois do nascimento, não vem? – perguntou ela, encaminhando-se para a porta.

– Nada me impediria de fazer isso. Boa noite, *piccolina*. Durma bem.

Luca ainda passou mais uma hora sentado na sala antes de subir para se deitar. Ficou folheando um caderno de recortes de matérias de jornais e revistas que Rosanna tinha lhe dado. Em todas as imagens, sua irmã tinha o rosto voltado para Roberto, e seus olhos brilhavam de amor.

Era evidente que aquele homem estava fazendo sua irmã muito feliz. Por esse motivo, e só por esse, Luca pediria a Deus que o ajudasse a encontrar o perdão por tudo que Roberto tinha feito antes.

⚜

Depois de se despedir do irmão em Heathrow, Rosanna chegou em casa sentindo-se muito infeliz. Nos últimos quatro anos, tinha se esquecido de como ela e Luca eram próximos. Agora ele foi embora, e ela não fazia ideia de quando tornaria a vê-lo.

Bem devagar, subiu os degraus até a porta da frente. Enquanto procurava a chave, a porta se abriu e ela se viu rodeada pelos braços de Roberto.

– Minha menina mais querida – disse ele. – Aonde você foi? Já estava ficando preocupado, *cara*. Cheguei de Gatwick e não a encontrei em casa...

– Fui levar Luca no aeroporto.

Roberto a fez entrar em casa e ajudou-a a tirar o casaco, que pendurou no corrimão.

– Como estava o seu irmão?

– Muito bem.

– Ótimo. Venha cá. – Ele a puxou para si e a beijou com paixão. – Você não sabe a saudade que senti, *cara*.

Rosanna ergueu o rosto para ele, sorrindo, e sentiu-se mais animada. Aquele era o seu lar, e Roberto era tudo que importava.

# 27

## *Londres, outubro de 1980*

Rosanna acordou e viu que eram apenas seis e meia da manhã. Saiu de fininho da cama, foi ao banheiro, depois desceu para a cozinha. Uma pesada neblina outonal pairava do lado de fora. As folhas da árvore do jardim estavam ficando escuras e caíam, uma a uma, no chão, sinal de que o verão de fato havia acabado. Ela preparou uma xícara de chá, acomodou-se pesadamente em uma cadeira e pousou a cabeça na superfície fresca da mesa.

Às onze horas, Roberto partiria para Nova York.

Oito semanas antes, a noite de encerramento de *La Bohème* tivera sua emoção exacerbada por ser a última vez que os dois cantariam juntos em muitos meses. Desde então, eles haviam tentado manter a alegria e aproveitar o tempo juntos, mas a separação iminente pesava sobre os dois qual uma mortalha.

O bebê a chutou por trás das costelas. Ela endireitou as costas e tentou se animar. Não ia chorar quando ele fosse embora. Não queria que sua última lembrança dela fosse deformada, com os olhos vermelhos e inchados. Terminou o chá e subiu com esforço as escadas para tomar uma ducha.

Uma hora depois, Roberto entrou na cozinha. Com um suspiro, sentou-se à mesa.

– Tem café no bule e fiz linguiças para você... sei como você gosta de lin... linguiça. – A sua voz falhou, mas ela conseguiu abrir um sorriso ao se virar para ele.

– Obrigado, *cara*.

Ela serviu as linguiças em dois pratos junto com alguns cogumelos e tomates passados na frigideira e colocou tudo na mesa.

– Parece uma delícia.

– Bem, eu queria que você comesse uma coisa gostosa, porque comida de avião é sempre horrível... Mas me prometa que vai prestar atenção no peso quando estiver em Nova York. O Dr. Hardy disse que você deveria perder no mínimo 12 quilos.

– Prometo, claro. – Roberto começou a comer. – Você sabe que vou ficar no apartamento de Chris, então pode ligar para mim lá. E, se for um recado importante, sempre pode me ligar na ópera. Vou avisar que eles precisam me encontrar com urgência.

– Não se preocupe, *caro*. Já avisei a esta barriga que ela não pode esvaziar antes de *papà* voltar para casa. Ainda faltam seis semanas. Mais um mês e meio assim... – Ela suspirou. – Será que vou ter um bebê ou um elefante? Imagine como vou estar quando você chegar. Talvez já tenha até explodido – falou, séria.

– Se houver qualquer problema, ligue para o Dr. Hardy imediatamente.

– Claro.

– Tenho certeza de que você não vai se sentir sozinha, *cara*. Muita gente de Covent Garden virá visitá-la.

– Eu sei que vou ficar bem.

Nenhum dos dois terminou de comer. Por fim, Rosanna se levantou e começou a tirar a mesa.

– É melhor eu ir tomar uma ducha – disse Roberto.

Ela olhou para o relógio quando ele saiu da cozinha. Em menos de uma hora, ele a deixaria.

⁘

– O carro chegou.

Roberto vestiu o sobretudo. Rosanna o observou, esforçando-se para não deixar as lágrimas escorrerem.

– *Amore mio*. – Ele a abraçou. – Como eu a amo... já estou com saudades. Vou contar os dias para voltar a vê-la.

– Se cuide. *Ti amo, caro*.

Ele assentiu, desfez o abraço e desceu correndo os degraus em direção ao carro que o aguardava. Virou-se, jogou um beijo para Rosanna antes de entrar no carro e acenou enquanto este se afastava da calçada.

Então se foi.

⁘

Apesar de Rosanna ter recebido muitas visitas, a primeira semana sem Roberto pareceu não acabar nunca. Às vezes, as visitas lhe proporcionavam um bem-vindo alento para o tédio. Outras vezes, ela se sentia tão cansada, tão desanimada e frágil que desejava que todos fossem embora quase na mesma hora que chegavam. Roberto lhe telefonava três vezes por dia e sussurrava palavras de amor lhe dizendo quanto sentia sua falta. Durante esses poucos minutos, ela era feliz. Quando punha o fone no gancho ela chorava.

A saudade que sentia dele... era quase uma dor física. Ser obrigada a fazer sem ele as coisas que os dois sempre faziam juntos, mesmo as tarefas simples do dia a dia, de fato *doía*.

E as noites... as noites se estendiam qual um abismo sem fundo. Sem ele ao seu lado, era quase impossível dormir. E quando ela pegava no sono o bebê a acordava com chutes.

Na primeira noite de sábado que ela passou sozinha, Roberto não telefonou no horário habitual. Quando ligou, uma hora depois, ela caiu em prantos e soluçou ao telefone, implorando que ele voltasse para casa. Ele se desculpou: os ensaios haviam demorado mais do que o previsto e ele não pudera fazer nada. Ela respondeu, triste, que lamentava estar sendo boba daquele jeito e desligou.

Foi ao banheiro e, enquanto lavava as mãos, observou seu reflexo no espelho.

*Você está um caco*, falou para si mesma. *Precisa se controlar.*

Tomou uma chuveirada, vestiu o confortável roupão atoalhado e desceu para preparar o jantar. Sentada na cozinha, empurrando a comida goela abaixo, compreendeu como seu amor por Roberto a controlava.

E se um dia ele a deixasse? Engoliu em seco, sentindo o coração acelerar. Estava sendo boba. Não podia, não *devia* pensar naquilo. Estresse fazia mal para o bebê e ela já o havia estressado bastante nas duas últimas semanas.

Rosanna se levantou e pôs um vídeo dos dois cantando "Dolce notte! Quante stelle!", de *Madame Butterfly*.

As vozes a tranquilizaram, e ela sorriu.

Em três semanas ele estaria em casa outra vez e ela poderia esquecer aquele pesadelo. Uma coisa era certa: jamais permitiria que ele a deixasse para trás de novo.

Roberto estava exausto e meio bêbado. Olhou em volta para as pessoas animadas reunidas no palco da Ópera Metropolitana, conversando e tomando champanhe. Ele, pelo contrário, sentia-se completamente solitário e perdido. Embora já soubesse do profundo sentimento que nutria pela esposa, só depois de duas semanas sozinho havia começado a perceber a verdade.

Nessa noite, a estreia da ópera nova, *Dante*, fora um imenso sucesso. Nova York estava aos seus pés. Ele estava no auge. E não poderia se sentir mais infeliz.

Sem Rosanna, nada daquilo tinha sentido.

Ele bocejou e olhou o relógio. Iria embora em cinco minutos. Havia prometido ligar para Rosanna assim que pisasse no apartamento.

– Não concorda, Sr. Rossini?

– Me perdoe, *signora*, não ouvi bem o que disse.

A rica matrona nova-iorquina repetiu sua teoria sobre o financiamento das artes.

– É claro, estou de pleno acordo. Os governos precisam dar mais dinheiro para a ópera se quiserem que ela dure até o próximo século. Agora, se me dão licença, preciso ir para casa ligar para minha mulher.

Ele meneou a cabeça para Chris Hugues.

– Vou indo. Nos vemos amanhã de manhã.

A limusine o aguardava junto à entrada dos artistas.

– Para casa, senhor?

– Sim, por favor.

O carro se afastou da calçada e tomou o rumo do apartamento de Chris, no Upper West Side de Manhattan.

– Chegamos, senhor.

O motorista abriu a porta para Roberto, e ele desceu sob o toldo do prédio elegante.

– Boa noite.

– Boa noite, senhor.

Roberto pegou o elevador até o 28º andar. Ao abrir a porta, ouviu o telefone tocar lá dentro. Entrou na sala correndo e pegou o fone.

– Alô?

– Sou eu. Acabei de acordar e achei que fosse uma boa hora para ligar. Como foi?

– Foi uma sensação, *principessa*. Tirando o fato de você não estar lá ao meu lado.

– E Francesca Romanos, que tal?

– A plateia gostou.

Houve uma pausa antes de Rosanna responder:

– Ah.

– Você preferiria que eu dissesse que ela foi horrível? – Ele deu uma risadinha.

– É claro.

– Francesca não é e nunca será você. Você é a melhor soprano do mundo. E sabe disso.

– Estou sendo boba, mas você pode imaginar como me sinto por saber que outra cantora ocupou meu lugar ao seu lado, enquanto fiquei aqui deitada feito uma baleia imensa e disforme.

– Ah, minha baleiazinha, acho você a criatura mais linda do mundo.

– Ainda está com saudades de mim? – perguntou ela, chorosa.

– É claro que estou, Rosanna. Viu só? Até saí da festa mais cedo para ligar para você. E ela estava bem animada.

– Quem estava lá? – A voz dela soou tensa.

– Ah, as pessoas de sempre. Todo mundo mandou beijos e abraços.

– Que gentil. Não tinha nenhuma mulher linda tentando roubar você de mim?

– Algumas... – Ele a ouviu soltar um arquejo. – Estou só brincando, *cara*. Não seja tão sensível.

– Eu sei, desculpe. Mas você não imagina a solidão que é isto aqui sem você. Eu durmo colada no seu suéter. – Ela deu um suspiro saudoso.

– Bem, não por muito mais tempo. Antes de você perceber, já estarei de volta – garantiu ele, carinhoso.

– Pelo menos Abi vem me visitar amanhã. Talvez a gente saia para almoçar, então não se preocupe se eu não estiver quando você ligar.

– Está bem. Mas, por favor, não preste atenção em nada do que ela vai dizer sobre mim. Você sabe o que aconteceu entre nós – disse ele, pouco à vontade.

– Sei, mas isso tudo agora é passado. Ela era minha melhor amiga e já está mais do que na hora de nos revermos. Você me liga amanhã quando acordar?

– Lógico.

– Então é melhor eu desligar. Você deve estar exausto.

– Estou meio cansado, sim. Agora tente dormir um pouco. Vai lhe fazer bem e é bom para o bebê.

– Vou tentar, mas é impossível. *Ti amo*, Roberto.

– Eu também te amo.

– Durma bem.

Ele pôs o fone no gancho e ficou andando de um lado para outro da sala, sem conseguir sossegar. Sua libido sempre despertava com a adrenalina de uma apresentação e aquela era a primeira vez em mais de dois anos que Rosanna não estava ao seu lado para acalmá-lo com seu lindo corpo.

Não havia outro remédio senão um banho frio.

❦

No dia seguinte, à uma da tarde, o telefone tocou e Rosanna correu para atender.

– *Principessa*, sou eu. Amo você, estou com saudades, só penso no seu corpo, quero me afogar em você...

Rosanna riu.

– Bom dia.

– Ah, *cara*. Sem você os dias parecem não ter fim – gemeu ele.

– Eu sei, Roberto, mas vai passar depressa, e logo estaremos juntos. É isso que você vive me dizendo.

– O que foi? Não está mais com saudades de mim? Sua voz está feliz demais!

– Você passou as últimas duas semanas reclamando porque eu estava com a voz triste...

– Você conheceu outra pessoa, é isso. Quem é? Vou matar o sujeito com minhas próprias mãos.

– Ninguém ia me querer assim, eu garanto.

– *Eu* quero, Rosanna. Quero tanto que chega a doer. Se prepare para passar uma semana na cama quando eu voltar.

– Eu também só penso nisso.

Ela sorriu, e um calafrio de expectativa a percorreu.

– Mas você ainda não me disse por que está com a voz tão feliz – insistiu Roberto.

A campainha tocou.

– Ahn... Roberto, Abi chegou. Preciso desligar.

– Certo, certo, eu entendo. Agora que você tem outra mulher com quem fofocar, não quer mais falar comigo. – Ele riu, feliz por ouvi-la com uma voz tão animada, embora a atitude de Abi em relação a ele o deixasse nervoso. – *Ti amo*, Rosanna. E lembre-se de não prestar atenção em nada de ruim que ela disser sobre o seu marido.

– Pode deixar. *Ti amo, caro*.

Ela pôs o fone no gancho e correu para abrir a porta.

※

– Rosanna! Ai, meu Deus! Você está imensa! – exclamou Abi.

Beijou a amiga e lhe deu um abraço caloroso.

– E você está mais linda do que nunca e bem magrinha! – Rosanna deu uma risadinha pesarosa. – Por favor, entre.

Ao seguir a amiga para dentro de casa, Abi deu um assobio.

– Caramba! Que luxo. Que sorte a sua.

– Eu amo esta casa, mas a gente está pensando em comprar alguma coisa fora de Londres depois que o bebê nascer. Venha, me dê seu casaco.

– Meu Deus, que frio está fazendo hoje lá fora – comentou Abi enquanto a dona da casa a levava até a cozinha.

– Eu sei – concordou Rosanna. – Passo a vida em Londres parecendo um anúncio ambulante de lã. Não acredito que meu filho vai nascer neste clima. Em Nápoles, duvido que eu tenha usado qualquer roupa até os 3 anos. Quer beber alguma coisa?

– Uma taça de vinho seria ótimo – respondeu Abi. – Eu pego. Fique aí.

– Obrigada. Tem uma garrafa na geladeira. Eu vou tomar uma Perrier.

– Claro. – Abi atravessou a cozinha para providenciar as bebidas. – Tome. – Voltou à mesa e entregou o copo de água com gás para Rosanna. – A nós duas... juntas outra vez!

– Você se importa se a gente almoçar em casa? – indagou Rosanna. – Ando muito cansada. Tem sopa e pão fresco.

– Para mim parece ótimo – respondeu Abi. – Você está mesmo enorme. Quanto tempo falta?

– Um mês, mais ou menos.

– E como é? Estar grávida, quero dizer.

– Estranho. Muito estranho – divagou Rosanna. – É como se você fosse invadida por um alienígena. Não controla mais o próprio corpo. Nem as emoções, aliás.

Abi a encarou com atenção.

– É difícil admitir o fato de que você vai virar mãe em poucas semanas.

– E isso já me fez mudar. Você sabe como eu detestava fazer faxina, mas ontem tive de usar o aspirador e passar roupa, isso apesar de uma faxineira vir aqui quatro manhãs por semana.

– Acho que se chama instinto de arrumar o ninho. Parece que várias mulheres têm isso logo antes de o bebê chegar. Talvez signifique que ele ou ela venha mais cedo do que você pensa.

– Não! – Rosanna fez uma cara horrorizada. – Isso não pode acontecer... não antes de Roberto voltar.

– Já é difícil imaginar você sendo mãe, mas pensar em Roberto sendo pai, bom... – Abi revirou os olhos.

– Mas Abi, ele agora está diferente, acredite. Uma porção de gente reparou. Você também notaria se o visse de novo. Ele é outro homem.

– Espero que você esteja certa – disse Abi, séria.

– Tenho certeza – Rosanna parou abruptamente de falar e olhou para a amiga. – Abi, antes de dizer qualquer outra coisa, quero lhe pedir desculpas por não ter contado que ia me casar com Roberto. A gente decidiu que era melhor só contar depois. Não queríamos ser perseguidos pela mídia. Nem minha família ficou sabendo.

– Bem, confesso que fiquei magoada por ler a notícia no jornal. Você teve medo de que eu a convencesse a não se casar? – perguntou Abi, direta.

– Não, porque eu sabia que não importava o que dissesse, aliás, você ou qualquer outra pessoa. Eu ia me casar com ele.

– Você sempre teve uma conexão estranha com ele, não é?

– Sim, sempre. Nós dois achamos que era o destino.

Abi tomou um gole de vinho.

– Ficou muito chateada quando eu tive um caso com ele? Na época, você não demonstrou.

– É claro que fiquei. Mas quando você me contou que ele a havia largado, fiz o que pude para desenvolver certa antipatia. Quando viemos juntos para Londres, no começo não o deixei se aproximar de mim. Tinha medo de que, se isso acontecesse, ele fosse me magoar como tinha feito com você, e eu nunca o teria esquecido como você esqueceu. Não sente mais nada por ele, sente?

– Meu Deus, não! Foi um caso passageiro, só isso. Eu fiquei magoada, mas agora entendo, como me lembro de você ter dito na época, que ele era só um substituto para Luca. Transferi para Roberto toda aquela paixão não correspondida, pelo menos por um tempo curto. É incrível como a gente entende as coisas depois. E Luca como está?

– Muito bem. Ele veio aqui em maio. Perguntou por você.

– Foi mesmo? – Abi sorriu, mas seus olhos estavam cheios de tristeza. – Que bom. Enfim, não vamos falar demais sobre o que já passou. Você tem tantos outros assuntos sobre os quais falar!

– É. – Rosanna também gostou de mudar de assunto. – Quero saber tudo que você anda fazendo.

– Bom, depois que você foi embora de Milão, ainda fiquei no Scala por mais um ano. Foi então que tive uma longa conversa com Paolo e ele me disse o que eu já sabia: que era improvável eu algum dia progredir além do coro. Decidi largar tudo e tirar um ano para viajar. E foi maravilhoso, Rosanna. A melhor coisa que fiz. Estive no Extremo Oriente e, como você sabe, passei seis meses na Austrália. Voltei há quinze dias e agora estou morando com meus pais em Fulham enquanto tento decidir o que fazer com a minha vida.

– Alguma ideia?

– Na verdade, não. O problema é que, depois que você se envolve com o mundo das artes, qualquer rotina de nove às cinco fica parecendo insuportável de tão chata. – Abi suspirou. – Não sei mesmo, mas, para falar a verdade, andei pensando em escrever.

– Ah, é? Escrever que tipo de coisa?

– Disso não estou certa. Quem sabe jornalismo, ou talvez até um romance. Sempre tive uma imaginação fértil. – Ela sorriu e ficou mais parecida com a Abi de antigamente.

– Parece interessante. Mas lamento que você não esteja mais cantando. Acho que tinha uma voz linda.

– Pois é, mas ao que parece não era linda o suficiente. Enfim, é bondade sua dizer isso, e Milão foi tão divertido que não me arrependo de um segundo sequer.

– Me diga... – Rosanna tomou um gole de sua Perrier. – Paolo ficou uma fera quando não voltei para o Scala?

– Bom, você conhece Paolo. Se ficou, não demonstrou nada para a companhia. Tudo que posso dizer é que nunca mais ouvi seu nome ser mencionado. Aliás, por que você não voltou? Achei que fazer Mimi fosse seu sonho.

– Foi por causa de Roberto. Por favor, acredite quando digo que não tive escolha – respondeu Rosanna, brusca.

Não queria que a conversa voltasse *àquele* assunto doloroso.

– Eu só queria que você tivesse me contado o que estava acontecendo. Passei semanas sem ter ideia do seu paradeiro. Quando a notícia enfim veio à tona, a imprensa montou acampamento em frente à nossa casa. – Abi deu de ombros, bem-humorada. – Mas isso tudo são águas passadas.

– Abi, me perdoe – pediu Rosanna, culpada. – Sei que fui egoísta, mas... bem, era como se Roberto e eu estivéssemos vivendo em outro planeta. Eu só conseguia pensar nele.

Abi olhou fixamente para a amiga.

– Isso que existe entre vocês dois é mesmo uma paixão com P maiúsculo, não é?

– É, sim – respondeu Rosanna.

– Que bom. Fico satisfeita. Mesmo. Mas tente se cuidar.

– Como assim?

– Bem, às vezes eu acho que... e por favor, querida, não leve a mal o que vou dizer, mas às vezes um sentimento forte demais pode tornar a pessoa meio egoísta.

– Concordo e, como já disse, sinto muito – falou Rosanna com tristeza.

– Bom, eu acho que conheço esse sentimento. – Abi deu um suspiro. – Sei que concordamos que não é bom ficar olhando para trás, mas, para ser totalmente honesta comigo mesma... ainda sou apaixonada por Luca. Parece burrice, porque isso nunca vai dar em nada, mas não consigo esquecê-lo.

– Ai, Abi. – Rosanna encarou a amiga com surpresa e compreensão. – Deve ser muito difícil saber que vocês nunca poderão ficar juntos. Mas sei que ele sempre gostou muito de você.

– Não me entenda mal, já houve muitos outros homens, mas, a não ser que algo mude drasticamente, meu coração vai ser sempre de Luca.

– Entendo o que você sente, de verdade. Está namorando alguém agora?

– É claro que estou – respondeu ela, grata pela oportunidade de mudar o rumo da conversa. – Você precisa conhecer. Ele é um amor. O nome dele é Henry. Nós nos conhecemos em uma festa cerca de duas semanas atrás. Ele está muito a fim, e meu maior desejo seria me apaixonar, porque ele tem tudo a ver comigo.

– Você precisa dar tempo ao tempo. Faz só duas semanas que vocês se conhecem.

– Rosanna, se há uma pessoa no mundo que deve entender de amor, é você. Sabe? Aquela intuição que diz quando algo é especial. Com o Henry não é. E eu sei disso.

– Pois é. Nunca me senti tão infeliz quanto nos últimos quinze dias. Roberto e eu raramente passamos uma hora separados, que dirá um mês!

– Bem, sob certos aspectos, um mês de infelicidade é um preço pequeno a se pagar por tudo que você tem: o homem que ama, um bebê a caminho, dinheiro e uma carreira de sucesso. Eu não me importaria de ser você. – Abi sorriu. – Mas cadê aquela tal sopa?

Depois de almoçar, as duas continuaram sentadas à mesa tomando café.

– O que você vai fazer no próximo sábado à noite? – perguntou Abi.

– Nada. Absolutamente nada.

– Bom, nesse caso pode vir jantar comigo e com Henry. Ele tem um amigo que ficou verde de inveja quando eu disse que ia encontrar você hoje. Stephen é um dos seus maiores fãs e está louco para conhecê-la. Venha, deixe seu ego ser massageado por uma ou duas horas.

– Obrigada pelo convite, mas não estou com disposição para ir a lugar nenhum no momento.

– Ah, vamos, mostre que você sabe ser humilde e venha jantar conosco, meros mortais.

Rosanna corou.

– Você sabe que não tem nada a ver com isso. É que não ando muito sociável.

– Sair uma noite pode lhe fazer bem. Além do mais, você me deve por ter me deixado na mão em Milão – insistiu Abi.

– Certo. Você venceu – cedeu Rosanna.

– Ótimo. Venho buscá-la por volta das oito. – Abi olhou o relógio e se levantou. – Acho que está na hora de ir. Não se levante, eu saio sozinha. – Ela beijou a amiga calorosamente nas duas faces. – Tchau, querida. Cuide-se. Gostei muito mesmo de revê-la.

– Eu também.

– Se precisar de alguma coisa, tem meu telefone – disse Abi, caminhando em direção à porta.

⚜

Rosanna se deu conta de que estava nervosa por sair sozinha no sábado à noite. Nos dois últimos anos, Roberto sempre estava ao seu lado. Passou a maior parte da tarde ansiosa, experimentando roupas que comportassem sua barriga; em seguida lavou os cabelos e passou uma leve maquiagem. Quando Abi tocou a campainha, estava pronta.

– Como você está bonita – comentou a amiga, em tom de aprovação.

– Obrigada.

– Certo, vamos lá. Temos de encontrar os rapazes em quinze minutos.

– Vamos a um lugar discreto, não é? Não quero ficar dando uma de diva, mas detestaria que Roberto visse no jornal uma foto minha com outro homem – falou Rosanna, envergonhada por fazer essa confissão.

– Claro. Em sua homenagem, vamos a um restaurante italiano. – Abi abriu a porta de seu Renault 5. – Não é o que eu chamaria de um lugar elegante, mas a massa é excelente. Entre.

Abi enfrentou o tráfego congestionado de Earl's Court Road, depois entrou à esquerda na Fulham Road.

– Que sorte – comentou, manobrando com destreza o carro para uma vaga em frente a um pequeno restaurante.

O lugar estava abarrotado de clientes, todos sentados diante de mesas de madeira rústicas, saboreando massas e bebendo vinho em jarras.

– Me lembra a cantina de *papà* – falou Rosanna, saudosa, enquanto Abi acenava para dois homens sentados em uma mesa de canto.

Um deles era baixote, estava perdendo os cabelos prematuramente e usava óculos com armação de chifre. Rosanna supôs que fosse Stephen, seu fã. O outro, extremamente bonito, tinha cabelos escuros e alegres olhos azuis.

– Henry, querido. – Abi beijou o careca no rosto; então se virou para o outro. – Stephen, não prometi que a traria? – Ela abriu um sorriso para Rosanna. – Ele não acreditou que você fosse aparecer. Rosanna, apresento-lhe o seu maior fã.

– Stephen Peatôt. É uma honra conhecê-la, Sra. Rossini. – Ele deu um sorriso tímido, e os dois se apertaram as mãos.

– Certo, abram caminho para o bebê elefante – falou Abi, afastando o máximo que conseguiu da mesa a cadeira ao lado de Stephen.

Rosanna corou e espremeu-se para entrar no espaço entre a mesa e a cadeira.

Atencioso, Stephen serviu bebidas para as duas: vinho tinto para Abi, uma água mineral para Rosanna. Então olharam o cardápio e pediram a comida enquanto ouviam Henry, que era corretor de ações, distraí-los com os detalhes de um grande e lucrativo negócio que sua empresa havia fechado na véspera.

– Você também trabalha na City? – indagou Rosanna a Stephen, que estava sentado ao seu lado.

– Não, não faço nada tão adulto assim, infelizmente. Eu sou marchand. Comecei na Sotheby's, no setor da Renascença, e hoje trabalho em uma galeria contemporânea em Cork Street. Estou aprendendo o máximo possível antes de abrir a minha galeria.

– Entendi. Infelizmente não entendo nada de arte...

– Curioso... nas vezes em que a ouvi cantar, tive aquela sensação instintiva que tenho quando examino um quadro muito raro. Você desperta emoções, entende? Como no caso dos artistas, são poucos os cantores de ópera capazes de fazer isso.

Apesar de Rosanna estar acostumada com elogios, a sinceridade com que Stephen falou fez as palavras dele soarem ainda mais genuínas.

– Qual é sua ópera preferida? – perguntou ela.

– Pergunta difícil. Sou fã de Puccini e adoro todas as óperas dele. Acho que, se me pressionassem, eu teria de responder *Madame Butterfly*. Vi você cantá-la em Nova York no ano passado. Achei que foi perfeita.

– Obrigada. Mas algumas pessoas diriam que ainda sou nova demais para imprimir ao papel a profundidade emocional e vocal adequada.

– Bobagem. Butterfly na verdade tem 15 anos. Os diretores não pensam no público – contrapôs ele. – Me perdoe se pareço grosseiro em relação a algumas das suas colegas de profissão, mas é difícil acreditar, por exemplo, na Violetta linda e tísica de *La Traviata* quando a intérprete tem mais de 50 anos e pesa 100 quilos!

– Um pouco como eu agora, você quer dizer? – Rosanna deu uma risadinha bem-humorada. – Cantei Mimi em Covent Garden quando estava grávida de seis meses.

– Eu assisti. Jamais teria percebido – disse ele, galante.

– O figurino era astuto – admitiu Rosanna.

Um garçom interrompeu a conversa por um momento, trazendo para a mesa os pratos cheios de comida.

– Então, Rosanna, para quando é o bebê? – perguntou Henry, depois de o garçom se afastar.

– Faltam umas três semanas.

– E seu marido já vai ter voltado, imagino?

– Sim. Você e Stephen se conhecem de onde? – perguntou ela, querendo mudar de assunto.

– Estudamos juntos no colégio interno. Stephen, inteligente como ele só, ganhou uma bolsa para Cambridge, enquanto eu tive de me contentar em estudar direito em Birmingham – explicou Henry de bom humor, erguendo a taça na direção do amigo.

Rosanna começou a relaxar um pouco. Era bom estar com pessoas cuja conversa não girava apenas em torno da ópera. Quando estavam tomando café, contudo, começou a se remexer na cadeira, desconfortável. Stephen percebeu na hora.

– Está tudo bem?

– Está, sim, obrigada. É que nesse estado é meio difícil ficar sentada muito tempo na mesma posição.

– Claro. Quer ir para casa?

– É, acho que eu deveria.

– Ah, sua estraga-prazeres! Eu estava com a esperança de irmos daqui para algum outro lugar – reclamou Henry, brincalhão.

– Por que você e Abi não fazem isso, enquanto levo Rosanna em casa? – sugeriu Stephen. – Também preciso dormir cedo. Vou pegar um avião para Paris amanhã para autenticar um quadro.

– Ah, não. Por favor, não se incomode. Eu posso chamar um táxi – falou Rosanna.

– Imagine. Abi disse que você mora em Kensington. Eu também. Não vai dar trabalho nenhum.

– Então, tudo bem. É muita gentileza sua.

– É um prazer.

Rosanna tirou da bolsa um cartão de crédito.

– Preciso pagar a minha parte.

– De jeito nenhum. Deixe que Henry e eu acertamos – disse Stephen, acenando para chamar o garçom.

Com a conta paga, Rosanna se levantou e deixou Stephen ajudá-la a pôr o xale. Os quatro saíram do restaurante.

Abi destrancou a porta do carro, e Henry se acomodou no banco do carona.

– Tchau, querida. Ligo para você amanhã.

– Tchau, Abi. – Rosanna acenou para o carro que se afastava.

– Por aqui. Não está muito longe. – Ela acompanhou Stephen por uma ruazinha lateral. – Acho que infelizmente o meio de transporte não vai ser do mesmo nível com o qual você está acostumada. – Ele apontou para um Fusca enferrujado e abriu a porta do carona. – Não é um carro bonito, mas até hoje nunca me deixou na mão.

Os dois embarcaram e Stephen deu a partida. Quando o carro foi ligado, o som da voz de Rosanna cantando *Madama Butterfly* tomou conta da cabine.

– Desculpe, que cafona. Eu estava escutando na vinda.

Stephen tirou a fita depressa, e eles partiram.

– Que gravação é essa? – quis saber Rosanna.

– Acho que foi a sua primeira.

– Mas não é a melhor versão. Roberto e eu gravamos outra no ano passado de que gosto muito mais.

– Vou comprar, então – disse ele, sorrindo.

– Ah, não. Eu tenho várias fitas em casa. Posso lhe dar uma.

– Sério? É muita gentileza sua.

– Imagine. Considere isso meu agradecimento pelo jantar. – Eles chegaram ao início de sua rua e Rosanna apontou. – Moro logo ali, à esquerda, perto daquela árvore. Deixo a fita com Abi da próxima vez que a vir.

– Ou talvez eu possa poupar você desse trabalho e simplesmente passar para pegar um dia desses? Moro bem ali na esquina.

– Está bem – concordou ela.

Stephen desceu do carro, abriu a porta do carona e a ajudou a saltar.

– Obrigado por uma noite muito agradável, Rosanna.

– Eu também gostei.

– Boa noite, então.

– Boa noite.

Ele aguardou ela subir os degraus da frente, entrar e fechar a porta. Ao se acomodar novamente no banco do motorista, tornou a enfiar a fita de *Madame Butterfly* no toca-fitas e, quando ligou o motor, a voz de Rosanna inundou o carro.

## 28

Roberto acordou e automaticamente esticou a mão para o corpo liso e sedoso que estava sempre deitado ao seu lado. Não o encontrou. Gemeu e deu um tapa no travesseiro onde a cabeça da mulher deveria estar repousando.

Era domingo, e ele tinha sido convidado para um brunch com champanhe, mas só de pensar em ir já ficava entediado. No entanto, decidiu que era melhor do que passar o dia inteiro sem fazer nada no apartamento de Chris. Assim, saiu da cama e foi tomar banho.

❧

O brunch era em uma luxuosa cobertura com vista para o Central Park. John St. Regent e a mulher, Trish, uma loura peituda vestida de Gucci da cabeça aos pés, vieram recebê-lo na porta.

– Que maravilha você ter podido vir ao nosso pequeno encontro, Roberto! – derramou-se Trish.

– É, prazer em vê-lo – disse John St. Regent, apertando vigorosamente a mão dele.

– E como vai sua esposa divina? – indagou Trish. – Que pena ela ter tido de cancelar a vinda a Nova York. Você deve estar se sentindo sozinho.

– Estou mesmo – admitiu ele.

– Não faz mal. Temos umas pessoas aqui que vão poder entretê-lo por um tempo. – Trish deu um apertão no ombro dele, em um gesto de solidariedade. – Entre, deixe-me apresentá-lo a alguns dos nossos outros convidados.

Roberto foi conduzido pelo hall até uma ampla sala, com janelas que iam do piso ao teto e proporcionavam uma vista espetacular do parque e da cidade mais adiante.

– Lá vamos nós – falou Trish, levando-o até um grupo de mulheres vestidas com elegância. – Permitam que eu apresente o Sr. Roberto Rossini. Por favor, senhoras, cuidem bem dele, ele é muito precioso – disse ela com um sorriso, e então se afastou para cumprimentar outro convidado.

– Bebida, senhor? – Uma das empregadas uniformizadas ofereceu a Roberto uma taça de champanhe.

– Obrigado. Boa tarde, senhoras. – Ele sorriu para o grupo.

– Ah, Sr. Rossini, nós o vimos em *Dante* na Met. Achamos o senhor maravilhoso, não foi, meninas? – disse uma das mulheres.

– Ora, obrigado, *signora*...?

– Mattheson. Rita Mattheson. E estas são Clara Frobisher, Jill Lipman e Tessa Stewart. Somos todas suas grandes fãs.

– Fico honrado – murmurou Roberto, meneando a cabeça para todas e se preparando para quinze minutos de bate-papo educado.

Por sorte, bem na hora que estava chegando ao limite de sua resistência para a conversa, o mordomo anunciou que o brunch estava servido, e os convivas se encaminharam para a sala de jantar.

Roberto foi acomodado à esquerda de Trish St. Regent, sentada à cabeceira da mesa comprida posta com extravagância.

– Então, vai voltar direto para Londres quando terminar a temporada na Met, semana que vem? – perguntou ela.

– Vou, eu...

De repente, foi distraído pelo conhecido aroma do perfume Joy. Ao virar a cabeça involuntariamente para olhar para uma das convidadas que acabara de chegar, viu-a atravessar a sala saltitante até uma cadeira do outro lado da mesa.

– Roberto, meu bem, algum problema?

– Me desculpe, Trish. Ahn... o que você estava dizendo?

Discretamente, passou a refeição estudando a recém-chegada e se perguntou o que ela estaria fazendo ali em Nova York. A mulher o estava ignorando de propósito e se recusou a cruzar olhares com ele mesmo quando John St. Regent fez um brinde em sua homenagem.

Por fim, a curiosidade o venceu. Ele se virou para Trish.

– O marido da *Signora* Bianchi não está com ela em Nova York?

– Ai, Roberto. Puxa... Se você conhece Donatella, estou surpresa que não tenha ficado sabendo. Giovanni morreu de enfarte... deixe-me ver, já deve fazer uns seis meses. Foi uma tragédia, porque John e ele faziam negócios juntos havia muitos anos. Ele nos ajudou muito quando quisemos uns quadros para enfeitar nosso pequeno apartamento. Donatella ficou arrasada, então decidiu começar de novo e se mudou de Milão para cá há três meses. Estou tentando ajudá-la a superar o luto.

Uma forte onda de alívio envolveu Roberto quando ele entendeu que a presença de Donatella ali era uma simples coincidência e não tinha nada a ver com ele. E não sentiu nem um pingo de remorso pela morte de Giovanni. Na verdade, ficou felicíssimo. Isso significava que ele estava livre para ir à Itália.

Depois do brunch, quando os convidados voltaram para a sala, sentiu alguém tocar seu ombro.

– Como vai, Roberto? – A voz grave e rouca continuava igualzinha, e a dona também.

– Ahn... – Ele experimentou a mesma reação animal que tivera na primeira vez em que Donatella o havia abordado naquela noite no Scala. – Vou bem, muito bem mesmo – murmurou.

– A vida é estranha, não é? Imagino que tenha ficado surpreso ao me ver aqui.

– Fiquei, sim. Trish me disse que você agora mora em Nova York.

– Moro. Como vai sua esposa? Ouvi dizer que está grávida.

Roberto a encarou com ar cauteloso.

– Ela está bem, obrigado.

– Não precisa ficar constrangido. Sim, é claro que fiquei uma fera quando percebi que você tinha me largado para se casar com Rosanna, mas então descobri o que meu marido tinha feito com você, com nós dois. Aquele velho bobo confessou no leito de morte. – Ela deu de ombros com elegância. – Além do mais, isso tudo são águas passadas. Talvez tenha sido melhor assim. Estou feliz aqui em Nova York, e você tem sua Rosanna.

– Então agora você sabe o que aconteceu, por que tive que sair da Itália. Não foi fácil e paguei um preço alto. Tive de cancelar todos os meus compromissos lá e não pude sequer ir ao enterro da minha *mamma*. Fiquei arrasado com isso.

– Peço desculpas em nome de Giovanni. Você sabe como são os homens italianos. Em se tratando de suas mulheres, são extremamente orgulhosos. – Donatella deu um sorriso cativante.

– Ele teria cumprido a ameaça? Eu me perguntei isso várias vezes.

– Essa é uma pergunta que só Giovanni poderia responder. Ele era um homem poderoso e com certeza conhecia muitas pessoas que fariam o que ele pedisse. Com certeza você foi sensato ao se manter afastado.

– Foi bom ver você, nem que seja porque isso significa que agora Rosanna e eu podemos visitar nossas famílias em Nápoles.

Ele sabia que a estava provocando de propósito ao se referir à esposa, mas Donatella não se deixou desencorajar.

– Espero que tenha outros motivos para ter gostado de me ver – falou, baixinho.

Então estendeu a mão e tocou a dele por um instante.

A mesma atração involuntária varou o corpo de Roberto. Aquilo era perigoso. Ele precisava ir embora. Imediatamente.

– Quanto tempo você ainda vai ficar em Nova York? – perguntou ela.

– Volto para Londres domingo que vem.

– Gostaria de sair para jantar? Em nome dos velhos tempos?

Ela sacou um cartão da carteira lustrosa.

– Não, eu... infelizmente, não vou ter tempo.

– Bem, se mudar de ideia, meu telefone está no cartão.

– Ahn... tenho que ir. Tenho outro compromisso.

– Claro. – Ela deu um sorriso cúmplice. – *Ciao, caro*. Se estiver se sentindo sozinho, me dê uma ligada.

Roberto a observou se voltar e sair saltitante pela sala. Ela estava um espetáculo, ainda melhor do que na sua lembrança, mas ele se recusou a dar ouvidos às reações traiçoeiras do próprio corpo. Aquela mulher era encrenca certa. Pediu licença, despediu-se do casal St. Regent e foi embora.

❧

Nessa noite, Roberto ficou sentado sozinho no apartamento silencioso, encarando a garrafa vazia de vinho e pensando se deveria abrir outra. Com um gesto pouco firme, pegou o telefone e ligou para Rosanna.

– Sou eu. Acordei você, querida?

– Não. Estava deitada lendo um livro. Tudo bem?

– Estou me sentindo sozinho. Chris viajou para a Europa e o silêncio está me enlouquecendo.

– Que pena, querido. Mas agora não falta muito.

– E você, tudo bem? Parece feliz, pela voz. O que houve?

– Ah, na verdade, nada. Ontem à noite saí para jantar com Abi e uns amigos. Talvez sair tenha me feito bem – respondeu Rosanna.

– Amigos ou amigas?

– Amigos homens. Foi divertido.

– Entendi. Quer dizer que você está saracoteando por Londres com homens desconhecidos enquanto eu fico aqui sentado sozinho, largado e triste neste apartamento horrível?

– Ah, Roberto, sério, o apartamento do Chris é lindo!

– Não suporto pensar em você jantando com outros homens.

– Deixe de ser bobo.

– Na verdade, a proíbo terminantemente de voltar a sair – vociferou ele.

– Como assim? Você está sendo ridículo. Foi bom sair para mudar um pouco a rotina, só isso.

– E como eram esses tais homens?

– Ambos encantadores, já que você perguntou.

– E bonitos, imagino.

– Roberto, por favor, pare com isso. Você não tem absolutamente nada com que se preocupar, eu garanto.

– Como posso ter certeza? Até onde sei, um deles poderia estar na minha cama neste exato momento, um jovem garanhão ansioso, louco para transar com a famosa estrela da ópera.

O vinho e a solidão o haviam deixado ridiculamente irracional e mal-humorado.

– Roberto! Não fale assim comigo – reclamou Rosanna. O tremor em sua voz traiu quanto ela estava abalada. – Quero que peça desculpas... agora.

Houve uma pausa insuportável enquanto Roberto lutava com seu ciúme instigado pela bebida e perdia a luta.

– Eu não vou me desculpar – disse ele, petulante. – Foi você quem criou essa situação, não eu. Tchau.

Ele bateu o fone no gancho, consciente de que estava sendo muito infantil, mas sem conseguir se controlar. Minutos depois, o telefone tocou, mas ele ignorou. Foi até a cozinha, abriu outra garrafa de vinho, virou uma taça inteira e foi tomar uma ducha. Quando saiu do banho, olhou o relógio. Eram só oito da noite. Derramou mais vinho na taça e ficou perambulando pelo apartamento feito um animal ferido.

Amava Rosanna, amava-a com todo o seu coração.

Não amava Donatella.

Mas Rosanna estava a milhares de quilômetros de distância, pelo visto muito feliz em sair à noite com homens "encantadores". E mais: parecia alheia à mágoa que isso havia lhe causado.

Donatella estava a apenas cinco quarteirões dali, decerto esperando sua ligação.

Ele só precisava de um pouco de companhia, disse a si mesmo, nada mais. A companhia de uma velha amiga, alguém capaz de compreender seu isolamento. Roberto soltou um grunhido; a tentação estava enlouquecendo-o.

Uma hora e outra garrafa de vinho depois, estendeu a mão para pegar o fone e discou o número que estava no cartão.

## 29

Rosanna estava muito ansiosa e cansada. Na última semana, mal havia pregado o olho.

Roberto chegaria em 24 horas. Havia ligado para ela duas vezes desde a discussão, mas as conversas tinham sido breves e ele parecera distante.

Ela decidiu se manter o mais ocupada possível e tentou se convencer de que ele estava tendo uma reação exagerada. Roberto estava cansado e com saudades dela, só isso. No dia seguinte estaria em casa e tudo ficaria bem.

Foi a duras penas que Rosanna voltou de Kensington High Street carregando várias sacolas. Sentira-se tentada a comprar um vestido novo para a chegada do marido, mas estava se sentindo tão gorda e mal-ajambrada que decidira em vez disso comprar um urso de pelúcia para o bebê.

Ficou cantarolando *La Traviata* enquanto arrumava flores frescas em um vaso e se ocupava pela casa, certificando-se de que tudo estava perfeito para a volta de Roberto.

À tarde, deitou-se um pouco, exausta com tanta atividade. Estava dolorida e indisposta. Pegou em um sono entrecortado e, quando acordou, algumas horas mais tarde, desceu até a cozinha para preparar o jantar. Às dez, olhou para o telefone. Calculou que Roberto devia estar se arrumando para a última apresentação na Met. Ele tinha dito que ligaria antes de sair, mas o telefone não tocou. Às dez e meia, agoniada de tanta frustração, ela discou o número do apartamento de Chris.

– Alô?
– Oi, Chris. O Roberto está?
– Não, meu bem, ele saiu.
– Saiu para onde?
– Foi mais cedo para o teatro hoje.
– Pode dizer para ele me ligar assim que voltar do espetáculo? Pode ser a qualquer hora.

– Se eu o vir, dou o recado.

– Mas com certeza vai vê-lo depois do espetáculo, não é?

– Vou, claro. Está se sentindo bem, Rosanna?

– Estou, mas vou ficar bem melhor quando Roberto chegar. Ele vai mesmo pegar o voo amanhã de manhã no JFK, não vai?

– Acho que sim. – Chris soou vago.

– Bem, avise a ele que pretendo ir buscá-lo em Heathrow.

– Claro. Tchau, Rosanna. Se cuide.

– Tchau.

Rosanna pôs o fone no gancho sentindo o coração bater descompassado. Quanto antes ele chegasse, mais depressa ela conseguiria se acalmar e silenciar os demônios que faziam perguntas em sua cabeça. Uma hora mais tarde, foi para a cama, dormiu e teve um sono agitado.

❧

Na manhã seguinte, Rosanna acordou às oito. Ao se levantar, sentiu uma dor aguda na barriga. Fez uma careta, sentou-se e esperou a dor passar, então, com todo o cuidado, foi até o chuveiro. Enquanto estava se secando com a toalha, sentiu outra dor.

Com certeza não podia estar... Não, disse a si mesma, firme. Ainda faltavam duas semanas. Além do mais, tinha lido tudo sobre as dores que às vezes aconteciam antes do parto. Seu corpo estava treinando, só isso.

Duas horas mais tarde, começou a entender que talvez aquelas dores não fossem apenas um treino. Havia começado a cronometrar as contrações, que agora vinham a intervalos de oito a nove minutos. O Dr. Hardy lhe dissera que só era preciso ir para o hospital quando o intervalo chegasse a cinco ou seis minutos. Mesmo assim, era melhor ela estar pronta para partir quando chegasse a hora.

Lenta e dolorosamente, subiu até o quarto. Pegou a malinha que já tinha preparado para a maternidade e a levou para baixo. Teve de parar no meio da escada ao sentir uma nova contração. Verificou o relógio. Aquela estava mais para sete minutos e tinha sido bem mais forte que a anterior. Chegou ao hall e pôs a malinha junto à porta da frente. Parou para recuperar o fôlego, então foi até a sala arrastando os pés e pegou o caderno de telefones.

Estava prestes a ligar para o número do Dr. Hardy quando a campainha tocou.

Ela voltou com dificuldade para o hall.

– Quem é?

– Stephen. Stephen Peatôt.

Ela hesitou, pensando que uma visita era a última coisa de que precisava naquele momento. Mas ele sabia que ela estava em casa, e Rosanna não podia simplesmente deixá-lo plantado ali. Destrancou a porta e a abriu.

– Oi – cumprimentou ele. – Espero que não seja uma hora ruim. Eu estava passando e fiquei pensando se você teria encontrado para mim aquela fita de *Madame Butterfly*.

– Sim, eu... – Rosanna soltou um arquejo e se curvou para a frente.

– Ei, tudo bem? O que está acontecendo?

Stephen passou o braço em volta dela, ajudou-a a entrar e fechou a porta.

– Eu... acho que estou em trabalho de parto. Vai passar daqui a um minuto – disse ela, arfante.

A dor passou, de fato, e ela se endireitou e sorriu.

– Desculpe, Stephen.

– Não se preocupe com isso. Você está sozinha?

Ela assentiu.

– Posso fazer alguma coisa?

Ele a seguiu até a sala de estar e a viu afundar no sofá.

– Pode, se não for incômodo. Poderia me passar meu caderninho de telefones para eu ligar para o médico? Acho que vou ter de ir para o hospital daqui a pouco. As contrações parecem estar com intervalos mais curtos.

Stephen pegou o caderninho e passou para ela. Rosanna ligou e pediu para falar com o Dr. Hardy.

– Alô, doutor? Aqui é Rosanna Rossini. Acho que estou em trabalho de parto e... não, a bolsa não estourou. As contrações? De sete em sete minutos, mais ou menos, e o intervalo está diminuindo.

– Está bem. Obrigada, Dr. Hardy. Tchau – disse ela antes de colocar o fone no gancho.

– O que ele falou? – quis saber Stephen.

– Que, se a bolsa não estourou, é pouco provável que o parto esteja iminente, por isso não devo entrar em pânico. De qualquer forma, vai me encontrar no hospital Chelsea and Westminster. Vou chamar um táxi.

– Não precisa, eu levo você de carro. Hoje é domingo, chegaremos em dez minutos.

– Tem certeza? Não deve ser o tipo de programa dominical que você planejou.

Entre um arquejo e outro, ela conseguiu abrir um sorriso.

– É claro que tenho certeza. Desde que você prometa não parir no meu Fusca – brincou ele. – Cadê seu casaco?

– No hall... Ah, preciso ligar para Roberto e avisar o que está acontecendo. Ele vai voltar de Nova York hoje e está esperando que eu vá buscá-lo em Heathrow – explicou ela.

– Tem certeza de que não quer que eu ligue? – perguntou Stephen, preocupado com o fato de a respiração dela estar curta e ofegante.

– Não, não. Preciso falar com ele eu mesma.

– Claro. Vou pôr sua mala no carro enquanto você telefona.

– Obrigada.

Ela ligou para o apartamento de Chris e trincou os dentes por causa de outra contração enquanto o telefone tocava e ninguém atendia.

– Acorde, acorde – gemeu.

Stephen tornou a entrar.

– Ninguém atende?

– Não. Ele deve estar dormindo e não ouve o telefone. São umas cinco da manhã em Nova York.

– Bem, acho que é melhor a gente ir andando. Você pode tentar ligar quando chegarmos ao hospital.

Com relutância, Rosanna pôs o fone no gancho.

– Vou deixar um recado aqui dizendo o que está acontecendo, só para o caso de não conseguir falar com ele antes do embarque.

Ela rabiscou um recado em um pedaço de papel, deixou-o em cima da mesa do hall e então seguiu Stephen até o carro.

O Dr. Hardy a aguardava na recepção do hospital, onde imediatamente a ajudou a se sentar em uma cadeira de rodas.

– Já falou com seu marido? – indagou ele.

– Tentei, mas não consegui encontrá-lo. Ele vai pegar o avião de volta para a Inglaterra hoje, mas o voo só chega a Heathrow à noite. Eu ia buscá-lo.

– Entendo. Bom, há grande chance de ele chegar e encontrar o filho, ou filha, já nascido.

Rosanna fez uma careta ao sentir uma nova contração rasgá-la por dentro.

– Vamos subir para a ala da maternidade. Essas contrações estão muito rápidas e fortes, minha cara. Aguente só mais um pouquinho enquanto chamo uma enfermeira. Fique com ela – acrescentou o médico para Stephen, que estava ali por perto sem saber muito bem o que fazer.

– Escute – disse ele, se aproximando de Rosanna. – Me dê o número, vou tentar ligar para Roberto de novo.

Ela assentiu, sem forças, e revirou a bolsa em busca do caderninho de telefones.

– Está aí, em "Chris Hugues".

Ela lhe passou o caderno.

– Ótimo. Não se preocupe, tenho certeza de que vou dar um jeito de ela receber o recado.

Uma enfermeira chegou e começou a empurrar Rosanna em direção ao elevador. O Dr. Hardy as seguia de perto.

– Pegue o elevador até o quarto andar e nos encontre lá – explicou ele a Stephen.

– Ah, mas... eu mal conheço a Sra. Rossini. Foi só uma coincidência ter chegado à casa dela nessa hora.

O médico franziu o cenho.

– Entendo. Bem, tem alguma outra pessoa que possa vir ao hospital ficar com ela? Um parente, talvez uma amiga? Tenho certeza de que ela gostaria de ter algum conhecido ao seu lado.

Na hora, Stephen pensou em Abi.

– Tem, sim.

– Ótimo. Pode usar o telefone da recepção. Com licença.

O Dr. Hardy pulou para dentro do elevador com Rosanna ao mesmo tempo que as portas começavam a se fechar.

Stephen pegou o fone sobre a mesa da recepção e ligou para o número de Nova York. O telefone tocou várias vezes.

– Vamos lá, vamos lá – murmurou ele.

Por fim, para seu alívio, alguém atendeu.

– Ahn? – A voz estava sonolenta e grogue.

– Alô, é o Sr. Rossini?

– Não, é Chris Hugues, agente dele. Foi você o imbecil que ligou meia hora atrás? Quando cheguei ao telefone você desligou!

– Não, na verdade foi a Sra. Rossini, e sinto muito incomodar seu sono. O Sr. Rossini está?

– Não, ele não está. Quem está falando?

– Meu nome é Stephen Peatôt. Sou amigo da Sra. Rossini. Estou ligando do hospital Chelsea and Westminster, em Londres. A Sra. Rossini entrou em trabalho de parto e pediu para avisar ao marido.

– Ai, meu Deus! Pensei que ainda faltassem umas duas semanas.

– Bem, parece que o bebê resolveu vir um pouco antes da hora. O senhor pode dar o recado? Com certeza o Sr. Rossini vai querer vir direto para o hospital quando chegar a Londres.

– Sim, claro, deixe comigo. Eu aviso.

– Ótimo, obrigado.

– Olhe, mande um beijo para Rosanna e diga que Roberto está a caminho.

– Direi.

Stephen pôs o fone no gancho, folheou o caderninho de Rosanna e ligou para o número de Abi. A mãe dela atendeu e disse que a filha tinha ido passar o fim de semana prolongado com Henry na Escócia e que não fazia ideia de onde eles estavam hospedados. Ele lhe agradeceu e pediu que a mãe desse a notícia a Abi assim que ela chegasse.

Sem mais opções, Stephen entendeu que agora era com ele.

Cinco minutos depois, o Dr. Hardy o fez entrar no quarto de Rosanna. Ela estava sentada na cama com uma expressão aflita.

– Conseguiu falar com Roberto?

– Consegui. Ele vem direto para cá.

– Graças a Deus.

Ela tornou a afundar nos travesseiros.

– Como está se sentindo?

Stephen foi até a cama.

– Entre uma contração e outra, tudo bem. O Dr. Hardy me examinou e disse que ainda falta bastante, mas está tudo bem com o bebê.

– Que bom. – Stephen torceu os dedos. – Tentei ligar para Abi, mas a mãe dela disse que ela foi passar o fim de semana fora com Henry.

– Não tem problema. Muito obrigada pela sua ajuda. Pode ir agora. Vou ficar bem.

– Tem certeza?

– Tenho. Tem uma parteira muito simpática que...

O rosto dela se contorceu.

Por instinto, Stephen foi até ela e segurou sua mão.

Rosanna foi apertando a mão dele com cada vez mais força até expirar e abrir um sorriso fraco.

– Ai – falou, resumindo a situação com um grande eufemismo.

– Quem sabe não é melhor eu ficar mais um pouquinho? – sugeriu Stephen, irônico.

– Obrigada – agradeceu Rosanna.

A parteira apareceu no quarto.

– Tudo bem, Sra. Rossini?

– Acho que sim.

– Quer que eu saia? – indagou Stephen.

– Não precisa, a não ser que o senhor queira – respondeu a parteira, envolvendo o ventre de Rosanna com uma cinta e ligando o aparelho de monitoramento. – É bom a Sra. Rossini ter alguém com ela. Ter um bebê pode ser bem demorado, sabe? Principalmente sendo o primeiro... talvez ela fique aqui algumas horas ainda.

A mulher percorreu a barriga de Rosanna com um monitor prateado redondo até um leve som de batidas se fazer ouvir.

– O coraçãozinho. Parece estar tudo bem. Essa linha verde aqui mostra as suas contrações. Acho que está vindo uma. Então, ahn...

– Stephen.

– Stephen, chegue aqui e aperte a mão da Sra. Rossini como estava fazendo antes. Assim ela tem algo em que se concentrar.

Stephen se aproximou de Rosanna e segurou sua mão. Então lhe veio a sensação de que aquele seria um dia muito longo.

❧

O toque do telefone quebrou o silêncio do apartamento. Roberto acordou e a forma ao seu lado se mexeu, deu um gemido e tornou a ficar imóvel. O toque não deu trégua. Por fim, a mulher disse um palavrão, estendeu a mão para o interruptor de luz e tirou o fone do gancho.

– Alô.

Virou-se para Roberto.

– Para você.

– Quem é?

– Chris Hugues.

– Por que raio ele está me ligando às cinco e meia da manhã? – Roberto arrancou o fone da mão dela. – Sou eu. O que foi?

Ela viu o rosto dele empalidecer.

– *O quê? Mamma mia!* Quando? – Roberto olhou o relógio ao lado da cama. – Certo, já estou a caminho. Pode ver se tem lugar no voo das dez para Londres? Passo aí para pegar a mala e você pode chamar um carro para me levar até o aeroporto. *Ciao.*

Roberto passou o fone para Donatella e pulou da cama.

– Aonde você vai? O que houve? – perguntou ela enquanto ele se vestia às pressas.

– É Rosanna. Ela entrou em trabalho de parto. Está tendo nosso filho enquanto eu...

A expressão de agonia no rosto dele disse a Donatella tudo o que ela precisava saber. Ela sentiu um peso no coração.

– Entendi.

Ficou observando-o sem dizer nada enquanto ele terminava de se vestir às pressas e em seguida se encaminhava para a porta.

– Não ganho nem um beijo de despedida?

Ele se virou e balançou a cabeça.

– Eu... sinto muito, eu não deveria ter vindo aqui. Eu... – Sem saber o que dizer, ele deu de ombros. – Adeus.

A porta bateu e ele se foi.

Donatella afundou de novo nos travesseiros e desatou a chorar.

ও১৩

Chegando ao apartamento de Chris, Roberto arrumou às pressas uma bolsa de viagem, em seguida se despediu do agente.

– Nos vemos em Londres. E tenho certeza de que você não precisa que eu lhe diga que, se algum dia eu ouvir qualquer menção a onde eu estava hoje de manhã, vou saber de quem veio e vai ser o seu fim e o meu.

Chris assentiu. Afinal de contas, quem pagava a conta dava as cartas.

– Claro. O carro já está esperando lá embaixo. Vá cuidar da sua mulher e do seu bebê.

Roberto passou a maior parte do voo sentado, encarando o vazio, recusando qualquer comida ou bebida, exceto café. Ficou de óculos escuros para esconder as lágrimas de arrependimento que não paravam de brotar dos seus olhos.

A imagem de Rosanna sozinha na dor não parava de surgir em sua mente. Sua mulher tinha precisado dele enquanto ele estava transando com Donatella do outro lado do Atlântico. *Como* pôde fazer uma coisa dessas com ela?

Foi até o banheiro da aeronave, tirou os óculos e secou os olhos. Se Rosanna algum dia descobrisse a verdade, ia abandoná-lo. Ele tinha sido muito burro, egoísta e inacreditavelmente descuidado, ainda por cima. Sabia que várias pessoas na Met desconfiavam do que havia acontecido durante seus últimos dias em Nova York. Certa noite, quando estava jantando com Donatella no The Four Seasons, ele chegara a esbarrar com Francesca Romanos, sua coprotagonista.

– Ai, meu Deus... eu sou um traste, um traidor imundo e sem caráter... – Ele segurou a cabeça entre as mãos.

Alguns minutos depois, voltou para seu assento. A medida que os quilômetros que o separavam de Nova York aumentavam, via com cada vez mais clareza o que havia colocado em risco.

Não era tarde demais, era? Se ele parasse agora e nunca mais voltasse a ver Donatella, não havia motivo algum para Rosanna ficar sabendo. E ele a compensaria de todas as formas que pudesse. Nunca mais sairia do seu lado. Eles dois... eles *três* ficariam juntos. Ele lhe compraria a casa no campo da qual ela havia falado, cancelaria seus compromissos nos seis meses seguintes e a ajudaria com o bebê. Sim, sim, era isso.

Planejar sua penitência o ajudou a ficar mais calmo. Só teria de suportar sozinho o fardo da culpa... além de garantir, custasse o que custasse, que Rosanna jamais passasse pela terrível dor de descobrir seu segredo.

☙❧

– Vamos lá, Rosanna. Só mais um pouco de força e o bebê vai chegar – disse o Dr. Hardy. – Já estou vendo a cabecinha.

Ela ergueu os olhos para Stephen e gemeu.

– Eu não consigo, não consigo.

– Consegue, sim – disse ele. Entendia que ela estava quase no limite depois de tantas horas de trabalho de parto. E ele também estava. – Vamos lá, agora!

Ele apertou forte a mão de Rosanna enquanto ela fazia força e soltava um gemido de dor.

– Ótimo, ótimo! Mais duas dessas e você vai poder segurar o bebê no colo – incentivou o Dr. Hardy.

Stephen fez uma careta quando as unhas dela se cravaram nas palmas de suas mãos.

– Isso, Rosanna, isso! – falou, sorrindo enquanto ela tomava ar e se preparava para outro grande esforço.

– Ótimo, muito bem, isso mesmo! Está vindo. Não pare de fazer força – instou o Dr. Hardy.

Ela então soltou um último uivo e o médico ergueu nos braços um corpinho todo vermelho com uma coroa de cabelos bem pretos. Na mesma hora, o minúsculo ser soltou um grito agudo.

Exausta, mas radiante, Rosanna se apoiou nos cotovelos para ver pela primeira vez o filho recém-nascido.

– É menino, Rosanna. Meus parabéns! – disse o Dr. Hardy.

Com destreza, cortou o cordão e envolveu o bebê em uma manta branca antes de entregá-lo à mãe.

– Como ele é lindo – sussurrou ela. Pôs o dedo dentro da minúscula mãozinha e sentiu o bebê apertá-la. – Igualzinho ao pai, não é?

Stephen olhou para o rostinho todo enrugado.

– Acho que sim.

– Muito bem, Rosanna, agora vou fazer uma limpezinha – disse o Dr. Hardy. Virou-se para Stephen: – Por que não vai pegar um café? Logo ali no corredor tem uma máquina e uma sala de repouso para o senhor relaxar.

– A máquina vende charutos? – perguntou Stephen com um sorriso. – Sinto que deveria fumar um. Volto daqui a pouco – disse ele a Rosanna e saiu.

☙❧

Meia hora depois encontrou-a sentada na cama, com os cabelos penteados, vestindo uma camisola limpa e com o bebê dormindo tranquilo junto ao peito. Seus olhos brilhavam de felicidade e Stephen pensou que nunca tinha visto uma mulher tão linda. Sentou-se na cadeira ao lado da cama.

– Tudo bem?

– Tudo maravilhoso. – Ela sorriu. – Stephen, como vou poder lhe agradecer?

– Não precisa, não mesmo. Qualquer um teria feito a mesma coisa.

– Bem, não sei se um dia vou conseguir compensá-lo, mas você gostaria de segurar o bebê?

– Se você tiver certeza de que não se incomoda...

– É claro que não. Você foi uma das primeiras pessoas que ele viu na vida. Talvez ele ache que você é o seu *papà* – disse ela com uma risadinha, entregando-lhe com cuidado a criança toda enrolada.

Stephen pegou o bebê e o segurou no colo. Baixou os olhos para os dois pontinhos brilhantes e escuros que se abriram e o encararam sem focar.

– Ele é bem espertinho.

– É. – Ela estendeu a mão para acariciar o rosto do filho, em seguida a pousou sobre a dele. – Você foi muito bom comigo.

Os dois viraram o rosto quando a porta se abriu num rompante e Roberto entrou.

– Roberto! Ah, você chegou, você finalmente chegou! Ganhamos um menino, um lindo menino!

Rosanna estendeu os braços, e as lágrimas começaram a rolar por suas faces.

– Minha querida! – Ele foi depressa até a cama e a abraçou com força. – Estou tão orgulhoso de você. Como me perdoar por não ter estado ao seu lado?

– Não tem importância. Stephen foi maravilhoso. Você precisa agradecer a ele – pediu Rosanna.

Roberto olhou para Stephen, um homem que nunca tinha visto, mas que estava segurando seu filho no colo.

– É claro que vou agradecer, mas primeiro será que posso segurar meu filho? – perguntou, ríspido.

– É claro – respondeu Stephen, sentindo-se muito pouco à vontade ao entregar a pequena trouxa ao pai.

Roberto pegou o filho no colo, então deu as costas para Stephen e se virou para Rosanna.

– Que lindo – murmurou. – Igualzinho à *mamma*. – Com delicadeza, pôs o bebê no colo de Rosanna e, em seguida, envolveu os dois em um carinhoso abraço. – *Amore mio*, estou tão orgulhoso de você. Eu te amo.

– Também te amo.

Stephen se levantou e começou a se aproximar da porta, entendendo que sua presença não era mais necessária.

– É melhor eu ir... – começou a dizer, mas, ao ver que os dois nem reparavam nele, saiu do quarto sem fazer barulho.

## *Ópera Metropolitana, Nova York*

Então, Nico, foi assim que você veio ao mundo. Há quem diga que talvez tenha sido nesse momento que minha história com Roberto começou a desandar. Afinal de contas, foi outro homem que viu você vir ao mundo. Seu pai, por motivos que eu só viria a saber depois, perdeu seu nascimento. Talvez tenha sido um presságio.

Na época, porém, eu era a mulher mais feliz do mundo. Tinha meu bebê perfeito e meu amado marido estava de novo ao meu lado.

Pouco depois de voltarmos para casa, seu pai nos levou de carro até a pitoresca cidadezinha de Slaughter, na região de Cotswolds. Quando chegamos aos arredores do vilarejo, ele pegou um longo acesso de cascalho margeado por imensos limoeiros. Quando fizemos uma curva, vislumbrei mais adiante uma das mais lindas casas que já tinha visto. Roberto me disse que ela se chamava The Manor House. Fora construída no século XVII e era cercada por vastos gramados. Mesmo no meio de uma tarde chuvosa de novembro, a casa tinha um aspecto acolhedor, com o exterior de pedra cor de mel e as janelas de mainel. Ele tinha a chave e demos uma espiada lá dentro. Todos os cômodos eram aconchegantes e convidativos, com vigas no teto, paredes de pedra exposta e lareiras com cheiro de lenha queimada. Roberto me perguntou se eu tinha gostado da casa e respondi que havia adorado. Ele disse que estava feliz, pois a comprara para me dar de presente. Seu plano era mantermos a casa de Londres, mas fazermos dali nosso novo lar. Ele queria que nos mudássemos o mais rápido possível.

Nunca vou me esquecer da hora que Roberto me abraçou no hall, me beijou e disse que cancelaria todos os compromissos nos seis meses seguintes para que nós três pudéssemos ficar juntos. Disse-me que nada mais importava a não ser sua mulher e seu filho, que ele podia viver sem cantar, mas não sem nós dois.

Assim, nos mudamos um mês depois. Nico, você tinha que ter visto seu pai nessa época. Como ele adorava você! Em muitas noites, você acordava chorando e era ele quem o ninava até que voltasse a dormir. Ele era o papà perfeito. Dava banho em você, dava comida, lia histórias e chegou até a trocar uma ou duas fraldas! A imagem dele segurando-o no colo enquanto *você dormia, feliz da vida, era a coisa mais maravilhosa do mundo. Eu nunca tinha visto Roberto tão feliz, nem tornei a ver desde então.*

*Foram dias perfeitos. Só nós três, naquela casa linda. Ninguém nos incomodava e levávamos uma vida simples e confortável. Para algumas pessoas, isso teria sido chato, mas para mim era o paraíso. Eu havia até perdido a vontade de cantar e raramente acompanhava Roberto quando ele ensaiava de manhã.*

*Mas é claro que as coisas tinham de mudar, como sempre acontece...*

## 30

*Gloucestershire, abril de 1981*

Roberto pôs o fone no gancho e olhou pela janela aberta do escritório. O sol estava forte e fazia calor. Viu Rosanna brincando com Nico no gramado salpicado de margaridas. Ouviu o menino rir quando ela o levantou bem alto e depois o trouxe de volta para o colo. Então ela reparou que Roberto estava olhando e acenou. Ele sorriu e lhe mandou um beijo.

Esfregou a testa. Era Chris Hugues ao telefone, para repassar com ele sua agenda dos dois meses seguintes. Em duas semanas, Roberto enfim retomaria seus compromissos. Para começar aos poucos, daria um primeiro concerto no Royal Albert Hall, em seguida cantaria por quatro semanas em Covent Garden. Depois disso, voltaria à roda-viva de concertos, gravações e apresentações em palcos mundo afora.

Até seis meses antes, Roberto não havia sequer cogitado a possibilidade de existir outro tipo de vida que pudesse satisfazê-lo. Mas o período desde que Nico nascera tinha sido uma revelação. A tranquilidade ali em The Manor House era sedutora. Sempre sentira pena dos homens que trabalhavam como meio para alcançar um fim, para proporcionar à família teto e comida. Agora, no entanto, quase invejava essa rotina de trabalho regular e imutável dos outros, pois os anos que tinha pela frente lhe pareciam cheios de pressões e insuportáveis afastamentos da mulher e do filho.

Pelo menos enquanto estivesse cantando em Covent Garden poderia ter o melhor de dois mundos. Decidira fazer o trajeto diário de ida e volta do trabalho e só dormir na casa de Kensington quando fosse absolutamente necessário. Mesmo neste caso, Rosanna e Nico poderiam ficar lá com ele.

Depois disso... Roberto passou uma das mãos pelos cabelos. Teria de conversar com Rosanna e ver o que ela achava. De uma coisa tinha certeza:

ficar sozinho era perigoso. Não daria à sua fraqueza em relação às mulheres outra chance de dominá-lo.

❦

Mais tarde nessa noite, depois de acomodarem Nico na cama, os dois se sentaram para jantar na cozinha grande e confortável.

– Não posso ter certeza, mas acho que Nico disse "*papà*" hoje – falou Rosanna com um sorriso.

– Foi mesmo? Mas ele só tem seis meses!

– Pelo que ouvi, foi sim. Lembre-me de comprar mais camisetas para ele amanhã. As que ele tem já estão ficando pequenas – disse ela, levando à boca uma garfada de carne tenra de cordeiro.

– Rosanna... – Roberto respirou fundo. – Chris Hugues me ligou hoje.

Ela franziu o cenho.

– Ah, é? O que ele queria?

– Repassar minha agenda para o próximo ano.

– Ah.

– Sei que você não gosta de pensar nisso. Nem eu, mas a gente precisa conversar sobre o futuro.

– Não podemos ficar assim e pronto? Temos sido tão felizes. Temos dinheiro suficiente, não?

– Não para viver os próximos vinte ou trinta anos como agora. Pense em Nico. Com certeza vamos querer que ele tenha os privilégios que não tivemos quando crianças... que estude nas melhores escolas, ou não? Que possa viajar? O fato é que em algum momento vou ter de voltar a trabalhar.

– É, acho que sim.

Roberto ficou olhando para a mulher enquanto mastigava um pedaço de cordeiro muito mais vezes do que o necessário.

– E você? – indagou, hesitante.

– O que tem eu?

– Você largou para sempre sua carreira?

– Talvez sim, talvez não.

– Rosanna – disse ele, em tom de repreensão. – Você deve ter pensado se quer ou não continuar a cantar.

– Não, não pensei. Pela primeira vez na vida, não me preocupei com nada, a não ser se a assadura do Nico está sarando ou se ele vai dormir a noite inteira. Tudo tem sido tão perfeito que não sinto saudade nenhuma de cantar.

— *Principessa*, você sabe que, se ficar aqui com Nico, seremos forçados a passar longos períodos separados.

— Eu sei — falou Rosanna. — Então o que você está dizendo na verdade é que o melhor seria eu retomar minha carreira, pois vou ter de seguir você pelo mundo de toda forma.

— Minha querida, nenhum de nós quer ficar longe do outro. Eu estava pensando que poderíamos chegar a um meio-termo. Covent Garden hoje é a casa na qual me sinto mais à vontade. Eu poderia pedir a Chris que garantisse que muitos dos meus trabalhos sejam na Inglaterra. Talvez possamos morar aqui durante seis meses do ano.

— E os outros seis meses vamos passar em hotéis nos quatro cantos do mundo. — Ela o encarou. — Você acha mesmo que isso vai ser bom para o Nico?

— Outras crianças fazem isso. *Cara*, ele é só um bebezinho. Não vai nem saber onde está. E com a *mamma* ao seu lado, não vai se importar. Quando eu fizer temporadas longas, podemos até alugar apartamentos em vez de quartos de hotel.

Roberto agora estava implorando.

— Mas, se eu voltasse a cantar também, Nico não só estaria em lugares desconhecidos, como teria uma pessoa estranha cuidando dele.

— Com certeza podemos encontrar uma babá muito boa. Talvez até um professor particular, quando ele for um pouco mais velho. E, além disso, existem muitos colégios internos nos quais ele poderia estudar. Por favor, Rosanna, a gente não funciona separado, você sabe disso.

Ela pegou um pedaço de brócolis e mordeu a ponta, pensativa. Por fim, tornou a falar:

— Vou tentar explicar como me sinto. Quando descobri que estava grávida, fiquei muito confusa, quase infeliz. Minha carreira estava indo bem, eu tinha você... achava a vida perfeita. Não queria que nada a estragasse. Aí o Nico chegou e, com ele, um novo modo de vida e uma nova prioridade.

— Então está dizendo que ama Nico mais do que a mim?

— Não seja infantil. Você sabe que o amor que sinto por você está mais forte do que nunca. Mas por Nico eu sinto um tipo diferente de amor...

amor de mãe. E uma criança precisa de rotina. Não acho que seja certo ficarmos arrastando o menino pelo mundo.

– Bem, ainda temos dois meses antes de eu ser obrigado a sair da Inglaterra. *Cara*, entendo como se sente em relação a Nico, mas sem dúvida sua carreira também é importante, ou não? O que vai acontecer quando ele crescer? Quando for para o colégio? Você terá sacrificado tudo por ele, e não terá sobrado nada para você mesma.

– Por favor, podemos mudar de assunto? – pediu ela. – Não consigo lidar com esta conversa hoje.

Roberto viu a angústia no belo rosto da mulher e assentiu.

– Desculpe. Também detesto falar disso. Mas, por favor, *cara*, pense no que eu disse. Precisaremos tomar algumas decisões em breve.

※

Nessa noite, Rosanna não conseguiu dormir. Ficou se revirando na cama e acabou se levantando, subindo o corredor até o quarto de Nico. À claridade mortiça da luz noturna, viu que o filho dormia tranquilamente.

Sentou-se na cadeira de amamentar, abriu a cortina e olhou pela janela a escuridão lá fora. Era uma escolha quase impossível. Ela sabia que precisaria optar por um dos dois. Se desistisse da carreira e ficasse ali, raramente veria Roberto. Se decidisse continuar a cantar e viajar com Roberto, porém, o menino seria privado da atenção integral da mãe.

Sabia que era sorte poder optar por ficar em casa com Nico se quisesse. Muitas mulheres não tinham essa alternativa. Mas, por outro lado... Ela se lembrou daquele mês horrível que Roberto havia passado em Nova York e de quanto havia ficado infeliz.

Era inútil.

Bem devagar, tornou a descer o corredor até o quarto. Os braços de Roberto a envolveram quando ela se enfiou debaixo do edredom.

– Está tudo bem?

– Sim. Só não consigo dormir.

– Tente não se preocupar. Vamos dar um jeito.

Ele a beijou no rosto com delicadeza.

No escuro, Rosanna assentiu.

– Seja como for, pelo visto vou sair perdendo – murmurou ela.

# 31

Quatro semanas depois, Rosanna ainda não tinha tomado nenhuma decisão sobre o futuro. Roberto, muito envolvido com os preparativos de *Tosca* em Covent Garden, mostrou-se o mais compreensivo possível e lhe deu todo o apoio que pôde.

– Acho que você devia ir à estreia – comentou ele quando os dois estavam tomando o café da manhã, enquanto Nico, feliz da vida na cadeirinha pousada no chão, balbuciava coisas desconexas. – Se você for e vir Francesca Romanos cantando Tosca no seu lugar, talvez isso a ajude a tomar uma decisão – provocou.

– Você está torcendo para que eu fique tão enciumada que volte na hora.

– *Principessa*, sinto sua falta – insistiu ele. – Do ponto de vista técnico, Francesca é muito boa, mas não temos o mesmo entrosamento que tenho com você. Não pode me culpar por tentar convencê-la. – Ele olhou o relógio e suspirou. – Infelizmente preciso sair para ensaiar. – Ele se levantou da cadeira, então se abaixou e tirou Nico da cadeirinha. – Seja um bom menino com a sua *mamma*. Nos vemos mais tarde. – Beijou o filho e o entregou à mãe enquanto os dois andavam até a porta.

– A que horas você chega?

– A tempo de dar banho em Nico – disse ele com um sorriso. – Por favor, *cara*, pense na noite de estreia. Sair um pouco de casa lhe faria bem.

– E Nico?

– Rosanna, tenho certeza de que no vilarejo deve haver várias meninas disponíveis para cuidar dele por algumas horas. Pergunte por aí e ponha um anúncio no correio. *Ciao*.

Rosanna ficou olhando o carro se afastar com um rugido. Levou Nico para dentro, tornou a colocá-lo na cadeirinha e tirou a mesa do café.

Pouco depois, acomodou o filho no carrinho e partiu em direção à agência do correio.

Quando Roberto chegou em casa à noite, ela lhe passou uma taça de vinho.

– Achei uma menina bem simpática para ficar com Nico. A senhora que trabalha no correio tem quatro filhos e disse que a filha teria prazer em cuidar dele. Já conheci a menina. Vou poder ir à estreia.

– Maravilha! Sei que vou cantar de um jeito especial se você estiver na plateia. – Ele estendeu-lhe a mão. – Obrigado, *cara*.

※

Era estranho usar salto alto depois de meses só usando sapatos baixos, e mais esquisito ainda se maquiar, pensou Rosanna diante do espelho, enquanto examinava o próprio reflexo. Havia comprado aquele vestido de noite pouco antes de engravidar e, com o barrigão, não tivera oportunidade de usá-lo. Agora a roupa coubera perfeitamente e ela ficou orgulhosa por ter recuperado a forma tão depressa.

Saiu do quarto e foi até o de Nico. O menino estava deitado no chão, rindo, enquanto Eileen, ajoelhada ao seu lado, lhe fazia cócegas.

– Tem certeza de que vocês dois vão ficar bem? – perguntou Rosanna pela enésima vez, ansiosa.

– Claro. Vamos ficar bem, não é, Nico? Pode ir, Sra. Rossini. Divirta-se.

– Chego antes da meia-noite. As mamadeiras dele estão na geladeira e na gaveta há roupas limpas. Se houver algum problema...

– Ligarei para o número no bloquinho ao lado do telefone. Já sei – disse a moça, paciente.

Rosanna beijou o filho e desceu na mesma hora que o táxi que Roberto havia chamado para levá-la a Londres vinha subindo o acesso à casa.

– Então já vou! – falou em voz alta para o andar de cima.

– Tchau, divirta-se! – foi a resposta.

※

Duas horas depois, o carro encostou em frente à Royal Opera House. Rosanna desceu, entrou e subiu a grandiosa escadaria até o bar chamado Crush Room, onde havia combinado de encontrar Chris Hugues.

– Você está muito bonita, Rosanna. – Chris lhe deu dois beijinhos no rosto e a conduziu até uma mesa. – Tome uma taça de champanhe para comemorar o sucesso de Roberto e sua volta ao teatro de alguns dos seus maiores triunfos.

– Obrigada. – Ela pegou a taça. – Parece que faz anos que não venho a Londres.

– E sente falta?

– Não, nenhuma – respondeu ela com sinceridade.

– Com certeza é bem mais saudável para Nico morar fora da cidade. Ele é um bom menino, não é? Você teve mesmo muita sorte com ele até agora.

– Eu sei. Dizem que um parto fácil produz um bebê tranquilo, e a equipe do hospital foi muito boa. Stephen também, claro – acrescentou ela.

– Stephen?

– Meu marido substituto. Foi ele que me levou ao hospital.

– Ah, claro. Acho que falei com ele.

– Falou? Quando? – Rosanna lhe lançou um olhar surpreso.

Ao se dar conta do que tinha dito, Chris escolheu as palavras com cuidado.

– Quando ele ligou para o apartamento para avisar que você tinha entrado em trabalho de parto antes da hora. Ouvi o telefone tocar primeiro e fui atender.

– Ah, entendi.

Ele logo mudou de assunto:

– Mas e você, ansiosa para assistir ao espetáculo?

– Acho que sim, mas vai ser difícil ver outra pessoa cantar com Roberto.

– Estou torcendo para que seja mesmo – falou Chris, sorrindo. – Não há motivo algum para você não voltar aos poucos, sabia? Um ou outro concerto para começar, digamos. Depois uns dias em Paris, por exemplo. As propostas ainda estão surgindo, Rosanna, mas não vai ser assim por muito tempo.

– Eu sei, eu sei. – Ela suspirou. – Mas Nico ainda é tão pequenininho... Preciso de mais um tempo, Chris, por favor.

– Entendo.

O sinal de dois minutos tocou.

– Certo, é melhor irmos andando.

Rosanna sentou-se no camarote ao lado de Chris e se deliciou com o cheiro do velho teatro. Debruçou-se no macio guarda-corpo de veludo e ergueu os olhos para a cúpula do magnífico teto azul-claro e dourado. Sua boca se curvou em um sorriso quando ela pensou que, em circunstâncias normais, estaria aguardando nervosa do outro lado da cortina, portanto, não admirando a arquitetura. Um calafrio de animação percorreu seu corpo quando as luzes diminuíram e a orquestra atacou a abertura.

Ela assistiu a Roberto cantar com Francesca Romanos, e ele nem sequer parou para respirar na difícil subida em semitom do dueto amoroso no Primeiro Ato. Quando ele cantou "Vittoria! Vittoria!", no Segundo Ato, Rosanna sentiu um tremor de emoção percorrer a plateia. E depois de "E Lucevan le Stelle", o público se levantou e passou vários minutos batendo os pés do chão e aplaudindo até o maestro erguer a batuta para retomar.

Foi então que Rosanna entendeu quão difícil seria se manter afastada. Todos aqueles anos de dedicação e prática... como ela poderia abandonar aquele mundo? Ele era seu tanto quanto de Roberto, e parte da magia entre os dois era subir ao palco juntos.

Seus olhos ficaram marejados quando viu Roberto e Francesca serem aplaudidos de pé por cinco minutos. Havia escutado Francesca com atenção, tentando identificar defeitos. Eram poucos. Sua colega era boa, muito boa. Também era jovem e extremamente bonita.

– Como está se sentindo? – indagou Chris quando saíram do camarote.

– Deprimida – respondeu Rosanna com um suspiro. – Estava torcendo para não me abalar, mas é claro que me abalei.

– Que boa notícia.

Chris a conduziu até o Crush Room, onde as pessoas se reuniam para uma recepção regada a champanhe.

Uma salva de palmas acolheu Roberto e Francesca quando eles entraram no bar. Roberto viu Rosanna e foi direto na sua direção.

– Gostou, *principessa*?

– Não sei se "gostar" é a palavra certa – respondeu ela, com uma careta. – Mas você foi sublime, *caro*.

– Com licença – disse Chris, encarnando por completo sua persona de empresário. – Posso pegar Roberto emprestado por dois minutos? Tem uma pessoa ali que eu quero que ele conheça.

Rosanna ficou sozinha quando os dois homens se afastaram pelo recinto.

– Oi, Rosanna.

Virou-se e deu com Francesca Romanos sorrindo para ela. Como profissional, Rosanna a respeitava, mas sempre a havia considerado uma pessoa um tanto frívola. Mesmo assim, sabia dar crédito a quem merecia.

— Meus parabéns, Francesca. Achei você muito, muito boa – falou.

— Obrigada. Você não sabe o que isso significa para mim. Sempre fui uma grande admiradora sua. E Roberto foi brilhante, como sempre. Acho que cantamos bem juntos.

— Cantam, sim. – Rosanna tentou não demonstrar seus sentimentos.

— E como vai o bebê?

— Ah, vai bem. Vai muito bem, para dizer a verdade.

— E você já decidiu quando vai voltar?

— Não.

— Entendi. Tem alguma chance de isso não acontecer?

— Não sei mesmo – respondeu Rosanna. A cada segundo, sentia-se menos à vontade.

— Se você não voltar vai ser difícil – continuou a outra mesmo assim. – Quero dizer, isso de ficar deixando Roberto viajar sozinho o tempo todo... Ele é um grande sedutor. Tinha uma penca de admiradoras lindas fazendo fila lá em Nova York.

— Ah, é? Bom, isso não chega a ser novidade. Meu marido é mesmo um homem carismático – falou Rosanna, tentando soar despreocupada, mas já morrendo por dentro.

— Com certeza você já deve estar acostumada, mas o jeito como algumas mulheres se jogam em cima de homens famosos como Roberto me deixaria maluca. Quero dizer, tinha uma em especial... Donatella. Acho que era esse o nome. Simplesmente não parou de atormentá-lo. Eu disse a Roberto que ele deveria tomar mais cuidado. Deveria saber melhor do que ninguém o que uma fofoca pode fazer, mesmo *todos nós* sabendo que foi uma coisa inocente – acrescentou ela, cúmplice, piscando para Rosanna como se as duas estivessem compartilhando uma brincadeira só delas.

— Claro. Com certeza foi mesmo. Agora, com licença, preciso encontrar meu marido. – Rosanna sabia que estava sendo grosseira, mas não conseguia suportar nem mais um segundo.

— Ah. Sim, claro. Tchau, Rosanna... quem sabe nos vemos mais tarde? – O fim abrupto da conversa fez Francesca adotar uma expressão petulante.

Rosanna nem se importou. Saiu andando depressa na direção do banheiro feminino.

— Donatella – gemeu, trancando-se em um dos cubículos e apoiando-se pesadamente na porta. – Por que, Roberto? Por quê?

❦

– Quero ir para casa. Prometi à babá que voltaríamos antes da meia-noite.

Roberto encarou a esposa. Rosanna estava pálida, com os olhos vermelhos.

– Mas, *cara*, preciso falar com umas pessoas antes de ir.

– Então vou pedir que Chris me leve – retrucou ela, atrevida.

– Rosanna, por favor...

Mas ela se afastou antes de ele conseguir terminar. Na mesma hora, um maestro o abordou.

– Então, Sr. Rossini, quer dizer que o senhor vai cantar em Glyndebourne no ano que vem?

Dez minutos depois, Roberto se afastou dele para procurar Rosanna.

– Você viu minha mulher? – perguntou a Francesca.

– Vi. Foi embora faz alguns minutos com Chris Hugues. Acho que ela estava cansada.

Um garçom apareceu ao lado dele.

– Aceita um champanhe, senhor?

– Por que não? – Roberto suspirou e, com o semblante fechado, pegou uma taça da bandeja do garçom.

❦

No carro, Rosanna permaneceu calada enquanto Chris saía de Londres.

– Você está muito calada – comentou ele. – Doeu muito ver Francesca no palco?

Ela não respondeu.

– Você sabe que ela não chega nem aos seus pés, meu bem. Todas as óperas querem você de volta ao lado de Roberto. É só me dar o sinal verde.

– Eu tenho Nico. Ele é tudo de que preciso – respondeu ela feito um robô.

– E Roberto.

– Acho que tenho que me acostumar a ficar sem ele.

– Quer dizer que você não vai voltar?

– Não. Hoje tomei minha decisão. Não vou voltar.

– Mas você e Roberto vão mesmo conseguir aguentar tantas separações? – insistiu Chris.

Ele era o empresário de Rosanna e, por mais que entendesse a sinuca na qual ela se encontrava, seu trabalho era trazê-la de volta aos palcos.

– Enfim, Roberto é um homem muito sociável. Com você ao lado, não precisa de mais nada. Aparece nos ensaios, não é dado a chiliques e, de modo geral, apresenta um comportamento impecável. Ele mudou muito desde que vocês se casaram, e para melhor. Ter você ao lado possibilitou que a fama dele crescesse. Mas fico preocupado quando penso que você vai ficar em casa enquanto ele viaja... Desculpe se estou me intrometendo, mas você deve saber que ele tem um... um lado impulsivo que acha difícil de controlar quando vocês não estão juntos...

– Como em Nova York, você quer dizer? Com Donatella Bianchi?

Chris levou um tempo até dizer:

– Eu não sabia que você sabia.

– Eu não sabia, até Francesca decidir me atualizar agora há pouco. E obrigada por confirmar, Chris.

– Que merda! Aquela imbecil! – Chris bateu no volante com força com a palma da mão.

– Eles tiveram um caso?

– Ai, meu Deus, Rosanna. Eu não sei – gemeu Chris.

– Mas você estava com Roberto no apartamento. Deve ter acompanhado as idas e vindas dele.

– Não, na verdade não. Eu passava muito tempo fora.

– E naquela manhã em que Stephen ligou? Você atendeu porque Roberto não estava? Porque ele não estava às cinco e meia da manhã enquanto a mulher dele entrava em trabalho de parto?

As lágrimas arderam nos olhos de Rosanna.

– Não, tudo bem, ele não estava, mas poderia muito bem estar em alguma casa noturna. Elas ficam abertas até tarde em Nova York e era a última noite dele na cidade.

Chris saiu com o carro da autoestrada e adentrou a escuridão de uma estradinha rural.

– Mas Roberto sabia que eu ia ter o bebê antes da hora. Foi direto para o hospital. Alguém deve ter entrado em contato com ele e, para isso, sabia exatamente onde ele estava antes de pegar o avião. Foi você?

Chris tornou a ficar calado e nesse silêncio Rosanna teve sua resposta.

– Nada disso tem importância, Rosanna. O que quer que tenha acontecido em Nova York é passado. Eu sei quanto Roberto ama você, sei como ele deixou a carreira de lado nos últimos seis meses para ficar com você e com o filho. Nunca o vi tão feliz.

– Por favor, Chris, não me trate como criança. Não quero mais conversar sobre isso. É uma questão entre mim e Roberto.

– Mas, Rosanna...

– *Por favor!*

Chris continuou dirigindo, calado e sem graça, até entrar com o carro no acesso à casa e parar em frente a The Manor House. Desligou o motor e olhou para Rosanna. O semblante dela estava impassível.

– Quer que eu entre com você? Podemos conversar sobre isso. Não é tão ruim quanto parece, não mesmo.

– Não, Chris. Se você não se importar, quero ficar sozinha. Obrigada por me trazer em casa.

Ela abriu a porta do carro, saltou, fechou a porta e atravessou o cascalho.

Chris viu a porta da frente se fechar atrás dela, praguejou até não poder mais, então deu a partida e se afastou da casa.

૭✵૭

Sentada no banco junto à janela do quarto de Nico, Rosanna olhava a lua cheia. Nico dormia profundamente e um leve ronco vinha do berço de vez em quando para tranquilizá-la.

Ela já não se importava com mais nada. Sua primeira vontade fora de sair correndo, pegar o filho e sumir. Mas sabia que a dor a acompanharia. Além do mais, sua vida estava *ali*, bem ali. Roberto podia pegar a dele e ir morar em outro lugar.

Ele havia lhe *jurado* que aquilo jamais aconteceria. Havia quebrado a promessa e, embora cumprir a sua parte no juramento talvez a matasse, era o que Rosanna ia fazer.

Levantou-se e foi em direção ao quarto que antes dividia com o marido. Tinha muito a fazer antes de ele chegar.

૭✵૭

Já passava das duas quando o Jaguar de Roberto subiu o acesso à casa. Rosanna estava esperando em pé junto à porta.

Assim que o viu, soube que ele tinha bebido. Poderia ter morrido no caminho para casa... mas ela afastou esse pensamento. Aquilo não tinha mais importância, *não podia* mais ter importância.

– Ainda está acordada, *cara*? – Roberto veio na sua direção com os braços estendidos.

– Por enquanto, tem o suficiente aí dentro – disse ela, apontando para as duas malas junto à porta. – Depois mando entregar o resto na casa de Londres.

Ele pareceu não entender.

– Desculpe, *cara*, achei que tivéssemos decidido que eu passaria as próximas semanas fazendo o trajeto entre aqui e a cidade... além do mais, fazer malas a esta hora da noite...

– Você vai embora desta casa, Roberto. Agora. – A voz dela soou fria como gelo.

– Mas por quê? Alguém morreu?

– Não, ninguém, só meu amor por você.

– O que houve? O que foi que eu fiz?

– Você me fez uma promessa, Roberto. E me traiu. Nunca mais quero vê-lo.

– Eu... – Ele balançou a cabeça, atordoado. – Que promessa? Como assim, traí você?

– Se não se lembra da noite que passou na cama quentinha de Donatella Bianchi enquanto sua mulher estava em trabalho de parto, não cabe a mim fazê-lo lembrar. Eu o odeio. Por favor, saia da minha frente.

Ele a encarou, horrorizado. Caso Rosanna não tivesse acreditado plenamente nas palavras de Francesca, agora acreditava. A culpa estava estampada no rosto de Roberto.

– Mas... mas como? – Ele caiu de joelhos no vão da porta.

– Não importa como eu sei. O que importa é que eu sei.

Ele começou a chorar.

– *Mamma mia*, Rosanna, se você soubesse quanto me puni. Donatella e eu... não significou nada, *nada*... será que você não entende?

– E quantos homens casados você acha que tentaram dar essa desculpa para suas mulheres? Não, eu não entendo droga nenhuma. Quando você me pediu em casamento, eu disse que o deixaria se fosse infiel. Você teve um caso, mas quem vai embora não sou eu, é você.

– Por favor, Rosanna, por favor, me deixe falar, me deixe contar como foi... Eu posso explicar, *por favor*, eu imploro. Eu te amo, *amore mio*, te amo... – Ele cobriu o rosto com as mãos.

– Não. Eu achei que me amasse, mas não. Você foi para a cama com outra, mentiu para mim. Como pode chamar isso de *amor*? Você não é digno de ser pai do seu filho! – Rosanna tremia. – Roberto, quero que você vá embora agora.

Ele ergueu os olhos para a mulher cujo rosto estava banhado de luar. Ela parecia um espírito, um espectro, e Roberto soube que a expressão daquele rosto o assombraria enquanto vivesse. Também teve plena certeza de que ela estava falando sério. Forçou-se a se levantar.

– Rosanna, o que quer que você pense de mim, quaisquer que tenham sido as coisas ruins que eu fiz, eu te amo, te amo... Para mim não existe mais ninguém, nunca vai existir.

– Quero que você vá embora – repetiu ela.

Ele a encarou. O choque na sua expressão começava a ser substituído pela autocomiseração e pelo remorso.

– Se você me fizer ir embora sem me dar a oportunidade de explicar, nunca mais vou voltar.

– Que bom que você entende o que eu quero. – Ela fez um gesto em direção às duas malas. – Adeus, Roberto.

Bem devagar, ele se abaixou e pegou as malas.

– Você vai se arrepender, Rosanna. É simples. Não conseguimos viver um sem o outro.

Ele virou as costas e se afastou.

Rosanna o viu destrancar o carro, jogar a bagagem no porta-malas e fechá-lo com força. Ele então sentou no banco do motorista e ligou o motor. O carro roncou, deu ré, em seguida desapareceu pelo acesso.

Rosanna fechou a porta, virou-se e tornou a subir a escada em direção à única coisa que lhe restava e pela qual valia a pena viver.

# Ópera Metropolitana, Nova York

Então, meu querido, foi por isso que você passou o início de sua infância sem seu pai na nossa casa. Mas naquela noite também prometi a mim mesma que jamais tentaria influenciar você contra ele. Durante seus primeiros meses de vida, ele tinha sido um papá amoroso e atencioso. Senti-me culpada por privar você da presença dele, então decidi que, se ele ligasse e pedisse para vê-lo, eu deixaria.

O mês seguinte à partida de Roberto foi o mais difícil. Embora eu estivesse muito decidida, saía correndo toda vez que o telefone tocava, em parte desesperada para ouvir a voz dele, mas ao mesmo tempo temendo ouvi-la. A decepção que sentia ao constatar que não era ele vinha acompanhada de alívio, seguidos pela incredulidade de ele conseguir cumprir sua ameaça e se afastar de nós completamente.

O único contato que ele mantinha comigo era um generoso cheque mensal enviado por intermédio de Chris Hugues para cobrir nossas despesas. Nunca havia uma carta junto com o cheque.

A temporada de Roberto em Covent Garden terminou e ele partiu rumo a Nova York e à Met. Eu ficava sabendo sobre os seus movimentos tanto por Chris quanto pelos jornais. Seis meses depois, vi uma foto dele com Donatella Bianchi. Os dois estavam em uma festa em Nova York. Então compreendi que tudo estava mesmo acabado, que os sonhos que eu vinha acalentando quanto a uma reconciliação eram vãos; nosso casamento tinha sido uma farsa. Como poderia ter sido diferente? Tentei muito não odiá-lo, mas a mágoa que sentia por ele não fazer esforço para ver você, seu próprio filho, me consumia.

Passei quase o tempo todo sozinha naquele ano e você foi minha única companhia. Eu poderia ter recorrido à família ou aos amigos, porém o orgulho me impediu.

Mas não quero que pense que fui infeliz. Não fui. Eu tinha você, nossa casa, e a solidão para me ajudar a lamber minhas feridas. Não pensava no futuro nem na minha carreira. Vivia um dia após outro e minha capacidade de expressar emoções se limitava a você.

Foi quase exatamente um ano depois do dia que Roberto e eu nos separamos que as coisas começaram a mudar outra vez...

# 32

## *Gloucestershire, junho de 1982*

Rosanna acordou com o barulho de uma criança pequena brincando feliz em seu berço ali perto, sinalizando de modo sutil que estava acordada e pronta para ganhar atenção. Ficou deitada observando o sol forte que ansiava por derramar seus raios luminosos pelas cortinas do quarto. Raramente se demorava na cama depois de acordar, pois sabia que pensamentos assaltariam seus sentidos. Mas nessa manhã se sentia estranhamente em paz.

Em breve, um ano teria se passado. Um ano em que ela havia respirado, dormido, se alimentado... *vivido* sem ele. Com certeza isso devia ter algum significado. Era um marco e ela estava orgulhosa. Além do mais, sua querida amiga Abi em breve viria se hospedar na sua casa e esse pensamento a animou. Rosanna sabia que estava mais do que na hora de retomar contato com o mundo externo a The Manor House.

Por fim, saiu da cama. Foi planejando o dia enquanto descia o corredor em direção ao quarto do filho. Café da manhã, algumas tarefas domésticas, em seguida um passeio despreocupado com Nico até a lojinha do vilarejo. Depois do almoço, enquanto ele estivesse dormindo, uma hora de sol no jardim. Ela vinha de um lugar onde o calor era tão frequente que as pessoas mal prestavam atenção, mas ali na Inglaterra a temperatura alta era algo precioso, que devia ser valorizado. Depois faria um chá com sanduíches de mel para Nico – a refeição preferida do filho atualmente – e, por fim, macarrão com salada acompanhado por uma taça de Frascati geladinho para ela. Quando a noite caísse e Nico fosse dormir, porém, a escuridão se fecharia ao seu redor e viria a solidão...

Mas antes disso tinha o dia inteiro para aproveitar. Havia jeitos piores de se viver, pensou ela ao abrir a porta do quarto do filho.

– *Mamma! Mamma!* – O menino pulava, animado, segurando a grade do berço com as duas mãos. – Leite! Leite!

– Então vamos para a cozinha preparar uma mamadeira para você, meu amor.

Rosanna sempre falava com o filho em inglês. A Inglaterra seria seu lar e era lá que Nico estudaria, então achava que a língua materna do menino devia ser a do país onde ele nascera.

Pegou o filho no colo e o levou até a cozinha, no térreo. Depois de acomodá-lo na cadeirinha, encheu uma mamadeira com leite e lhe entregou. Enquanto ele mamava, feliz, ligou o rádio e começou a preparar o café.

– Pronto, meu amor – falou, pondo na bandeja de Nico um ovo e algumas torradas, e em seguida sentando-se ao seu lado. – Então, hoje pensei que a gente podia dar uma volta e depois...

Interrompeu-se quando o rádio emitiu as primeiras notas de "Addio Fiorito Asil", de *Madame Butterfly*. A lembrança foi muito vívida e dolorosa. Baixou os olhos e viu que suas mãos tremiam. Foi depressa até o rádio e desligou a voz do marido.

ଌଈଓ

Depois do almoço, enquanto Nico fazia a sesta, Rosanna se acomodou na confortável espreguiçadeira da varanda. A disposição tranquila que sentira ao acordar fora destruída pelo som da voz de Roberto. Parecia que estava apenas se iludindo ao pensar que conseguia superar a separação. Não se passava um dia sem que tivesse saudade dele e ainda ansiava por sentir aqueles braços fortes se fecharem ao redor de seus ombros, a boca na sua, a delicadeza do seu toque quando faziam amor.

– Ai, meu Deus... – gemeu ela.

Inclinou-se para a frente e apoiou a cabeça nas mãos. Ficou se balançando para a frente e para trás, perguntando-se qual esforço sobre-humano a faria conseguir passar o resto da vida sem ele.

No final do dia, deixou Nico ficar acordado até mais tarde do que de costume, adiando assim o instante em que ficaria sozinha outra vez. Às seis e meia, porém, no meio de uma historinha do Ursinho Puff, a cabeça do menino pesou no seu ombro e então ela o carregou delicadamente até o berço.

De volta ao térreo, pegou uma garrafa de Frascati na geladeira, levou-a até a varanda e encheu sua taça. O sol começava a descer em direção ao horizonte. Em Nova York era pouco mais de uma e meia da tarde e o sol ainda estava bem alto no céu. Talvez ele o estivesse olhando e pensando nela, com saudades... Rosanna se obrigou a parar. Já tinha percorrido esse caminho vezes de mais. Estava tudo acabado, *acabado*, e ela precisava aprender a viver no presente.

Começou a pensar de novo se ela e Nico deveriam continuar morando ali, em The Manor House, um lugar tão repleto de lembranças. Talvez fosse melhor irem para Milão ou Nápoles. Então pensou em todas as pessoas que balançariam a cabeça ao saber da sua separação, como se dissessem "eu sabia", lembrariam as previsões catastróficas que tinham feito e sussurrariam quanto ela havia se iludido ao pensar que Roberto algum dia poderia ser domado.

Talvez, antes do final do ano, levasse Nico para visitar Nápoles. Já fazia muito tempo que não via a família, mas pensar em fazer isso não lhe dava satisfação. Significaria fazer um esforço e fingir que havia superado a separação, quando a verdade era bem diferente...

Ouviu o cascalho estalar quando um carro se aproximou da casa. Poderia ser...? Seu coração começou a bater mais depressa e ela se levantou com um pulo e correu até a lateral da casa a tempo de ver um Jaguar parar diante da porta. Ficou imóvel, prendendo a respiração, e viu o motorista descer.

– Olá. – Um homem veio na sua direção, mas não era Roberto. – Sinto muito aparecer assim, mas Abi me disse que você morava aqui; eu estava passando e fiquei imaginando como estaria aquele rapazinho que eu vi nascer... – Constrangido, Stephen embolou as palavras. – Mas deve ser uma hora muito inconveniente e...

– Não, de jeito nenhum. Que gentileza a sua, Stephen. O que houve com o Fusca?

Ela apontou o Jaguar estacionado, tentando ocultar a pontada inicial de decepção.

Ele riu.

– Finalmente bateu as botas no mês passado, então fiz uma extravagância e comprei um modelo um pouquinho mais jovem.

– Por favor, não quer entrar e tomar um vinho? Eu estava sentada vendo o sol se pôr.

Depois de tudo que ele tinha feito por ela e Nico, o mínimo que Rosanna podia fazer era ser educada.

– Se tiver certeza de que não estou incomodando...

– Não está, não. Juro.

Ele a seguiu até a varanda, onde ela indicou uma cadeira.

– Sente-se. Vou pegar uma taça para você.

Stephen a observou desaparecer pela porta que dava para a cozinha. De camiseta e short, sem maquiagem e com os belos cabelos escuros presos em um rabo de cavalo, ela lhe parecia ainda mais jovem e mais vulnerável do que quando a conheceu. Abi tinha lhe contado o que acontecera, claro.

– Pronto – falou Rosanna, reaparecendo e lhe entregando uma taça. – Sirva-se de vinho e me conte por que estava passando pela nossa casa.

Ficou surpresa ao constatar que, apesar de não ser Roberto, estava genuinamente feliz por vê-lo.

– Abri uma galeria de arte em Cheltenham e fui entregar um quadro para um cliente em Lower Slaughter. Abi me disse que você morava em The Manor House, no final do vilarejo, então pensei em dar uma passada.

– Que bom que fez isso.

– A vista daqui é muito bonita – comentou ele baixinho, tomando um gole de vinho. – Tão tipicamente inglesa... E sempre reparei nesta casa. Fui criado em um vilarejo aqui perto, sabia?

– Bem, eu amo isto aqui.

– Não se sente sozinha, sem mais ninguém em casa?

– Não. Tenho Nico. Além disso, estou acostumada – respondeu ela, um pouco na defensiva.

– Claro. Eu fiquei... lamentei quando soube da sua separação.

Ela assentiu, mas não respondeu nada. Stephen entendeu a indireta.

– E como vai Nico?

– Ah, ele é lindo, e é um menino tão bonzinho... Já está andando, ou melhor, correndo por toda parte, e aprendendo a formar frases. Está começando a ser uma boa companhia. Pena você não ter chegado meia hora atrás, quando ainda estava acordado.

– Bem, quem sabe outra hora? – sugeriu Stephen. – Aliás, você não achou ótimo uma editora ter comprado o primeiro romance da Abi?

– Achei maravilhoso, sim. Não a vi muito no último ano, mas nos falamos pelo telefone. Enfim, ela está vindo para cá daqui a quinze dias, passar um tempo comigo. Disse que precisa de um pouco de paz e reclusão, longe de Londres, para poder se concentrar no próximo livro.

– Tenho certeza de que vai encontrar isso aqui. E também vai ser uma boa companhia para você.

– Vai mesmo. Faz tempo que não recebo ninguém em casa.

De repente, houve um silêncio desconfortável.

– Sinto muito ter invadido sua privacidade – falou Stephen, fazendo menção de se levantar. – Vou deixá-la em paz. Muito obrigado pelo vinho.

– Não há de quê. Foi ótimo rever você, Stephen.

Ao vê-lo pegar as chaves, Rosanna sentiu um forte impulso para que ele ficasse, para ter algumas horas de companhia.

– Está com fome? Ainda não jantei. Vai ser só massa e salada, mas, se quiser ficar, será muito bem-vindo.

Ele se virou para ela.

– Não está apenas sendo educada? Por favor, seja sincera.

– Não. Eu gostaria mesmo que você ficasse. Faz séculos que não converso direito com um adulto.

– Nesse caso, seria um prazer – disse ele. Seguiu-a até a cozinha e a observou pôr a chaleira no fogo. – Posso ajudar?

– Tem uma saladeira na prateleira de cima da geladeira. Pode pegar para mim?

– Claro.

Ele fez o que ela pediu e pousou a saladeira sobre a bancada enquanto ela procurava no armário um pacote de macarrão.

– Obrigada. – Enquanto esperava a água ferver, ela pôs uma panela de molho no fogo e começou a mexer. – Desculpe ter sido meio grossa quando você chegou. Eu me tornei muito antissocial no último ano.

– Entendo perfeitamente – falou Stephen. – Terminei meu namoro há cerca de um ano. Ela não quis se mudar para Cotswolds quando resolvi abrir a galeria aqui. Tentamos namorar à distância, mas não deu certo – disse ele com tristeza.

– Sinto muito – comentou Rosanna, compreensiva. – Quando fico muito para baixo, tento lembrar que pelo menos tenho uma bela casa na qual ser infeliz. Vamos comer lá fora? Posso acender umas velas, e ainda está bem quentinho.

– Parece perfeito.

Vinte minutos depois, os dois estavam sentados na varanda, saboreando um *tagliatelle* com salada. Rosanna ouviu com interesse Stephen falar sobre seu novo negócio.

– É uma galeria pequena, claro, e não tem nada a ver com aquela outra de Cork Street. Mas é toda minha. Para ser sincero, meu coração pertence aos mestres antigos, mas pelo menos agora sou meu próprio patrão e, se escolher bem meus artistas, a coisa não tem por que dar errado.

– Então você consegue dizer se um quadro é bom só de olhar?

– Gosto de pensar que sim. Minha área de especialização é com certeza por volta da Renascença, mas também gostaria de montar uma base de artistas modernos. Tem muita gente talentosa por aqui, sabia? Já levei dois artistas da região para a galeria.

– Eu não gosto de quadros modernos – falou Rosanna, franzindo o nariz. – Talvez eu seja burra, mas não entendo como rabiscos e pingos de tinta podem ser arte.

– Ah, pare com isso – recriminou Stephen com suavidade. – Nem todo artista moderno faz rabiscos e pingos de tinta, como você diz. Tenho uma pintora de paisagens incrivelmente talentosa que trabalha com aquarelas. O trabalho dela lembra Turner. Acho que ela vai se dar muito bem. Tenho a sensação de que, se você visse o trabalho dela, ia gostar.

– Quer dizer que você agora também mora por aqui?

– Por enquanto estou acampado em um apartamentinho em cima da galeria, até encontrar algo definitivo. Para ser sincero, investi todo o dinheiro que tinha para montar a galeria. Estou torcendo para que dê certo.

– Deve ser maravilhoso ter uma coisa que você pode ver crescer, algo que fez sozinho, por mais que tenha dado trabalho – refletiu ela.

– É mesmo – concordou ele. – Acho que é meio como ver sua voz amadurecer e melhorar. Quer dizer que você não tem planos de voltar a cantar?

– Não.

– Nunca mais ou só por enquanto?

– Não sei. Eu detestaria me separar de Nico. Além disso, voltar seria difícil com Roberto e eu... – Ela não completou a frase.

– Rosanna, não estou tentando pressioná-la de forma alguma, mas com certeza usar seu talento é uma coisa que você deve a si mesma, não é?

– Foi exatamente isso que Roberto falou – respondeu ela baixinho.

– Bem, eu não sei nada do que aconteceu entre vocês, mas nesse ponto acho que concordo com ele.

O vinho havia destravado a língua de Rosanna e ela de repente foi tomada pela necessidade de compartilhar seus pensamentos.

– Stephen, como homem, você acha que é possível ir para a cama com uma mulher mesmo amando outra?

– Ora, isso sim é mudar de assunto – disse ele e riu, quase engasgando com o vinho ao ouvir a pergunta direta. – Deixe-me pensar... bom, talvez para alguns homens, sim. Mas para algumas mulheres também. Por exemplo, minha namorada teve um caso enquanto ainda morava comigo... morava e *dormia*, devo dizer.

– E você, seria capaz? – perguntou ela.

– De ter um caso, você quer dizer?

– É.

– Pode me chamar de antiquado, mas para mim amor e fidelidade andam de mãos dadas. – Ele deu de ombros. – Embora eu não ache que se deva julgar os outros, gosto de acreditar que enganar não faz parte da minha natureza.

– Bem, então nós devemos ser os diferentes. Roberto só precisou passar umas semanas fora para se envolver com outra. Parece que os homens vivem tendo casos, e as mulheres vivem perdoando os maridos, principalmente se forem ricos, bonitos e famosos. Mas eu não consegui perdoar.

– Roberto tentou fazer você mudar de ideia?

– Não. Desde que o pus para fora, não tenho notícias dele. Às vezes eu gostaria de *ter* perdoado. – Ela suspirou; sabia que estava à beira das lágrimas. – Desculpe, mas faz quase um ano que ele foi embora e...

– Por mim não tem o menor problema. Tudo que posso dizer, por ter sofrido na pele, é que acaba melhorando depois de algum tempo.

– Não. – Rosanna balançou a cabeça, cansada. – Não vai melhorar nunca.

– Vai, sim, pode acreditar. O amor é uma espécie de vício. É preciso suportar um período de abstinência e não se punir por de vez em quando pensar que nunca vai passar.

– Eu queria ser igual à Abi. Ela tem vários namorados, mas nunca perde a esperança.

– Você não acha que talvez seja porque ela ainda não encontrou o homem certo?

– Talvez você tenha razão. Quando era mais nova, Abi foi apaixonada pelo meu irmão. E desde então parece que não consegue sossegar com ninguém.

– O que houve?

– Ele entrou para um seminário! – Rosanna conseguiu dar uma risadinha irônica.

– Entendi. – Stephen também sorriu. – Bem, a vida é difícil para todo mundo.

– É mesmo – concordou ela.

Ele olhou o relógio.

– Preciso ir – falou, com relutância. – Está ficando tarde e tenho certeza de que você acorda cedo.

– É. O horário em que o Nico fica mais animado é às seis da manhã.

– Rosanna, obrigado por esta noite tão agradável.

– Da próxima vez você tem que vir quando ele estiver acordado – disse ela enquanto andavam em direção ao carro dele.

– Eu adoraria. – Ele hesitou por um instante. – Você tem compromisso no fim de semana?

– Não.

– Que tal eu passar aqui no domingo e levar você e Nico até Cheltenham? Você poderia visitar a galeria e, se o tempo estiver bom, a gente pode fazer um piquenique no parque de Montpellier Gardens.

– Ahn...

– Por favor. Vai ser divertido e tenho certeza de que Nico vai gostar.

– Está bom – concordou ela.

– Pego vocês às onze e meia.

– Combinado.

– Se você providenciar a comida, eu cuido da bebida. Agora entre, está friozinho aqui fora. Boa noite.

Ela ficou olhando o carro se afastar antes de ir até a varanda e começar a tirar a mesa.

Um pouco mais tarde, entrou no quarto de Nico para ver se ele estava dormindo tranquilo. Depois de passar a mão por sua testa, hábito que havia desenvolvido para verificar se ele estava com febre, saiu do quarto e fez uma prece de gratidão por ter lhe mandado Stephen naquela noite.

## 33

– Como você é teimoso, *caro!* Por que não? – Donatella esvaziou a xícara de café e começou a vestir a roupa de baixo.

– Porque prezo minha liberdade, minha independência.

– Ou seja, você gosta de ter um lugar para transar com outras mulheres sem que eu saiba – retrucou ela, estendendo a mão para pegar o vestido.

Roberto se virou.

– Donatella, deixe de ser boba.

– Então por que não posso sair do meu apartamento e me mudar para cá com você? Detesto ter algumas das minhas roupas aqui e outras lá. Não é nada prático – choramingou ela.

– Não. Ainda não.

– Então quando?

– Não sei.

– Você ainda sente falta daquela sua esposa? – indagou Donatella, maldosa.

– Não!

– Então por que não se divorcia dela?

– Faz só um ano que estamos separados. Ainda é cedo para isso. Eu já disse, Donatella, preciso pensar no meu filho.

– Mas, *caro*, se você se divorciasse, poderia se casar comigo.

– Pode ser que ela não me conceda o divórcio, principalmente se ficasse sabendo que você se mudou para cá. – Roberto omitiu o fato de que nunca havia cogitado seriamente se casar com Donatella.

Ela estendeu a mão para a bolsa, foi até ele e o enlaçou pela cintura enquanto ele observava o horizonte de Nova York com o semblante fechado.

– Por que está tão infeliz, Roberto? Temos tudo aqui. Tudo. Sua carreira maravilhosa, amigos, um ao outro. Mas parece que não basta para você.

Ele não respondeu.

Donatella suspirou.

– Tenho que ir. Vou almoçar com Trish St. Regent. Me ligue de Paris, está bem?

– Claro.

– Te amo. *Ciao*.

Roberto sentiu o leve beijo na nuca, ouviu os passos cruzarem o recinto, e em seguida a porta da frente se fechar depois de ela sair.

Abriu os pulmões e fez um ribombante dó agudo reverberar pelo quarto. Pôs naquela nota toda a angústia e infelicidade que sentia atualmente.

Virou as costas para a janela e foi até a sala de estar. Talvez ainda não fosse tarde demais. Talvez, se pegasse o telefone, ligasse para Rosanna e lhe dissesse quanto a amava, quanto sentia sua falta, quando *precisava* dela como do ar que respirava, ela o perdoasse, e o desespero e a infelicidade que o acompanhavam desde que ele a havia deixado enfim desaparecessem.

Ele pegou o fone e discou os primeiros números. Em seguida tornou a pô-lo no gancho, mais uma vez dominado pelo orgulho. Deixou-se cair em uma cadeira e soltou um gemido longo e torturado. Seu coração batia com força e ele se sentia tonto, enjoado, coisa que vinha acontecendo com frequência nos últimos tempos. Talvez não estivesse bem, talvez devesse consultar um médico...

Ou talvez fosse só desespero.

Depois de sair de casa, um ano antes, fora acometido por uma raiva obstinada. Cometera um erro, sim, um erro grave, mas com certeza não devia ser imperdoável. Afinal de contas, ele era Roberto Rossini, o *maestro*. Outras esposas de astros da ópera fingiam não ver as escapadas dos maridos, pois entendiam que seu temperamento de artista precisava de uma válvula de escape física. Por acaso era culpa dele as mulheres o desejarem e ele ter fraquejado diante da tentação? Rosanna se daria conta do próprio erro, ligaria para ele e imploraria que ele voltasse. Ele havia ficado em Londres esperando ela entrar em contato. Por fim, entendera que ela não o faria.

Então a dor começara, aquela dor profunda que nunca o largava. Seis meses antes, ele se mudara para Nova York, convencido de que a distância seria a solução. Era lá que morava Donatella, prática, disposta e surpreendentemente carinhosa. Às vezes, nos braços dela, ele conseguia esquecer de tudo por alguns segundos. Mas, na maior parte do tempo, fechava os olhos e imaginava que era Rosanna ali com ele.

E seu filho, seu Nico, que começaria a andar e a dizer as primeiras palavras sem que seu *papà* estivesse lá para ver.

*Pegue o telefone, Roberto. Vamos*, ordenou a si mesmo.

Com as mãos trêmulas, ligou outra vez para The Manor House. Em poucos segundos ouviria a voz dela e seu tormento com certeza chegaria ao fim.

O telefone tocou e tocou. Se ela estivesse no jardim, levaria algum tempo para chegar até a casa, principalmente com uma criança pequena em seu encalço. Roberto deixou tocar por mais alguns segundos antes de pôr o fone no gancho com força.

Quando se levantou, o aparelho tocou. Atendeu no mesmo instante.

– Roberto? Sou eu, Chris. Só queria checar se você estava pronto. Passo aí em meia hora.

Ele colocou o fone no gancho e apoiou a cabeça nas mãos.

❦

– Acho que estou ouvindo o telefone tocar – falou Rosanna, ajudando Nico a descer do carro de Stephen. – Pode ficar de olho nele enquanto corro para atender?

Ela destrancou a porta da frente e entrou às pressas na sala. Quando chegou perto do telefone, ele parou de tocar.

– Estava esperando algum telefonema? – perguntou Stephen, que entrou na sala instantes depois, de mãos dadas com Nico.

– Não especialmente. Bem, se for importante, vão ligar de novo, certo?

– Sim, claro.

Stephen agora estava entretido perseguindo Nico, que, aos risos, dava voltas na mesa de centro com passos trôpegos.

Rosanna se deixou cair em uma poltrona.

– Não sei onde você arruma energia. Eu estou exausta! – Ela observou os dois com um sorriso satisfeito. – Quer ficar para um chá ou café?

– Normalmente eu adoraria, mas acho que preciso voltar. Tenho uma papelada para resolver antes de o cara dos impostos vir na quarta-feira.

Enquanto falava, ele pegou do chão o menino que não parava de rir e o entregou à mãe. Com Nico feliz e encaixado no seu quadril, Rosanna acompanhou Stephen até a porta e caminhou junto com ele em direção ao carro.

– Obrigada por um dia muito agradável – falou enquanto ele entrava no carro.
– Você gostou mesmo?
– Sim, gostei.
– Ótimo. Então qualquer hora dessas precisamos repetir.
– É, acho que eu gostaria. Sair um pouco de casa faz bem para nós dois. Dê tchau para o Stephen, Nico – disse Rosanna.
Stephen engatou a ré. O sorriso radiante de Nico se transformou em careta. A boca do menino se abriu e ele soltou um uivo de indignação quando seu companheiro de brincadeiras desapareceu pelo acesso de carros da casa.
– Ah, *angeletto*, não fique assim. Já, já ele volta – tranquilizou a mãe.
Os dois foram entrando outra vez na casa.
– Já, já – imitou o menino.
– É. Já, já.
Rosanna beijou a cabeça do filho e o levou para o banheiro no andar de cima.

❦

O telefone tocou bem na hora que ela havia se acomodado para assistir ao noticiário. Entrou no escritório e atendeu.
– Alô?
– Rosanna?
A voz conhecida a fez sorrir.
– Luca! Tudo bem?
– Sim, tudo ótimo.
– Que bom.
– Tentei ligar mais cedo, mas ninguém atendeu.
– Eu saí com Nico e um amigo. O telefone estava tocando quando a gente chegou, mas não atendi a tempo.
– Que bom que agora consegui. Como vai meu sobrinho?
– Lindo, espevitado, exaustivo. Já está mais do que na hora de você vir nos visitar. Se não vier logo, daqui a pouco ele já vai estar fazendo a primeira comunhão.
– É por isso que estou ligando. Estava pensando se você acharia bom eu ir passar um tempo aí com vocês.

– Se eu acharia bom? Luca, eu adoraria! Quando está pensando em vir?

– Na última semana de julho.

– Ah, tá.

– Algum problema?

– Não, nenhum. É que a Abi também vai estar aqui nessa época. Você se importa?

– É claro que não. Vai ser maravilhoso revê-la depois de tantos anos.

– Vou ter que falar com ela, mas tenho certeza de que ela também vai ficar feliz em ver você.

– Tomara. Milão já faz muito tempo. Agora somos todos adultos, não é?

– Bem, todos gostamos de pensar que sim – respondeu Rosanna, suave.

– Então vou reservar os voos e aviso o dia e a hora em que chego.

– Ah, Luca, como vai ser bom ver você! Estou com saudades. Eu...

– Está tudo bem?

– Está, está, sim, sério. Falei com *papà* e Carlotta semana passada e ela me pareceu bem deprimida. Está tudo bem com ela?

– Fui visitá-los faz alguns dias, e não... – Luca suspirou. – Ela está com uns problemas, mas quando a gente se vir eu conto melhor. *Papà*, por sua vez, está em plena forma. Arrumou uma namorada.

– Sério? Ele não comentou nada comigo.

– Não. Acho que ele está com vergonha. – Luca riu. – Mas o namoro está fazendo bem a ele.

– Ele precisa de uma companheira. Sei como é ficar sozinha – disse Rosanna, emocionada.

– Deve ser difícil, *piccolina*. Tenho muito orgulho de você. Então ligo para avisar quando chego. *Ciao*.

– *Ciao*, Luca.

## 34

Abi chegou a The Manor House em um dia escaldante de julho.

– Querida! – Ela se espremeu para sair do pequeno Mazda esportivo vermelho e correu para abraçar Rosanna. – Nossa, como você está queimada! Foi para o Caribe e não me avisou?

– Não, é o sol da Inglaterra – respondeu Rosanna, retribuindo o abraço.

– E Nico também pegou seu primeiro bronzeado. – Abi examinou o menino, que recolhia pedrinhas do chão de cascalho. – Venha cá com a tia Abi, sua fada madrinha. – Ela o pegou no colo e o beijou, e o menino lhe ofereceu orgulhosamente uma de suas pedras. – Obrigada, meu amor. Nossa, Rosanna, como ele está grande para um ano e meio... e muito bonito também. Vai ser um destruidor de corações quando crescer. Nico, tia Abi trouxe presentes para você no carro, mas, antes de eu pegar, que tal alguma coisa gelada para beber? Senão, vou morrer desidratada.

Vinte minutos depois, Rosanna e Abi estavam sentadas sobre uma toalha de piquenique no gramado, tomando limonada e vendo Nico tentar plantar bananeira.

– Ah, como é lindo isto aqui – comentou Abi. – Adoro a sua casa, Rosanna. Tão espaçosa, mas ao mesmo tempo confortável e aconchegante... E Nico é mesmo uma graça. Há crianças da idade dele que são insuportáveis.

– Ele ainda tem tempo – respondeu Rosanna com ironia.

– Bem, estou impressionada com a facilidade com a qual você assumiu o papel de mãe. Tiro meu chapéu para você. Eu nunca poderia ser mãe solteira em tempo integral. Ficaria louca.

– Não tenho muita escolha, pelo menos não em relação a ser mãe solteira. Mas, enfim, adoro ser mãe. Espere só você ter filhos... Tenho certeza de que vai mudar de opinião.

– Na verdade, acho que não vou, não. Até agora ter filhos não está nos meus planos, mesmo que eu conseguisse encontrar alguém para me ajudar a fazer um – disse Abi com pesar.

– Henry já era?

– Nossa, já. Terminei com ele há meses. Como vê, estou livre, leve e solta outra vez.

– Deve ter uma fila de homens loucos para ocupar o lugar dele – brincou Rosanna.

– Então talvez seja *eu* que não consigo achar ninguém para me apaixonar. Eu tento, Rosanna, tento mesmo... Mas, enfim, agora decidi que minha carreira vem em primeiro lugar. Esse contrato do livro é uma oportunidade incrível, e pretendo me esforçar ao máximo.

– Bem, você vai ficar no sótão. De lá não se escuta nenhum barulho aqui de baixo. É um quarto bonito e claro, e pus uma mesa lá para você poder escrever.

– Parece perfeito. Você mal vai perceber que estou aqui. Acho que, se eu trabalhar sem parar nas próximas quatro semanas, devo terminar a primeira versão. Você consegue me aguentar esse tempo todo?

– É claro que consigo. Vai ser ótimo ter um pouco de companhia, mesmo que seja só no café da manhã e no jantar. Quero que considere a casa sua enquanto estiver aqui.

– Quando você disse mesmo que Luca chega? – indagou Abi, casual.

– No próximo domingo.

– Ah. Está bem. Então, vamos pegar minhas malas no carro e desencavar a tonelada de brinquedos que eu trouxe para o seu filho?

❧

Mais tarde, depois que Nico foi para a cama. Rosanna abriu a garrafa de champanhe que Abi havia trazido e, enquanto a noite caía, as duas foram se sentar na varanda para recordar o passado e falar sobre o futuro.

– A você, por me receber na sua linda casa – disse Abi, erguendo a taça.

– A casa está às ordens sempre que você quiser.

Enquanto Rosanna falava, elas ouviram um carro se aproximar da frente da casa.

– Quem você acha que é? – quis saber Abi.

– Não sei – respondeu Rosanna, subitamente constrangida.

Stephen apareceu pela lateral da casa.

– Oi, Rosanna. E, Abi, há quanto tempo... Como vai?

– Muito bem, obrigada.

Stephen cumprimentou as duas com beijos calorosos.

– Rosanna disse que você estava para chegar, mas eu não tinha certeza da data.

– Bem, eu gosto de surpreender as pessoas, não é? – Abi puxou uma cadeira para o convidado, e Rosanna foi buscar outra taça na cozinha. – Você aparece muito por aqui? – Ela deu um sorriso travesso para Stephen.

– Sim, bastante. Em geral um pouco mais cedo do que hoje, para minha ginástica de vinte minutos com Nico antes de ele ir dormir, mas um cliente me atrasou. – Rosanna reapareceu com a taça na mão. – Vendi um quadro hoje – anunciou ele, sorrindo para ela.

– Que maravilha! Conseguiu o preço que queria?

– Quase. Como eles eram americanos e pagaram em dinheiro, dei dez por cento de desconto.

– Então isso definitivamente pede um champanhe – falou Rosanna. Encheu a taça e a passou para Stephen. – Parabéns. Estou muito feliz por você.

Abi também ergueu sua taça.

– É, parabéns! Quero que me conte tudo sobre a sua galeria.

– Bom, em vez de eu aborrecê-la com detalhes agora, por que não vem ver com seus próprios olhos? Em quinze dias vou fazer a exposição de um artista aqui da região. Quem sabe você não consegue convencer Rosanna a ir também? Eu a convidei, mas ela diz que não pode porque não tem uma babá.

– A moça do correio foi fazer faculdade no exterior – falou Rosanna, na defensiva. – Além do mais, meu irmão Luca vai ter acabado de chegar da Itália.

– Ele também está convidado, claro. Deixo para você decidir, está bem? – sugeriu Stephen.

❧

Ele foi embora uma hora depois, e Abi seguiu Rosanna até a cozinha e a ajudou a preparar a salada para acompanhar o peixe do jantar.

– Vamos lá, pode ir contando – provocou Abi.

– Contando o quê?

– Tudo sobre você e Stephen. Há quando tempo vocês estão tendo um caso?

Rosanna se virou para a amiga com uma expressão horrorizada.

– Ah, não, não é nada disso. Stephen e eu somos apenas bons amigos.

Abi arqueou uma sobrancelha.

– Os meus romances podem ser cheios de clichês, mas nem *eu* me atreveria a usar esse daí.

– Mas é verdade. Ele às vezes vem nos visitar e já fizemos um ou dois piqueniques, mas não é nada mais do que isso, acredite.

– Jura?

– Juro. Gosto muito dele, mas não desse jeito. Eu não... não conseguiria. – Rosanna olhou para o outro lado.

– Não me diga que você ainda pensa naquele seu marido?

De costas para Abi, Rosanna se forçou a se concentrar na secagem da alface.

– É simples. Nunca mais vou amar ninguém na vida – falou, baixinho.

– Ai, meu Deus – grunhiu Abi. – Isso é mesmo o tipo de coisa que as pessoas dizem nos meus livros.

– Por favor, não ria de mim. É assim mesmo que me sinto.

– Mas como você pode continuar amando uma pessoa que fez o que Roberto fez? – perguntou Abi.

– Não acho que o amor tenha lógica. Você acha?

– Talvez não. Mas digamos que Roberto aparecesse na porta da sua casa amanhã. Você o aceitaria de volta?

– Já pensei muito nisso e não sei qual é a resposta. Tem dias que acho que sim, se isso fosse aliviar minha dor, mas em outros penso que não, jamais poderia aceitá-lo de volta. O jantar está pronto. Vamos comer?

Abi viu a emoção nos olhos da amiga e assentiu.

– Vamos, claro.

❧

Nos dias que se seguiram, Rosanna e Abi adotaram uma rotina simples. Passavam uns vinte minutos conversando durante o café da manhã; em seguida, Abi preparava uma bandeja grande com uma jarra de água mineral e várias barras de chocolate e passava o resto do dia enfurnada no sótão enquanto Rosanna e Nico faziam suas atividades habituais. Às seis, Abi reaparecia com os cabelos desgrenhados e os olhos vidrados e preparava um gim-tônica bem forte. Então ficava lendo para Nico enquanto Rosanna preparava o jantar. Depois que o menino dormia, as duas iam comer na cozinha ou na varanda.

– Estou começando a entender por que você vive aqui feito uma eremita – comentou Abi certo dia depois do jantar. – Isto aqui é tão tranquilo, tão calmo... os dias simplesmente vão passando, um depois do outro. Há certa segurança nisso. Vou precisar tomar cuidado para a minha reputação de festeira não ser muito prejudicada enquanto eu estiver aqui. Pela primeira vez na vida, ficar em casa me faz feliz. – Ela sorriu.

– Você está trabalhando muito. Deve estar cansada.

– Estou mesmo. Desde as nove horas da manhã de hoje, já tive um parto, um divórcio e um assassinato – falou Abi, rindo.

– O livro está indo bem?

– Muito bem. Mais três semanas e chego lá. Em Londres é impossível: o telefone toca, pessoas aparecem e, o pior de tudo, tem toda aquela tentação de lojas, restaurantes e festas. Acho que vou ter de vir sempre me trancar na sua casa para escrever.

– Você sabe que é bem-vinda. E quando Luca chegar vamos nos esforçar ao máximo para não fazer barulho.

– Ah, não se preocupe. Estou tão lá em cima que o único barulho que escuto são os passarinhos fazendo ninho nos beirais. A que horas ele chega no domingo?

– O voo pousa às onze da manhã. Ele deve chegar depois do almoço. Sugeri pagar um táxi, mas ele recusou e insistiu em vir de trem.

– Que ridículo! Por que você não falou nada? Eu posso ir buscá-lo. Você e Nico também poderiam ir, mas meu carro só tem dois lugares.

– Abi, sério, não precisa.

– Deixe de ser boba. Está resolvido.

Rosanna se levantou ao ouvir o telefone tocar.

– Já volto. – Correu até a cozinha e pegou o aparelho.

– Alô?

– Sou eu, Stephen. Tudo bem?

– Tudo. E você?

– Tudo ótimo. Só liguei para saber se você e Abi vêm à abertura da exposição na semana que vem.

– Acho que não vou poder, a não ser que arrume uma babá.

– Por favor, tente vir. Significaria muito para mim.

– Está bem, vou tentar.

– Ótimo. Me avise. Desculpe desligar correndo, mas ainda tenho muito o que fazer hoje. Tchau, até breve.

Rosanna fez um café e levou o bule e duas xícaras para a varanda.

– Quem era?

– Stephen. Queria saber se vamos à abertura da exposição dele na quarta.

– Acho que você deveria ir – disse Abi, tomando um gole de café.

– Eu teria de arrumar uma babá. Detesto deixar Nico com desconhecidos. Além do mais, Luca vai estar aqui – desconversou Rosanna.

– Bem, isso é fácil de resolver. Você vai e eu fico aqui cuidando de Nico, e de Luca também, se ele precisar. Sair lhe faria bem, e Stephen tem sido tão gentil... você deveria dar uma força para ele.

– É, tem razão. Não quer vir também?

– Não. O livro está indo tão bem que não quero perder o pique. Vamos ter de tirar o cheiro de naftalina de um de seus vestidos lindos. Nem você seria capaz de ir a um vernissage de short e camiseta. Agora cale a boca e tome o seu café. Você vai e não se toca mais nesse assunto.

ඥ

Abi aguardava no portão de desembarque em Heathrow. Para tentar ver melhor, abriu caminho entre o mar de gente que esperava os passageiros.

Ao correr os olhos pelos rostos que iam surgindo pelas portas automáticas, pensou se Luca estaria vestido de padre, com aquele chapeuzinho de pompom na cabeça... ou será que esse era o traje dos cardeais?

Quando o viu, sentiu o coração dar um salto. Ele não estava usando o uniforme religioso, mas roupas casuais: uma calça de linho amarrotada e uma camisa azul-clara com os botões de cima abertos. Pareceu-lhe mais magro, mais anguloso do que na sua lembrança, e os malares saltados lançavam sombras elegantes sobre seu rosto pálido. Os cabelos pretos tinham agora alguns fios grisalhos, acrescentando um ar de maturidade que só o deixava mais atraente aos olhos dela.

Ao se dar conta de que ele não estava esperando ninguém ir buscá-lo, ela avançou entre as pessoas e estendeu a mão para tocá-lo no ombro antes que ele desaparecesse na multidão.

Espantado, Luca se virou.

– Abi? – Seus olhos castanhos adquiriram uma expressão calorosa. Ele largou a bolsa, segurou-a pelos ombros e lhe deu dois beijos no rosto. – Que bom ver você!

– É bom vê-lo também! Você está com uma aparência ótima, Luca.

– Obrigado. E você... está igualzinha.

– Venha, vamos para o carro. Sua irmã e seu sobrinho estão loucos de ansiedade. Rosanna não confia no meu jeito de dirigir – explicou ela com um sorriso enquanto eles caminhavam em direção ao estacionamento.

– É muita gentileza sua ter vindo me buscar.

– Não foi nada, sério. – Abi pôs dinheiro em uma máquina e imprimiu um ticket. – Por aqui.

Luca observou o esportivo vermelho, admirado, enquanto ela apertava um botão para baixar a capota.

– Você deve estar muito bem de vida. Este carro é bem caro, não? – comentou ele ao entrar.

– Foi caro, sim. Torrei todo o meu adiantamento da editora nele – respondeu ela, dando a partida no motor. – Agora você entende por que Rosanna e Nico não vieram comigo. Este carro é melhor do que anticoncepcional. Toda vez que fico tentada a ter filhos, lembro que teria de trocar meu carro de dois lugares por outro maior e desisto na hora!

Ele não respondeu. Abi inseriu o ticket na máquina e a cancela se abriu.

– Segure-se, Luca. Pretendo chegar em duas horas. Eu adoro velocidade, você não? – gritou ela.

Entrou na autoestrada a oitenta por hora, com os cabelos dourados esvoaçando ao vento.

– Ahn... – A voz de Luca foi abafada pelo vento forte, e eles não disseram mais nada.

Por fim, ao cabo de uma hora e meia, saíram da autoestrada e Abi diminuiu a velocidade.

– Pronto. Não dirijo tão mal assim, ou dirijo? – perguntou.

Luca soltou o descanso de braço de couro quando chegaram a uma rotatória em uma velocidade considerável.

– Não, Abi. De jeito nenhum – falou, com uma careta.

– Você ainda não conhece a casa da Rosanna, não é? É linda.

– Ainda não. Estou ansioso para ver a casa e para conhecer Nico.

– Ele se parece com você – comentou ela, lançando um olhar discreto para ele. – O mesmo corpo esguio, os mesmos cabelos pretos lisos e esses olhos castanhos grandões.

– Sério? Então deve ser muito bonito! – disse Luca, e riu.

– Ah, é sim. É bonito mesmo.

※

Rosanna andava de um lado para outro na frente da casa, sem prestar a menor atenção no filho, que aproveitava para brincar num canteiro ali perto, levando a terra macia à boca. Ouviu o ronco característico do carro de Abi quando este ainda estava a uns cem metros de distância.

– Eles chegaram, eles chegaram! Ai, Nico, o que você aprontou?

Pegou o menino e tentou limpar depressa a sujeira dos dedinhos e do rosto, mas ele se contorceu para se desvencilhar na mesma hora que o Mazda parava em frente à casa.

Luca saltou do carro e correu em direção a Rosanna e Nico. Abi desligou o motor e ficou sentada onde estava, quietinha, sem querer atrapalhar o reencontro.

– Que bom ver você, Luca – sussurrou Rosanna, e lágrimas arderam em seus olhos quando ela acariciou a face do irmão.

– Bom ver você também, *piccolina* – respondeu ele, igualmente emocionado. – Você parece bem e com saúde. Agora que tal me apresentar ao meu sobrinho? – Ele se ajoelhou ao lado dela para ficar na mesma altura de Nico e sorriu para o menino.

– Claro. Nico, este é seu tio Luca, que veio lá da Itália para visitar a gente.

Nico se deixou envolver pelos braços estendidos de Luca, e Rosanna ficou comovida com a cena.

– Venha, traga seu sobrinho para dentro, vamos beber alguma coisa gelada. Você deve estar cansado, principalmente depois de pegar carona com a Abi. – Rosanna o levou até a porta da frente, então se virou. – Não vai entrar, Abi? – chamou.

– Vou. Deixe-me só subir a capota, parece que vai chover.

– Está bem.

Abi observou os três entrarem juntos na casa. Frustrada, cerrou os punhos e socou o volante de seu precioso carro.

Era impossível tê-lo. Totalmente impossível. Mas mesmo assim ela sabia que ainda o amava.

---

Eram nove da noite e Rosanna e Luca estavam sentados na cozinha, com a mesa coberta pelas sobras do jantar. Às oito, Nico havia enfim caído no sono, e Abi tinha desaparecido no sótão assim que chegara do aeroporto, dizendo que queria recuperar o tempo perdido e escrever. Eles não a viam desde então.

– Então, como vai a tal namorada de *papà*? Eu a conheço? – quis saber Rosanna.

– Lembra-se da *Signora* Barezi, a cabeleireira?

– Claro. Duas mil liras por um corte ruim – disse ela com um sorriso.

– Bem, eles estão muito próximos. Ela ficou viúva no ano passado, e eles fazem companhia um ao outro.

– Que bom. Ele passou tempo de mais sozinho. E Carlotta? Você disse que me falaria sobre ela.

A expressão de Luca mudou. Ele vinha temendo essa pergunta desde que chegara e respirou fundo antes de responder.

– Rosanna, sinto muito lhe dizer isso, mas... Carlotta não está bem.

– Ai, meu Deus. – Rosanna sentiu um frio na barriga. Pela expressão de Luca, entendeu que o assunto era sério. – O que ela tem?

– Câncer. De mama. O tumor foi retirado há duas semanas, por isso estive em Nápoles, e ela está fazendo tratamento para as células linfáticas que foram afetadas. Eles esperam ter descoberto a tempo, mas... – Ele deu de ombros. – O jeito é esperar, e só nos resta rezar.

Rosanna mordeu o lábio trêmulo.

– Que notícia horrível, Luca. E como *papà* está lidando com isso? E Ella?

– *Papà* está arrasado, claro, e Ella sabe que a *mamma* está doente, mas não sabe quão grave é.

– Coitadinha dessa menina... ou melhor, dessa moça. Ela agora deve estar com 15 anos. – Rosanna balançou a cabeça com tristeza, culpada por ter passado tanto tempo sem ver a irmã e a sobrinha.

– É, e está muito bonita também. Por coincidência, tem uma bela voz, igualzinho à tia.

Um sorriso pesaroso surgiu nos lábios de Luca.

– Eu adoraria ouvir a voz dela um dia.

– Com certeza vai ouvir, Rosanna. Carlotta tem muitos planos para o futuro da filha. É claro que teme que, se ela morrer, *papà* espere que Ella assuma seu lugar e cuide da cantina.

– Mas, Luca, se ela tem talento para o canto, com certeza é preciso incentivar isso.

– Sim, é o que Carlotta deseja.

– Preciso ir a Nápoles vê-la. Eu poderia ir logo, com Nico.

– Não vá ainda. Deixe Carlotta fazer o tratamento. Se você reaparecer de repente, depois de uma ausência tão longa, ela pode ficar com a sensação de que tem pouco tempo.

– Ai, Luca, você está fazendo eu me sentir tão culpada... – murmurou ela. – Teria adorado ver mais Carlotta e *papà*. Senti muitas saudades deles, e de Nápoles também. Mas, quando eu estava com Roberto, voltar à Itália era muito... difícil.

– É triste ele ter afastado você da família – concordou Luca.

– Bem, Carlotta e *papà* poderiam ter vindo me visitar na Inglaterra, e não vieram. Eu me ofereci várias vezes para pagar as passagens – retrucou Rosanna, como sempre na defensiva diante de qualquer crítica a Roberto, embora ela mesma tivesse aberto caminho para isso.

– Você sabe que *papà* se recusa a pisar em um avião e Carlotta... bem, ela também teve seus motivos para ficar em Nápoles. Vamos ver como ela reage ao tratamento, aí você poderá fazer planos.

– Ela com certeza é jovem demais para morrer.

– É, claro que é. E a gente precisa ter fé de que ela vai ficar bem.

Rosanna passou alguns segundos em silêncio. Então tornou a falar:

– Luca, o fato de eu ter ido para Milão arruinou a vida da Carlotta? Se eu não tivesse ido embora, ela nunca teria precisado ficar em casa para administrar a cantina e cuidar de *papà*.

– Eu fui com você para Milão, lembra? Também deixei Carlotta para trás. – Luca balançou a cabeça. – O que você quer que eu diga? Mais do que tudo, foi um momento mal escolhido. Carlotta cometeu um erro e teve de pagar um preço alto.

– Que erro? Casar com Giulio? – insistiu Rosanna.

– É, casar com Giulio. – Luca decidiu que estava na hora de mudar de assunto. – Mas, Rosanna, eu queria lhe pedir uma coisa. Você se importa se eu ficar aqui um pouco mais de duas semanas?

– Claro que não. Eu adoraria.

– Obrigado. Só tenho que voltar ao seminário em setembro. Preciso pensar um pouco e acho que aqui seria o lugar perfeito.

Rosanna estudou o irmão.

– Está tudo bem, Luca?

– Claro, *piccolina*. – Ele se controlou, ainda incapaz de expressar os pensamentos que o vinham atormentando sem antes ter tido uma chance de refletir sozinho a respeito. – Só um pouco cansado da viagem. Estou tão feliz por estar aqui e conhecer seu lindo filho... Abi acha que ele se parece comigo.

– É. Agora, olhando para você, acho que parece mesmo. – Rosanna disfarçou um bocejo. – Também estou cansada. Vamos deixar para arrumar tudo amanhã. Infelizmente, daqui a seis horas Nico acorda.

Os dois subiram as escadas de mãos dadas. Na porta do quarto de Rosanna, Luca a beijou no rosto.

– Sempre soube que você era uma cantora incrível. Agora vejo que também é uma *mamma* incrível. Você deveria estar orgulhosa de si mesma. Boa noite, *piccolina*.

– Boa noite, Luca.

# 35

Sentada na beira da cama de Rosanna, Abi observou a amiga pôr um vestido de festa preto curto. Depois da revelação de Luca sobre Carlotta, precisara lançar mão de todo seu poder de persuasão para convencê-la a sair naquela noite.

– Pode me ajudar?

– Claro. – Abi fechou o zíper.

– Preciso usar meia-calça?

– Com essas pernas bronzeadas, não.

– Ótimo. Tem certeza de que vai ficar tudo bem? Deixei o número da galeria de Stephen no bloquinho perto do telefone da cozinha. Se você ficar preocupada com Nico, é só ligar e chego em casa em vinte minutos.

– Rosanna, até eu consigo dar uma mamadeira e pôr uma criança no berço. Por favor, pare de se preocupar!

– Desculpe. – Rosanna se sentou diante da penteadeira e começou a passar rímel nos olhos. – Tem comida na geladeira para você e Luca, e uma garrafa de vinho...

– Cale a boca e pare de me tratar como se tivesse a idade do seu filho.

– Desculpe – repetiu Rosanna. Passou batom e escovou os cabelos.

– Eu provavelmente devo comer só um sanduíche no quarto enquanto trabalho... – Abi observou os olhos atentos da amiga. – E, sim, *vou levar* a babá eletrônica.

– Cadê meu outro sapato? – Rosanna procurava debaixo da cama. Pegou a sandália preta com uma expressão de triunfo e tirou um carrinho de brinquedo de dentro dela. – Certo, estou pronta. Vou descer e me despedir deles.

– Está bem.

Rosanna foi até a sala, onde Nico, alegremente aninhado no colo de Luca, olhava um livro de figuras.

– Você não se importa mesmo que eu saia?

— Nem um pouco. É bom você ir dar uma força para o seu amigo. Nico e eu vamos nos divertir aqui. Temos vários livros para ler.

Abi entrou na sala revirando os olhos:

— Ela ainda não sossegou? Meu Deus, parece até que está abandonando o filho por um ano. O táxi acabou de encostar. Você tem que ir! — Ela enxotou Rosanna da sala até a porta da frente.

— Tchau, Luca. Tchau, Nico. Tchau...

Abi fechou a porta e voltou para a sala. Ficou parada no limiar observando as duas cabeças morenas no sofá.

— Alguém precisa dizer a Rosanna que ela superprotege esse menino.

Luca relanceou os olhos para ela.

— É porque ela precisa ser ao mesmo tempo *mamma* e *papà* de Nico.

— É, deve ser. — Abi deu um suspiro. — Você se importa se eu subir para trabalhar mais um pouco? Daqui a meia hora desço para fazer a mamadeira do Nico, levá-lo para a cama e...

— Pode ficar escrevendo. Eu ponho Nico na cama. Cuidava de Rosanna o tempo todo quando ela era pequena.

— Se você tem certeza...

— Tenho, sim.

❧

Uma hora depois, Abi deu uma olhada no quarto de Nico. Aninhado no berço, o menino dormia profundamente. Ela desceu até a cozinha.

— Chegou bem na hora. — disse Luca, na frente do fogão, mexendo o conteúdo de uma panela.

Um cheiro delicioso pairava no ar.

— Ah, ahn... bem, eu ia só pegar um sanduíche e voltar lá para cima — disse ela, hesitante.

A expressão dele se desmanchou.

— Mas eu fiz uma das minhas especialidades. Um risoto, como a gente costumava comer em Milão.

— Ahn...

— Por favor, Abi. Com certeza uma ou duas horinhas sem trabalhar não vão fazer mal. Mal vi você desde que cheguei. Seria bom conversar. Tome. — Ele lhe estendeu uma taça de vinho.

A determinação dela cedeu.

– Certo – falou, aceitando a taça. – Agora que você já cozinhou...

– Também pus a mesa na varanda. Sente-se lá e relaxe um pouco. Vou já servir o risoto.

Alguns minutos depois, ele colocou um prato fumegante diante dela e sentou-se à mesa, de frente para ela.

– Parece delicioso – falou Abi.

– Não tenho tido muitas oportunidades de cozinhar ultimamente. Por favor, comece. – Ele empunhou o garfo. – Mas então me diga: como vai o novo livro?

– Quando estou neste estágio, sempre acho que está um lixo. Mas tenho certeza de que vai ficar legal no fim.

– É sobre o quê?

– Um amor não correspondido.

Contra a própria vontade, Abi corou até as raízes dos longos cabelos louros.

– Tema interessante – disse ele, lançando-lhe um olhar curioso.

– Pois é.

– E quando vai ser publicado?

– Em setembro.

– Entendi. E escrever faz você feliz?

– Muito. Apesar de ser uma profissão muito autoindulgente. Você pega todos os seus piores temores e todas as suas mais loucas fantasias, mistura tudo e torce para que os outros achem interessante.

– Tenho certeza de que não é assim tão simples, mas parece divertido. Preciso ler seu livro quando for lançado.

– Para ser bem sincera, não acho que seja um livro do qual você vá gostar – falou ela, cautelosa.

– E por quê?

– Bom, porque tem umas partes meio... picantes.

Luca pareceu não entender.

– Como assim, "picantes"?

– Tem muito sexo, quero dizer. – Abi tornou a corar.

Luca deu uma risadinha.

– E você acha que não seria uma leitura própria para alguém que está estudando para ser padre?

– É, não muito.

– Não pense que não sou humano só porque quero ser padre, Abi. Como homem, tenho as mesmas sensações de qualquer um. E não ache que não pensei em você nos últimos anos. Pensei, sim, muitas vezes. – Ele sorriu e comeu uma garfada de risoto antes de prosseguir. – E agora chegou a hora de lhe pedir perdão. Naquela época, em Milão, eu era fraco e egoísta. Deixei os sentimentos que tinha por você crescerem, apesar de no fundo saber que eles não dariam em nada.

Abi sentiu o coração pesar. Por um segundo, havia vislumbrado uma esperança.

– Não seja tão duro consigo mesmo. Sou eu que lhe devo desculpas por ter tentado forçar a barra, quando deveria ter respeitado o fato de a sua vida estar destinada a outro caminho. Para começar, o tempo que você passava naquela velha igreja já deveria ter servido de pista. – Ela tentou soar alegre e torceu para que ele não conseguisse ler em seu rosto o que estava sentindo. – Você se incomoda se eu fumar? – Ela vasculhou os bolsos em busca dos cigarros e de fogo.

– Não, de jeito nenhum. – Luca arrumou o garfo e a faca com precisão na borda do prato.

– Mas então, como vai a vida no seminário?

Ele a encarou.

– Você sabe guardar segredo?

– Claro.

– Não pode falar sobre isso com Rosanna. Não quero que ninguém da família saiba.

– Saiba o quê?

– Estou de licença. Vou tirar um tempo para pensar no futuro.

– Quer dizer que você está considerando a possibilidade de sair do seminário?

Os olhos azuis de Abi estavam arregalados de surpresa.

– Não, eu não disse isso. Mas estou tendo uma crise espiritual... ou pelo menos foi assim que meu bispo definiu. Parece que acontece com vários rapazes nos últimos estágios da formação. Depois da euforia da decisão e de anos de estudo vem a incerteza.

– Entendi. – Abi escutava com atenção.

– Acho que fui posto neste mundo para fazer o trabalho de Deus. Quero reconfortar os aflitos, os pobres e os que estão sofrendo, e também espalhar a Palavra aos que ainda não a escutaram.

– Mas com certeza *é isso* que você vai fazer quando virar padre, não é?

– É, mas... – Ele deu um suspiro. – A igreja é como um clube e os padres são os sócios. Como em qualquer clube, existem regras e às vezes elas o impedem de fazer coisas que você acha que seriam válidas. Além do mais, como em qualquer organização, mesmo uma organização de Deus, existem lutas de poder, e gente que vê a igreja como uma carreira e não se deixa deter por nada para chegar ao topo. E existe corrupção, claro. – Ele fez uma pausa antes de continuar: – Posso filar um cigarro?

– Não sabia que você ainda fumava.

– Só de vez em quando. Acho que ver você me lembra dos velhos tempos – disse ele, sorrindo.

Pegou um cigarro do maço e Abi o acendeu para ele.

– Bom, o que você está me dizendo me deixa espantada. Pensei que o sacerdócio fosse sua vocação, que fosse tudo que você queria.

– Era... É... num mundo ideal. Só que este mundo não é ideal, porque é feito de seres humanos. Não somos perfeitos como o Senhor. Enfim, foi por isso que me deram um tempo para pensar antes de eu dar o passo definitivo e ser ordenado. Ao contrário dos outros, não estou interessado em evoluir na carreira. Isso só me afastaria do que quero fazer. Não quero ter 50 anos e ficar sentado atrás de uma mesa no Vaticano. Quero estar no mundo ajudando as pessoas. Desculpe, estou chateando você.

– Não, nem um pouco. É fascinante – disse ela com sinceridade.

– Bem, obrigado por me ouvir. Eu precisava muito falar e você sempre soube escutar.

– Quando quiser, Luca. Você sabe disso.

– Mas e você? – perguntou ele, servindo-se mais uma taça de vinho. – Está feliz?

– Eu sempre tento aproveitar as coisas ao máximo, mesmo quando elas não são perfeitas. Sou uma eterna otimista. – Ela deu de ombros.

– E já encontrou alguém por quem se apaixonar?

– Tive alguns namorados e me diverti bastante. Mas recentemente decidi que não sou do tipo para casar, que o amor traz dor demais. Ao contrário de você, sou totalmente egoísta, entende?

– Não acho. Você tem sido uma boa amiga, tanto para mim quanto para minha irmã. – Ele se inclinou para perto dela. – Como Rosanna está, de verdade?

– Ela é muito corajosa, muito forte, uma ótima mãe e... – Abi suspirou. – E uma atriz de grande talento. Por baixo de tudo, lamento dizer, ainda é completamente apaixonada por aquele pilantra do marido.

– É, eu acredito. Vi minha irmã se apaixonar por Roberto aos 11 anos.

– A linha entre o amor e o ódio é muito tênue. Talvez um dia ela o odeie – falou Abi, esperançosa.

– E talvez isso seja tão ruim quanto amá-lo. – Luca balançou a cabeça, desanimado. – O destino é uma coisa estranha. Acredito plenamente que determinadas coisas estão preordenadas por Deus antes mesmo de nascermos. Desde o início eu sabia que Roberto Rossini seria encrenca para Rosanna. Se havia um homem no mundo que rezei muitas vezes para não chegar perto dela, era ele. Sei de coisas que ele fez, vi coisas que... – A voz dele ficou arrebatada de emoção. – Desculpe. É difícil amar minha irmã, saber que ela ama Roberto e ser incapaz de protegê-la da dor que esse amor causa. Mas, como eu disse, é o destino, não é?

– É. Mas, enfim, faz um ano que eles não se falam. Além do mais, talvez você fique feliz em saber que ela tem um admirador: Stephen, o cara com quem saiu hoje. Ele adora Rosanna, venera mesmo, embora eu não tenha certeza do que ela sente por ele.

– Pelo menos isso é bom – concordou Luca. – Ela fala sobre voltar a cantar?

– Até agora nunca falou.

Ele balançou a cabeça.

– Até isso Roberto conseguiu tirar dela, separá-la do seu dom. Um talento como o de Rosanna, tão raro, e ela não parece mais reconhecê-lo nem valorizá-lo.

– Eu sei. Mas um dia, quando Nico for mais velho, talvez ela volte. Ainda é muito jovem. E Stephen a incentivaria se um dia os dois ficassem juntos. Ele é o seu maior fã.

– Esse Stephen está me soando quase perfeito demais – falou Luca, sorrindo.

– Concordo. Deve ter alguma coisa errada com ele – disse Abi com uma risadinha.

– Talvez seja o fato de que Rosanna nunca vai apreciar plenamente suas qualidades – concluiu Luca, desanimado.

– Talvez. Mas, enfim, que tal um café?

– Seria ótimo.

Abi se levantou e começou a tirar a mesa. Quando estendeu a mão para pegar o prato de Luca, ele a tocou no braço com delicadeza.

– Obrigada mais uma vez por me escutar. Você é uma ótima amiga, tem um coração de ouro.

Abi levou os pratos para a cozinha. Encheu a jarra com água, despejou dentro da cafeteira e a ligou, refletindo sobre o que Luca havia lhe contado e em que isso havia alterado a sua situação. Se ele estava mesmo com dúvidas em relação ao sacerdócio, então...

– Ah, que droga – disse ela por entre os dentes enquanto via o café pingar dentro do bule. – Pode ser que você se dê mal, Abi, mas a vida é uma só.

Depois que o último convidado deixou a galeria, Stephen trancou a porta e deu um suspiro de alívio.

Rosanna sorria para ele.

– Que sucesso, hein?

– Pois é. Dos quinze quadros, doze foram reservados. Vou ter de pedir aos artistas que pintem outros... e depressa.

– Você foi incrível. – Ela se sentou em uma cadeira. – Tão educado com todos, mesmo quando alguém contestava o preço.

– O relacionamento com os clientes é uma parte importante do meu trabalho. Mais vinho? – Ele pegou uma garrafa que estava em cima da mesa e encheu o copo de Rosanna.

– Obrigada. A você, e à galeria.

– Sim, a mim. E a você por ter vindo e me dado tanta força.

– Era o mínimo que eu podia fazer. Gostei de ter vindo.

– Gostou mesmo?

– Sim. Foi bom sair de casa, apesar de no início eu ter achado bem estressante – admitiu ela. – Não estou mais acostumada a bater papo.

– Todo mundo gostou muito de você. Algumas pessoas até perguntaram se era minha mulher, sabia? – Ele a olhou de lado.

– Sério? Ahn... – Ela pousou o copo e se levantou. – Tenho que ir. Abi e Luca devem estar se perguntando onde estou.

– Claro. Eu a levo em casa.

– Não, posso chamar um táxi.

– Deixe de ser boba. Vamos lá!

Os dois saíram da galeria e caminharam pelas ruas estreitas em direção ao carro dele.

Rosanna permaneceu calada no trajeto de volta, sentindo-se culpada pela reação automática ao comentário inocente de Stephen. Quando ele parou o carro em frente à sua casa, virou-se para ele.

– Quer vir almoçar no domingo e conhecer meu irmão?

– Adoraria – respondeu ele.

– Ótimo. Por volta de uma hora?

– Combinado.

– Obrigada por uma ótima noite. Boa noite, Stephen. – Ela lhe deu um beijo rápido no rosto e saltou do carro.

## 36

– Stephen – falou Rosanna. – Este é meu irmão, Luca.

– Como vai? – Stephen abriu um simpático sorriso e os dois se apertaram as mãos.

– Bebidas, todo mundo?

Abi trouxe para a varanda uma bandeja com uma jarra de Pimms e copos. Pousou a bandeja e serviu quatro doses.

– Saúde! – falou e tomou um gole.

– Stephen, Rosanna me disse que você tem uma galeria de arte aqui perto – disse Luca.

– É, em Cheltenham. Decidi abrir meu próprio negócio uns meses atrás. Até agora, a aposta está rendendo frutos. E prefiro trabalhar aqui do que na poluição de Londres. Além do mais, descobrir artistas modernos é um desafio estimulante. Eu trabalhava na Sotheby's ajudando a equipe de lá a autenticar obras renascentistas.

– Parece muito interessante. Eu adoraria saber mais sobre o mundo da arte – afirmou Luca.

Nessa hora eles foram interrompidos por Abi, que brandia uma pinça de cozinha.

– Certo, é melhor eu começar o churrasco. Mas vou logo avisando: sou um fracasso e queimo tudo – falou, rindo. Ela atravessou a varanda. – Luca, pode trazer a carne? Daqui a segundos já vou estar pronta para carbonizar tudo.

– Claro.

– Acho melhor eu ir buscar Nico no berço – falou Rosanna, entrando na casa atrás do irmão.

Dez minutos depois, ela apareceu na varanda com Nico no colo, aos prantos.

– Acho que ele está meio enjoadinho depois da soneca, não é, meu amor?

– Oi, rapaz – falou Stephen.

O menino parou de chorar na hora e estendeu os braços para ele.

– Entendi – falou Abi, agitando a pinça no ar. – Todo mundo já viu quem é o preferido, né?

Ela deu uma piscadela exagerada para Luca enquanto Stephen e Nico partiam de mãos dadas em direção a uma casinha de brinquedo que Rosanna havia comprado para o filho.

– Os bebês são sempre os melhores juízes de caráter – comentou Luca, retribuindo a piscadela.

– Você se importa de me dar uma mãozinha? – pediu Abi, com o rosto corado por causa do calor da churrasqueira.

Luca foi ajudá-la e os dois ficaram observando discretamente Rosanna ir se juntar a Stephen e Nico.

– Eles combinam mesmo, não é? – comentou Abi.

– Stephen parece um bom homem, mas não vamos pressionar demais. Conheço Rosanna há muito tempo, e você também. Apesar de toda a doçura, ela é teimosa feito uma mula. Talvez fosse melhor se a gente não aprovasse – retrucou Luca.

Espetou as linguiças assadas com um garfo e as colocou num prato.

– O almoço está na mesa! – chamou Abi.

Em alguns minutos, todos se sentaram para comer.

Depois da refeição, Stephen e Rosanna levaram Nico para dar um passeio e ver os patos no laguinho do vilarejo, e Luca e Abi ficaram deitados lado a lado sobre a toalha de piquenique.

– Ah, quem dera a vida pudesse ser sempre tão bela quanto hoje – disse ela com um suspiro. Rolou de bruços, pegou uma folha de grama e a mastigou com ar pensativo enquanto encarava Luca. – Está dormindo?

– Não.

– Estou embriagada de Pimms, de sol e de felicidade – disse ela. – Ah, Luca, eu amo mesmo você.

Ela se inclinou e lhe deu um selinho. Ele não correspondeu, mas tampouco a impediu.

– Você ouviu o que eu disse? – perguntou, baixinho. – Eu amo você. Estou de pilequinho, então não me importo de ter dito isso.

Luca abriu os olhos. Abi se curvou para beijá-lo outra vez e sentiu o braço dele subir, hesitante, pelas suas costas. Então um pequeno furacão veio correndo e se jogou em cima deles.

– Nico, seu monstrinho! – Luca rolou para longe de Abi e começou a fazer cócegas no sobrinho, que gargalhou, deliciado.

Abi se sentou com um movimento abrupto e viu que, felizmente, Rosanna e Stephen ainda estavam um pouco afastados, na varanda.

❦

– Vamos jantar algum dia da semana que vem? – propôs Stephen a Rosanna enquanto os dois caminhavam lentamente pelo gramado em direção aos corpos amontoados na toalha.

– Se Abi e Luca ficarem com Nico...

– Tenho certeza de que eles ficam sem problema. Os dois parecem se gostar muito.

– E se gostam mesmo. É bonito ver os dois curtindo a companhia um do outro e renovando a amizade.

– Claro – concordou Stephen, decidindo não comentar nada sobre a cena que tinha visto poucos minutos antes.

❦

Nessa noite, Rosanna subiu cedo para o quarto. Queria pensar em Stephen e no que ele significava para ela. Não adiantava mais fingir. À sua maneira delicada, Stephen tinha deixado totalmente claro que desejava mais dela do que uma amizade. Convidá-la para jantar era muito diferente de passar algumas agradáveis horas do dia na companhia de Nico.

Ficou deitada na cama tentando imaginar como seria sentir as mãos dele tocando seu corpo, fazer amor com ele... e rolou para o lado, frustrada. Sabia que jamais amaria Stephen do mesmo jeito que tinha amado Roberto. Pensando bem, talvez não fosse capaz de sentir aquilo por mais ninguém. Não queria magoá-lo, nem fazê-lo acreditar que ela podia sentir algo impossível, mas tampouco queria perdê-lo: ela e Nico sentiriam muito a sua falta. Talvez ela precisasse de mais tempo, talvez o amor viesse a crescer...

Sentiu os olhos pesados. Não conseguia mais pensar nesse assunto naquela noite. Apagou a luz e se preparou para dormir.

❦

Lá embaixo, na cozinha, Abi lavava a louça e a entregava para Luca secar.

Ele bocejou.

– Desculpe, é o excesso de álcool. Não estou mais acostumado a beber. Acho que preciso ir para a cama.

– Não! Por favor, fique mais um pouco. Precisamos conversar.

Ela se deixou cair sentada à mesa da cozinha, com um ar desanimado, e acendeu um cigarro.

Na mesma hora, ele a abraçou pelos ombros.

– Abi, por favor, não quero deixá-la mal...

– Você ouviu o que eu disse hoje à tarde, Luca? Eu disse que amo você. Sei que você acha que falei isso por causa do Pimms, mas não foi. Amo você desde aquela época em Milão. E me esforcei quanto pude para manter distância depois que chegou aqui. Estava tudo indo bem até você cozinhar para mim e me falar da sua desilusão com a igreja. E aí... aí fiquei pensando que talvez existisse uma chance para a gente... Não pude evitar. – Ela apagou o cigarro no cinzeiro. – Não consigo evitar sentir desejo por você. Ah, pelo amor de Deus, é você o padre! Me console, me diga o que fazer!

Ela começou a soluçar, descontrolada, e enterrou o rosto nas mãos.

– Abi, você não entende que eu também a amava?

– Amava mesmo?

– Sim.

– Mas, Luca, você ainda me ama? É isso que preciso saber. – A voz dela saiu abafada por entre as mãos.

Ele a encarou e expirou bem devagar.

– Sim, Abi, eu ainda a amo. Assim como você, fiquei me perguntando se o que eu sentia tantos anos atrás tinha desaparecido, mas não. E agora estou aqui de novo com você, na mesma época em que tento tomar a decisão mais difícil da minha vida. Como posso incentivar nosso amor quando ainda sou incapaz de lhe prometer o que quer que seja? Seria egoísta e injusto.

Ela ergueu os olhos para ele.

– Você não poderia virar vigário anglicano ou algo assim? Aí poderia ter a mim e a religião!

– Abi... – Luca acariciou seus cabelos e sorriu.

Ela se levantou.

– Olhe, acho melhor eu ir embora. Seria o melhor para nós dois. Eu não consigo... não consigo... – Ela fez um gesto de impotência. – Não consigo controlar o que sinto por você.

– Abi, quer que eu seja sincero com você?

– Quero.

– Então preciso lhe dizer que eu não suportaria que você fosse embora. Além do mais, você precisa terminar seu trabalho. Abi... – Ele segurou as mãos dela. – Nós poderíamos subir agora e consumar nosso amor. É isso que nós dois queremos, não é?

Ela assentiu.

– É.

– Mas será que você não entende que seria errado? Estou confuso demais em relação ao meu futuro. Eu poderia lhe prometer coisas que talvez não possa cumprir. Aí você me odiaria, e eu odiaria a mim mesmo por ter magoado você e por ter desrespeitado os votos que fiz quando entrei no seminário.

– Luca, eu sei de tudo isso – disse ela, e suspirou. – Por isso mesmo, acho melhor voltar para Londres.

– Espere um pouco, *cara*. Estive pensando: Deus não diz que o amor é errado. Sendo assim... – Ele fez uma pausa e inspirou fundo. – Será que não podemos considerar essas poucas semanas um presente? Um tempo para ficarmos juntos, retomar a intimidade, conversar? E para entender se o que sentimos é certo para nós dois?

– Então você está dizendo que podemos namorar, só que sem a parte física – disse Abi devagar.

– Isso. Na nossa mente... – Luca apontou para a cabeça. – E no nosso coração. Talvez seja pedir demais, mas é tudo que tenho para oferecer.

Ela o encarou.

– Está dizendo que talvez exista uma chance para a gente? No futuro?

– Não posso prometer nada, Abi. Você precisa entender isso agora.

Ela meneou a cabeça devagar e se levantou.

– Com certeza vou ter que pensar. – Ela caminhou até a porta, em seguida se virou e olhou para ele. – Se eu estiver aqui amanhã de manhã, aí... – Ela deu de ombros de leve. – Caso contrário... Boa noite, Luca. – Então abriu a porta e saiu da cozinha.

Na manhã seguinte, Luca acordou, saiu da cama e foi imediatamente até a janela. Abriu as cortinas com o coração disparado e viu o pequeno Mazda vermelho ainda estacionado em frente à casa.

Alguém bateu na sua porta e ele foi abrir.

– Abi, Abi... – Ele a abraçou e a apertou contra si. – Fiquei com tanto medo de você ter ido embora.

– Como eu poderia ter ido? Eu amo você. Tenho que apostar na chance que temos, por menor que seja.

Ela lhe deu um beijo delicado no rosto e se afastou.

– Mas, por enquanto, querido, preciso trabalhar um pouco. Depois conversamos mais.

A porta se fechou atrás dela. Luca se ajoelhou e pediu a Deus que perdoasse sua fraqueza.

## Ópera Metropolitana, Nova York

Assim, Nico, Abi ficou, embora na época eu não tivesse a menor ideia de que ela houvesse cogitado ir embora. E me lembro desse verão como um tempo, se não de felicidade perfeita, pelo menos de paz e alívio para meu coração partido. Depois de fechar a galeria, Stephen visitava nossa casa quase todos os dias. Brincava um pouco com você antes de você ir para a cama, depois nós quatro nos sentávamos para jantar na varanda e aproveitar as gloriosas noites de verão da Inglaterra. Stephen não era um substituto para o seu pai; ninguém seria capaz de preencher esse espaço no meu coração. Mas pelo menos ele trouxe um pouco de normalidade à minha vida. Às vezes, sentada na varanda, eu olhava em volta da mesa e me dava conta da sorte que tinha por estar na companhia de pessoas de quem gostava.

Aos poucos, comecei a voltar à vida. O torpor que me acompanhava desde a partida do seu pai começou a ceder. Em vez de viver apenas um dia de cada vez, eu conseguia olhar para o futuro e aguentava fazer planos que não incluíssem Roberto. Comecei a acreditar que havia chance de a dor um dia sumir e, mesmo que não sumisse, de eu poder viver uma vida plena. Comecei até a pensar em voltar a cantar. Stephen, Abi e Luca me deram muita força. Mas eu sabia que ainda não era o momento, que eu precisava de um pouco mais de tempo.

E seu tio parecia feliz como havia anos eu não o via. Exibia um contentamento tranquilo, e Abi também. Eu deveria ter percebido o que estava bem debaixo do meu nariz, mas fui cega; egoísta, só pensava nos meus sentimentos.

Então os dias começaram a encurtar e as folhas das árvores preguiçosamente começaram a trocar o verde por tons de dourado e vermelho. Abi e Luca começaram a falar em ir embora, mas não fizeram planos de partir. Era como se nós quatro estivéssemos tentando fazer o tempo parar: sabíamos que o verão tinha de terminar, mas ainda não conseguíamos encarar a realidade...

## 37

## *Gloucestershire, setembro de 1982*

Na cozinha, Luca preparava o jantar. Sentada à mesa, Abi tomava uma taça de vinho.

– Abi, *cara*, tenho uma coisa para lhe dizer. Liguei para *papà* hoje e preciso pegar um avião para Nápoles o quanto antes. Carlotta pediu para me ver. Sinto muito, mas vou ter que deixá-la.

– É claro que você precisa ir – disse ela num tom reconfortante. – Não se preocupe comigo, tenho mesmo que voltar para Londres. Minha editora está desesperada para eu entregar o manuscrito e a moça da divulgação já marcou umas entrevistas. Ahn... quanto tempo você vai passar fora?

Luca se sentou em uma cadeira à sua frente.

– Não sei dizer. Vai depender de Carlotta.

– Entendi.

– Ligo para você, claro, assim que souber quanto tempo vou ter de ficar. Abi... – Ele segurou as mãos dela e as beijou com ternura. – Esse verão foi o período mais maravilhoso da minha vida. Aconteça o que acontecer, eu...

– Como assim, "aconteça o que acontecer"?

Ela recolheu as mãos com um movimento brusco.

– Quero dizer que sempre vou amá-la, mesmo se...

– Não. Você quer dizer é que não me ama o suficiente para me oferecer um futuro. Me desculpe, eu achei que fosse conseguir passar por isso, mas...

Ela se levantou e saiu da cozinha abruptamente. Luca a chamou, mas ela subiu correndo as escadas, entrou no quarto e bateu a porta. Foi até a escrivaninha sobre a qual seu manuscrito concluído repousava havia dez dias. Desde então não faltava fazer mais nada para ela poder voltar para Londres. Mas ela não tinha conseguido reunir coragem para se despedir de Luca. Sentando-se na cadeira, olhou pela janela para o campo aberto lá fora. O verão fora tão perfeito... Eles haviam passado todos os dias juntos, passeando, conversando, *se amando* de quase todas as maneiras.

Abi apoiou a cabeça no manuscrito e sentiu a alegria das últimas semanas ser substituída por medo. Luca tinha dito desde o começo que não podia lhe prometer nada. Ela não podia culpá-lo. E sabia que a dor estava apenas começando.

❦

Na manhã seguinte, Abi estava de malas feitas e pronta para partir. Rosanna e Nico já tinham se despedido dela e ido almoçar com Stephen em Cheltenham.

Quando ela estava espremendo a bagagem no pequeno porta-malas do Mazda, Luca surgiu na porta da frente.

– Abi.

Ele foi até ela e a abraçou.

– Eu... eu não suporto mais isso. Por favor, tente entender.

Ela se desvencilhou de seus braços e se acomodou no banco do motorista. Girou a chave e o motor roncou.

Luca se debruçou na janela.

– Eu te amo, Abi. Escrevo de Nápoles.

Ela engatou a ré, louca para ir embora antes de começar a chorar feito bebê na frente dele.

– Só me prometa uma coisa, Luca.

– O quê?

– Que não vai esquecer o que sentiu nesse verão. Desafio até o próprio Deus a fazer você mais feliz. Tchau.

Ele a viu dar marcha a ré, manobrar o carro e se afastar da casa rugindo.

Abi se foi.

Luca ficou parado, chocado com aquela partida abrupta. E, pela primeira vez, realmente entendeu a dor que Rosanna sentia por causa de Roberto.

❦

Vinte e quatro horas mais tarde, Luca deu outro abraço de despedida, dessa vez na irmã.

– *Ciao, piccolina*.

– *Ciao*. Cuide-se e diga que mando beijos para *papà*, Carlotta e Ella. E, por favor, me avise se eu tiver de ir visitar Carlotta.

– Aviso, sim, prometo. Telefono assim que chegar a Nápoles. – Ele se abaixou para beijar Nico. – Cuide bem da sua *mamma, angeletto*.

Stephen estava aguardando para levá-lo ao aeroporto.

– Devo voltar às cinco – disse ele para Rosanna ao entrar no carro e fechar a porta.

Ela acenou enquanto ele se afastava devagar, pegou Nico no colo e o abraçou, estremecendo um pouco por causa da friagem do outono.

O verão havia acabado.

⁂

Quando Stephen voltou do aeroporto, os dois jantaram sobre duas bandejas enquanto assistiam a um filme.

– A casa está tão vazia e silenciosa, não é? – comentou Rosanna.

– Bem, vai parecer assim por um tempo. Devo admitir, de modo inteiramente egoísta, claro, que é bom ter você só para mim para variar um pouco. Acha que Luca e Abi vão manter contato?

– Claro. Eles reataram a amizade e ficaram muito próximos durante o verão.

– Você acha que foi só isso? Só amizade, quero dizer? – insistiu Stephen.

– Claro. Meu irmão em breve vai ser ordenado padre. Por que a pergunta?

– É que acho que eles ainda são apaixonados.

– Que nada, eles são só bons amigos. Gostam da companhia um do outro. Tenho certeza de que é só isso.

– Se você está dizendo... – Stephen se levantou. – Preciso ir. Dirigir tanto me deixou cansado e, se eu ficar mais, vou acabar pegando no sono. – Ele vestiu o suéter que havia tirado. – Obrigado pelo jantar. Apareço na semana que vem em algum momento, está bem?

Aquilo atingiu Rosanna como um soco no peito. Ela queria que ele ficasse, queria sentir os braços dele ao seu redor. Não queria ficar sozinha naquela casa silenciosa e vazia.

– Não vá embora – sussurrou.

– O que disse? – Stephen se virou da porta.

– Eu disse: por favor, não vá embora.
Ele não pareceu entender.
– Ahn... está dizendo que quer que eu fique?
– Estou.
Ela se levantou e foi até ele. Ficou na ponta dos pés para lhe dar um beijo na boca. Ele envolveu seus ombros com os braços e pela primeira vez os dois se beijaram de verdade.
Rosanna se afastou.
– Stephen, me leve lá para cima – murmurou ela, antes que mudasse de ideia.

ை

– Tenho uma proposta para lhe fazer.
Alguns dias haviam se passado desde a partida de Luca e Abi, e Stephen tinha aparecido depois do trabalho, como sempre fazia. Estava empurrando Nico no balanço no fundo do jardim.
– E eu vou gostar? – indagou Rosanna com um sorriso.
– Não sei. Tomara que sim.
– Então é melhor falar logo.
– Preciso ir a Nova York no final do mês. Mandei para um colecionador muito rico que conheço da época da Sotheby's um catálogo daquela minha artista que pinta paisagens e vendeu vários quadros na exposição do mês passado, e ele me ligou hoje dizendo que está interessado em comprar uma ou duas obras dela. E me convidou para ir a Nova York conversar sobre isso.
– Se ele já viu o catálogo, por que você precisa ir também? – quis saber Rosanna.
– Porque ele é podre de rico e vale a pena mantê-lo feliz – respondeu Stephen. – E pensei que seria a desculpa perfeita para um fim de semana em Nova York com você – acrescentou ele, em tom casual. – Quer ir comigo, querida? Eu adoraria que você fosse. Esse cara é um colecionador muito conhecido. Se ele comprar de mim, outros colecionadores importantes talvez queiram seguir o seu exemplo. Preciso de você comigo para seduzi-lo.
Rosanna fez que não com a cabeça.
– Muito obrigada pelo convite, mas não acho que Nova York seja uma boa ideia.

– Tem medo de esbarrar com seu marido?
– Sim.
– Bom, não precisa ter. Eu soube que Roberto vai cantar em Paris por três semanas nesse período. Eu já verifiquei. Então, você vem? – pediu ele. – Podemos nos divertir muito.
– Mas, e o Nico?
– Já conversei com Abi e ela disse que cuida dele com prazer enquanto estivermos fora. Vão ser só duas noites, Rosanna.
Ela hesitou por um minuto, então falou:
– Está bem.
– Você vem mesmo?
– Sim, vou.
– Nico, sua mãe é uma estrela – disse ele ao menino.

## 38

– *Papà*! – Luca beijou o pai nas faces. – Você está com uma cara boa.

Surpreendeu-se ao ver que, na última década, Marco não parecia ter envelhecido um dia sequer.

– O que me mantém jovem é o vinho, a comida e o amor de uma mulher – brincou Marco. – Venha beber comigo.

Ele serviu duas doses de Aperol e entregou uma ao filho.

– Como ela está?

O semblante de Marco se tornou grave.

– Não sei. Ela não me diz nada.

– Não falou se o tratamento deu certo?

– Não, já disse, ela não me conta quase nada, mas, Luca, basta olhar para ela para ver a verdade. Quanto a Ella... – Marco deu de ombros. – Ela só sabe que Carlotta passou um tempo no hospital e agora está se recuperando. A coitadinha não para de me perguntar por que a *mamma* ainda está tão pálida e doente. Mas o que eu posso fazer? Prometi a Carlotta não dizer nada à menina.

– Bom, talvez ela esteja torcendo para que não seja necessário.

Marco suspirou.

– Veja sua irmã, depois me diga se não é necessário.

– Ela está lá em cima?

– Sim, descansando. Ficou muito feliz com a sua vinda. Mandei Ella dormir na casa de uma amiga, assim você pode conversar com Carlotta. Tente arrancar alguma informação dela, Luca.

– Vou subir agora.

Marco pousou a mão no ombro do filho.

– Ela está escondendo a verdade de todos nós, e é melhor sabermos.

Luca assentiu, então subiu a escada e avançou pelo corredor até o quarto da irmã. Bateu de leve na porta.

– Pode entrar – respondeu uma voz fraca.

Luca abriu e viu Carlotta deitada na cama por cima da colcha. Estava esquelética, com o corpo outrora curvilíneo devorado pela doença, e a pele, antes tão bonita, de um cinza fantasmagórico. Entendeu então que sua irmã estava morrendo.

Ela se ergueu nos cotovelos e um sorriso atravessou seu rosto por um breve instante, fazendo a mente de Luca ser invadida por lembranças da Carlotta de antigamente.

– Luca... entre, venha aqui dar um abraço na sua irmã.

Ele foi até ela, envolveu-a com os braços e a segurou, esforçando-se para não chorar.

– Que bom que você veio.

Ele a soltou e Carlotta tornou a se recostar nos travesseiros. Procurou a mão dele e a segurou com força.

– Sinto muito não ter descido para recebê-lo, mas estou um pouco cansada hoje.

– Não faz mal, Carlotta. Sou seu irmão. Fique deitada e vamos conversar. – O corpo dela se retesou, e ele acariciou sua testa. – Está sentindo muita dor?

Ela assentiu.

– Estou. – Seus olhos se encheram de lágrimas. – Você sabe, não sabe, Luca? Está vendo, não está?

– Vendo o quê?

– Que estou perto do fim.

– Não, Carlotta, por favor. Não diga isso.

– Os médicos falaram comigo. O tratamento não deu certo. O câncer se espalhou... está por toda parte agora. Não há mais nada que eles possam fazer.

Ela fechou os olhos, como se não suportasse mais encará-lo.

Luca entendeu que era inútil falar banalidades.

– Quanto tempo você tem?

– Eles não sabem. Entre três e seis meses. Do jeito que estou hoje, talvez algumas horas. – Ela fez uma careta. – Pode me passar aqueles remédios? – Ela apontou para um frasco sobre a mesinha de cabeceira. – Vou me sentir um pouco melhor depois de tomar um. Funciona por umas duas horas, mas só posso tomar a cada *quatro*. – Luca lhe passou um comprimido, que ela pôs na boca e engoliu com um gole d'água. – Pronto. – Deixou-se cair novamente no travesseiro e soltou o ar. Então fechou os olhos. – Me dê um tempinho para o remédio fazer efeito.

– Claro. Quanto for preciso.

Ele ficou sentado em silêncio na beira da cama, segurando a mão de Carlotta. Aos poucos, a respiração entrecortada dela começou a se acalmar e a tensão em seu corpo diminuiu. Luca achou que ela tivesse cochilado, mas depois de algum tempo ela abriu os olhos e sorriu.

– Pronto, melhorou. Irmão querido, que bom que você veio! Suas férias com Rosanna na Inglaterra foram boas?

– Sim, muito boas.

– E como estão Rosanna e Nico?

– Estão bem.

– Que bom. Luca, preciso conversar com você. – Agora que a dor estava sob controle, a voz de Carlotta soava quase normal. – Mas não agora. Hoje vamos jantar fora.

– Tem certeza de que está disposta?

– Não, mas não estou disposta para nada. Desde que tome o analgésico meia hora antes de sair, dou conta. Precisamos conversar em algum lugar reservado, onde possamos ter certeza de que ninguém vai ouvir.

– Carlotta, você não acha que deveria estar no hospital? – perguntou Luca, aflito.

– É, foi o que os médicos sugeriram – confessou ela. – Mas foi a minha escolha. Posso ir para o hospital, onde eles vão controlar minha dor e vou ficar deitada pensando na morte, ou posso tentar seguir vivendo e sofrer um pouco mais. O que você faria?

– Eu... – Ele a encarou com admiração. – Você está sendo muito corajosa.

– É, no momento me sinto corajosa. Deve ser porque você está aqui. Às vezes não é tão fácil.

– *Papà* disse que você não quer falar com ele sobre o que está acontecendo. Carlotta, você precisa lhe dizer a verdade. Ele está se sentindo excluído. *Papà* também precisa de tempo para assimilar a situação.

– Sim, vou falar com ele quando estiver pronta. Mas não quero correr o risco de Ella descobrir a verdade. De que adianta fazer a menina sofrer pelo tempo que eu levar para morrer? Pode ser que demore muitos meses. Ela me veria sentir dor todos os dias, esperando o inevitável. Seria horrível para ela, uma crueldade.

— A decisão é sua, claro, mas fico pensando se não seria melhor Ella saber a verdade. Sua filha não é mais criança e talvez fique magoada por você ter tomado a decisão por ela.

— Sim, é provável que fique. — Os olhos de Carlotta brilharam com o fogo de antigamente. — Mas é a única decisão da minha vida que faço questão de tomar. Há outras, também, mas sobre elas falo mais tarde, quando formos jantar. Você se importa se eu dormir enquanto a dor está mais fraca, para poder estar descansada hoje à noite?

— Claro, durma. — Luca lhe deu um beijo na testa, saiu do quarto dela e foi até o seu.

Fechou a porta, encostou-se ali e respirou fundo algumas vezes, para aliviar o choque de ver a irmã à beira da morte. Sentou-se pesadamente na cama, pensando que deveria se ajoelhar e rezar por Carlotta, mas algo o impedia de fazer isso.

Um ano antes, ele teria tido confiança absoluta no futuro da irmã no céu, segura nos braços de Deus. Mas agora estava lutando para ter certeza, para acreditar naquilo.

Ela era sua irmã e ele não queria perdê-la, nem mesmo para Deus.

— Por quê? Por que ela? — perguntou a Ele.

Mas dessa vez Ele não respondeu.

❦

Mais tarde, à noite, Carlotta se apoiou no braço de Luca, e os dois caminharam devagar até a beira-mar. O sol estava se pondo na água, e, embora já fosse setembro, o movimento nos restaurantes e bares era grande. Eles escolheram um pequeno estabelecimento iluminado por velas e decidiram que o tempo estava ameno o bastante para escolher uma mesa do lado de fora.

Carlotta tinha posto um de seus melhores vestidos. Estava com o rosto maquiado, os cabelos recém-lavados. Quando se sentou à sua frente, Luca pensou que, apesar dos estragos infligidos pela doença, ela poderia passar por uma pessoa saudável.

Ambos pediram peixe e, enquanto comiam, conversaram sobre os velhos tempos, quando tinham crescido juntos ali em Nápoles.

— Agora, Luca Menici, quero que você responda a uma pergunta. — Carlotta havia pousado o garfo e a faca sobre o prato vazio. — Você me ama?

– Que pergunta mais idiota.

– É mesmo, mas quero que faça uma coisa por mim.

– Qualquer coisa, dentro das minhas possibilidades – respondeu ele com cautela.

– Ultimamente perguntei a Deus muitas vezes por que ele me pôs nesta Terra se era para me tirar tão depressa. Sinto que minha vida foi inútil, com uma exceção: ter tido Ella. E pensar no que vai acontecer com minha filha quando eu morrer tem me tirado o sono.

– Com certeza *papà* vai cuidar dela, não?

– Não, Luca. – Carlotta balançou a cabeça com firmeza. – A questão é justamente essa. É Ella quem vai cuidar de *papà*. Assim que eu morrer, ele vai esperar que ela assuma meu lugar. A menina vai ter de administrar a cantina, preparar as refeições dele e lavar sua roupa como a boa netinha que é. Quero mais para ela, Luca, muito mais do que eu tive.

– Eu entendo, claro, mas que alternativas ela tem?

– Espere, ainda não terminei. Tem mais uma coisa. Ela tem uma voz linda, que precisa ser trabalhada.

– A voz da tia – murmurou Luca.

– Acho que talvez seja mais parecida com a voz do pai – respondeu Carlotta, sem emoção. – Luca, tenho um plano. Talvez você não aprove, mas já me decidi. Se quando eu morrer Ella não estiver mais aqui em Nápoles e *papà* ficar sozinho, o que você acha que ele faria?

– Não tenho ideia. Tomaria um porre por noite, imagino. – Ele suspirou.

– Sei exatamente o que ele faria: se casaria com a *Signora* Barezi. Então ela assumiria a administração da cantina e cuidaria de *papà* do jeito que ele está acostumado. Como *papà* tem a mim e a Ella, não precisa se casar de novo. Cumpro a maior parte das funções que *mamma* fazia. Quanto às outras necessidades dele... bom, para isso ele tem a *Signora* Barezi. Mas só vai se casar com ela se as circunstâncias o obrigarem. Acho que isso seria o melhor para ele, e para Ella, claro. Significaria que ela estaria livre.

– Mas para onde ela poderia ir? É nova demais para ficar sozinha em algum lugar – questionou Luca.

– Claro. Ela precisa de uma família que cuide dela, que a incentive e a proteja. E a sua linda voz.

Luca balançou a cabeça.

– Mas a gente não tem mais parentes, tirando Rosanna e... – Ele encarou

a irmã, estarrecido, e viu sua expressão decidida à luz bruxuleante das velas.
– Não, Carlotta. Com certeza você não mandaria sua filha para Rosanna.
– Admito que isso tem grandes desvantagens, mas é o melhor que posso fazer pela menina – respondeu ela. – Preciso lhe dar uma chance, Luca. Quero que Ella tenha um futuro. Rosanna é rica. É culta, cosmopolita. Pode ensinar a Ella tudo que ela precisa saber. E, quando ouvir a voz da menina, saberá para onde enviar Ella para desenvolver seu talento.

Luca continuou a encará-la, horrorizado.

– Mas e Rosanna, Carlotta? Mandar a filha ilegítima do marido dela morar debaixo do seu teto? Você não seria capaz de fazer isso com ela, seria?

– Luca... – De repente, Carlotta sorriu. – Esta é a única coisa bonita de sabermos que vamos morrer: nos dá poder. Já faz muito tempo que não tenho poder nenhum e agora vou usá-lo porque preciso. Sei que Rosanna vai ficar feliz em cuidar de Ella, em cuidar da filha de sua irmã que morreu. No mínimo, vai sentir que é seu dever. Além do mais, é só por alguns anos. Ella já está quase adulta. Tudo que peço é que Rosanna a coloque no bom caminho. Além do mais, não há motivo algum para nossa irmã saber a verdade.

– E se Roberto e Rosanna voltarem? O que vai acontecer?

– E isso por acaso é provável? Eles já estão separados faz um tempão. Você mesmo me disse que Roberto nem visita o filho. Uma reconciliação parece improvável. E, mesmo que isso aconteça, não há motivo para que nenhum dos dois um dia saiba a verdade.

– Quer dizer que você vai levar o segredo para o túmulo?

Ela fez uma pausa, então assentiu.

– Vou, Luca. É esse o meu plano: quero que você leve Ella para a Inglaterra o quanto antes. Vamos dizer que está indo passar férias e quero que você garanta que, depois da minha morte, ela nunca mais volte a morar em Nápoles.

Luca a encarava, em choque.

– Você mandaria sua filha embora sabendo que nunca mais vão se ver? Isso é justo com Ella?

Frustrada, Carlotta balançou a cabeça.

– Não, é claro que não é "justo", mas nada nesta situação é *justo*. É só o melhor que posso fazer. Você não entende? Se eu morrer e Ella estiver aqui, *papà* vai se agarrar a ela. A menina nunca vai conseguir ir embora, assim como eu não consegui.

– Mas ela vai ter que voltar para o seu... – Luca não conseguiu pronunciar as palavras.

– Não, não quero que ela vá ao meu enterro – falou Carlotta, sem rodeios. – Fiz um testamento pedindo que só você e *papà* compareçam. Luca, ela não *pode* voltar. Por favor, eu lhe imploro, faça de tudo para que isso não aconteça. Não me importa o que for preciso... se tiver de mentir para ela, minta.

Ele estudou a irmã. Apesar de admirar sua coragem e determinação para tomar uma decisão daquelas, questionava a moralidade do plano.

– E Rosanna? Ela vai ter de ser informada sobre suas intenções.

– Vai.

– Ela quer vir visitá-la.

– Não. – De repente, Carlotta pareceu muito cansada. – É melhor eu não a ver. Não poderia confiar em mim mesma. Luca, por favor. Sei o que é certo para minha filha. Vai me ajudar, não vai? Me dê pelo menos essa paz de espírito nesta situação tão horrível.

Se esse era o último desejo da irmã, Luca tinha de ajudá-la. Por fim, assentiu.

– Vou fazer tudo que puder.

– Obrigada. – Os traços de Carlotta relaxaram de alívio. – E depois de levar Ella para a casa de Rosanna na Inglaterra, poderia voltar e ficar comigo? Ouvi falar de um convento-hospital perto de Pompeia que acolhe as pessoas nas últimas semanas de vida. Eu gostaria de ir para lá.

– Preciso avisar no seminário, mas você sabe que ficarei ao seu lado o tempo que você quiser.

Carlotta estendeu a mão por cima da mesa e segurou a dele. Seus olhos estavam subitamente cheios de medo.

– Até o fim, Luca.

※

Bem mais tarde, quando estava se acomodando na cama estreita na qual costumava dormir quando criança, com a cabeça girando de tanta confusão, Luca pensou, com tristeza, quantas decisões erradas eram tomadas por amor.

# 39

O jato da British Airways manobrou pela pista do aeroporto JFK. Ao ver Rosanna franzir o cenho, Stephen apertou sua mão.

– Tudo bem, querida?

Ela assentiu e lhe deu um sorriso débil. Estava começando a desejar não ter aceitado acompanhá-lo até Nova York. Às seis e meia daquela manhã, quando eles saíram de casa, Nico tinha chorado e Abi estava com uma cara aflita. Agora, enquanto descia do avião e acompanhava Stephen até o terminal de desembarque, Rosanna não pôde evitar se lembrar de quantas vezes já havia percorrido aquele mesmo caminho de mãos dadas com Roberto.

Os dois esperaram séculos na fila do controle de passaportes; com Roberto, sempre passavam direto e eram conduzidos a uma limusine que os aguardava. Então entraram em outra fila para o táxi e, por fim, partiram em direção a Manhattan. Seu quarto no Plaza era lindo, mas não era a suíte com a melhor vista. Rosanna se repreendeu por fazer essa comparação. Aquela época pertencia ao passado, assim como Roberto.

Deitada na cama, ligou para casa enquanto Stephen tomava uma chuveirada. Abi lhe disse que Nico havia se acalmado logo depois de eles terem saído e que agora dormia tranquilo no berço. Aliviada, Rosanna se levantou e começou a pendurar as roupas no armário. Passava um pouco das duas da tarde no horário de Nova York, e ela estava se sentindo irritadiça e cansada.

Stephen saiu do chuveiro.

– Bem melhor. Sempre fico me sentindo meio sujo depois de viajar de avião.

Rosanna assentiu e continuou a desfazer as malas. Stephen a olhou com atenção.

– Quer fazer alguma coisa hoje à tarde? Compras? Visitar a cidade?

– Tanto faz, o que você quiser.

– Está arrependida de ter vindo comigo? – perguntou ele de repente.

Ela viu a expressão magoada em seu rosto e na mesma hora se sentiu culpada pelos pensamentos mesquinhos que Stephen havia conseguido perceber, o suficiente para se sentir afetado.

– Não. Só estou só muito cansada da viagem.

Ele viu o lábio inferior dela se franzir e as lágrimas brotarem em seus olhos.

– O que houve? Está se lembrando dele?

– Desculpe, não consigo evitar. Achei que estivesse melhorando, achei mesmo. Mas estar aqui em Nova York... não sei explicar. – Ela enxugou os olhos com as costas da mão. Stephen pegou um lenço de papel em cima da mesa e, delicadamente, secou as lágrimas do rosto dela.

– Será que você não entende que o simples fato de ter conseguido embarcar no avião para cá significa que *está* melhorando? Algumas semanas atrás, você não teria sequer cogitado uma coisa dessas. Sério, querida, com o tanto que você e Roberto viajaram, se não enfrentar esses demônios agora haverá lugares proibidos para você no mundo todo.

– Aqui é pior. Passamos muito tempo em Nova York e agora ele mora aqui.

– Só que Roberto não está na cidade, Rosanna. Ele está a milhares de quilômetros, em Paris.

– Sinto muito, Stephen. Estou sendo egoísta e má. Talvez ainda seja cedo demais. Talvez eu deva voltar para casa. Eu...

– Por favor, Rosanna, pare de se desculpar. Se você não conseguir falar comigo sobre essas coisas, com *quem* vai falar? Eu preferiria que você fosse franca comigo. É nossa única chance de um dia termos um relacionamento de verdade.

– Você é um homem tão bom... sério, eu não o mereço. O que eu teria feito sem você? – Ela fungou junto ao ombro dele.

– Não muita coisa, reconheço – disse ele com uma risadinha. – Mas, agora, que tal um serviço de quarto? Vamos comer um sanduíche e tomar um chá, depois ponho você na cama para descansar enquanto visito alguns clientes em potencial. Quero que pense onde vai querer jantar hoje à noite. Que tal?

– Perfeito.

Ela meneou a cabeça com gratidão.

Uma hora depois, ele a deixou na cama. Ela caiu em um sono profundo e acordou se sentindo revigorada e bem mais calma. Tomou uma ducha e escolheu um de seus vestidos de festa favoritos para usar à noite. Repreendeu-se por ter perdido o controle e criado tanto caso, quando Stephen tinha sido a gentileza em pessoa.

– Se você não se controlar, vai perdê-lo – falou com firmeza para o seu reflexo no espelho.

Nesse momento, Stephen abriu a porta do quarto.

– Nossa, que linda. – Ele a beijou no topo da cabeça. – Tem certeza de que quer sair? – murmurou, descendo as mãos pelas costas sedosas do vestido.

– Claro que tenho. Pus este vestido especialmente para isso. Além do mais, estou faminta. Também podemos comer aqui embaixo, no restaurante do hotel... assim não estaremos muito longe na hora de voltar para o quarto – disse ela, brincalhona.

Os dois desceram e tomaram um drinque no Oak Bar, depois decidiram ficar no hotel mesmo e comeram no Edwardian Room. Ao se sentar à mesa, Rosanna ignorou os olhares surpresos dos outros clientes.

– Está vendo? Seu público não a esqueceu – comentou Stephen, piscando para ela.

À meia-noite, terminaram de tomar seus licores e pegaram o elevador até o quarto. Assim que fecharam a porta, Rosanna o beijou com sofreguidão. Os dois caíram na cama e arrancaram as roupas um do outro. Nesse momento de paixão, ela desejou desesperadamente conseguir exorcizar os fantasmas do passado.

❦

No dia seguinte, bem mais calma, Rosanna foi fazer compras com Stephen. Já fazia tempo que não renovava o guarda-roupa e as lojas estavam repletas de belas peças da nova estação. Stephen a acompanhou na peregrinação pelo departamento feminino da Saks e ficou observando-a sair da cabine e dar voltinhas para ele aprovar. Ela insistiu em lhe comprar camisas e gravatas da Ralph Lauren e um terno azul-marinho da Dior. Também comprou vários presentes para Nico.

Os dois voltaram para o Plaza carregados de sacolas. Rosanna se jogou na cama e olhou para as compras.

– Tinha me esquecido de como podia ser divertido. – Ela sorriu. – Abi vai ficar orgulhosa de mim.

– Você fazia isso sempre?

– Ah, não. Sou do tipo que faz compras uma vez por ano. Costumava acompanhar Rob... quero dizer, costumava ter um dia de loucura na cidade em que estivesse. Sei que gastei muito hoje, mas essas roupas vão durar pelo menos os próximos três invernos.

– Não precisa se justificar. Nunca a vi gastar tanto dinheiro com você mesma. Falando em roupas, o que vai usar hoje à noite para a casa dos St. Regent? Acho que vai ser bem formal.

– Então vou usar isto aqui. – Ela se ajoelhou e abriu uma das caixas. Pegou um lindíssimo vestido justo lilás com um casaqueto combinando. – Está bom?

Stephen assentiu.

– Perfeito.

✸

Uma hora depois, os dois subiam de táxi a Quinta Avenida.

– O que o seu cliente faz?

– No começo, ganhou dinheiro com petróleo no Texas. É um dos homens mais ricos dos Estados Unidos. Você vai cair para trás quando vir a cobertura deles... é um exagero só. Muito dinheiro, mas gosto duvidoso... quero dizer, a não ser em matéria de arte – emendou Stephen. – A coleção do cara vale dezenas de milhões. Sempre que vou lá, passo o tempo todo olhando para as paredes.

– Que desperdício – falou Rosanna, balançando a cabeça.

– Como assim?

– Com certeza lindos quadros deveriam ser vistos por muitas pessoas, e não acumulados como se fossem mercadorias para os ricos olharem. Ou não?

– Concordo, mas, por favor, não diga isso ao nosso anfitrião. Pessoas como ele são meu ganha-pão – falou Stephen, provocando-a de leve.

– Claro. Vou me portar de forma impecável – retrucou ela, obediente.

O táxi parou diante do toldo da portaria de um prédio chique na Quinta Avenida. Um porteiro uniformizado se adiantou depressa para abrir a porta e os dois saltaram.

– Boa noite. Somos convidados do Sr. e da Sra. St. Regent – informou Stephen.

– Último andar, senhores – disse o porteiro. Ele os conduziu para dentro e apertou o botão para chamar o elevador. – Tenham uma boa noite.

Quando as portas tornaram a se abrir, os dois adentraram um corredor forrado por um grosso carpete. Stephen tocou a campainha e uma empregada logo veio abrir.

– Boa noite, senhor, senhora. Posso pegar seus casacos?

Quando estava entregando o casaco à moça, Rosanna viu uma mulher atraente, de cabelos louros bufantes e maquiagem exagerada, entrar às pressas no hall. Estava usando um vestido roxo chamativo, obviamente caro. Tinha um sorriso largo e acolhedor.

– Stephen, querido. Que bom que você pôde vir! John ficou muito animado com aquele catalogozinho que você mandou. – Ela o beijou nas faces. – E esta é... – A mulher encarou Rosanna. – Ai, meu Deus! Mas é Rosanna Rossini! Nossa, por essa eu não esperava! – Trish St. Regent se virou e chamou o marido. – Ei, Johnny, venha ver quem está aqui no nosso hall! – Tornou a voltar a atenção para Stephen. – Meu bem, eu não fazia a menor ideia de que esta mocinha era sua namorada. Escondendo o jogo, hein? – Ela deu uma risadinha jovial.

Um homem grande, com o rosto vermelho e a cabeça calva em formato de ovo, veio na sua direção.

– Que convidada misteriosa é essa, Trish?

Ela se virou para o marido, animada.

– Ninguém menos do que Rosanna Rossini! Lembra-se de nós, meu bem? Costumávamos ir às suas estreias na Met. Certa vez conversamos em uma festa em que você estava com Roberto, antes de vocês se separarem. Agora que ele mora aqui, virou um bom amigo nosso e...

A mulher seguiu tagarelando sobre Roberto. Rosanna ficou pálida.

John St. Regent reparou.

– Trish, você está deixando a pobre moça constrangida. – Ele passou pela mulher, deu um sorriso caloroso para Rosanna e estendeu a mão. – John St. Regent. Seja bem-vinda à nossa casa.

– Olá.

Rosanna conseguiu dar um sorriso enquanto John apertava sua mão e em seguida a de Stephen.

– Que bom que você pôde vir, amigo. Temos muito o que conversar, só que mais tarde. – John ofereceu o braço a Rosanna. – Venha comigo, querida. Vou cuidar de você.

Deixando Stephen no hall com Trish admirando uma escultura nova que o casal havia adquirido recentemente, Rosanna deu o braço a John e deixou que ele a conduzisse até a magnífica sala de estar.

– Champanhe? – ofereceu ele, fazendo sinal para uma empregada de uniforme trazer uma bandeja.

– Obrigada. – Ela pegou uma taça.

John a levou até as janelas que iam do chão ao teto.

– Não existe vista mais bonita em lugar nenhum do mundo – comentou, gesticulando para a vastidão do Central Park lá embaixo, iluminado pelos postes de rua.

– É espetacular mesmo.

Ele chegou mais perto e disse:

– Não ligue para minha mulher. Ela às vezes ainda se comporta como a garçonete que já foi um dia... sempre querendo saber de alguma fofoca.

Ao vê-lo piscar com ar cúmplice, Rosanna simpatizou com ele e relaxou um pouco.

– Não vamos mais falar no seu ex. Pode deixar.

– Obrigado – disse Rosanna, agradecida.

– Mas, enfim, me parece que você arrumou um cara bem melhor para lhe fazer companhia. Conheço Stephen há dez anos. Ele é um homem bom.

– É mesmo – concordou Rosanna.

Nessa hora, Trish e Stephen entraram na sala.

– Ah, que gostoso, né? Só nós quatro. Adoro jantares íntimos. Assim podemos realmente nos conhecer – entoou Trish enquanto a empregada oferecia a Stephen uma taça de champanhe.

Rosanna suspirou por dentro e soube que a noite seria longa.

❦

Depois do jantar, Stephen e John foram para o escritório conversar sobre negócios. Trish se aproximou de Rosanna no sofá e segurou suas mãos.

– Sei que meu marido pediu que eu não falasse em Roberto, mas às vezes conversar um pouco faz bem. – Ela encarou Rosanna com alguma expectativa. Como esta não disse nada, insistiu: – Nós o vemos sempre, sabe? Donatella Bianchi é minha amiga e... você está sabendo sobre ele e Donatella, não está?

– Estou.

Rosanna fitou os sapatos novos. Estava fortemente inclinada a pedir licença e ir embora naquele mesmo instante. No entanto, havia algo estranho na franqueza texana de Trish que a desarmava e aquele fim de semana inteiro estava se transformando em um teste para sua força de vontade. Talvez também pudesse lhe proporcionar uma catarse, pensou ela enquanto escutava a outra falar.

– Ah, meu bem, agora estou começando a entender. Você ainda gosta dele, não é? É que eu pensei que você, agora que está com Stephen...

– Não. Acabou – disse Rosanna, encarando Trish. – Na verdade, quando eu voltar à Inglaterra, vou me divorciar de Roberto.

As palavras que acabara de dizer a deixaram mais espantada do que Trish.

– Ora, eu a aborreci... – disse Trish. – Johnny tem razão, não sei mesmo ficar de boca fechada.

– Não, você não me aborreceu. Na verdade, Trish, talvez tenha razão. Falar às vezes ajuda – disse Rosanna, agora decidida a não fraquejar.

– Sério, meu bem, é melhor para você estar sem ele. Sei que ele não tem sido fiel a Donatella, mas ela não parece se importar. Aqueles dois combinam, enquanto uma flor delicada como você precisa de um bom homem à moda antiga, um homem fiel para cuidar de você. Mas vamos deixar Roberto para lá. Quando você vai voltar a cantar? Estamos todos sentindo sua falta na Met – disse Trish, sincera.

– Não sei. Não sei mesmo. Talvez quando meu filho estiver maior.

– Desde que o que a esteja impedindo seja seu filho e não seu ex-marido... Você tem um dom de verdade, não pode desperdiçá-lo. Se tem uma coisa que aprendi na vida, foi que ela não é um ensaio. Para nós, mulheres, é mais difícil. Se quisermos ser felizes, precisamos ser mais fortes que os homens. Pode acreditar; eu sei do que estou falando. – Ela deu um sorriso gentil e, apesar da sua falta de tato, Rosanna soube que sua intenção era boa.

Intuindo que Rosanna precisava ser resgatada, Stephen entrou na sala.

– Querida, quer vir comigo ver a peça mais preciosa de John? – perguntou ele.

– Adoraria – respondeu ela, agradecida.

– Então me acompanhe.

Stephen a pegou pela mão e, juntos, atravessaram a sala e um corredor cujas paredes praticamente se vergavam com o peso de belíssimas obras de arte. No final do corredor havia uma porta de aço. John os aguardava ao lado da porta. Ele digitou um código no teclado de segurança da parede, então abriu a porta com um empurrão do ombro.

O espaço lá dentro era escuro e abarrotado e havia apenas uma fraca luz acesa, acima de uma pequena moldura pendurada na parede e direcionada para ela. John conduziu Rosanna pelos ombros até a cadeira em frente ao quadro.

– Aqui está. Dê só uma olhada. Não é uma das coisas mais lindas que você já viu?

Rosanna encarou o desenho à sua frente. Era um retrato da Madonna.

– De quem é?

– Leonardo da Vinci.

– Nossa! – Ela arquejou e se aproximou para ver melhor.

– É meio segredo, mas confiamos que você não vai comentar nada – falou Stephen.

– Sabe, meu bem... – John se postou atrás dela e pousou as mãos nos seus ombros enquanto admirava o quadro. – Às vezes é preciso ser astuto para comprar uma obra de arte especial. A questão é conhecer os marchands certos e eu com certeza tive sorte com esse.

– Você se importa se eu perguntar quanto pagou? – quis saber Stephen.

– Vários milhões de dólares. Na minha avaliação, foi uma pechincha, considerando que o valor é inestimável. Mas, para ser sincero, o importante não é o dinheiro nem o artista. É que amo esse retrato. Passo horas sentado aqui olhando para ela, sabia? Trish me acha maluco. Talvez eu seja mesmo.

– Já mandou autenticar? – indagou Stephen.

– O marchand que me vendeu disse que o desenho era genuíno e me mostrou os documentos necessários. É verdadeiro, sim.

Stephen assentiu.

– Você me deixaria examinar o quadro mais de perto da próxima vez que eu vier aqui? Sou especialista na Renascença e essa obra é de enorme interesse para mim. Seria muito importante você divulgar esse achado, sabe?

Existem poucos Leonardos no mundo que não sejam objeto de controvérsia. Se *isto aqui* for mesmo dele, é de fato inestimável.

– É claro que você pode olhar, mas sei que vai descobrir que é legítimo – falou John. – O que achou, Rosanna?

– Uma beleza. Entendo por que você o ama tanto.

– Sua namorada tem bom gosto.

John segurou a porta enquanto Stephen apagava a luz e eles saíam do recinto. Trish bebericava um conhaque na sala.

– Tomou sua dose, amor? – perguntou ela ao marido. Então arqueou as sobrancelhas para Rosanna. – Sério. Há homens que gostam de correr atrás de outras mulheres, há os que bebem, os que jogam... O meu marido passa horas sentado dentro de um cofre e encontra prazer em ficar olhando o desenho de uma virgem! Ah, enfim... – Ela suspirou, levantou-se e deu um abraço em John. – Eu o amo mesmo assim.

– Acho melhor irmos. – Stephen pousou uma das mãos no ombro de Rosanna. – Nosso voo de volta é amanhã de manhã.

– Que pena vocês terem ficado tão pouco – comentou John.

– Bem, terão de voltar em breve para nos visitar, quem sabe quando você decidir pedir a mão dela? Nós damos uma festa para vocês. – Os olhos de Trish brilhavam.

– Um dia, quem sabe – falou Stephen, sorrindo, enquanto Rosanna mais uma vez ficava parada ao seu lado, constrangida. – Vou ligar para a companhia aérea amanhã e saber sobre o transporte, John. Calculo que você deva receber o primeiro quadro antes do fim do mês.

– Ótimo. Às vezes é preciso entrar logo no começo, sabe, Rosanna? Identificar os artistas que serão importantes daqui a vinte anos – explicou John.

– Quando você já estiver morto e enterrado – brincou Trish.

Os quatro foram até o hall.

– Não liguem para ela. Trish não sabe apreciar arte, só isso. Essa pintora de paisagens que Stephen encontrou, acho que ela vai ser um desses artistas.

– Tomara que você tenha razão – falou Stephen. Ele beijou a anfitriã no rosto. – Obrigado por uma noite muito agradável.

– Disponha, Stephen. E cuide bem dessa mocinha, ouviu?

– Vou fazer o melhor que puder – prometeu ele.

– Nosso motorista está esperando lá fora para levar vocês de volta ao hotel – informou John enquanto Rosanna e Stephen iam até o elevador.

– Obrigado. Boa noite, John.

❧

Alguns minutos depois, os dois estavam sentados no banco de trás da limusine que avançava devagar pela Quinta Avenida em direção ao Plaza.

– O que achou do desenho? – perguntou Stephen.

– Como eu disse, achei uma beleza. É mesmo de Leonardo?

– Bem, ao que parece, pode ser, mas eu teria que fazer o quadro passar por um processo de autenticação para ter certeza absoluta. Verdade seja dita, estou me coçando para pôr as mãos nele. Se for *mesmo* um Leonardo, é o achado do século.

– Mas isso tem importância? Ninguém nunca vai ver o quadro, tirando John e alguns convidados.

– Um dia as pessoas o verão. Ele estava me falando sobre seus planos de doar a coleção inteira para o Met quando morrer. Caramba, eu bem queria ver a cara de algumas pessoas quando virem aquele pequeno desenho.

Rosanna disfarçou um bocejo.

– Desculpe.

– Você parece exausta, querida. – Stephen voltou a atenção novamente para ela. – Gostou de ter vindo? Sei que não foi fácil para você.

– Ah, gostei sim, de verdade. Obrigada.

– Lamento ter deixado você sozinha com Trish, mas era importante. – Stephen tirou um cheque da carteira. – Quinze mil dólares. Para John é um trocado, mas para mim são alguns meses de aluguel da galeria.

– Estou muito feliz. Você tem dom para descobrir novos talentos.

– Obrigado. Só espero que continue assim – disse ele baixinho. – Trish a interrogou quando saímos da sala?

– É claro.

– E você aguentou firme?

– Bem, eu disse a ela que vou me divorciar de Roberto assim que voltar para a Inglaterra. – Rosanna se virou e olhou pela janela.

– Ahn... e vai mesmo? – Stephen estava surpreso.

– Ah, vou.

# 40

Ao volante do Jaguar na estradinha rural que conduzia a The Manor House, Stephen relanceou os olhos para Rosanna e viu que ela torcia as mãos no colo.

– Você precisa mesmo aprender a se controlar. Tenho certeza de que está tudo bem com Nico – falou, com delicadeza. – Caso contrário, Abi teria ligado.

– É claro que vai estar tudo bem. Sei que estou sendo boba outra vez.

Os dois se aproximaram da casa e Abi abriu a porta da frente com Nico em pé ao seu lado.

Quando Rosanna desceu do carro, os olhos do menino se iluminaram.

– *Mamma*! *Mamma*! – Ele estendeu os bracinhos para ela e Rosanna correu e o envolveu em um abraço apertado.

– Oi, meu amor. Você se comportou bem com a tia Abi?

– Sim, muito bem, na verdade. A gente se divertiu muito, não foi, Nico?

– Ele está com uma cara ótima – falou Rosanna, beijando o filho no alto da cabeça.

– Viu? Consegui não aleijar, sufocar nem eletrocutar o garoto. – Abi deu um muxoxo, fazendo-se de magoada, e se virou para Stephen. – Sinceramente, você vai ter que começar a controlar essa sua mulher. Se ela se recusar a confiar em mim, talvez eu nunca mais fique de babá.

– Me perdoe, Abi. É a primeira vez que deixo Nico sozinho por mais de algumas horas.

– Bem, ele não teve problema algum. – As duas andaram em direção à casa com o menino enquanto Stephen descarregava as malas. – Você se divertiu?

– Sim, me diverti. Nós dois nos divertimos. Você precisa ver o que eu trouxe.

Abi olhou para trás na direção de Stephen, que tirava as sacolas e malas do bagageiro.

– Pelo visto, trouxe Nova York inteira.

– Pode levar as sacolas para a sala, Stephen? Aí posso dar os presentes do Nico – pediu Rosanna.

– Ao seu dispor, minha senhora – retrucou Stephen, tocando um chapéu imaginário.

Meia hora mais tarde, os três estavam tomando chá e vendo Nico brincar com o novo Mickey de pelúcia e o Chevrolet miniatura.

– Se você não tomar cuidado, esse menino vai ficar mimado – ralhou Abi.

– Eu gosto de mimá-lo, às vezes. – Rosanna acariciou os cabelos escuros do filho.

– Já contou para Abi sobre sua grande decisão? – quis saber Stephen.

Precisava ouvi-la dizer aquilo a mais alguém, para tornar a informação real.

– Que "grande decisão" é essa? – perguntou Abi.

– Vou me divorciar de Roberto assim que possível – respondeu Rosanna, da maneira mais casual que foi capaz.

– Mas que notícia maravilhosa! Vocês devem ter se divertido *mesmo* em Nova York – disse Abi.

O telefone tocou e Rosanna atravessou a sala para atender no escritório. Quando voltou, dez minutos depois, estava com o rosto pálido.

Na mesma hora, Stephen foi até ela.

– Más notícias, querida?

Rosanna assentiu e se sentou.

– Minha irmã Carlotta está muito doente. Ela perguntou se aceito que sua filha Ella passe um tempo aqui, pois ela não está em condições de cuidar da menina.

– Entendi. Quantos anos Ella tem?

– Quinze. Luca vai trazê-la daqui a dois dias.

– Coitadinha – disse Stephen com um suspiro.

– Pois é – concordou Rosanna. – E faz anos que não a vejo, desde que ela tinha uns 9 ou 10 anos. Agora é quase uma mulher.

– Bem, na pior das hipóteses vai ser uma companhia para você aqui. Quanto tempo ela vai ficar? – quis saber Stephen.

– Não sei. Luca não disse. Você se importa de ir buscá-los no aeroporto?

– Como já falei, estou a seu dispor – falou Stephen, tentando aliviar o clima com sua imitação de chofer, mas Rosanna o ignorou; estava distraída pensando na pobre irmã.

Embora Luca não tivesse entrado em detalhes com relação à saúde de Carlotta, sabia que as notícias deviam ser ruins.

– Luca e eu esperávamos que Carlotta estivesse melhorando, mas... ai, meu Deus... – Os olhos de Rosanna se encheram de lágrimas.

– Sinto *muito*, Rosanna. Mesmo – falou Abi. – Que péssima notícia para uma volta de viagem. Queria poder ficar e tentar ajudar de alguma forma, mas, infelizmente, agora que meus deveres de babá acabaram preciso mesmo voltar a Londres. O livro vai sair daqui a duas semanas. Vocês estão convidados para o lançamento, claro, mas vou entender se não conseguirem ir. Ah, e se Luca ainda estiver por aqui, digam que ele também está convidado.

Enquanto Abi ia buscar sua bolsa de viagem, Stephen ficou sentado observando a expressão séria de Rosanna. Estendeu uma das mãos para ela.

– Sinto muito, querida. Não sei muito bem o que posso dizer ou fazer para ajudar.

– Pelo que Luca falou, Carlotta não quer que Ella fique lá para não ser obrigada a ver a *mamma* morrer. E minha irmã também não quer me ver. – Rosanna suspirou. – Estou magoada; não consigo evitar.

– Ela deve ter seus motivos. E, se está mandando a filha para ficar sob seus cuidados, deve confiar em você.

– É – concordou Rosanna, animando-se um pouco. – Acho que deve mesmo.

Alguns minutos depois, foram até o lado de fora se despedir de Abi.

– Tchau, querida. Obrigada por tudo. E, se precisar conversar, sabe onde estou. Ah, e mande um beijo para o Luca. – Abi deu a partida no motor, acenou e foi embora.

ಜ಼

Dois dias depois, Rosanna passou a manhã faxinando a casa de alto a baixo. Era o que sempre fazia quando estava tensa. Nico seguia atrás dela com um espanador grande na mão.

– Sua prima vem nos visitar hoje, Nico. O nome dela é Ella. Você consegue dizer Ella? Vamos, repita, Ella.

– Lala – balbuciou o menino.

Rosanna afofou os travesseiros de um dos quartos de hóspedes, em seguida pôs um vaso de flores sobre o peitoril da janela.

– Ella – repetiu.

– Lala – entoou Nico.

– Pronto, tudo arrumado. Vamos descer para almoçar?

❦

Mais tarde nesse dia, enquanto Nico tirava sua soneca, o carro de Stephen estacionou na frente da casa. Da janela da sala, Rosanna o viu desligar o motor, Luca saltar e abrir a porta de trás. Uma jovem saiu do carro. Alta e muito esguia, tinha uma farta cabeleira escura. Enquanto ela caminhava com Luca até a porta da frente, Rosanna correu para abrir a porta.

– Luca, Ella... que prazer ver vocês!

Ela abraçou o irmão, em seguida deu dois beijinhos no rosto da sobrinha. A menina encarou a tia com ar nervoso. Estava muito pálida, o que fazia seus olhos escuros parecerem ainda maiores.

– *Come va*, tia Rosanna? Obrigada por me acolher na sua casa – disse Ella em italiano, esforçando-se para abrir um sorriso, que saiu fraco.

De alguma forma, aquele sorriso lhe parecia muito conhecido, mas não foi de Carlotta que Rosanna lembrou. Ela afastou o pensamento, passou um braço em volta do ombro de Ella e a levou para dentro de casa.

– Como foi a viagem?

– Ah, foi emocionante. Eu nunca tinha andado de avião. Gostei muito de voar.

– Você deve estar com fome. Tenho uns *scones* com geleia para enganar sua fome até a hora do jantar.

Rosanna a levou até a sala, com Luca e Stephen logo atrás.

– Me desculpe, mas o que são *scones*? – perguntou a menina.

– São uns bolinhos ingleses. Acho que você vai gostar. Sente-se aqui com Luca enquanto preparo um café e trago para cá.

– Obrigada, tia Rosanna.

– Pode me chamar só de Rosanna. "Tia" me faz sentir muito velha.

Rosanna sorriu para ela e saiu da sala se perguntando por que a presença da sobrinha a perturbava. Stephen a seguiu até a cozinha.

– Ella parece uma moça adorável, mas quase não falou nada no carro. Não sei bem quanto de inglês ela entende. Mas está me parecendo um pouco atordoada – comentou ele, pegando um *scone* no prato e dando uma mordida.

– Claro. Ela nunca saiu de Nápoles, muito menos atravessou o mar até um país estranho para ficar com uma tia que não vê há anos. Quero fazê-la se sentir em casa, ajudá-la a se sentir confortável. É o mínimo que posso fazer por Carlotta.

– Ela me lembra alguém, sabia? – falou Stephen, mastigando o *scone* com ar pensativo.

– Quem? – indagou Rosanna.

– Você, sua boba. Ela me lembra você.

*Claro, era isso, por isso o sorriso parecia conhecido*, pensou Rosanna.

– Por favor, leve logo esses *scones* para a sala antes que você coma tudo – falou, ralhando afetuosamente com Stephen.

– Vou embora. Você precisa conversar com Luca e Ella, querida. Vou deixar vocês à vontade.

– Venha jantar amanhã, então.

– Maravilha.

Ele a beijou na ponta do nariz e saiu.

– Oi, Rosanna.

Ella entrou na cozinha tão silenciosamente que Rosanna não escutou.

– Oi, Ella. Já estou levando o café.

– Vim só dizer que, se você não se importar, vou para a cama. Estou muito cansada.

– Não está com fome? Quer vir jantar com a gente mais tarde?

A jovem fez que não com a cabeça.

– Não, obrigada. *Buona notte*.

– Boa noite, Ella.

A moça se virou e saiu. Havia algo de tão vulnerável nela, de tão solitário, que Rosanna sentiu um nó se formar em sua garganta.

☙❧

– Luca, acho que ela sabe que Carlotta está morrendo – falou Rosanna quando os dois se sentaram mais tarde na cozinha para jantar.

– Pode ser, mas Carlotta não quis conversar com Ella sobre a doença nem sobre o futuro.

– Quanto tempo ela tem?

– Não sei. Mas não é muito. Ela está perdendo o ânimo. Tem sentido muita dor.

– Então Ella precisa voltar logo, antes que seja tarde.

– Não. Carlotta não quer que ela volte. Ela já se despediu da filha.

– Mas e Ella? – Rosanna estava horrorizada. – A menina não tem o direito de decidir o que prefere fazer?

– Carlotta já tomou a decisão. Ela acha que é o melhor.

– E depois que ela morrer? O que vai acontecer?

– Eu trouxe uma carta dela para você. Acho que talvez ela consiga explicar as coisas melhor do que eu. Entrego depois do jantar. Mas agora, por favor, vamos comer pensando em coisas mais felizes. Como foi em Nova York?

– Muito bom... e muito ruim ao mesmo tempo. – Rosanna beliscou a batata assada que tinha no prato. – Stephen foi um doce, mas encontrei umas pessoas que conhecem Roberto e a namorada dele, Donatella Bianchi.

Luca arqueou as sobrancelhas.

– Ele reatou com ela?

– Sim.

– Esses dois se merecem. São feitos do mesmo barro.

– Foi exatamente isso que Trish falou, que eles combinavam.

– Quem é Trish?

– Desculpe, é a mulher do cliente de Stephen lá em Nova York. Ela é amiga de Donatella e Roberto. No começo foi meio esquisito, mas na verdade acho que ela é boa pessoa. O marido é um bilionário, dono de uma coleção de arte fantástica. Ele me levou até um quartinho onde tem um desenho lindíssimo da Madonna. – Com um gesto das mãos, Rosanna indicou o tamanho do quadro. – Disse que o desenho é de Leonardo da Vinci. Parece que pagou milhões de dólares por ele.

– É mesmo? – Luca fez uma pausa, então perguntou: – Onde ele achou esse desenho?

– Não sei. Falou que era segredo, eu nem deveria estar falando disso. Talvez Stephen saiba. Pode perguntar a ele. Por quê?

– Ah... – Luca deu de ombros. – Por nada.

Ao longo da noite, a desconfiança começou a aumentar na mente de Luca. Ele pediu licença e foi para o quarto, louco para organizar os pensamentos: Donatella, amiga do colecionador de arte, um pequeno desenho da Madonna que remetia ao estilo de Leonardo... será que poderia ser o mesmo ou não passava de coincidência?

Na manhã seguinte, enquanto Ella e Rosanna tomavam café com Nico à mesa da cozinha, ele foi até o escritório. Procurou no caderno de endereços da irmã o telefone de Stephen na galeria e ligou.

– Stephen, aqui é Luca Menici. Desculpe incomodar, e talvez minha pergunta pareça estranha, mas ontem à noite Rosanna me falou sobre um desenho da Madonna que seu cliente de Nova York tem.

– Falou? Ela deveria ter ficado calada em relação a isso – disse Stephen, em tom preocupado.

– Ela não contaria a mais ninguém, não se preocupe. Mas por que deveria ser segredo?

– Muitos colecionadores preferem ser discretos em relação às suas obras mais valiosas. O roubo de obras de arte é um grande problema hoje em dia.

– Você por acaso sabe onde o seu cliente comprou o tal desenho?

– Sei, mas não posso contar sem violar a confidencialidade do cliente.

– Por favor, é muito importante. Juro que não vou dizer nada.

– Bem... foi de um conhecido marchand italiano chamado Giovanni Bianchi. Por que a pergunta?

Do outro lado da linha, Luca fechou os olhos e balançou a cabeça, sem acreditar.

– Luca, você ainda está aí?

– Sim, Stephen, precisamos conversar. É um assunto muito importante.

– Eu vou jantar aí hoje. Se chegar cedo, podemos conversar enquanto Rosanna dá banho no Nico.

– Está bem, mas não comente nada com ela, por favor.

– É claro que não. Tchau.

Luca pôs o fone no gancho, voltou à cozinha e tentou esquecer que sua amada igreja e seu país talvez tivessem tido um tesouro inestimável surrupiado bem debaixo do seu nariz.

# 41

Mais tarde nesse mesmo dia, enquanto Nico e Ella faziam a sesta, Rosanna se sentou à mesa da cozinha e leu a carta de Carlotta que Luca havia lhe entregado.

*Vico Piedigrotta,*
*Nápoles*

*Minha querida Rosanna,*
*Obrigada, do fundo do meu coração, por receber Ella em sua casa. Significa muito para mim saber que ela está com você aí na Inglaterra, bem longe do que está acontecendo com sua* mamma. *Luca deve ter lhe contado sobre minha doença e dito que me resta pouco tempo de vida. Me perdoe, Rosanna, por não querer ver você; quando a morte é súbita a gente não consegue fazer escolhas, mas o único consolo que tenho com minha morte lenta é poder organizá-la da maneira que desejo. E não quero ver ninguém. Muito em breve irei embora para um lugar tranquilo, onde daqui a pouco tempo Luca irá se juntar a mim para me ajudar nos meus últimos dias.*
*Se parece que me esforcei pouco para me comunicar com você nos últimos anos e que ignorei seus gentis convites para ir visitá-la na Inglaterra, peço que me perdoe. Na verdade, não consigo explicar. Nossas vidas seguiram caminhos muito diferentes e, para dizer a verdade, eu talvez tenha achado difícil comparar a sua com a minha. Pronto, admito. E algum dia, se o destino assim quiser, talvez você venha a saber toda a verdade e então vai entender.*
*Rosanna, você talvez esteja se perguntando por que quero que Ella fique longe de mim. Meu coração me diz que o certo é ela não ver a* mamma *sofrer mais. Sei que você vai tratá-la com carinho. Ela vai passar algum tempo muito chateada, mas é jovem, e tenho certeza de que, com o amor que você vai ter por ela, com o tempo ela vai se recuperar.*

*Há duas coisas que quero que você faça por mim. Quando eu morrer, não quero que nem você nem ela venham ao meu enterro. Serei enterrada discretamente e apenas papà e Luca me porão para descansar. A segunda coisa, e espero que você não ache que estou pedindo demais, é que não quero que Ella volte para Nápoles depois que eu morrer. Gostaria que ela ficasse com você na Inglaterra. Se ela voltar para cá, sua vida vai ser uma repetição da minha. Ela merece mais. É uma moça muito especial. Peça a ela que cante para você um dia.*

*Então, estou deixando o destino de minha filha em suas mãos. Tenho um pouco de dinheiro guardado e, quando eu morrer, meu advogado vai encaminhar a quantia a você, a fim de ajudar nas despesas com Ella. Agradeço desde já por cuidar da minha filha. Sei que vai fazer o melhor pela sua sobrinha.*

*Rosanna, não me queira mal por dizer isso, mas sinto-me aliviada por você ter deixado Roberto. Ele é um homem destrutivo e, por mais que você o amasse, ele só poderia lhe trazer dor. Há pessoas no mundo que são assim. Luca me contou que você agora tem um homem bom, que cuida de você como deve.*

*Por fim, não deixe Roberto tirar seu talento. Você nasceu para cantar! Você PRECISA cantar.*

*Adeus, Rosanna.*

*Ti amo.*

*Sua irmã, Carlotta*

Rosanna deixou a carta cair de suas mãos e chorou.

— Rosanna, Rosanna?

Ao erguer os olhos, deu com Ella a observá-la, com o cenho franzido de preocupação.

— Vim avisar que Nico acordou — continuou a menina. — Está tudo bem? O que houve?

Ela olhou de relance para a carta no chão.

Rosanna pegou o papel depressa.

— Desculpe, Ella. É que...

— É um carta de *mamma* dizendo que está morrendo, não é?

Rosanna viu a dor nos belos olhos da menina.

— Sei que é por isso que estou aqui na Inglaterra com você, para *mamma* poder morrer sem que eu veja. Sei que já me despedi dela. Eu... – Os ombros da menina estremeceram e ela começou a soluçar.

– É isso, sim, Ella. Sinto muito, muito mesmo.

Rosanna se aproximou, abraçou-a e as duas choraram juntas. Depois de algum tempo, conduziu a sobrinha até o sofá, sentou-a e afastou os cabelos de seu rosto.

– Sei quanto isso deve ser difícil para você – falou suavemente, em italiano. – Mas foi o que sua *mamma* quis.

– Mas não o que *eu* quis – disse ela com a voz embargada.

– Eu sei, eu sei, mas ela só está tentando poupar você da dor. Também não quer me ver.

– Mas ela precisa de mim... Está sozinha... – gemeu Ella.

– Não. Luca vai pegar um avião amanhã para ir ficar com ela. Os dois são muito próximos e é ele que Carlotta quer ao seu lado.

– Mas e eu? E o futuro? – Ella balançou a cabeça. – O que vai ser de mim sem *mamma*?

– *Cara*, ela fez planos para você, então, por favor, não se preocupe. Por enquanto, você vai ficar aqui comigo e com Nico. Sei que é estranho e parece difícil, mas vai se tornar mais fácil, eu juro que vai. Vamos formar nossa pequena família. Eu vou cuidar de você.

– Mas... você me quer aqui? Afinal, mal me conhece.

– Mas que coisa mais boba, *cara*. Você é minha sobrinha e eu a amo. Além do mais, eu me sinto muito sozinha nesta casa imensa. Você vai me fazer companhia. E vejo que Nico gostou de você. Estamos os dois muito felizes por você ter vindo, muito mesmo, e vamos nos ajudar a passar por isso, está bem?

Ella assentiu.

– *Sì*.

Rosanna lhe deu um forte abraço.

– Agora é melhor eu subir antes que meu filho pense que o abandonei. – Rosanna se levantou e estendeu a mão a Ella. – Vem comigo?

Ella sorriu e segurou a mão da tia, agradecida.

– Obrigada por ser tão boa comigo.

– Você está dizendo que encontrou o que acha que é o desenho de John St. Regent na cripta de uma igreja em Milão?

Luca assentiu enquanto observava a expressão incrédula de Stephen.

– Sei que é uma coincidência incrível, mas acho que sim.

– Certo. Me conte a história outra vez, devagar.

Luca tornou a relatar como havia descoberto o desenho e o cálice de prata e como Donatella Bianchi os tinha levado para o marido avaliar.

– Então ela disse que o cálice valia muito dinheiro, mas que o desenho quase não tinha valor? – perguntou Stephen.

– Isso.

– Por que você não pediu uma segunda opinião?

– O padre e eu estávamos numa posição difícil. Sabíamos que, se revelássemos a outros a minha descoberta, era pouco provável que o dinheiro chegasse à nossa igreja. Ele seria tragado na hora pelos cofres do Vaticano, e nós precisávamos urgentemente de verba para as restaurações. Por causa disso, Don Edoardo, o pároco da igreja, aceitou deixar Giovanni Bianchi vender o cálice. Então Donatella disse que também compraria o desenho da Madonna, pois havia se afeiçoado a ele. Ela nos deu 3 milhões de liras pela obra e fez uma grande doação à igreja. – Luca balançou a cabeça. – Nós confiávamos nela, Stephen, e precisávamos do dinheiro. Se eu tivesse sabido a verdade na época...

Stephen soltou uma expiração audível.

– Bem, *se for* o mesmo desenho, vocês foram vítimas de um golpe dos mais assombrosos. Mas Luca, se isso servir de consolo, vocês não foram os primeiros nem serão os últimos. Existem marchands e colecionadores inescrupulosos no mundo inteiro. Muitas vezes funciona assim: o marchand descobre uma obra valiosa e sabe que, se avisar às autoridades, o Estado vai confiscá-la como tesouro nacional. A obra ficará exposta em uma galeria pública e ele pouco receberá em troca do seu achado. Mas, se conseguir encontrar um comprador particular... aí, como você viu, as recompensas podem ser excepcionais. Calculo que pelo menos um terço das obras mais famosas do mundo estejam escondidas em cofres secretos mundo afora.

Luca balançou a cabeça.

– Não acredito que Don Edoardo e eu fomos tão ingênuos.

– Vocês não tinham como saber que essa mulher estava mentindo. De toda forma, antes de tomarmos qualquer outra atitude, precisamos descobrir se o desenho é ou não o mesmo.

— Espero sinceramente que eu esteja errado e seja só coincidência. Se eles se apropriaram do desenho, lesaram não somente a nós, mas também a igreja e a própria Itália... — Ele tornou a balançar a cabeça, desolado.

— Primeiro vamos ver se é o mesmo desenho, depois vemos o que fazer.

— Você tem alguma ideia de como podemos fazer isso? — indagou Luca.

— Na verdade, comentei com John St. Regent que gostaria de examinar o desenho mais detalhadamente. Ele tem total confiança em mim. — Stephen suspirou. — Até agora, não tem motivo nenhum para não confiar.

— Sério, Stephen, você não deve se comprometer.

— Não vou me comprometer, isso eu lhe garanto, mas estou disposto a examinar e autenticar o desenho e, nesse processo, tirar uma fotografia dele para você. Mas, se for *mesmo* o desenho que você encontrou, terei de insistir que a partir de então meu nome seja tirado da jogada. No meu ramo, a discrição é a alma do negócio.

— Claro. Não tenho a menor ideia do que fazer se for o mesmo desenho, mas pelo menos preciso saber a verdade. Obrigado, Stephen.

— Não há de quê. Estou tão ansioso quanto você para saber a verdade.

— Quando você vai a Nova York?

— Infelizmente, só daqui a uns dois meses. Estou soterrado de trabalho na galeria. Na melhor das hipóteses, no início de dezembro. Mas, enfim, se eu voltasse tão cedo para olhar o desenho, levantaria suspeitas. Tenho outro cliente em Nova York que quer que eu veja e autentique um quadro. Posso matar dois coelhos com uma só cajadada. O que sugiro é que você guarde esse assunto no fundo da sua mente, por enquanto.

— Vou tentar, mas...

Stephen levou um dedo aos lábios ao ver Rosanna e Ella entrarem na sala.

❧

Rosanna se enfiou na cama e no calor dos braços de Stephen.

— Estou tão cansada... — falou, e bocejou enquanto se acomodava.

— Ella parecia mais feliz agora à noite — comentou Stephen.

— Conversamos hoje. Ela sabe sobre Carlotta... que a mãe está morrendo e que já se despediu. Carlotta me escreveu uma carta e, nossa, Stephen, é uma das coisas mais trágicas que já li.

– Sinto muito, querida. – Ele a puxou para mais perto. – E o mais trágico é a sua irmã ser tão jovem... A vida não tem sentido mesmo, não é? É uma loteria.

– Pois é. Carlotta quer que Ella fique comigo.

– Eu sei.

– Quero dizer, que fique morando aqui depois que ela morrer.

– Sei. E o que você acha disso?

– É claro que fico feliz em recebê-la. Ella tem quase 16 anos. Daqui a uns dois anos vai querer sair de casa para fazer faculdade. Falando nisso, se ela for ficar aqui, preciso me informar sobre colégios nas redondezas e achar um professor de inglês para lhe dar aulas particulares. Ela já sabe o básico da língua, mas, quando for estudar em um colégio daqui, vai precisar de ajuda.

– Sim. – Stephen acariciou seus cabelos com delicadeza. – Mas amanhã, querida. Preocupe-se com isso tudo amanhã.

Rosanna se acomodou para dormir e apagou a luz.

– Ah, e mais uma coisa. Você conhece um bom advogado?

– Conheço, sim.

– Então precisa me passar o contato. Quero dar entrada no divórcio.

– Isso, *sim*, é uma notícia boa. – Ele a beijou na cabeça. – Querida?

– Hum?

– Se você vai se divorciar de Roberto, o que acharia de se casar comigo no futuro?

– Ahn... não posso apenas me divorciar dele primeiro?

– É claro que pode. Eu só queria saber se existe essa possibilidade.

Rosanna acariciou de leve a bochecha dele.

– Existe, sim, *caro*. Boa noite.

❦

Na manhã seguinte, antes de partir para Nápoles, Luca foi até a sala e ligou para o número de Abi em Londres. Estava nervoso; não falava com ela desde o dia em que os dois haviam se separado tão dolorosamente ali mesmo, em The Manor House.

– Alô? – A voz dela soou sonolenta.

– Abi, é o Luca.

– Luca, querido, tudo bem?

Seu tom foi caloroso e preocupado, e no seu íntimo Luca suspirou de alívio por ela não estar zangada.

– Sim... tudo bem. Desculpe não ter ligado antes, mas as coisas andaram complicadas.

– Não se preocupe. Você ligou, é o que importa.

– Queria avisar que vou passar umas semanas fora. Vou acompanhar Carlotta a um convento-hospital perto de Pompeia. Ficarei lá o tempo que for preciso.

– Claro. Que coisa mais desagradável, coitada da Carlotta: E você, como está se sentindo?

– Estou arrasado, como você pode imaginar, mas tenho que reunir forças pela minha irmã. Ela vai precisar de tudo que eu puder lhe dar.

– Que sorte a dela ter você.

– Entro em contato quando... quando tudo terminar.

– Está bem – disse ela baixinho. – Mas Luca... – Não conseguiu segurar a pergunta. – Você está... com saudades de mim?

Ele recordou aqueles dias perfeitos do verão que os dois haviam passado rindo e se amando. Então pensou no que teria de enfrentar nas próximas semanas.

– Mais do que você pode imaginar. *Ciao, cara.*

# 42

– Bem, Sra. Rossini, a senhora gostará de saber que seu marido não vai contestar o divórcio.

– Ah – disse Rosanna com tristeza.

Em algum canto dentro de si, torcia para que Roberto o fizesse.

– Como está se divorciando dele por motivo de adultério e o Sr. Rossini não vai contestar, podemos pedir uma ordem provisória de divórcio imediatamente.

– E a casa, The Manor House?

– Como a senhora disse, ele lhe deu a casa de presente e a escritura já está no seu nome. O Sr. Rossini ficará com a casa de Londres, como a senhora sugeriu. Continuará lhe pagando mensalmente uma generosa pensão... quero dizer, até a senhora se casar outra vez. Também concordou em pagar a quantia de 250 mil libras, que será depositada em um fundo em nome de Nico até ele completar 21 anos. Além disso, vai arcar com os custos da educação do menino. – O advogado fez uma pausa. – Acho mesmo que devíamos ter pedido uma indenização em dinheiro para a senhora também. Seu marido é um homem muito rico e...

– Não. Já discutimos esse assunto. Eu só quero a casa e o suficiente para Nico e eu vivermos com conforto – falou Rosanna, decidida.

– Bom, a decisão é sua.

– Ele... ele perguntou alguma coisa sobre os direitos de visitação?

– Não. Sra. Rossini, tenho a sensação de que o seu marido está tão ansioso para resolver as coisas quanto a senhora. Mas isso não o impede de pedir para ver o filho no futuro. A senhora precisa ter consciência disso.

– E minhas coisas que estão na casa de Londres?

– A senhora ainda tem a chave, não tem?

– Tenho.

– Pode ir buscá-las a qualquer momento. O Sr. Rossini mora em Nova

York agora, de modo que é raro ele estar na casa. Mesmo assim, para evitar surpresas, é melhor ligar antes de ir – sugeriu o advogado. – Quem dera todos os divórcios fossem tão fáceis quanto este. Seu marido está sendo muito razoável.

– Ele está sendo razoável porque mal pode esperar para tirar Nico e eu de sua vida. – Rosanna se levantou. – Obrigada por toda a sua ajuda.

– Certo. Bem, se a senhora estiver satisfeita com os termos, eu escrevo para o advogado do seu marido e devemos resolver isso bem depressa. Até logo, Sra. Rossini.

Rosanna saiu do escritório do advogado e foi andando pelas ruas movimentadas de Cheltenham até a galeria de Stephen.

– O que foi? – Ele a levou até sua sala nos fundos e a fez se sentar. – Com o que ele está encrencando?

– Com nada. Concordou com tudo.

– Que bom. Isso é ótimo, não é? Daqui a uns meses você vai estar livre, querida. Pensei que quisesse isso... então por que essa cara tão triste?

– Tem razão, é *mesmo* o que eu quero. – Rosanna forçou um sorriso e olhou o relógio. – Pode chamar um táxi para mim? Preciso voltar. Falei para Ella que só ia demorar uma ou duas horas.

– Sim, claro. – Ele procurou o telefone do táxi no rolodex. Ligou, fez o pedido, em seguida pôs o fone no gancho devagar e a estudou. – Tem *certeza* de que esse divórcio é o que você quer, querida?

– Tenho, Stephen – repetiu ela.

– Então, quando eu voltar de Nova York, por que não levamos Nico e Ella para passar o Natal em algum lugar? Todos nós estamos precisando de uma folga.

– Pode ser, mas temos que esperar para ver o que acontece com Carlotta. Luca vai me ligar hoje à noite para dizer como ela está. – Rosanna viu o táxi encostar em frente à galeria.

– Quer que eu passe lá mais tarde?

– Quero, por favor.

– Está bem, querida. Até mais.

⁂

Os passos de Luca ecoaram pelo corredor de pedra do convento. Ele abriu a porta do quarto de Carlotta e foi depressa até a cama. Sentou-se e segurou delicadamente a mão frágil da irmã.

– Como vai *papà*? – murmurou ela, abrindo os olhos.

Os olhos de Luca conseguiram expressar uma centelha de bom humor.

– Você tinha razão.

– Em relação a quê?

– Ele pediu a *Signora* Barezi em casamento e ela aceitou. Eles vão se casar o quanto antes. *Papà* me contou agora mesmo ao telefone. Pediu a minha bênção e a sua.

– E você deu?

– Claro. Que menina esperta você é, Carlotta. Parece que seu plano deu certo.

Ela deu um suspiro de alívio e fechou os olhos.

– Sabia que ele não duraria muito sozinho.

– Liguei também para a Inglaterra. Falei com Rosanna e Ella, e elas mandaram beijos. – Ele se sentou na cadeira ao lado da cama. – Rosanna estava com a voz bem triste.

– Por quê? – Carlotta continuava de olhos fechados.

– Porque Roberto concordou com o divórcio. Não vai contestar o pedido dela e atendeu a todas as exigências que ela fez. Parece que daqui a dois meses nossa irmã enfim estará livre dele.

Os olhos de Carlotta se abriram com um tremor. Luca reparou que brilhavam com uma luz que havia dias que ele não via.

– Que notícia boa. Ela deveria estar feliz.

– Eu sei, mas infelizmente acho que ainda o ama.

– Vai esquecê-lo. – Ela se esforçou para se sentar direito. – Luca, tem mais uma coisa que quero que você faça por mim. Pode ligar para o meu advogado e pedir que ele venha me ver? Ainda preciso organizar alguns detalhes.

– É melhor me dizer o que é e eu falo com ele. Vai ser cansativo demais para você.

– Não – insistiu ela. – Quero vê-lo pessoalmente.

❧

No dia seguinte, o advogado chegou ao convento. Carlotta insistiu em que

Luca os deixasse a sós. Quando a porta se fechou, os dois conversaram. Por fim, ela lhe entregou um envelope.

– O senhor entende que não quero que ninguém saiba disso? E a carta só deve ser postada depois que eu morrer.

– Entendido, *signora* – respondeu o advogado.

– Por favor, cuide para que a carta seja identificada como "confidencial" e despachada aos cuidados da Ópera Metropolitana de Nova York. Eles saberão para que endereço encaminhá-la.

– Não se preocupe. Prometo cumprir seus desejos.

– Obrigada.

Quando ele saiu, Carlotta tornou a afundar nos travesseiros; toda sua energia havia se esgotado.

Aquela decisão a vinha atormentando nos últimos meses. Ela não queria causar dor alguma à irmã, mas sentia que era importante que ele enfim soubesse.

O divórcio iminente a fizera se decidir.

Em breve, Roberto saberia que tinha uma filha.

E Carlotta poderia encontrar a paz.

⚜

– Você tem meu telefone em Nova York. Se houver qualquer problema, me ligue. – Stephen deu um beijo no rosto de Rosanna.

– Não vai haver – falou ela.

– Duas semanas parece tempo de mais para ficar longe de você – sussurrou ele, segurando-a junto de si.

– Vai passar depressa. Você vai estar ocupado trabalhando e eu, com os preparativos do Natal. É melhor ir andando, *caro*, ou vai perder seu voo.

Stephen entrou no carro e deu a partida no motor.

– Tchau, Ella. Tchau, Nico. Nos vemos em breve.

⚜

– Ella, você se importa de cuidar de Nico por algumas horas na próxima semana? Preciso buscar minhas coisas na casa de Londres. Meu advogado escreveu dizendo que seria um bom momento, pois Roberto está em Nova York. E seria bem mais fácil fazer isso sozinha.

– Não, claro que não me importo. Não tem problema nenhum – respondeu Ella.

– Se você tiver certeza... Posso ir no sábado, assim você não perde nenhuma aula.

– É lógico que tenho certeza. Nico adora a tia Lala, não é, Nico?

Ela se aconchegou ao menino, que se contorceu de prazer.

– Obrigada, Ella. Fico muito grata.

– Está tudo bem? – perguntou a moça, reparando na expressão tensa de Rosanna.

– Sim, tudo bem.

Rosanna saiu da cozinha e foi até o escritório fazer uma lista das coisas que gostaria de trazer de Londres.

❦

Durante a viagem de trem, para não pensar no que teria de fazer nas horas seguintes, Rosanna ficou pensando em como Ella parecia ter se adaptado bem à sua nova vida. Havia matriculado a sobrinha em um pequeno colégio particular num vilarejo próximo. Nos últimos dois meses, com a ajuda de um professor particular, o inglês dela tinha melhorado consideravelmente e ela começara a fazer novos amigos. O currículo era difícil, mas os professores vinham se mostrando muito compreensivos e lhe davam aulas extras. Estavam confiantes de que o inglês dela bastaria para prestar alguns exames no verão. Se ela quisesse prestar outros, segundo eles, poderia continuar no colégio no ano seguinte. Dali a uma semana, Rosanna e Nico iriam assistir ao coro de Natal do seu colégio. Ella ia cantar um solo e havia chegado em casa com os olhos brilhando para contar a novidade à tia.

Rosanna tinha se afeiçoado muito à sobrinha, cuja coragem e tenacidade admirava. Os telefonemas quinzenais de Luca com notícias de Carlotta eram um momento difícil e costumavam produzir uma crise de choro, mas, de modo geral, Ella parecia ter aceitado a situação e estava se esforçando ao máximo para se conformar. Rosanna achava reconfortante poder contar a Luca sobre a evolução da sobrinha. Sabia que isso ajudava Carlotta, que nos dois últimos dias, segundo ele, vinha perdendo e recuperando a consciência. Na noite anterior, ele dissera a Rosanna que achava que o fim estava próximo, que sentia a irmã pronta.

O trem chegou à estação de Paddington e Rosanna andou pela plataforma até encontrar um telefone público. Suas mãos tremiam quando ligou para a casa de Kensington. Mesmo tendo sido informada de que Roberto estava em Nova York, queria checar mais uma vez. O telefone tocou por dois bons minutos antes de ela pôr o fone no gancho e se desculpar sorrindo para o executivo que esperava irritado para usar o aparelho. Saiu da estação e pegou um táxi no ponto.

– Campden Hill Road, por favor – falou.

– Pois não, senhora.

Embora Rosanna soubesse que Roberto não estava, seu coração começou a bater com força quando o táxi subiu a Kensington High Street, virou à esquerda e parou na frente da casa.

– Deu 6 libras, senhora.

Rosanna pagou o taxista e saltou. Ficou alguns instantes parada, com o rosto erguido, observando a graciosa casa branca. Então, respirando fundo, subiu os degraus até a porta da frente.

O cheiro conhecido e outrora reconfortante da casa a envolveu quando ela entrou no hall. Ela de repente ficou tonta e desabou no primeiro degrau da escada, sentindo a respiração se acelerar e fazendo força para se controlar.

*Vamos lá, Rosanna*, falou para si mesma. *Uma horinha só, é tudo de que você precisa, então pode voltar para casa.*

Ela se levantou e enfiou a mão na bolsa para pegar a lista. Era bem curta e continha sobretudo velhas bugigangas que ela havia comprado nas viagens do casal pelo mundo e às quais tinha apego. Querendo acabar logo com aquela agonia, subiu a escada em meio ao silêncio. Empurrou a porta do quarto que dividira com Roberto e entrou.

Tudo estava exatamente como antes; até sua foto continuava na mesinha de cabeceira ao lado da cama que Roberto ocupava. A casa inteira parecia desabitada e Rosanna se perguntou quantas vezes Roberto teria estado ali desde a separação. Talvez nenhuma, pelo visto. Foi até o armário de parede e o abriu. Lá dentro, lado a lado com as suas roupas, estavam alguns dos ternos dele; junto a seus sapatos estavam os dele, maiores. Ela estendeu a mão para pegar o primeiro vestido, mas parou. Não queria aquele vestido, nem qualquer outro; tinha muitos em casa. Além do mais, nunca os usaria: seriam uma lembrança dolorosa demais.

Então, sentou-se na cama abruptamente e segurou a cabeça com as mãos. O resgate dos seus objetos fora apenas uma desculpa esfarrapada, um motivo para se permitir voltar ao passado. Mas a brutal realidade era aquele vazio, e não havia como fazer os ponteiros do relógio andarem para trás.

*Só uma hora de lembranças, depois preciso esquecer... para sempre*, pensou.

Percorreu a casa. Foi recolhendo um programa de *La Traviata* em Covent Garden enquadrado na parede, copos de cristal comprados em Viena, um candelabro garimpado num mercado de pulgas de Paris, e pôs tudo dentro da bolsa que trouxera. Cada objeto lhe evocava um instante, provocava uma sensação especial. Ela reviveu cada alegria; lançou-se por inteiro no passado e não encontrou nenhuma dor, apenas prazer.

Na sala íntima havia uma foto dos três logo depois do nascimento de Nico. Nela, seus olhos estavam vivos, a expressão vibrante. Rosanna foi até o espelho pendurado acima da lareira e examinou o próprio reflexo. Sabia que estava diferente. Tinha os olhos tristes, mortos.

– Eu te amo, Roberto. Não importa o que tenha feito, vou amá-lo para sempre, para sempre – murmurou consigo mesma.

Desceu até a cozinha e chamou um táxi para levá-la à estação. Sentou-se para esperar e, quase sem pensar, ligou o toca-fitas que estava no lugar de sempre sobre a mesa. Sua própria voz inundou o recinto, pegando-a de surpresa.

Ela fechou os olhos para escutar. Então começou a cantar. Baixinho, de início hesitante, e então, conforme a segurança proporcionada pela privacidade a invadia, sua voz abafou a que saía do aparelho. Ainda de olhos fechados, cantou "Sempre libera", a dilacerante ária de Violetta em *La Traviata*, como se fosse a última vez.

Quando terminou, o silêncio foi ensurdecedor.

Então ouviu alguém aplaudindo.

Abriu os olhos e sentiu a cozinha girar um pouco.

Ali, em pé à sua frente, estava Roberto.

# 43

Rosanna não soube dizer quanto tempo os dois ficaram se encarando em silêncio. O rosto dele estava mais cheio, menos anguloso do que na sua lembrança, seu corpo parecia mais pesado, mas ele ainda era o mesmo Roberto, e seu coração traiçoeiro pulou dentro do peito.

– *Ciao* – disse ele por fim.
– *Ciao*. – Ela corou. – Não sabia que você estava aqui.

Levantou-se. O instante com o qual havia sonhado, que *sabia* que ia acontecer, estava acontecendo.

– Preciso ir. Vim só pegar umas coisas.
– Esta casa ainda é sua também. – Roberto deu de ombros. – Pelo menos pelas duas próximas semanas.

Sua atitude casual e o modo como ele evidentemente não havia se abalado ao revê-la depois de tanto tempo rasgaram a alma de Rosanna. Desesperada, ela tentou se controlar.

– Meu advogado disse que você estava em Nova York.
– Eu não planejava estar aqui, mas cheguei a Heathrow de um concerto em Genebra e meu voo para Nova York atrasou oito horas. Como Heathrow está com neblina, achei melhor vir para cá e dormir algumas horas.
– Não quero atrapalhar – disse ela, abrupta. – Já estava de saída.
– Vai voltar para The Manor House? – perguntou ele.
– Vou. O táxi já está vindo me buscar.
– Como vai Nico? – Roberto a observava com atenção.
– Bem.
– Ele deve ter crescido muito desde a última vez que o vi.
– Sim – respondeu ela, com a maior frieza de que foi capaz.
– Você continua sem intenção de voltar aos palcos?
– Continuo.
– Pois deveria voltar.

– Tenho seu filho para cuidar, lembra?

– Claro. Me desculpe. Lembro como isso era importante para você.

Ela não conseguiu mais suportar.

– Tenho que ir. – Avançou em direção à porta da cozinha, onde ele estava postado. – Com licença.

Roberto não fez qualquer menção de se afastar.

– Me deixe passar. Me deixe *passar*!

Ela ergueu a mão para bater nele, e ele a segurou pelos cotovelos para impedi-la.

– Pare Rosanna, pare com isso!

– Me solte... me...

Contra sua vontade, lágrimas começaram a escorrer pelo seu rosto.

– Não era para você estar aqui! Não era para você estar aqui! – repetia ela, histérica.

– Rosanna, *cara*, me desculpe. Por favor, não chore. Não suporto vê-la chorar.

Ele soltou seus cotovelos e a abraçou.

Por alguns segundos, ela ficou tensa, mas logo seu corpo parou de lutar e relaxou junto ao dele enquanto continuava soluçando, sem conseguir parar. Ele acariciou de leve seus cabelos.

– Por favor, me perdoe. Fui um babaca agora há pouco. Desculpe. Você sabe que é meu jeito de aguentar, *principessa*.

Ouvi-lo chamá-la por aquele apelido carinhoso, sentir seu cheiro conhecido e aqueles braços em volta de seu corpo foi insuportável. Com um esforço imenso, ela se afastou e secou os olhos com as costas das mãos.

– Desculpe ser tão boba e emotiva. Somos adultos.

– Você nunca vai ser adulta para mim – murmurou ele. – Será sempre aquela menina magra, de vestido de algodão, que cantou "Ave Maria" na festa de aniversário de casamento de *mamma* e *papà*. Venha. Que tal bebermos alguma coisa enquanto esperamos seu táxi? Em nome dos velhos tempos.

Ela se levantou. Todas as células de seu corpo sabiam que devia ir embora, mas constatou que as pernas se recusavam a carregá-la. Ficou olhando, em silêncio, Roberto abrir um armário e pegar uma garrafa de conhaque que estava pela metade.

– Ninguém toca nisso desde que saímos daqui. Por sorte, é uma das raras coisas que melhoram com o tempo. – Ele apanhou dois copos, sentou-se à mesa e serviu duas doses. – Venha, sente-se aqui.

Por fim, ela convenceu as pernas a se moverem e foi se juntar a ele diante da mesa.

– Rosanna, pelo menos o dia de hoje me deu uma oportunidade de dizer quanto eu me arrependo. – Ele tomou um gole de conhaque. – Tudo foi culpa minha. Fui um canalha por fazer o que fiz. Sei que você nunca vai me perdoar, mas mesmo assim queria dizer que sinto muito.

Ela suspirou; tinha conseguido recuperar a voz.

– É assim que você é, Roberto – sussurrou ela, anestesiada. – Foi burrice minha achar que poderia ser diferente.

– E é assim que *você* é – rebateu ele. – Algumas mulheres tolerariam os... pecadinhos dos maridos.

– Enquanto estão dando à luz o filho dele? Duvido – retaliou ela.

Percebeu que os seus sentidos atordoados começavam a recobrar um pouco de realidade.

Roberto teve a elegância de enrubescer. Balançou a cabeça.

– Não significou nada. Eu não a amava.

– E agora, ama?

– Não.

– Então por que está com ela em Nova York?

– Porque é conveniente, só isso. E Trish St. Regent me contou que você também tem outra pessoa.

– É. – Rosanna se repreendeu por ficar vermelha.

– Está apaixonada por ele?

– É cedo demais para saber. Acho que talvez no futuro eu possa ficar.

– Vai ter sorte se encontrar o amor outra vez. Sei que eu não vou – disse ele, desanimado.

– Roberto, não acho que você saiba o que é amor.

– Sei, sim. Eu sei porque, quando você me mandou embora naquela noite, passei uma semana sozinho dentro de casa, chorando. Pensei em você todos os dias desde nossa separação. Praticamente não se passa uma hora sem que eu sinta saudades de você. Mas de que importa tudo isso agora? – Ele suspirou e tornou a encher o copo de conhaque.

*Ele é um ator consumado*, lembrou Rosanna a si mesma. *Não devo, não posso acreditar no que ele diz.*

– Então por que você nunca entrou em contato? Por que faz um ano e meio que não tenta ver seu filho? Porque amava a gente? – Ela balançou a cabeça. – Acho que não, Roberto.

– Naquela noite eu lhe disse que, se você me fizesse ir embora sem me dar uma chance de explicar, eu nunca mais voltaria. Relembre aquele dia, Rosanna. Tente lembrar como você estava brava. Nunca vou me esquecer do jeito como me olhou da porta de casa. Sua expressão estava tomada por tanta repulsa, tanto ódio... Concluí que você queria que eu fosse embora de vez. Estava enganado?

– Não, claro que não – mentiu ela, corajosa. – Foi o que eu disse que queria. Mas pensei que você fosse me procurar, nem que fosse para ver Nico.

– Mas você não entende que eu jamais poderia suportar ver você e nosso filho sabendo que teria de ir embora em uma ou duas horas e deixar vocês dois para trás? Você sabe como a gente é, Rosanna. No nosso caso, é tudo ou nada. Como entendi que você não me queria de volta, rompi de vez com tudo, para o bem de todos nós. Mesmo assim... tentei ligar várias vezes – confessou ele. – Você obviamente não estava em casa.

– Até eu preciso sair de vez em quando.

*Ele está mentindo, está mentindo*, pensou ela com firmeza. *Quase não pensou na gente.*

– Por favor, Rosanna. Esta pode ser uma das nossas últimas conversas. Estou sendo sincero com você. Juro que liguei. No mínimo, se não quiser acreditar no resto, acredite que ainda amo Nico.

– Isso é bem difícil, já que você não moveu uma palha para vê-lo – rebateu ela, finalmente grata por sentir uma raiva genuína em nome do filho. – Mas vou tentar acreditar, pelo bem do Nico, ainda que não pelo meu próprio.

– Ah, *principessa*. – Roberto passou a mão pelos cabelos. – Por que as coisas acabaram desse jeito? Éramos tão felizes, nós três... Nós perdemos tanta coisa. E tudo por culpa minha, eu sei, eu sei.

O ruído agudo da campainha tocando rompeu o clima de tensão.

Rosanna se levantou.

– Meu táxi chegou. Preciso ir.

– Claro. – Roberto também se levantou. – Você sabe que nunca vou deixar de te amar, *cara* – disse ele, baixinho.

*Diga a mesma coisa, Rosanna, diga logo*, instou ela a si mesma. *Você sabe que seu lugar é com ele, não importa como ele seja nem quanto possa magoá-la.*

Mas ela não respondeu. Em vez disso, lançando mão de toda sua força de vontade, subiu a escada até a porta da frente. Roberto foi atrás.

— Adeus, Roberto.

Ela desceu os degraus, então se virou e ergueu os olhos para ele.

— Se quiser ver seu filho, por favor, me avise.

Tornou a se virar e caminhou depressa até o táxi. Por trás das lágrimas, o mundo era um borrão.

Roberto ficou olhando o táxi partir. Fechou a porta da frente e, devagar, desceu novamente a escada até a cozinha. Sentou-se à mesa e se serviu de outro conhaque. Ainda podia sentir o cheiro do perfume dela pairando no ar. Sentia-se arrasado, inteiramente vazio.

Em seis horas partiria para Nova York, de volta aos braços de Donatella e uma vida em que tinha tudo, mas que não significava nada. Abriu os olhos; toda vez que os fechava, via Rosanna sentada na cozinha, com o belo rosto ainda molhado por causa das lágrimas que ele a fizera derramar.

Duas horas depois, ele saiu, fechou a porta da frente e entrou no banco traseiro do carro. Quando o motorista deu a partida, Roberto olhou para trás e viu a casa desaparecer na névoa, um sonho transformado em um pesadelo triste e real.

※

Rosanna chegou em casa três horas e meia depois de sair de Londres. A névoa estava terrível e o trem havia atrasado. Entrou no hall sentindo-se emocional e mentalmente esgotada.

Ella veio da sala de estar.

— *Ciao*, Rosanna. Tudo bem? Você está muito pálida.

— A viagem de volta foi ruim. Tudo bem com Nico?

— Tudo. Acabei de colocá-lo na cama. Quer comer alguma coisa?

— Não, Ella, obrigada. Acho que vou subir e tomar um banho na banheira.

— Está bem. Cadê suas coisas?

— Que coisas?

— As que você foi buscar em Londres.

— Ah... — Rosanna balançou a cabeça ao se dar conta de que havia esquecido aquilo por completo. — Decidi que no fim das contas era melhor deixar tudo lá. Lembranças de mais.

Ella assentiu. Rosanna tirou os sapatos e começou a subir a escada.

— Stephen ligou de Nova York.

— Você disse a ele onde eu estava?

— Disse. — Ella fez uma cara sem graça. — Desculpe. Não sabia que não era para dizer.

— Não, tudo bem.

— Ele mandou beijos e disse que liga de novo amanhã.

Rosanna assentiu, cansada.

— Obrigada. Boa noite.

❦

Já passava da meia-noite. Embora tivesse tentado, Rosanna não conseguira dormir. Depois de algum tempo, levantou-se e foi procurar no armário do banheiro o remédio para dormir que o médico havia receitado quando Roberto saíra de casa. Nunca havia se atrevido a tomá-lo, pois receava que Nico passasse mal durante a noite e ela não pudesse ouvi-lo. Sabendo que aquilo não era a solução, tornou a guardar o frasco do remédio no armário e desceu sem fazer barulho até a cozinha para preparar uma bebida quente. Ligou a chaleira elétrica e olhou pela janela. A névoa estava tão densa que ela não conseguia ver a árvore que havia a poucos metros da casa. Levou a caneca para a sala e acendeu o abajur.

Então ouviu umas batidas.

Rosanna gelou de medo. Era aquilo o que sempre temera. Duas mulheres e um bebê sozinhos e indefesos contra possíveis intrusos.

As batidas tornaram a soar na porta da frente.

*Mas ladrões não bateriam na porta, certo?* Foi o que ela pensou enquanto se esgueirava até o hall para ver quem era.

— Rosanna, sou eu. Me deixe entrar — disse uma voz pela caixa de correio.

Soltando os trincos e a correntinha com gestos atabalhoados e o coração disparado, ela abriu a porta.

— Você disse para avisar se quisesse ver meu filho. Bem, eu quero, então aqui estou. Eu te amo, minha *principessa*.

Roberto a encarou e abriu os braços; seus olhos cansados estavam cheios de incerteza.

Rosanna hesitou por alguns segundos, mas, sem conseguir lutar mais, caminhou com passos hesitantes de volta para aqueles braços.

# Ópera Metropolitana, Nova York

Então foi assim, Nico, que seu pai reapareceu em nossas vidas. Ao chegar a Heathrow, ficara sabendo que o voo para Nova York tinha sido cancelado por causa do nevoeiro. Mais tarde, disse que nessa hora entendeu que era o destino.

Tivemos um reencontro arrebatado, cheio de emoção. Éramos duas pessoas apaixonadas que haviam passado um ano e meio separadas. Nessa noite, não houve mais recriminações. Simplesmente nos afogamos no alívio de enfim estarmos juntos outra vez.

Na manhã seguinte, olhei meu rosto no espelho e soube que não pediria que Roberto fosse embora. Vi que o brilho tinha voltado aos meus olhos. Pela primeira vez em um ano e meio eu estava genuinamente feliz. Independentemente do que tivesse acontecido antes, ele era meu marido e seu pai. Nosso lugar era um ao lado do outro e nada mais importava.

Nico, quando eu lhe contar o que aconteceu depois disso, peço, por favor, que tente entender o que eu sentia pelo seu pai. O amor que eu tinha por ele subjugava todo o resto. Tê-lo de volta foi uma alegria tão grande que fiquei cega em relação à dor que isso causaria a todos à minha volta. Fui egoísta e magoei pessoas com atitudes que, em quaisquer outras circunstâncias, sequer teriam me passado pela cabeça.

Em retrospecto, dei-me conta de que podemos amar alguém de todo o coração, mas isso não significa que essa pessoa nos faça bem. Roberto não despertava meu melhor lado. Com ele, eu nunca estava no controle. A simples presença dele era como uma droga. Hoje vejo claramente que isso me fez mudar para pior.

Eu havia recuperado Roberto, mas, ao recuperá-lo, perdi a mim mesma.

Deve ser difícil para você ler o que estou escrevendo. Muitas vezes me perguntei se era certo compartilhar essas coisas com você ou se eu estava apenas tentando aliviar minha própria culpa. Mas meu coração me diz que você tem força para entender. Tudo o que posso dizer é que sempre tentei fazer o que fosse melhor para você, protegê-lo e criá-lo em um ambiente de amor e segurança. Apesar disso, quando você precisou de mim, eu não estava ao seu lado. E por isso nunca vou me perdoar. Nunca.

# 44

## *Gloucestershire, dezembro de 1982*

Na manhã seguinte, Rosanna acordou e se virou para o lado. Mal se atrevia a olhar, temendo que tudo não tivesse passado de um sonho.

Ele estava ali, estava mesmo ali, ao seu lado. O pesadelo tinha terminado. A vida podia recomeçar.

Passou mais alguns instantes deitada, olhando para ele, deliciando-se ao pensar em como tinham feito amor, só parando pouco antes de o dia raiar. Não se sentia nem um pouco cansada. Todas as células do seu corpo pulsavam com energia renovada.

Louca para sentir os braços dele à sua volta outra vez, para confirmar que ele estava *mesmo* ali, que a amava, ela rolou para mais perto e pousou sua mão sobre o braço dele com toda a delicadeza. Ele não reagiu. Nem se mexeu. *Coitado, deve estar exausto*, pensou ela.

Desceu da cama sem fazer barulho e vestiu o roupão. Nenhum ruído vinha do quarto de Nico, o que não era normal. Ela abriu a porta e, pé ante pé, seguiu pelo corredor até o quarto do filho. O berço estava vazio, e ela entendeu que Ella já devia ter descido com ele para tomar café.

Ella... Rosanna precisava tentar explicar a presença de Roberto à sobrinha.

Nico estava sentado na cadeirinha de alimentação, todo feliz, comendo torrada com mel.

Rosanna cumprimentou a sobrinha com um sorriso.

— Bom dia. A que horas ele acordou? Desculpe não ter escutado. Oi, meu amor.

Deu um beijo e um abraço no filho, e ele passou os dedos grudentos no seu rosto.

— Faz meia hora. Como eu imaginava que você estava cansada, peguei-o no berço.

– Você é um anjo, obrigada.

Rosanna sentou-se à mesa.

– Quer um café? Acabei de fazer.

Ella se levantou e foi até a cafeteira que ficava sobre a bancada.

– Adoraria. Ella, tenho uma coisa para lhe contar.

– Ah, é?

– Venha se sentar aqui, vou tentar explicar.

Ella levou duas xícaras de café até a mesa e tornou a se sentar, encarando Rosanna com ar de expectativa.

– Você sabe que eu e meu marido, Roberto, íamos nos divorciar, não sabe?

– Sei. Foi por isso que você foi à sua antiga casa em Londres ontem, buscar suas coisas.

– Sim. Bom, quando eu estava lá, por coincidência, encontrei com ele. Ele chegou quando eu estava de saída. Conversamos, e ontem à noite, bem tarde, e ele veio aqui me ver.

– Ah. E onde ele está?

– Lá em cima, dormindo.

Ella assentiu sem dizer nada. Então perguntou:

– Quer dizer que você não vai mais se divorciar dele?

– Não, bom, quero dizer... Eu acho que não. Ele vai passar os próximos dias aqui. Temos muito o que conversar, claro. E ele quer ver o filho.

– Claro. E Stephen?

Rosanna balançou a cabeça com um ar de culpa.

– Não sei, Ella, não sei mesmo. Roberto é meu marido e pai de Nico. Se houver uma chance de voltarmos a ser uma família, com certeza vale a pena tentar, você não acha?

Ella tornou a assentir; seu rosto estava inexpressivo.

– Entendi, mas gosto de Stephen. Ele não vai ficar magoado?

– Vai, mas... – Rosanna balançou a cabeça. – Para ser sincera, não consigo pensar nisso agora. Vou levar um café para Roberto. E amanhã, como agradecimento por você ter ficado com Nico ontem, acho que devíamos ir a Cheltenham comprar um vestido para o seu concerto – ofereceu ela, num tênue gesto de conciliação.

– Obrigada, mas tenho que usar o uniforme do colégio, igual a todo mundo. – O tom de Ella foi formal e distante.

– Bom, para o Natal, então.
– É, seria legal – concordou Ella, séria.
Rosanna tirou Nico da cadeirinha.
– Agora vamos subir para ver seu *papà*.

※

Vinte minutos depois, Rosanna saiu do banheiro e foi até o quarto. Parou na soleira e ficou olhando pai e filho aninhados na cama, Roberto lendo a história preferida de Nico, a do Ursinho Puff. Era uma imagem com a qual ela havia sonhado tantas vezes que sentiu um nó se formar em sua garganta.

– Você precisa descer e conhecer minha sobrinha Ella – disse, ao entrar no quarto.

– Claro. – Roberto a espiou por cima da cabeça de Nico. – Meu filho é lindo, Rosanna, e tão inteligente... Tinha esquecido como era maravilhoso estar com ele.

– Não vá esquecer de novo, certo? – sussurrou ela.

Ele balançou a cabeça.

– Nunca.

– *Papà*?

Roberto piscou para ela.

– Viu? Ele não me esqueceu. – Ele abaixou a cabeça. – O que foi, Nico?

O menino apontou para o livro que Roberto segurava.

– Lê de novo, obrigado, por favor.

※

Uma hora mais tarde, Ella se virou quando Roberto entrou na cozinha. Rosanna chegou logo atrás, com Nico no colo.

– Então você é Ella – disse Roberto.

– Sou. Prazer em conhecê-lo – respondeu a moça, desconfiada.

– Espero que sua tia a esteja tratando bem.

– *Sì*, quero dizer, sim, *signor*, obrigada.

– Por favor, me chame de Roberto. Afinal de contas, sou seu tio. – Ele se virou para Rosanna. – Decidi que hoje vamos almoçar naquele restaurante maravilhoso ao qual costumávamos ir, em Chipping Campden.

– Mas Roberto, lá é preciso reservar com semanas de antecedência – objetou Rosanna.

Ele se virou para ela com ar paciente.

– *Cara*, você parece ter esquecido que sempre há lugar para Roberto Rossini e sua família. Vou ligar para o maître agora mesmo.

Ele atravessou o recinto até o telefone. Fez a reserva, em seguida veio se sentar à mesa. Rosanna se agitava de um lado para outro na cozinha, preparando mais café e torradas.

– De quem são? – Roberto apontou para um par de galochas grandes ao lado da porta da cozinha.

Rosanna corou.

– Do meu amigo Stephen.

Ele se levantou, atravessou a cozinha marchando, pegou as galochas, abriu a lixeira e as jogou lá dentro sem a menor cerimônia.

– O almoço é à uma. Rosanna, pode me levar o café e as torradas no escritório? Preciso ligar para Chris e avisar onde estou.

– Claro.

Ao assistir a esse diálogo, Ella entendeu que a partir de agora as coisas em The Manor House seriam bem diferentes.

❧

Durante o almoço, Roberto se mostrou no auge da forma e divertiu os três e o resto do restaurante com anedotas do mundo da ópera. Ella ficou sentada sem dizer nada, observando com apreensão a felicidade que a tia demonstrava.

Nessa noite, Roberto e Rosanna se deitaram no tapete que ficava em frente à lareira.

– Essa sua sobrinha é bem esquisita – comentou ele.

– Não... Ella é muito doce e gentil, mas é um pouco tímida, especialmente com você – falou Rosanna, saindo em defesa da sobrinha.

– Sou tão assustador assim? – perguntou ele com um sorriso.

– É, você pode ser um pouco... intimidador.

– Neste caso, me desculpe.

– Precisa ser gentil com ela. Apesar de ter aceitado o fato de Carlotta estar muito doente, ela ainda espera todos os dias saber o pior, assim como eu. Por favor, não esqueça isso.

– Claro. Deve ser difícil para vocês duas.

– É muito difícil. – Ela encarou o fogo. – Roberto... – Precisava fazer aquela pergunta. – Você vai ficar?

Ele pegou a mão dela e apertou.

– É claro, *principessa*. Meu lugar é junto da minha mulher e do meu filho, a menos que você queira dar prosseguimento ao divórcio.

– Não, é claro que não quero.

– Ótimo. Então vou avisar meu advogado.

– Vamos ter muito o que conversar, muita coisa para organizar. Quero dizer...

Ele levou um dedo aos lábios dela.

– Shh. Não estrague este instante pensando no futuro. Você sempre se preocupou demais. Não tenho nenhum compromisso até depois do ano-novo. Por que não aproveitamos o Natal juntos e deixamos a conversa para depois?

– Você vai avisar Donatella?

– E você, vai avisar o seu "amigo"? – rebateu ele.

– Vou ter que avisar. Ele esperava passar o Natal aqui com a gente.

– Então vai ficar decepcionado, mas não tem jeito – retrucou Roberto, em tom leve, mas os músculos do seu maxilar traíam sua tensão. – Eu sou seu marido, o único homem que a ama e entende de verdade.

Quando os lábios dele buscaram os seus e uma das mãos dele acariciou seu seio, Rosanna entendeu que não haveria mais conversa alguma nesse dia.

✥

Na tarde da terça-feira seguinte, Roberto, Rosanna e Nico foram de carro ao colégio de Ella assistir à apresentação do coro de Natal. Todas as cabeças se viraram para Roberto ao vê-lo entrar. Ele respondeu com um sorriso agradável, e os três se encaminharam para seus lugares no fundo da sala.

– Sra. Rossini. – A diretora os abordou, agitada. – Eu não fazia ideia de que a senhora ia trazer seu marido. Por favor, há lugares ali na primeira fila.

– Obrigada por oferecer, mas estamos vendo muito bem daqui. Não quero intimidar nenhum dos artistas – sussurrou Roberto.

– Bem, espero que vocês fiquem para um café depois do espetáculo.

– Claro – falou Rosanna, assentindo.

Então a diretora se afastou apressada para ver se o jornal da cidade poderia mandar um fotógrafo imediatamente para registrar o furo de reportagem que estava acontecendo bem na sua escola.

O concerto começou. Roberto olhou para Nico, que havia pegado no sono no colo de Rosanna, e desejou poder fazer o mesmo.

Foi então que ouviu a voz. Um som grave, profundo, cheio de colorido. Ergueu os olhos com interesse para o palco. E viu Ella, com os ombros encolhidos de nervosismo, o corpo magro quase reprovando aquele som tão forte e potente que saía de dentro dele. A menina fez Roberto se lembrar da primeira vez que tinha visto Rosanna... as pernas e braços compridos, os imensos olhos escuros. Um dia, assim como a tia, aquela menina seria linda.

– *All is calm, all is bright* – cantou Ella.

Roberto olhou para Rosanna, que também encarava a sobrinha, assombrada, e meneou a cabeça em aprovação antes de voltar a atenção outra vez para a menina. Não havia dúvida de que Ella tinha uma voz excepcional. Era bem diferente da de Rosanna: Ella era uma *mezzo*, talvez até uma contralto.

Quando a sobrinha terminou de cantar, Rosanna se virou para Roberto; as lágrimas faziam seus olhos brilharem.

– Quem dera Carlotta tivesse escutado isso.

❧

Após o concerto, Roberto e Rosanna cumpriram seu dever e foram tomar um café e conversar com outros pais e professores.

– Ella tem uma voz que precisa ser trabalhada.

Enquanto conversava com a diretora, Roberto pôs a mão no ombro da sobrinha num gesto possessivo.

– Bom, com o seu dom e o da sua esposa, não chega a ser uma surpresa, não é? – A diretora sorriu.

– Infelizmente, isso não tem nada a ver comigo. Só tenho parentesco com Ella por casamento – corrigiu Roberto.

– Nós reparamos em seu talento assim que Ella chegou, claro – seguiu tagarelando a diretora, cujo rosto ficava mais rosado a cada segundo.

– Ela era muito tímida no início, mas nos esforçamos muito para tirá-la da concha.

– E fizeram um ótimo trabalho, não foi, *cara?* – Roberto se virou para Rosanna.

– Foi, sim.

Ela estava tentando impedir Nico de pegar os biscoitos de chocolate que a diretora segurava.

– Você tem alguma ambição de ser cantora, Ella? – perguntou Roberto, baixando os olhos para a menina.

– Ah, tenho, sim.

Ella sorriu, tímida; não estava acostumada a ser o centro das atenções e alvo de tantos elogios.

– Então precisamos encontrar o melhor professor da Inglaterra para você. Nunca é cedo para começar a treinar a voz, não é, Rosanna?

– Ah, não mesmo – concordou ela.

– Bem, podemos organizar aulas particulares aqui, Sra. Rossini, e... ah, será que vocês se importariam em tirar uma foto comigo? É para o jornal da cidade – pediu a diretora.

Roberto passou o braço em volta do ombro dela e sorriu para a câmera enquanto Nico se contorcia no colo de Rosanna.

– E agora temos que ir para casa – afirmou. – Meu filho não aguenta mais.

– Feliz Natal para todos vocês – disse a diretora enquanto os quatro se afastavam em direção à saída.

៙

No dia seguinte, Roberto declarou que desejava levar Rosanna a Cheltenham para umas compras.

– Você se incomoda de ficar com Nico, Ella? Queremos comprar os presentes do Papai Noel para ele – pediu Rosanna.

– É claro que não me importo.

– Não devemos demorar mais do que umas duas horas – acrescentou ela, pois não queria que a sobrinha se sentisse excluída, como se estivesse sendo usada como babá não remunerada.

– Não se preocupe. Eu gosto de ficar com ele – disse Ella, sorrindo, ainda animada com a noite anterior.

Depois que Rosanna e Roberto saíram, Ella foi até a cozinha arrumar as louças do café da manhã e ficou cantarolando as canções natalinas do rádio enquanto Nico se entretinha com brinquedos no chão. Quando Roberto voltara para a vida de Rosanna de modo tão inesperado, Ella temera o pior: que não fosse mais bem-vinda como parte daquela família à qual tanto se afeiçoara. Nessa manhã, porém, estava feliz como não se sentia havia tempos. O grande Roberto Rossini tinha dito que ela era talentosa. Estava providenciando um professor de canto para ela e sugerira que, no ano seguinte, ela tentasse uma vaga no Royal College of Music de Londres. Embora sua *mamma* nunca lhe saísse da cabeça por completo, nem pensar nela a desanimava nesse dia.

Ela ouviu um carro se aproximar da casa e foi até a porta da frente ver quem era. Sentiu um peso no coração ao ver Stephen saltar de seu Jaguar.

– Oi, Ella. – Ele sorriu e abriu a porta do carona para pegar duas sacolas cheias de embrulhos. – Tudo bem?

– Tudo. Só esperávamos você na sexta – respondeu ela, nervosa.

– Terminei o trabalho em Nova York antes do esperado, então adiantei meu voo.

Um estrondo se fez ouvir na cozinha e os dois entraram correndo para ver o que havia acontecido. Nico tinha derrubado uma lata de biscoitos, que se espalharam pelo chão. Estava recolhendo os biscoitos quebrados um a um e enfiando na boca com deleite.

– Nico pelo visto está ótimo.

O menino soltou um gritinho de alegria quando Stephen o pegou do chão e beijou seu rosto coberto de migalhas.

– Tudo bem, rapaz? Cadê sua *mamma*?

– Foi fazer compras. Presentes de Natal, acho – disse Ella, cautelosa.

– Ah, então acho que vou esperar. Ela não vai demorar, vai? – perguntou Stephen, sentando-se à mesa com Nico no colo. – Ela foi de táxi?

– Ahn, não. De carona.

– Com quem?

Ella não respondeu.

– Você aceita um café, Stephen?

– Adoraria. Ella, o que houve? – insistiu ele em tom suave enquanto ela botava água na cafeteira.

– Nada.

– Sei que está acontecendo alguma coisa. Liguei no domingo e não tinha ninguém em casa. Aí, quando liguei de Heathrow hoje de manhã, alguém atendeu e pôs o fone no gancho assim que ouviu minha voz.

– Stephen... – Ella falou baixo, sem se virar. – É melhor você falar com a Rosanna. Não cabe a mim contar.

– Desculpe, mas acho que já consigo adivinhar: quando Rosanna foi à casa de Londres, encontrou Roberto. Ele voltou, não foi?

Ella se virou. Tinha os olhos arregalados, o rosto pálido.

– Eu não lhe contei, por favor. Foi você que adivinhou.

– E adivinhei certo. Eu sabia, sabia. – Ele balançou a cabeça e deu um suspiro desolado. – Eu disse a ela para não ir a Londres sem mim.

Ella pensou que ele fosse chorar. O pesar era nítido em sua expressão.

– Venha, Nico. – Ela pegou o menino do colo dele, botou-o no chão ao lado dos brinquedos e pôs uma xícara de café na mesa diante de Stephen.

– Sinto muito. – Afagou seu braço com um gesto mecânico, sem saber o que mais fazer.

– Não, quem sente muito sou *eu*. – Ele deu um suspiro. – Não é justo com você. Sabe se Roberto vai ficar?

– Para o Natal? Vai, sim.

– Entendi.

Stephen olhou para Nico. Então se levantou. Não havia sequer tocado no café.

– É melhor eu ir embora. Tem uma pilha de brinquedos no hall para Nico e alguns presentes para você e Rosanna. – Ele se ajoelhou e beijou o menino no alto da cabeça. – Tchau, tchau, rapaz. Comporte-se.

– Tchau, tchau. – Nico ergueu a cabeça e olhou para ele, alheio ao que acontecia.

– O que eu digo para Rosanna?

– Diga só que passei aqui. Adeus, Ella. Cuide-se. Feliz Natal.

Ele a beijou de leve na bochecha e saiu em direção à porta.

Ella foi até a janela e o observou andar até o carro. Pelos ombros caídos e pela cabeça baixa, dava para ver quanto estava arrasado.

– Adeus, Stephen – murmurou com tristeza.

## 45

Para Rosanna, o Natal passou em um borrão de felicidade. Durante a semana de festas, eles ficaram em casa, curtindo dias de preguiça sentados em frente à lareira, vendo Nico brincar com os brinquedos extravagantes que Roberto comprara para ele. À noite, sentavam-se para jantar, depois assistiam a um filme e coroavam tudo com lânguidas sessões de sexo.

A única coisa que estragava aquela tranquilidade toda para Rosanna era pensar em Stephen. A sobrinha havia lhe contado sobre a visita dele e Rosanna imediatamente escondera os presentes que ele lhes deixara, pois não queria que Roberto soubesse da visita. Sabia que deveria telefonar para ele, combinar um encontro e lhe explicar tudo pessoalmente, mas naquele momento, na euforia da volta de Roberto, era simplesmente incapaz de encarar um confronto. A culpa que sentia por essa incapacidade a devorava por dentro.

No final da semana, véspera de ano-novo, Roberto a levou com Nico para almoçar em Cheltenham. Ella não quis acompanhá-los; disse que estava com dor de cabeça e sem vontade. Os três voltaram às quatro e encontraram a casa silenciosa.

– Ella? Ella? – chamou Rosanna do hall.

Como não teve resposta, subiu correndo a escada. A porta do quarto da sobrinha estava fechada. Ela bateu, mas como ninguém respondeu, abriu a porta com um empurrão. Ella estava sentada no banco debaixo da janela. Tinha os joelhos erguidos até o queixo e os braços bem fechados em volta deles. Imóvel feito uma estátua, olhava pela janela.

– Ella, o que foi? – A menina nem tomou conhecimento da sua presença. Rosanna foi até ela. – *Cara*. – Sentou-se ao seu lado. – Por favor, fale comigo.

– Luca ligou. *Mamma* morreu às onze horas desta manhã.

Com imenso esforço, pelo bem da sobrinha, Rosanna conseguiu conter a própria consternação com a notícia.

– Ah, *cara*. – Estendeu uma das mãos para a menina. – Eu sinto tanto, tanto...

– Ela é tudo que tenho... que *tinha*...

Rosanna chegou mais perto e passou o braço em volta dos ombros da sobrinha; pôde sentir como estavam tensos.

– Você tem a nós, Ella.

– Mas você não me quer. Sou uma intrusa aqui. Agora que Roberto voltou, estou atrapalhando.

– Ella, por favor, não diga isso. Eu a amo e Nico também. Você é parte importante da nossa família.

– É que... eu pensei que estava preparada. Sabia que isso ia acontecer, mas agora que aconteceu, eu... – Ela ergueu para Rosanna os olhos cheios de angústia. – Ela não quis me ver quando estava morrendo e agora Luca me disse que não quer que eu vá ao enterro! Por quê? *Por quê?* Ela não me amava, Rosanna? É isso?

– Não, Ella. Escute aqui. Carlotta fez essas coisas porque amava muito você. Queria poupá-la da dor de ver seu sofrimento e agora não quer você chorando na beira do seu túmulo. Os planos de sua mãe mostram que ela estava preparada para perder você antes da hora. Ela fez isso por sua causa, Ella. Você não entende?

– Ela era a minha *mamma*. Quero me despedir dela, quero me despedir... – De repente, ela desabou e começou a soluçar no ombro da tia. – O que vai ser de mim agora? Não posso ficar com você para sempre. Tenho que voltar para Nápoles.

– Ah, Ella... – Rosanna acariciou seus cabelos. – Você detesta tanto assim estar aqui?

– Claro que não. Mas esta não é minha casa.

– Ella, Roberto e eu e, mais importante ainda, a sua *mamma* queremos que você fique morando aqui com a gente. Você sabe que ela me escreveu pedindo para cuidar de você até que tivesse idade suficiente para se virar sozinha. E nessa carta ela disse que achava que você tinha mais chance de desenvolver seu talento para o canto aqui, onde podemos ajudá-la.

A menina ergueu os olhos para ela.

– Então você vai fazer isso porque é seu dever? Porque *mamma* pediu?

– Não. – Com delicadeza, Rosanna afastou os longos cabelos escuros do rosto de Ella; entendia quanto a sobrinha estava vulnerável e queria tranquilizá-la. – *Cara*, quando você chegou aqui, fazia muitos anos que eu não a via. Éramos duas desconhecidas e tivemos de nos familiarizar uma com a outra. Mas desde então, além de uma boa amiga, você virou praticamente uma filha para mim. Eu detestaria ver você partir. De verdade, *cara*. Eu passei a amar você.

– Tem certeza de que não está só dizendo isso da boca pra fora?

– Você sabe que não. Mas a decisão tem que ser sua. Se quiser voltar para Nápoles, ninguém vai poder impedir. Mas lembre-se: sua *mamma* mandou você para cá porque não queria que você acabasse administrando a cantina do seu avô como ela fez. Se há uma coisa que sei que Carlotta queria, é dar a você uma chance, um futuro, fosse qual fosse o preço que ela pagasse.

– Porque ela nunca teve essas coisas – murmurou Ella. – Minha mãe era tão linda... muitas vezes me perguntei por que não quis mais da vida.

– Ela quis, um dia – recordou Rosanna. – Aí alguma coisa deu errado. Não sei direito o que foi, mas ela mudou. Se você quiser fazer sua *mamma* feliz, precisa usar seu talento e a oportunidade que ela planejou para você com tanto cuidado.

– Você acha mesmo que tenho talento?

– Ah, sim, *cara*, e Roberto também acha.

– E, sinceramente, não se importa que eu fique aqui?

– Não, sinceramente, não me importo. – Com carinho, Rosanna beijou a sobrinha no alto da cabeça. – Agora que tal ir pegar uma xícara de chá para nós duas?

❦

Mais tarde, nessa noite, depois de ficar consolando a exausta e abalada Ella, depois de acalmá-la até ela dormir, Rosanna desceu para o andar de baixo. Roberto estava assistindo a um filme na sala; no seu colo havia um prato com um sanduíche pela metade.

– Como ela está? – perguntou ele, sem virar o rosto.

– Bem mais calma. Coitada. – Rosanna se deixou cair no sofá. – Eu me lembro muito bem do que é perder a *mamma* tão jovem.

– Pelo menos sua irmã teve sorte de ter você para cuidar da filha no lugar dela.

– É o mínimo que posso fazer – falou Rosanna. – Sou sua tia.

– Ah, isso é típico dos italianos... – comentou Roberto, relanceando os olhos na sua direção.

– Não, é típico dos *seres humanos*. E lembre-se: também perdi uma pessoa querida hoje.

Roberto não reagiu ao comentário. Deu uma mordida no resto do sanduíche.

– Como não tinha nada para jantar, eu mesmo preparei um lanche para mim.

– Roberto, pare com isso! Que bicho o mordeu? Por que está se comportando de forma tão egoísta?

– Porque, minha querida, preciso viajar daqui a duas semanas. Tenho um concerto em Viena. Queria que você e Nico fossem comigo, mas agora suponho que você não vá poder.

Rosanna o encarou, incrédula.

– Não, você sabe que não vou. Como pode sequer ter imaginado que eu deixaria Ella sozinha numa hora dessas?

Ele não disse nada e continuou a comer.

– Quanto tempo você vai passar fora?

Apesar de aparentar calma, Rosanna começava a ferver de raiva por dentro.

Ele deu de ombros.

– Três semanas, acho, talvez mais. Preciso ligar para Chris e decidir os últimos detalhes do itinerário amanhã de manhã. Quem sabe você consegue me encontrar em Viena depois?

– Duvido muito – respondeu Rosanna, fria. Então se levantou. – Vou deitar. Boa noite.

⁂

Foi acordada mais tarde por Roberto, que afundou o rosto delicadamente no seu pescoço.

– *Cara, cara*. Sinto muito ter sido egoísta. Você está chorando a perda da sua irmã e eu me comportei como um completo canalha.

– Foi mesmo – concordou ela, sentida. – Como pôde ser tão insensível?

– É que detesto pensar que vamos nos separar tão cedo. Isso me fez reagir mal. Diga que me perdoa. Por favor.

Embora ainda estivesse furiosa com ele, Rosanna se virou e deixou que a beijasse.

– Por favor, Roberto, tente pensar nos outros de vez em quando.

– Vou tentar. *Ti amo*, Rosanna.

E então, como sempre acontecia, os últimos vestígios da sua raiva desapareceram quando começaram a fazer amor.

༺༻

– Stephen?

– Pois não?

– É o Luca. Tudo bem?

Stephen fez uma pausa antes de responder.

– Sim... tudo bem. Como vai sua irmã?

Luca hesitou por um instante antes de responder, em voz baixa:

– Ela morreu há duas semanas. Rosanna não lhe contou?

– Não. Eu... tenho andado ocupado e não encontrei com ela. Sinto muito, Luca, meus pêsames.

– Sob muitos aspectos, foi melhor assim. Ela sofreu muito no final. E agora que Carlotta está descansando, preciso começar a tocar minha vida e tomar algumas decisões. Então, você esteve em Nova York... descobriu mais alguma coisa sobre o desenho?

– Na verdade, descobri, sim. Estava esperando você me ligar. Precisamos conversar, mas não por telefone. Você vem à Inglaterra em breve?

– Vou. Quero ver Ella, mas tenho alguns assuntos de Carlotta para organizar aqui em Nápoles antes de viajar.

– Então me dê uma ligada quando chegar.

– Com certeza verei você na casa da Rosanna?

– Infelizmente, muitas coisas mudaram desde que nos falamos pela última vez – retrucou Stephen, ríspido. – Então, não. Não vai me ver lá. Mas vamos deixar Rosanna lhe contar sobre isso. Tchau, Luca.

༺༻

Donatella abriu a porta do apartamento de Roberto. Recolheu a pilha de correspondência sobre o capacho e a levou para a mesa.

Marchou pela sala até o quarto de Roberto e escancarou os armários. Seu primeiro instinto foi pegar uma faca na cozinha e cortar peça por peça a roupa dele pendurada ali. Mas isso era uma reação infantil e sem qualquer eficácia. Ele merecia coisa muito pior.

Pegou vários dos seus terninhos, saias e vestidos de festa e os jogou sobre a cama. Esvaziou duas gavetas de lingerie: a cinta-liga preta que Roberto gostava que ela usasse, as meias de seda que as mãos dele acariciavam quando os dois transavam... Engoliu em seco. Não derramaria uma única lágrima. Ah, não. Pegaria sua emoção e a transformaria em raiva, como seu analista havia sugerido.

– Eu odeio você, odeio – murmurou enquanto pegava uma grande mala na prateleira de cima de um armário e começava a jogar as roupas lá dentro. – Vou acabar com você – repetiu.

Fechou a mala e saiu do quarto.

Levou menos de 15 minutos para recolher os poucos pertences que mantinha no apartamento de Roberto. Então se sentou à mesa e pegou uma caneta na bolsa.

Será que deveria deixar um bilhete? Dizendo o quê? Será que havia *alguma* coisa capaz de amedrontá-lo? De acabar com aquela arrogância insuportável, nem que fosse por poucos segundos?

Como ele não tinha voltado de Genebra depois do concerto e ela ficara sem notícias, telefonara para Chris Hugues. Este lhe informara que Roberto estava na Inglaterra, mas que não fazia ideia de onde estava hospedado ou de quanto tempo ficaria por lá. Donatella gritou com o agente, dizendo que podia adivinhar exatamente onde Roberto estava hospedado. Chris não negou. Ela bateu o telefone na cara dele e, mais tarde, foi a uma festa e ficou muito, muito bêbada.

Na manhã seguinte, acordou de ressaca e pensou que havia grandes chances de Roberto dar as caras no futuro, insolente, e esperar que ela aceitasse essa situação. Donatella preparou um Bloody Mary e perguntou a si mesma se *estaria* disposta a aceitar isso.

Foi preciso muito tempo para chegar à conclusão de que não, não estava. Ele a havia usado durante quase dez anos, tratando-a como um pedaço de lixo que podia jogar fora quando quisesse. E ela passara anos tentando convencer a si mesma de que um dia ele esqueceria Rosanna e se casaria com ela. Sabia que isso tinha sido apenas uma fantasia.

Arrumou suas malas Louis Vuitton e foi passar o Natal com amigos em Barbados. Cada noite que passava sozinha na cama fortalecia um pouco mais sua determinação. Aos poucos, o amor começou a se transformar num ódio ardente.

Donatella mordeu o lábio. Era difícil manter esse sentimento em meio às coisas de Roberto, num apartamento onde os dois haviam compartilhado tantas coisas. Será que ela não tinha significado nada para ele? *Não*, respondeu a si mesma, brutal, e sabia que era verdade.

Sua vontade era puni-lo, fazê-lo sofrer como *ela* havia sofrido tantas vezes; fazê-lo sentir a verdadeira dor de amar e perder a pessoa amada.

Tinha passado todo o mês anterior tentando pensar em um jeito de lhe dar uma lição que ele jamais esqueceria. Mas aquele homem parecia invencível. Ela poderia vender sua história aos jornais, mas isso só proporcionaria a ele a atenção de que tanto gostava, além de ser humilhante para ela própria. Não parecia haver nenhum esqueleto no armário de Roberto que ele já não houvesse revelado.

Donatella bateu com a caneta na mesa e pegou um dos envelopes da pilha de correspondência para escrever seu recado de despedida. Era um extrato bancário. Por impulso, o abriu, viu a cifra no canto inferior do papel e constatou que ele tinha mais de 200 mil dólares na conta corrente. Desinteressada, deixou o extrato de lado. Não era no aspecto financeiro que desejava vê-lo sofrer.

Puxou os envelopes na sua direção e começou a examiná-los metodicamente. Abriu contas, convites para festas e vários cartões de Natal de mulheres das quais nunca ouvira falar, que descartou no chão após uma olhada rápida. Então chegou a um envelope grosso de papel de carta creme. O carimbo era da Itália. No canto esquerdo do envelope estava escrito "Particular e confidencial" e fora encaminhado pela Ópera Metropolitana. Ela o rasgou. Dentro havia uma carta e um segundo envelope. Começou a ler.

*Advocacia Castellone*
*Via Foria*
*Nápoles*

*Prezado* Signor *Rossini,*
*Em anexo, envio-lhe uma carta da minha cliente,* Signora Carlotta

*Lottini. Ela me instruiu a enviá-la para o senhor após sua morte. Lamentavelmente, a* Signora *Lottini faleceu em 31 de dezembro de 1982. Se precisar do meu auxílio, não hesite em entrar em contato.*
*Atenciosamente,*
*Marcello Dinelli*
*Advogado*

Donatella pegou o segundo envelope, endereçado a Roberto numa caligrafia miúda. Sem hesitar mais, abriu-o e começou a ler.

Vários minutos depois, após ter lido e relido a carta, começou a rir. Riu tanto que os músculos de sua barriga começaram a doer.

Por fim, secou os olhos, levantou-se e fitou o céu.

– Obrigada, Senhor. Obrigada.

# *46*

– Falou com Abi, *principessa*?

– Falei. Ela disse que está ocupada demais editando o livro para vir passar o fim de semana aqui.

– Mas *preciso* ver você. Não pode deixar Nico com Ella por duas noites? Você sabe que ele adora a prima.

– Não, Roberto. Sei que Ella tem quase 16 anos, mas não é justo lhe dar essa responsabilidade toda. Além do mais, ainda não queria deixá-la sozinha. Ela está de luto, lembra?

– Estou me sentindo tão sozinho aqui, *cara*. Estou num quarto de hotel imenso, com uma cama descomunal. Preciso de você comigo – gemeu ele.

– Roberto, por favor, não faça assim. – Rosanna estava quase chorando.

– Acho que você ama seu filho e sua sobrinha mais do que seu marido. Bem, então vou indo, fique com eles.

– Roberto, que injustiça! Eu... – Rosanna ouviu o clique do fone sendo posto no gancho. – Vá se danar!

Bateu o fone com força e se deixou cair em uma das cadeiras da mesa da cozinha.

– O que houve, Rosanna? – indagou Ella da soleira da porta.

– Ah, nada. – Ela suspirou. – Só o impossível do meu marido. Quer uma xícara de chá? Você parece congelada. Como foi o colégio?

– Tudo bem, e sim, por favor, adoraria um chá. Estou começando a gostar bastante dessa bebida! Está bem frio lá fora mesmo. Talvez neve. – Ella tirou o sobretudo, o gorro da escola e as luvas. – Roberto quer que você vá para Viena, é isso?

– É. – Desanimada, Rosanna pôs dois saquinhos de chá no bule. – Pensei que minha amiga Abi pudesse vir passar duas noites aqui e cuidar de você e do Nico, mas ela está ocupada.

– Rosanna, você sabe que sou capaz de cuidar do Nico. Se quiser ir, ele vai ficar bem.

– Não, Ella. – Rosanna pôs a água no bule e mexeu, desconsolada. – Não poderia lhe pedir isso. Não seria justo.

– Por duas noites? Nós ficaríamos bem, sério.

– Ella, você tem quase 16 anos e...

– Pois é, idade suficiente para ser mãe – rebateu a menina. – Em Nápoles, quando eu trabalhava de babá, muitas vezes ficava sozinha com as crianças. Você ficaria feliz em ver Roberto, não? – insistiu Ella.

Rosanna serviu o chá em duas canecas, acrescentou leite e sentou-se à mesa.

– Quando ele voltou, entendi que teríamos de ficar separados, mas tinha me esquecido de como era difícil. É o mesmo pesadelo de antigamente, sem tirar nem pôr. Desculpe, não deveria estar lhe contando meus problemas.

– Você já escutou os meus tantas vezes... Além de tia, tem sido uma amiga para mim. Espero poder ser sua amiga também.

– Você é, e estou muito feliz por tê-la aqui. Sério, acho que sem você eu teria enlouquecido.

Ella sorriu.

– Que bom que você acha isso. Rosanna, você me ajudou, então, por favor, me deixe ajudá-la. Ligue para Roberto e diga que vai passar o fim de semana com ele em Viena. Assim pelo menos vou ter a sensação de estar retribuindo um pouco da sua gentileza.

– Obrigada por oferecer. Agradeço muito e prometo pensar no assunto. Agora preciso acordar Nico.

Rosanna se levantou e saiu da cozinha. Quando estava subindo a escada, pensou no que Ella tinha dito. Sentia-se muito tentada. A ausência de Roberto a pusera outra vez em uma montanha-russa de emoções. Na hora que tirou Nico do berço, o telefone tocou. Ella devia ter atendido, pois o barulho silenciou após dois toques.

– O que você acharia de ser um menino cosmopolita e viajar pelo mundo comigo e com seu *papà*? – perguntou ao filho enquanto o punha sobre o trocador para mudar a fralda.

Quando desceu com Nico no colo, Ella a recebeu com um sorriso.

– Era Roberto. Ligou para se desculpar.

– Ah, é?

– Então eu disse que você tinha mudado de ideia e que ia pegar um avião para passar o fim de semana com ele. Ele ficou muito feliz. Disse para você avisar a que horas vai chegar a Viena.

– Mas, Ella...

– Já está tudo combinado. E agora você não vai poder decepcioná-lo, certo?

Rosanna encarou a sobrinha, agoniada de tanta indecisão, então abriu um sorriso agradecido.

– Obrigada. Obrigada.

No sábado de manhã, Rosanna acordou às seis. Tomou uma ducha, vestiu-se, desceu para a cozinha e preparou alguns legumes. Refogou-os com carne moída e alho, depois acrescentou ervas e tomates picados para fazer um molho à bolonhesa. Queria que Ella e Nico tivessem algo gostoso para comer naquela noite. Enquanto o molho fervia, sentou-se à mesa e escreveu uma longa lista de instruções para a sobrinha, desde o café da manhã até a hora de dormir.

Sentindo-se um pouco sem graça – afinal, Ella participava da rotina de Nico diariamente –, pôs as instruções perto do telefone e acrescentou então o número do Hotel Imperial, em Viena, além dos do médico da região e do apartamento de Abi em Londres. Feito isso, tirou a panela de molho do fogo, tampou-a e deixou-a sobre a bancada para esfriar. Olhou o relógio e subiu até o andar de cima para terminar de fazer a mala.

☙❧

Rosanna tocou uma das bochechas de Nico.

– Ele está meio quentinho – falou, franzindo o cenho.

– Ele está ótimo... não é, Nico? – Ella aconchegou o menino junto a si. Os três estavam no hall da casa, uma hora depois. – Ele passou a manhã inteira correndo muito de um lado para outro. Agora vá, senão vai perder o voo.

– Tchau, *angeletto*. – Rosanna tornou a beijar o filho e pegou a bolsa de viagem. – Qualquer problema, por favor, me ligue no Imperial, ou então ligue para Abi, ou...

– Pode deixar! Agora vá, Rosanna. Por favor! – Ella riu.

Do banco de trás do táxi, Rosanna ficou acenando até o carro se afastar da casa e perdê-los de vista. E se Nico estivesse ficando doente? Ele estava quente, tinha certeza. Reconfortou-se pensando que decerto era um dente nascendo, o que sempre o deixava com as bochechas rosadas. A culpa que a estava deixando paranoica, só isso. Além do mais, de que adiantava ir para Viena se fosse passar o fim de semana inteiro preocupada com Nico?

Com esforço, afastou os pensamentos do filho e se concentrou no prazer de encontrar o marido em poucas horas.

☙

– Stephen, é Luca. Chego a Londres amanhã de manhã.

– Certo. A que horas?

– Meu voo pousa em Heathrow às dez. Vou pegar um trem para Cheltenham e devo chegar à casa de Rosanna em algum momento depois do almoço. Você pode passar lá amanhã à noite?

– É melhor não. – Stephen ficou surpreso com o fato de, pelo visto, Luca ainda não saber da volta de Roberto e de sua subsequente saída da vida de Rosanna. – Hoje vou dormir em Londres. Pego você no aeroporto amanhã de manhã e lhe dou uma carona até Gloucestershire. Podemos conversar no caminho.

– É muita gentileza sua. Vou ligar para Rosanna e avisar a que horas chego.

– Certo, então. Tchau.

Luca pôs o fone no gancho e tornou a erguê-lo para ligar para Rosanna. Do outro lado, o telefone tocou, mas ninguém atendeu. Ele desligou e decidiu tentar mais tarde.

☙

Ella ouviu o telefone tocar, mas Nico, aos berros, estava dando um raro ataque de birra: batendo as mãozinhas no chão, recusava-se a deixar que ela trocasse sua fralda. Quando conseguiu chegar ao aparelho no quarto de Rosanna, ele já havia parado de tocar.

Nico finalmente se acalmou no seu colo. Ela pôs a mão na sua testa. Ele estava mesmo meio quente. Ela o levou ao térreo para lhe dar um remédio, conforme as instruções de Rosanna.

– *Principessa!* Você veio, você veio mesmo.

Rosanna largou a bolsa de viagem quando Roberto a pegou no colo. Então ele a levou para dentro do quarto e a jogou na cama.

– Que saudade... eu te amo tanto... – gemeu, cobrindo o rosto dela de beijos e começando a abrir os botões do seu casaco.

– Antes preciso ligar para minha sobrinha – falou Rosanna, tentando se afastar de Roberto.

– Depois, *cara*, depois.

Os lábios dele a silenciaram, e ela se entregou.

Mais tarde, os dois tomaram champanhe na cama e Roberto lhe falou sobre os planos que tinha para o fim de semana.

– Hoje à noite vai haver um grande baile no Palácio Imperial de Hofburg. De lá, vamos direto para o espetáculo.

– Mas, Roberto, eu não trouxe nada para vestir! Você deveria ter me avisado.

– Dê uma espiada no armário, *principessa* – falou ele.

Rosanna saiu da cama e atravessou o quarto. No armário, ao lado de um smoking, estava pendurado um vestido envolto em uma capa de plástico.

– Queria ter embrulhado, mas achei que fosse amarrotar. Veja se cabe – instou ele.

Rosanna removeu o plástico, revelando um vestido de baile preto brilhoso. Tinha uma saia rodada bem ampla, feita com várias camadas de tule, e um corpete tomara-que-caia de brocado bordado com milhares de pequenas miçangas.

– Roberto... é o vestido mais lindo que já vi! – Ela o tirou do cabide e vestiu. – Pode me ajudar a fechar? – pediu.

– Claro, *signora*, se você prometer que mais tarde vai me deixar *abrir*. – Ele fechou os delicados botões de madrepérola, e ela se olhou no espelho. – Parece que foi feito sob medida. – Ele aprovou com um meneio de cabeça.

Rosanna se virou e, ao fazer isso, a saia se encheu de ar e inflou.

– Ai, que maravilha! Obrigada, Roberto. Obrigada.

– Você vai ser a mulher mais linda do baile. – Ele sorriu. – E depois vai me ver cantar Don José, não vai?

– Vou, claro.

Ele a beijou no pescoço e começou a abrir os botões que havia fechado com tanto esmero poucos minutos antes.

Uma hora depois, Rosanna estava se maquiando e Roberto se preparando para sair para o teatro.

– Ai! – De repente, ela levou a mão à boca. – Eu me esqueci de ligar para casa.

Pegou o telefone e ligou para The Manor House.

– Ella, sou eu. – Seu cenho se franziu. – Por que Nico está chorando?

– Acho que ele está um pouco cansado. E está meio febril, Rosanna. – A voz de Ella soou tensa.

– Ele está doente?

– Não comeu quase nada hoje. Acho que está bem, mas não em seu estado normal. Vou colocá-lo na cama agora.

– Então tenho que voltar imediatamente.

– O quê? – sussurrou Roberto, entreouvindo a conversa.

– Só um instantinho, Ella. – Rosanna tapou o fone com a mão e olhou para o marido. – É o Nico. Ele está com febre. Eu...

– Me deixe falar com Ella.

Roberto agarrou o telefone. Falou depressa, em italiano, meneando a cabeça de vez em quando. Então se despediu e pôs o fone no gancho antes que Rosanna pudesse pegá-lo outra vez.

– O que você pensa que está fazendo? Eu queria falar com ela de novo, para saber se...

– Rosanna, por favor. Falei com Ella e parece que Nico está com febre, mas só isso. Não há com que se preocupar, *cara*. Pode ser um dente, um resfriadinho talvez, mas de nada vai adiantar você voltar correndo para a Inglaterra. Amanhã ele vai acordar bem com certeza.

Rosanna balançou a cabeça.

– Mas, Roberto, e se ele estiver mesmo doente? Ele quase nunca teve febre.

– *Principessa*, Nico tem você 24 horas por dia. Eu a tenho por 48 horas, depois você vai voltar para casa e ficar com ele. Por favor, será que pode parar de pensar no seu filho e se dedicar ao tempo que temos juntos? Estou começando a achá-la paranoica em relação a esse menino.

Rosanna, lutando contra o instinto materno que lhe dizia que havia algo errado, hesitou por um instante. Mas não queria que Roberto a julgasse superprotetora. Por fim, assentiu.

– Tem razão. Ele com certeza vai ficar bem.

– Tudo bem – sussurrou ele. – Agora ponha seu lindo vestido e vamos mostrar ao mundo que fizemos as pazes.

※

Ella afagou as costas de Nico até ele finalmente pegar no sono. Então saiu do quarto de fininho, fazendo o possível para não incomodá-lo. Desceu para a cozinha segurando bem firme a babá eletrônica e preparou um sanduíche. Comeu sem nem ao menos sentir o gosto; em seguida subiu para o quarto e adormeceu, exausta.

※

Sentada no camarote, Rosanna admirava o espetáculo cintilante no térreo do teatro. A Ópera Estatal de Viena era uma das suas casas preferidas, talvez porque o rebuscado balcão dourado lhe lembrasse o Scala de Milão. Olhou para o poço, onde a orquestra afinava seus instrumentos. Enquanto aguardava a ópera começar, sentiu o conhecido frisson percorrer seu corpo.

Nessa noite, o espetáculo seria *Carmen*. Don José era um papel que nunca tinha visto o marido interpretar, e ela tampouco fizera o de Carmen. Ao final da abertura, as cortinas se abriram e revelaram a praça de uma cidade espanhola. Rosanna se recostou na cadeira e se preparou para o espetáculo.

O papel do belo e temperamental espanhol era perfeito para Roberto. A atuação dele foi eletrizante e manteve a plateia em constante estado de suspense.

– Ah, Carmen! Ma Carmen adorée! – cantou ele, no final, enquanto o corpo morto da amante desabava no chão.

As lágrimas escorriam livremente pelo rosto de Rosanna. Ela se levantou junto com o restante da plateia, que batia os pés no chão, aplaudia, jogava flores e gritava "Bravo!". Ninguém queria deixar Roberto e sua bela Carmen saírem do palco.

Ele ergueu os olhos para Rosanna e lhe jogou um beijo.

Foi nessa hora que ela entendeu o que queria.

Seria preciso muito esforço e muito sacrifício, mas faria isso porque *tinha* de fazer.

⊱⊰

– *Principessa*, você está deslumbrante. Raramente a vi tão feliz nos últimos tempos.

Roberto a fez girar na pista de dança lotada do magnífico salão de baile do Palácio Imperial de Hofburg.

– É assim que estou me sentindo. – Ela sorriu. – Que bom que eu vim!

– Também acho. Nós não funcionamos separados, Rosanna. Você sabe disso, não sabe?

– Sei. – A música terminou, e ele ainda ficou parado por alguns instantes abraçado a ela. – Antes de voltarmos para a mesa, queria lhe dizer que... tomei uma decisão.

– Qual? – Ele a encarou com ar de expectativa.

– Quero voltar a cantar.

– Rosanna, essa é a melhor notícia que eu poderia ter escutado! Pense só! Não vamos mais ficar separados. As coisas vão ser como antes.

– Não, como antes, não, porque temos o Nico. Mas com certeza vamos conseguir dar um jeito de fazer funcionar.

– É claro que vamos. Agora venha tomar um champanhe e brindar ao seu retorno. – Ele a pegou pela mão e a fez atravessar a pista. – Amanhã aviso ao Chris. Tenho certeza de que ele vai querer que você cante *Madame Butterfly* comigo na Met de Nova York, em julho, e...

Rosanna ficou ouvindo-o falar com animação; sabia que ele estava apressando as coisas, mas não se importou.

Tinha feito o que ele queria e se entregado a ele outra vez, completamente.

# 47

Na manhã seguinte, Ella acordou cedo e ficou escutando os ruídos da babá eletrônica ao lado da cama. Não ouviu nada. Deu um suspiro de alívio e torceu para que os problemas da véspera fossem por causa de um dente nascendo e para que Nico acordasse melhor depois de uma boa noite de sono. Levantou-se, subiu o corredor e empurrou a porta do quarto dele. Entrou sem fazer barulho, foi até o berço e se debruçou. O menino estava de olhos fechados, mas tinha os cabelos molhados, as bochechas muito coradas e a pele toda manchada de vermelho. Ela levou uma das mãos à testa do menino e sentiu quanto ele estava quente. Na mesma hora, afastou as cobertas e constatou que o pijama dele estava encharcado. Com o coração batendo forte, tirou sua roupa e arquejou nervosamente ao ver as placas vermelhas que lhe cobriam todo o corpo. Nico abriu os olhos, deu um gemido e tornou a fechá-los.

Ella voltou pelo corredor em disparada, desceu a escada e abriu a porta da cozinha com um tranco. Percorreu a lista de Rosanna até encontrar o telefone do hotel. Tirou o fone do gancho, ligou para o Imperial e esperou alguém atender.

– Sim, alô. Eu poderia falar com Rosanna Rossini?

– Sinto muito, senhora, mas o Sr. Rossini solicitou que nenhuma ligação fosse transferida para o quarto dele até segunda ordem.

– Mas é uma emergência! O filho dele está doente! Preciso falar com ele ou com a Sra. Rossini! – Ella estava quase chorando de tanta frustração.

– Está bem, senhora. Vou tentar transferir.

Ella aguardou. A tensão era uma verdadeira agonia.

– Sinto muito, senhora, ninguém atende. O Sr. Rossini talvez tenha desconectado o telefone do quarto. Vou pedir para alguém subir e bater na porta.

– Por favor, faça isso agora mesmo – insistiu Ella. – Peça à Sra. Rossini para ligar para Ella em casa. Diga que Nico está doente.

Ela pôs o fone no gancho, em seguida ligou para Abi. Ninguém atendeu.

– Por favor, faça com que ele fique bem – gemeu Ella, e ligou para o número do médico.

– Alô?

– Eu poderia falar com o Dr. Martin?

– Ele saiu para uma visita. Aqui é a esposa dele. Posso ajudar?

– Pode. Estou cuidando do Nico, o filhinho da Sra. Rossini. Ele está com febre alta e com o corpo coberto de placas vermelhas. Eu... não sei o que fazer!

– Entendi. Bem, o Dr. Martin deve chegar em poucos minutos. Me dê seu endereço e o mandarei direto para aí.

Ella deu o endereço.

– Então, querida, enquanto o doutor não chega, pegue uma esponja e dê um banho de água morna no menino. Isso deve segurar a febre. E tente fazê-lo beber um pouco de água. Se ele começar a piorar ou perder os sentidos, chame uma ambulância imediatamente.

– Vou fazer isso. Obrigada.

Ella pôs o fone no gancho. Encheu uma tigela com água e subiu a escada em grande aflição, desejando com todas as forças nunca ter sugerido que Rosanna fosse ficar com Roberto em Viena.

※

O trajeto de Heathrow até Gloucestershire levou menos de uma hora e meia. As estradas estavam livres, e Stephen saiu com o Jaguar da rodovia e tomou a direção da The Manor House.

Luca, a seu lado, viajava em silêncio, olhando pela janela. Sua mente era um turbilhão. Não somente Stephen tinha lhe contado o resultado da viagem a Nova York, como em seguida, calmo e sem emoção, lhe revelara o motivo pelo qual não estava mais saindo com Rosanna.

Roberto estava de volta.

As implicações dessa notícia eram tantas que Luca não conseguiu sequer começar a organizar os pensamentos.

– Você está feliz por eles terem voltado? – quis saber Stephen. – Em parte deve estar. Afinal de contas, ele é marido de Rosanna e pai de Nico.

Luca balançou a cabeça vigorosamente.

– Não. Apesar de ele ser marido de Rosanna, as coisas que Roberto fez...

Ele suspirou enquanto Stephen embicava na estradinha que conduzia à casa.

O carro parou em frente a The Manor House.

– Você entende se eu não entrar, não é?

– Claro. – Luca pôde ver que Stephen estava louco para ir embora dali. – Certo. Obrigado, Stephen, por tudo.

– De nada. Vou estar o dia inteiro na galeria, se quiser conversar mais.

– *Ciao*. – Luca abriu a porta do carro e saltou, então parou e se virou. – Sinto muito, Stephen. Rosanna não se dá conta do que perdeu.

Stephen deu de ombros com tristeza. Luca fechou a porta do carona atrás de si.

🙢🙠

Ella estava andando de um lado para outro no quarto de Nico quando ouviu a campainha tocar. Desceu correndo a escada, esperando que fosse o médico. Destrancou a porta com as mãos tremendo.

– Luca! Ai, Luca! – Jogou-se nos braços do tio, soluçando histericamente.

– Ella, o que foi? Ella? O que aconteceu? Vamos lá, fique calma.

– É o Nico, o Nico. Ele está muito doente. Acho que talvez esteja até morrendo! A gente não pode deixá-lo sozinho. – Ela o puxou para dentro e tornou a subir correndo a escada.

– Mas onde está Rosanna? E... e Roberto?

– Em Viena. Pensei que você fosse o médico. Estou fazendo o que a mulher dele mandou, mas ela disse para eu chamar uma ambulância se ele piorasse e... – Ela entrou no quarto e apontou para o berço. – Está vendo, ele está com essas placas vermelhas, não quer acordar direito e... Me ajude, Luca! Me ajude! – repetiu ela, tomada pela histeria.

Luca se debruçou no berço e entendeu na hora a gravidade do estado de saúde do menino.

– O médico está vindo?

– Está, mas tenho certeza de que ele está piorando.

– Então acho que não podemos arriscar. Vamos chamar uma ambulância. Nesse instante, eles ouviram a campainha tocar.

— Graças a Deus — disse ela, engolindo um soluço. — Deve ser o médico.

— Vá abrir você — disse Luca. — Eu fico com Nico.

Ella assentiu e saiu do quarto correndo. Luca acariciou a testa do sobrinho.

— Está tudo bem, *angeletto*. Você vai ficar bom. Acho que a sua *mamma* deve ter enlouquecido para deixar você sozinho, mas ela vai voltar logo, prometo.

Ella e Luca ficaram em pé, lado a lado, junto à janela do quarto enquanto o Dr. Martin examinava Nico.

— Rosanna está em Viena com Roberto, é isso? — confirmou Luca.

— É.

— E você ligou para eles?

— Liguei, mas eles ainda não retornaram.

— Ela não deveria ter deixado você sozinha com Nico. Foi muito errado. — Luca suspirou.

— Por favor, não culpe Rosanna. Fui eu que insisti em que ela fosse. Ela estava tão tristonha, com tanta saudade do Roberto. Eu achei que... Achei que fosse ficar tudo bem. E teria ficado mesmo, se... — Ella torcia as mãos, desesperada. Luca então passou um braço em volta dos seus ombros. — Ela ligou ontem à noite e eu disse que ele não estava bem, e ela...

— Mesmo assim não voltou?

— Não, mas...

O médico interrompeu a conversa.

— Vou chamar uma ambulância; quero que Nico vá para o hospital. A febre dele está muito alta e ele precisa de soro para não desidratar.

— Qual é o problema? O que ele tem? — perguntou Ella, prendendo a respiração.

— Nico está com um caso sério de sarampo. É uma doença infantil corriqueira, mas algumas crianças apresentam sintomas graves que, se não forem tratados a tempo, podem causar complicações. Posso usar o telefone?

— Claro. — Ella levou o médico até o quarto de Rosanna.

Luca continuou olhando pela janela do quarto do sobrinho e se perguntou que bicho teria mordido a irmã, em geral mãe tão zelosa, para deixar o filho com uma menina inexperiente de 15 anos. Balançou a cabeça com tristeza; já sabia a resposta.

— Certo, a ambulância não vai demorar — disse o médico ao voltar. — Se eu fosse o senhor, diria para a Sra. Rossini voltar depressa de onde estiver. Tenho certeza de que ela vai querer ficar com o filho.

Bem nessa hora, o telefone tocou.

– Eu atendo – falou Luca, e correu até o quarto para tirar o fone do gancho.

– Ella? – ganiu uma voz em pânico.

– Rosanna, é você?

– Luca? O que está fazendo aí? Eu não sabia que você viria.

– Foi uma viagem imprevista, mas isso não importa agora. Você precisa pegar o primeiro voo de volta, Rosanna. Lamento dizer, mas Nico está muito doente. O médico já chegou e vamos levá-lo para o hospital de Cheltenham. O médico disse que ele está com sarampo.

– Ai, meu Deus, por favor, não!

Um soluço engasgado ecoou do outro lado.

– Tenho certeza de que Nico vai ficar bem. O médico já chegou e ele está em boas mãos. Tente pegar um voo assim que conseguir.

– Certo. Eu pego um táxi em Heathrow direto para o hospital. Por favor, Luca, mande um beijo para o meu bebê e diga a ele que a *mamma* vái chegar daqui a pouco.

– Claro. Tente não se preocupar. Tchau, Rosanna.

Ele desligou na mesma hora em que a ambulância encostava na frente da casa.

Cinco minutos depois, eles estavam a caminho do hospital.

## 48

– Bem, Sra. Rossini, a senhora ficará feliz em saber que Nico vai ficar bom – informou o médico do hospital a Rosanna.

Ela segurou a cabeça entre as mãos e chorou, aliviada. As últimas 48 horas tinham sido as piores de sua vida. Ela havia chegado ao hospital no início da noite de domingo e encontrado Nico tomando soro por via intravenosa. Luca levou Ella para casa, exausta e esgotada, e Rosanna passou horas sentada, vendo o filho atravessar o que as enfermeiras chamavam de "crise". Na manhã seguinte, a febre de Nico baixou e ele conseguiu dormir mais tranquilo. Um dia depois, abriu os olhos e sorriu para ela. Depois de os médicos diagnosticarem que ele já havia passado pelo pior, o soro foi removido.

Rosanna pegou um lenço de papel e assoou o nariz.

– Me desculpe. Depois dos últimos dois dias, é um alívio imenso.

– Entendo, Sra. Rossini. É raro uma criança ficar tão mal de sarampo, mas acontece. Imagino que ele não tenha tomado a vacina?

– Não.

Ela pensou, arrasada, que isso nem sequer havia lhe ocorrido durante aqueles primeiros meses perfeitos em The Manor House, logo depois de o filho nascer.

– Bem, talvez seja uma boa ideia providenciar a vacina para todos de sua casa que ainda não tenham sido imunizados. O sarampo pode continuar contagioso por vários dias depois da aparição das placas. Melhor prevenir. Quanto a Nico, ele obviamente vai precisar de cuidados especiais nas duas próximas semanas, mas é uma criança robusta. Mais um dia de observação e a senhora poderá levá-lo embora. Agora sugiro que vá para casa e descanse um pouco. Volte à tarde. Agora pela manhã queremos fazer uns exames de rotina.

– Está bem. Vou dar um beijo de despedida nele. E obrigada, doutor. Obrigada.

– Não precisa me agradecer. É para isso que estamos aqui. E tente não se culpar, Sra. Rossini. A senhora não poderia ter feito muito mais, mesmo se estivesse com ele.

Rosanna balançou a cabeça.

– Eu sou a mãe. Teria percebido antes como ele estava doente – falou, baixinho, e saiu da sala do médico.

Nico estava sozinho em uma enfermaria, deitado em um berço, de costas para ela.

– Oi, meu amor – disse ela. – A *mamma* voltou.

O menino não reagiu. Rosanna pensou que ele devia ter pegado no sono e se aproximou. Debruçou-se no berço e viu que não: ele estava acordado. Quando a viu, rolou na sua direção e abriu um largo sorriso.

Rosanna o pegou no colo e lhe fez um afago.

– Ah, meu amor, juro, juro que nunca mais vou deixá-lo.

૱

Uma hora depois, Rosanna chegou de táxi e entrou em casa, cansada.

– Ella? – chamou, mas não houve resposta.

– Está no quarto tirando uma soneca.

Rosanna ergueu os olhos e viu Luca em pé no alto da escada.

– Claro. A coitada deve estar um caco.

Ela passou a mão pela testa.

– Não é de espantar, depois do que ela enfrentou nos últimos dias – comentou ele, descendo os degraus em direção à irmã. – E Nico?

– O médico disse que ele vai ficar bom.

– Que ótima notícia. – O tom de Luca não tinha a simpatia habitual. Ele se juntou à irmã no pé da escada. – Quer comer alguma coisa?

– Não, obrigada. Quero beber só um café. Depois vou tomar um banho e ver se consigo dormir um pouco. Ainda preciso voltar ao hospital hoje à tarde.

Ela foi em direção à cozinha, e Luca a seguiu. Ficou parado na soleira e a observou encher a chaleira elétrica e ligá-la.

– Rosanna, vou embora hoje à noite.

– Claro. Obrigada por sua ajuda.

– Mas antes de ir, preciso falar com você.

Ela o encarou. Seu irmão estava pálido, com olheiras, e a boca contraída formava uma linha de tensão.

– Então sente-se. Quer um café, também?

– Obrigado.

Rosanna pôs um pouco de café solúvel em duas canecas e acrescentou água fervente e leite. Mexeu as bebidas e foi se sentar com o irmão à mesa.

– O que houve? Nunca o vejo tão sério. Está me deixando assustada.

Luca colocou as mãos sob o queixo e respirou fundo.

– Eu pensei muito se deveria lhe dizer isso. Rosanna, eu a amo muito, muito. Você sabe disso, não sabe?

– Sei, claro.

– E jamais ia interferir ou questionar seu modo de vida ou suas decisões, não fosse o fato de me sentir responsável em relação a Ella. Eu prometi a Carlotta que cuidaria dela...

– Antes de você continuar, por favor – interrompeu Rosanna. – Já sei o que vai dizer. Foi um erro deixar Nico com Ella, um erro grave. Nunca mais vou fazer isso, prometo. Já não fui punida o suficiente pelo que fiz?

– Sei como você é uma boa mãe para Nico e quanto tem sido boa com Ella, mas... – Luca balançou a cabeça. – Tenho medo de que essa sua... obsessão, esse amor que tem por Roberto às vezes prejudique suas avaliações.

Rosanna corou de indignação.

– Não! Você está errado! Roberto é a melhor coisa da minha vida depois do Nico. Ele me ama, me apoia e...

– Então por que ele não está aqui agora? Com o filho no hospital? Quando a mulher precisa dele ao seu lado?

– Você sabe por quê, Luca! Ele tem compromissos. Não pode jogar tudo para o alto para estar aqui. Aceito que a vida dele seja assim.

– Mas ele não tinha espetáculo nem domingo nem segunda à noite. Você mesma falou. Poderia muito bem ter voltado de Viena com você e chegado lá de volta a tempo para o espetáculo de terça à noite. Ou talvez estivesse com medo de pegar uma doença tão contagiosa e...

– Pare com isso! Por favor, você está sendo injusto. Quando ele chegasse em casa, já teria de dar meia-volta e ir embora. Ele não pode decepcionar seu público.

– Mas com certeza decepcionou a mulher e o filho, não é? – provocou Luca. Então deu um suspiro. – Rosanna, me desculpe, não quero julgar ninguém, muito menos você. Mas o Roberto... bom, acho que ele muda você, a influencia.

— Sim, para melhor! Eu amo o Roberto, Luca. E ele me ama, ama o Nico, e... e nada disso é problema seu! Você não o conhece como eu conheço.

— Você está errada. Eu o conheço bem mais do que você imagina – retrucou Luca baixinho. – Você acredita mesmo que ele sempre lhe diz a verdade?

— Acredito.

— E o caso dele com Donatella em Nova York?

— Por que você está tentando me fazer odiar o Roberto? Por quê?

— Não estou, não. Sei que seria inútil. Só estou tentando dizer que às vezes a gente pode amar algumas pessoas, mas isso não significa que elas despertem o melhor em nós.

— Luca. – Rosanna agora estava com raiva. – Você fala com muita autoridade do amor entre um homem e uma mulher, mas está estudando para ser padre. Como pode dizer que entende o que sinto se nunca conheceu esse tipo de amor?

Ele pareceu subitamente cansado.

— Não quero discutir com você. Só estou dizendo essas coisas porque a amo e quero protegê-la de coisas que você não sabe, que *não pode* saber.

— Que "coisas"? Me diga que história é essa.

— Não. Esqueça que falei isso. Estou sendo bobo, superprotetor.

— Luca, se você tiver alguma coisa para me dizer, tem que dizer. Não sou mais criança. Então, por favor, não me trate como uma.

— Está bem. – Ele fez uma pausa antes de continuar. – Roberto fez algumas coisas no passado que me levam a duvidar de que ele seja uma boa pessoa. E ele tem tamanho poder sobre você, a influencia tanto... às vezes não para o melhor, acho. Você tem certeza de que sabe tudo em relação a ele?

— Sim, eu sei tudo! – Já no limite da resistência emocional nos últimos dois dias, Rosanna não aguentou mais. – Sei o que ele foi e o que ele é! Você o detesta, Luca, sempre detestou. Bem, eu o amo, e não me importa o que você diga, não estou nem aí para o que pensa!

— Rosanna, será que você não vê? Roberto lhe custou sua família na Itália, sua carreira, e às vezes, na minha opinião, sua sanidade mental. E agora *nós dois* estamos brigando por causa dele! Não percebe como ele é destrutivo?

— Você não tem o direito de me dizer como devo viver a minha vida! –

Ela agora estava aos gritos, descontrolada. Lágrimas escorriam pelo seu rosto. – Vá embora daqui, por favor!

– Rosanna, desculpe. Eu não deveria...

– *Vá embora!* – Ela apontou para a porta.

– Não vamos nos separar assim.

– Não quero você na minha casa nem por mais um minuto!

Luca olhou para a irmã. Então deu de ombros, com tristeza.

– Está bem, se é isso que você quer.

– É isso que eu quero. E não precisa se preocupar: eu vou cuidar da Ella, não porque é o meu dever, mas porque eu *quero*! Agora vá embora!

Ela saiu da cozinha batendo os pés, subiu correndo a escada e entrou no quarto. Bateu a porta atrás de si.

Meia hora depois, ouviu um carro chegar em frente à casa e a campainha tocar. Foi até a janela e viu Luca entrar em um táxi. Em meio a uma nuvem de cascalho ele desapareceu.

☙

– Ah, Sra. Rossini. Pode entrar. – O médico a recebeu no consultório.

– Algum problema? Acabei de ver Nico e ele parece bem melhor.

– É, ele está se recuperando bem, mas nossos exames hoje de manhã revelaram um problema.

– Qual? Me diga logo!

– Às vezes, num caso grave de sarampo, a audição da criança pode ficar prejudicada.

Rosanna ergueu o rosto para o médico com uma expressão aflita.

– O que está tentando me dizer?

– Sra. Rossini, não existe um jeito fácil de dizer isso. Não posso ter certeza, mas acho que a audição de Nico foi gravemente afetada.

– Ai, meu Deus... não! – gemeu ela.

– Eu sei. É um choque, mas a senhora precisa ser corajosa pelo seu filho.

– Sim. – Ela foi buscar coragem em algum lugar no fundo de si. O médico tinha razão. Precisava ser forte. – Qual é a gravidade? Ele ficou totalmente surdo?

– É cedo demais para saber a extensão do estrago, mas provavelmente vai ficar surdo do ouvido direito. O esquerdo também foi afetado, mas, por enquanto, parece que não tão seriamente. É claro que vamos fazer mais exames. Vou apresentá-la ao Dr. Carson, nosso otorrinolaringologista, e...

As palavras do médico se embaralharam em um som confuso e o olhar de Rosanna se perdeu atrás dele. Ela só conseguia pensar em uma coisa: Nico era filho do grande tenor Roberto Rossini, sem dúvida dono de uma das vozes mais lindas do mundo.

E agora talvez nunca mais conseguisse ouvir seu *papà* cantar.

# 49

– Sr. Rossini?

– É ele.

– Ligação para o senhor.

– Obrigado. – Ainda pingando depois de uma chuveirada, Roberto se sentou na beirada da cama. – Alô?

– Oi, Roberto.

Ele sentiu o coração murchar.

– Donatella. Como vai?

– Bem.

– Que bom. – Ele estava ansioso para desligar. – Então...

Donatella o interrompeu.

– O tempo em Viena está bom para esta época do ano, não?

– Como você sabe? Onde você está?

– Aqui embaixo na recepção. Precisamos conversar. Vou subir até seu quarto.

– Donatella, não é uma boa hora. Preciso descansar para o espetáculo de hoje à noite. Acho que estou ficando resfriado.

– O que tenho para lhe dizer vai levar só uns minutos.

A linha ficou muda. Roberto suspirou, vestiu o roupão de seda e penteou os cabelos, nervoso.

Alguém bateu na porta e ele foi abrir.

– *Ciao*.

– Pode entrar – falou, ríspido.

– Obrigada.

Donatella passou por ele e foi se sentar em um grande sofá de estampa florida.

– Como você está? – perguntou ele.

– Nunca estive melhor.

Donatella estendeu a mão e pegou uma uva graúda da fruteira abarrotada sobre a mesa à sua frente.

– Que bom. Está com uma cara ótima.

Roberto não estava entendendo. A mulher parecia reluzir de tanta felicidade.

– Obrigada, estou me sentindo ótima mesmo. – Ela mordeu a uva, lasciva, e o encarou. – Já você está com uma cara péssima.

– Meu filho está no hospital. Ele esteve muito doente.

– É, o Chris me disse que você estava com problemas na família.

– Estou mesmo. – Ele andou pelo quarto. – Escute, o que você quer? Veio aqui gritar, se esgoelar e me chamar de canalha? Se for, vamos logo com isso.

– Não. – Donatella balançou a cabeça e pegou outra uva. – Você é *mesmo* um canalha, Roberto, mas não precisa que eu lhe diga isso. Sim, fiquei com raiva quando você não apareceu mais em Nova York e quando voltou rastejando para Rosanna sem nem ao menos se dignar a entrar em contato comigo, mas... – Ela deu de ombros. – Você é o grande *maestro* Roberto Rossini. Não precisa prestar contas a ninguém, não é verdade?

Aquele comportamento esfuziante estava deixando Roberto incomodado.

– Olhe, Donatella, peço desculpas pelo que aconteceu. Rosanna me perdoou e voltei para ela. Ela é minha esposa. E nunca prometi nada a você.

– Não. De fato, não prometeu mesmo. E, na verdade, desde então percebi que não estou mais apaixonada por você. – Ela acenou no ar com um gesto lânguido. – A paixão acabou. Agora, eu não o aceitaria de volta nem se me implorasse.

– Bem, então qual é o problema? – Ele ficou parado em pé na frente dela. – Preciso mesmo descansar, Donatella.

– Claro. Nada pode perturbar você antes de se apresentar diante do seu adorado público. – Donatella se levantou e sacou dois envelopes da bolsa. Pôs o primeiro em cima da mesa. – As chaves do seu apartamento em Nova York. Já tirei minhas coisas. – Ela alisou o segundo envelope com o dedo antes de estendê-lo para ele. – Ah, e isto aqui chegou lá para você faz pouco tempo. Naturalmente, eu li.

Roberto arrancou o envelope da mão dela.

– Não deveria ter feito isso.

Ela deu de ombros, sem ligar.

– Pouco importa, eu li. Acho melhor você abrir, Roberto. E descobrir por que sua mulher vai expulsá-lo de casa outra vez. – Ela abriu um sorriso encantador.

– Que história é essa? Rosanna e eu estamos muito felizes. Não há nada sobre mim que ela não saiba.

– Então talvez seja *você* quem precise saber uma coisa sobre *si mesmo*.

– Seja o que for, não importa. Não temos segredos um para o outro. Eu conto tudo para ela.

– Ótimo. Nesse caso, não vai se importar se eu mandar uma cópia da carta para sua mulher, só para o caso de você talvez esquecer? – Ela andou em direção à porta. – Estou no Hotel Astoria. *Ciao*.

Quando a porta se fechou atrás de Donatella, Roberto se sentou. Seu coração estava desconfortavelmente acelerado. Ele abriu o envelope.

*Convento Santa Maria, Pompeia*

*Prezado Roberto,*
*Você se lembra de uma noite quente em Nápoles, muito tempo atrás, quando dançamos juntos na cantina do meu papà na festa de aniversário de casamento dos seus pais? Depois fomos passear em frente ao mar. Mais tarde, transamos. Eu era virgem, e foi uma noite muito bonita, uma noite que jamais esqueci.*

*Seis semanas depois, descobri que estava grávida. A única pessoa com quem podia conversar era meu irmão Luca. Nós decidimos que, para o bem da nossa família, eu deveria dizer que o bebê era do meu namorado. Então fiz o que precisava fazer com ele para tornar a história plausível. Aí, um mês depois, contei para meu namorado e para meu pai que estava esperando um filho. Papà organizou nosso casamento às pressas e desposei um homem que não amava para dar uma chance ao nosso filho e para não desgraçar meus pais. Sabia que você jamais se casaria comigo, que na época talvez nem acreditasse que o filho era seu. Juro que é essa a verdade.*

*Sua filha Ella nasceu prematura de cinco semanas. Meu casamento começou em uma rede de mentiras e eu deveria ter sabido que tinha poucas chances de durar. Continuo casada, mas faz mais de dez anos que nem eu nem nossa filha vemos meu marido.*

Em muitos momentos eu quis lhe contar sobre Ella, mas quando você se casou com Rosanna entendi que não podia, pelo bem da minha irmã. Mas Luca me disse que vocês vão se divorciar em breve e essa notícia me fez decidir.

Conto-lhe isso ainda confiando e rezando para que Rosanna nunca venha a saber a verdade. Sei quanto ela amava você e não quero magoá-la ainda mais.

Quanto a Ella, imploro que não vire a vida dela de cabeça para baixo com esta revelação. Peço apenas que cuide dela discretamente, que esteja presente para ajudá-la caso ela venha a precisar em algum momento no futuro. Vai ser bem simples, pois a mandei morar com Rosanna. Ela tem uma voz linda, Roberto. Sei que Rosanna saberá alimentar e incentivar o talento da sobrinha e que vai acreditar que a menina herdou isso dela.

Luca não sabe que lhe escrevi. Ele me aconselhou a não fazê-lo; disse que era perigoso. Mas, se você perguntar, ele lhe dirá que estou falando a verdade. E, se você ouvisse Ella cantar, saberia que não estou mentindo.

Adeus, Roberto.

Carlotta

Ele deixou a carta cair das mãos e flutuar até o chão. Afundou de volta no sofá e grunhiu baixinho. Seria verdade? Ou será que Carlotta poderia estar mentindo?

Fechou os olhos e visualizou Ella cantando "Silent Night" na apresentação do coral natalino da escola. Reconheceu aquele som suave e profundo como o da sua própria voz, transmutado na voz da jovem que, pelo visto, era sua filha.

Quando sua mente produziu uma imagem clara do rosto da menina, os olhos dele se abriram de repente. Os cabelos pretos, a pele clara, os olhos. *Mamma mia!* Até o sorriso era igual.

Ele se levantou e começou a andar de um lado para outro.

Não era de espantar que Donatella estivesse tão feliz. Ela sabia que, se Rosanna descobrisse a verdade, Roberto corria o risco de perder não apenas a mulher que amava, mas também o filho *e* a filha cuja existência acabara de descobrir. Com seu histórico, Rosanna jamais acreditaria que ele não sabia sobre Ella. Além do mais, ele havia transado com a irmã dela e nunca lhe contara. Ela o odiaria, e com toda razão.

Roberto se sentou pesadamente e entendeu que faria qualquer coisa para não perder a mulher: abriria mão da carreira, da fama e da fortuna. Nada disso importava. Ele precisava *dela*.

Tirou o fone do gancho e ligou para a recepção.

– Me ligue com o Hotel Astoria.

– Pois não, senhor.

Ele aguardou, enjoado de tanto medo.

– Transferindo, senhor.

– Hotel Astoria. Em que posso ajudar?

– O quarto de Donatella Bianchi, por favor.

– Roberto, que rapidez – ronronou Donatella. – Acabei de entrar.

– O que você quer? Seja o que for, é seu. Dinheiro, o apartamento de Nova York, qualquer coisa.

– Não, Roberto. Não preciso de nenhum bem material. Lembre-se, Giovanni fez de mim uma mulher rica. Mas estava pensando que uma ida à Inglaterra neste fim de semana talvez fosse uma distração agradável. Quem sabe à região de Cotswolds... É um lugar que sempre quis visitar; ouvi dizer que é muito lindo. E naturalmente posso aproveitar para entregar a carta em mãos.

– Donatella, você quer mesmo me destruir? E Rosanna? Ela não fez nada para merecer isso. Você sabe que ela também vai ficar arrasada.

– Ah, então quer dizer que você tem sentimentos – murmurou ela. – É horrível, não? Amar profundamente e ter esse amor ameaçado?

– Eu já disse, Donatella, *qualquer coisa*. É só falar. Mas não faça isso, por favor.

Houve um longo silêncio. Por fim, Donatella falou.

– Então você finalmente entendeu.

– Entendi o quê?

– Como é estar impotente.

A linha ficou muda no ouvido de Roberto.

## 50

Rosanna abriu a porta da frente e entrou cambaleando no hall. Embora fossem só cinco e meia da tarde, já estava escuro. Sem acender as luzes, subiu a escada e foi até o quarto de Nico. Ficou olhando, desolada, para o luar débil que iluminava o berço vazio.

Seu filho lindo, deficiente para o resto da vida... E tudo por culpa dela. Por causa do seu egoísmo, ela sem querer havia condenado o menino a uma pena perpétua. Sem conseguir mais encarar o berço vazio, saiu do quarto e chamou Ella. Quando não houve resposta, lembrou que a sobrinha tinha ido passar a noite na casa de uma amiga. Ela estava sozinha em casa.

Louca para falar com alguém, tornou a descer e foi até o escritório. Pegou o telefone e ligou para o hotel de Roberto. A recepcionista lhe disse que o Sr. Rossini havia saído para o espetáculo da noite. Rosanna pôs o fone no gancho, passou alguns segundos pensando, em seguida discou outro número.

– Alô?

– Abi? Ai, Abi, é Rosanna...

Começou a soluçar enquanto contava à amiga o que tinha acontecido com Nico.

– Nossa, não sei o que dizer... – falou Abi, chocada. – Lamento muito.

– Ele é tão pequenininho, tão indefeso... O que fez para merecer uma coisa dessas? Fui eu quem o deixei sozinho e não voltei quando Ella me disse que ele estava doente. Se eu estivesse aqui, poderia ter visto como era sério e tomado uma providência antes que ele ficasse tão mal. Ai, Abi, como vou conseguir me perdoar um dia?

– Rosanna, você vai ter que se acalmar. Nico está vivo e, tirando a surdez, está se recuperando bem. Isso é o mais importante. Ele continua sendo o seu menininho e, embora agora talvez precise de mais um pouco de ajuda, é muito inteligente. Ele vai ficar bem. E você ainda não sabe a real gravidade do problema. Talvez a audição dele melhore com o tempo.

– Pode ser. Vou ter de rezar. Mas... Ai, Abi, também tive uma briga horrível com Luca.

– É, reparei que tinha acontecido alguma coisa entre vocês.

– Como assim?

– Ele apareceu aqui no meu apartamento de Londres há algumas horas.

– Ah. – Rosanna mordeu o lábio. – Ele disse alguma coisa?

– Você conhece o Luca. Não disse nada até agora, mas eu sabia que tinha acontecido alguma coisa. Ele vai passar a noite aqui. Mas, Rosanna, mais importante do que isso: você já falou com o Roberto sobre o Nico?

– Não. Ele está no teatro, mas não vai demorar a voltar para o hotel.

– Bem, se eu fosse você, diria a ele para pegar logo um avião – falou Abi, enfática. – Você precisa dele, Rosanna, e Nico também.

– Tem razão. Mas você sabe como as coisas são... – Rosanna suspirou.

– É. Infelizmente, sei. Olhe, quer que eu pegue o carro e vá aí ficar com você? Não é bom ficar sozinha. Posso chegar amanhã bem cedo.

– Não. Tenho certeza de que vou me sentir melhor depois que falar com Roberto, e Ella volta amanhã. Mas, mesmo assim, obrigada.

– Está bem. Lembre-se de comer alguma coisa. E vá deitar cedo. Você está exausta.

– Estou mesmo. Obrigada, Abi. Boa noite.

Rosanna pôs o fone no gancho, foi até a cozinha e se sentou diante da mesa, anestesiada. Luca tivera de ir correndo para Abi porque *ela* o havia posto para fora de sua casa. Luca, que tinha trabalhado todos aqueles anos na cantina de *papà* para pagar suas aulas de canto porque acreditava nela, e que depois tinha posto o próprio futuro em segundo plano para cuidar dela em Milão.

Roberto...

Luca dissera que ele devia estar ali, ao lado da mulher e do filho... Até mesmo Rosanna tivera de fazer um esforço para justificar o fato de ele não ter voltado para casa com ela para ficar com Nico doente, já que não haveria espetáculo. Pela voz, Abi tinha ficado igualmente indignada por Roberto não estar ao seu lado. Ele havia bloqueado o telefone do seu quarto de hotel, impedindo Ella de entrar em contato com eles, mesmo sabendo que o filho não estava bem na noite anterior...

Essas eram atitudes de um homem "bom"?, Rosana perguntou a si mesma.

Uma centelha de dúvida em relação ao seu amor perfeito começou a surgir na sua mente.

Quanto ao seu próprio comportamento, será que Luca tinha razão? Será que ela era obcecada por Roberto? Será que havia mudado? Lembrou-se, com um arrepio, da facilidade com que se deixara convencer a não voltar para casa, mesmo seu instinto lhe dizendo que Nico estava doente.

Recordou a menina inocente que era antes do seu caso de amor começar. Lembrou-se de Paolo, e de tudo que ele tinha feito por ela. E sentiu-se fisicamente mal pela maneira como o havia traído por causa de Roberto.

Além do mais, havia sua carreira: ela duvidava que tivesse havido outra cantora de ópera mais dedicada ou mais determinada a chegar ao topo. Até Roberto surgir em sua vida. Desde o instante em que os dois se casaram, ela o deixara impedi-la de voltar para Milão e depois de tomar qualquer decisão sozinha. Era Roberto quem escolhia onde e o que eles cantavam. E, para ser brutalmente honesta, o marido tinha escolhido os papéis que *ele* queria antes de pensar nela.

Rosanna se deu conta de que havia sacrificado a carreira não só por causa de Nico, mas também por causa de Roberto. Ele tinha um grande dom, mas, afinal de contas, *ela* também tinha...

Seu coração começou a bater forte quando ela pensou em Stephen e no que tinha feito com ele. Todo o amor, toda a paciência e toda a compreensão demonstrados por ele quando ela precisou, sem um pingo de egoísmo, e o que ela lhe dera em troca? Nada. Não... pior do que nada. Rosanna se obrigou a encarar a verdade. Ela o havia usado e depois jogado fora sem olhar para trás. E não tivera sequer a decência de procurá-lo para explicar a decisão pessoalmente.

Por fim, o pior de tudo: ela havia abandonado o filho quando seus instintos acenderam o alerta vermelho de que havia alguma coisa errada. Seu amor por Roberto conseguira sobrepujar até mesmo *isso*.

Sentada à mesa da cozinha, olhando as nuvens passarem diante da lua, Rosanna finalmente aceitou que Luca tinha razão. Seu amor por Roberto era *mesmo* doentio e antinatural. Ela era *mesmo* obcecada por ele; ele a mudava, deixava-a cega em relação a todo o resto à sua volta.

Onde estava ele agora? Não ao seu lado, cuidando de seu filho doente, mas em um palco qualquer agradando a uma plateia.

E seria sempre assim.

Rosanna se levantou e foi beber um copo d'água para aliviar a boca seca. Podia sentir que algo estava acontecendo dentro de si.

Quem era ela? *O que* ela era?

Detestava a pessoa em quem se transformara.

O rosto de Roberto surgiu na sua mente, como sempre acontecia. E como aconteceria sempre. Disso ela sabia.

O amor permaneceria intacto. No entanto, como se ela houvesse passado os últimos quinze anos de sua vida adormecida, sentia agora que estava acordando.

O mundo ia girar. Sua vida ia continuar; ela seria feliz.

Sem Roberto.

Era possível.

Pela primeira vez, Rosanna soube que era possível.

༺༻

Pouco depois, o telefone tocou. Ela se levantou devagar e foi atender.

– *Principessa*, sou eu.

– Oi, Roberto.

– Tudo bem? Sua voz está estranha.

– Não, comigo tudo bem. Mas com o Nico, não.

Com calma, Rosanna explicou o que tinha acontecido com o menino.

– Ai, meu Deus! Por favor, me diga que não é verdade!

– Infelizmente, é verdade, sim. Eu nunca deveria ter deixado nosso filho sozinho. Errei ao me deixar convencer do que você pensava sobre o assunto. Não estou culpando você... assumo a responsabilidade.

– Rosanna, vamos cuidar do Nico juntos. Ele vai ter os melhores médicos, tudo de que precisar...

– Quando você volta? Precisamos conversar.

– Queria estar ao seu lado agora. Prometo estar em casa com você daqui a dois dias. Tenho algumas... coisinhas para organizar.

Era a última vez que Rosanna ia esperar a volta dele.

– Preciso desligar – falou. – Estou muito cansada.

– Rosanna, o Luca está aí? Queria falar com ele.

– Não. Ele foi para o apartamento da Abi em Londres.

– Você tem o telefone de lá?

Ela sabia o número de cabeça e lhe passou, mas estava tão exausta que nem perguntou por que ele o queria.

– Tem certeza de que está tudo bem? Sua voz está... distante.

– Estou bem, sério.

– *Ti amo*, querida.

– Tchau, Roberto.

☙❧

Roberto encarou o número que havia rabiscado no bloquinho e, com dedos trêmulos, discou. Atenderam na mesma hora e ele reconheceu a voz.

– Oi, Abi. Aqui é Roberto Rossini.

– Oi, Roberto. Que surpresa. Rosanna não está aqui, está em casa.

– Eu sei. É com Luca que quero falar. É urgente – acrescentou ele.

– Está bem. Só um instante.

Ela pousou o fone. Dois minutos depois, Luca atendeu.

– Pois não?

– Luca, minhas sinceras desculpas por incomodar você, mas preciso lhe perguntar uma coisa. Recebi uma carta escrita pela sua irmã Carlotta. É verdade que eu sou o *papà* da Ella?

Houve uma pausa na linha antes de Luca responder.

– Carlotta lhe escreveu uma carta contando isso?

– Sim. Entendo que é difícil para você falar agora, mas precisamos nos encontrar.

– Não vejo necessidade disso – respondeu Luca, frio.

– Outra pessoa leu a carta e está ameaçando contar para sua irmã. Pelo bem da Rosanna, Luca, *por favor*. Estou desesperado. Talvez, se você disser a essa pessoa que não é verdade, ela acredite...

– Roberto, não vou mentir por sua causa.

– Entendo, mas estou à mercê dessa pessoa. Tem que haver um jeito. Se Rosanna descobrir, não vai acreditar que só fiquei sabendo disso agora. Você pode pensar o que quiser de mim, mas amo sua irmã e não quero magoá-la outra vez. Eu menti para ela, entende? Não fui sincero em relação ao meu passado. Se ela descobrir a verdade sobre Ella, tenho medo de que ache que a enganei de novo. E isso seria o nosso fim.

Luca sentiu desespero na voz de Roberto.

– Quando você quer me encontrar?

– Vou pegar o avião para a Inglaterra amanhã. Pode me encontrar em Heathrow? Meu voo chega ao Terminal 3 às onze da manhã.

– Está bem, mas não sei mesmo como vou poder ajudar.

– Obrigado, Luca, do fundo do coração. Nos vemos amanhã. *Ciao*.

Roberto pôs o fone no gancho e tornou a se deitar na cama. Sabia que aquela era uma tentativa desesperada. Se Luca se recusasse a cooperar, ele próprio teria de contar a verdade a Rosanna.

⊱⊰

Na manhã seguinte, Luca estava no terminal de desembarque, sem saber muito bem para onde ir, quando de repente ouviu seu nome ser chamado pelo alto-falante. Foi se identificar no guichê de informações, como solicitado, e um agente de segurança o conduziu por um labirinto de corredores até um pequeno lounge. O lugar estava deserto a não ser por Roberto, que andava de um lado para outro.

Luca foi até ele. Toda a arrogância de Roberto, toda a sua segurança e desenvoltura haviam desaparecido. Ele agora parecia um homem de meia-idade igual a qualquer outro, acima do peso e com um problema para resolver.

– Obrigado, Luca. Obrigado por ter vindo. – Roberto meneou a cabeça para o agente de segurança, que se retirou. – Achei melhor a gente conversar em particular. Sente-se, por favor.

Luca se sentou e se preparou para ouvir.

– Ahn... – Roberto coçou a barba por fazer que despontava no queixo. – Em primeiro lugar, quero dizer que entendo que você tem todos os motivos para não gostar de mim. Durante todos esses anos você sabia que eu era o pai da filha de Carlotta. Deve ter sido difícil para vocês dois quando me casei com Rosanna.

– Nem eu nem Carlotta queríamos magoar nossa irmã. Nós sabíamos que ela amava você – respondeu Luca, frio.

– Eu juro que não sabia sobre Ella antes de receber a carta ontem. Donatella Bianchi, uma mulher que já conheço faz tempo, foi ao meu apartamento de Nova York e abriu a carta de Carlotta sem a minha autorização. Donatella me disse que pretende levar pessoalmente uma cópia da carta para Rosanna.

– Donatella Bianchi – murmurou Luca.

– Você conhece?

Luca assentiu.

– Ah, sim. Conheço sim. Mas por que ela ia querer fazer essa coisa terrível com Rosanna?

– Para *me* punir por tê-la abandonado. Donatella entendeu que Rosanna é a única mulher que já amei de verdade. É a vingança perfeita. Ela sabe que a sua irmã vai me deixar quando descobrir. Ou que, no mínimo, isso vai causar uma discórdia terrível entre nós dois. E já tivemos problemas suficientes nos últimos tempos.

– Roberto, você algum dia falou para Rosanna que se envolveu com Carlotta?

– Não. Não achei que fosse importante. Rosanna era criança na época e eu... é, eu tinha muito medo da reação dela. Luca, por favor, me ajude. – Roberto caiu de joelhos no chão. – Estou desesperado. Imploro, se conseguir pensar em um jeito, juro por Deus que vou ser o melhor e o mais amoroso marido do mundo. Amo Rosanna, não consigo viver sem ela. – Ele abaixou a cabeça e seus ombros começaram a se sacudir.

Luca baixou os olhos para o homem na sua frente. Pôde ver que Roberto estava quase sem forças e que o desespero havia feito dele uma pessoa humilde. E enfim entendeu que, fosse aquele homem egoísta ou não, pelo menos ele amava sua irmã de todo o coração.

É claro que ele sabia um jeito de impedir aquilo, de silenciar Donatella para sempre. Por outro lado, será que já não bastava de tanta mentira? Não seria melhor Rosanna saber a verdade? Isso lhe causaria dor, mas com o tempo ela seria capaz de superar.

Então viu o rosto da irmã, na cantina dos pais, olhando para Roberto pela primeira vez.

Independentemente do que ele fosse, ela o amava. Por pior que tivesse sido seu comportamento, ela o queria. Ele era o pai de Nico, e Luca se perguntou: quem era *ele* para bancar Deus? Com certeza a única coisa que podia fazer era agir com integridade e dar a Roberto a informação de que ele precisava. O que acontecesse depois disso não dependeria dele.

Olhou para Roberto e respirou fundo.

– Eu sei de um jeito para acabarmos com essa história.

# 51

Donatella entrou no lobby do Hotel Savoy.

Quando Roberto lhe telefonou implorando para encontrá-lo em Londres antes de ir falar com Rosanna, ela não conseguiu resistir. Vê-lo suplicar e se contorcer pedindo misericórdia mais uma vez seria muito agradável. Ela não tinha absolutamente a menor intenção de mudar de ideia. Nada que ele dissesse ou fizesse poderia ajudá-lo agora.

Encontrou-o à sua espera no American Bar. Cumprimentou-o com dois beijos no rosto.

– Como vai, Roberto? Você parece pálido.

– Quer beber alguma coisa? – perguntou ele, ignorando a pergunta.

– Quero. Um Campari com soda, por favor. – Ela se sentou e cruzou as pernas compridas enquanto ele pedia as bebidas ao garçom. – Então, por que quis me encontrar?

– Queria perguntar se você não poderia reconsiderar. Queria que soubesse que, se mostrar a carta a Rosanna, não vai destruir apenas a mim, mas a ela também. E ela não tem nada a ver com você. Por que iria querer puni-la?

– Você espera mesmo que eu me importe com isso? Eu amei muito você, Roberto, mas agora... – Ela agitou a mão no ar. – Agora o amor sumiu. Na verdade, estou de namorado novo. Vou voltar para Milão, e estamos pensando em nos casar.

– Meus parabéns – murmurou Roberto.

As bebidas chegaram.

– E agora, vamos brindar a quê? À liberdade, talvez?

Os olhos verdes dela cintilaram com um brilho malévolo por cima da borda do copo erguido.

– Você está saboreando cada instante dessa história, não está? – Roberto tomou um gole de sua água mineral.

— Já era hora de alguém tratá-lo do mesmo jeito que você sempre tratou todo mundo. Por acaso se dá conta de que, se não fosse por mim, jamais teria tido sua primeira grande chance no Scala?

— Que conversa é essa, Donatella? — questionou ele, cauteloso.

— Dei um vultoso cheque a Paolo de Vito para criar uma bolsa de estudos naquela preciosa escola dele com a condição de que você tivesse seu primeiro papel de protagonista. Outras pessoas cuidaram de você, o ajudaram, entende? É uma pena você nunca ter ligado para elas.

— Não acredito no que você está dizendo.

— Pouco importa. — Ela deu de ombros. — Pergunte a Paolo um dia.

— Bem, se for verdade, obrigado pela sua ajuda — disse ele, meneando a cabeça.

— Um Roberto dócil... — comentou ela, ácida. — Nossa, você deve amar muito mesmo essa mulher.

— E ama — disse uma voz atrás dela.

Donatella se virou e viu um rapaz esbelto, de cabelos escuros em pé atrás deles. Ele lhe pareceu conhecido, mas ela não conseguiu se lembrar de onde o tinha visto.

— Luca, venha se sentar conosco — convidou Roberto e indicou uma cadeira com um gesto da cabeça.

— Obrigado.

O rapaz se sentou.

— Ah, claro. O senhor é o santo irmão de Rosanna. Foi chamado para tentar me fazer pôr a mão na consciência? — indagou Donatella com desdém. — Você se rebaixa mesmo a qualquer nível, não é, Roberto?

— *Signora* Bianchi, vim aqui falar com a senhora por um motivo totalmente diferente. Foi só uma coincidência Roberto ter comentado comigo que a senhora teve conhecimento da carta de Carlotta num momento em que eu estava mesmo planejando procurá-la.

— E por que o senhor gostaria de falar comigo?

— Por causa disto aqui, *Signora* Bianchi.

Luca tirou um envelope do bolso, abriu-o e pôs uma foto Polaroid sobre a mesa.

Donatella pegou a foto e a examinou. Os dois homens viram seu rosto perder a cor.

— O que é isto? — indagou ela.

– Acho que a senhora sabe muito bem o que é – respondeu Luca, com calma. – A senhora um dia pagou 3 milhões de liras para comprar essa peça de Don Edoardo, *il parroco* da Chiesa della Beata Vergine Maria.

– Se vocês me dão licença, acho que vou lá fora tomar um pouco de ar. – Roberto se levantou, meneou a cabeça para Luca e saiu.

– Eu... sim, claro. Agora estou lembrada. – Donatella estava visivelmente agitada.

– Um amigo meu tirou essa foto recentemente num apartamento de Nova York. – Luca falou baixo, sem pressa. – Um certo Sr. John St. Regent, dono do desenho, disse ao meu amigo que pagou milhões de dólares por ele.

– *Mamma mia!* Ora, mas que coincidência incrível... Nós... o nosso *palazzo* foi assaltado logo depois que comprei o desenho, sabe? Ele foi roubado, assim como vários outros quadros. Não fazia ideia de que valesse tanto. O que é? Um Leonardo? – Donatella riu, nervosa.

– Sim, acho que é exatamente isso, *Signora* Bianchi. Está dizendo que ele foi roubado da sua casa?

– Isso.

– Que estranho, porque John St. Regent disse ao meu amigo que foi o seu marido quem lhe vendeu.

– Eu... não. – Donatella balançou a cabeça. – Seu amigo entendeu mal. Ele cometeu um erro.

Luca deu de ombros, calmo.

– Bem, *Signora* Bianchi, um simples telefonema pode resolver a questão. Tenho certeza de que a polícia italiana vai conseguir descobrir a verdade.

– Meu marido já morreu. Vai ser difícil as autoridades o interrogarem.

– É, vai mesmo. Mas elas podem interrogar a senhora. Imagino que a senhora soubesse quanto o desenho valia quando pagou uma miséria a Don Edoardo por ele. Sei também que a senhora poderia ser presa se a polícia descobrisse que conspirou com seu marido para tirar da Itália uma obra de arte de importância nacional.

Um lampejo de medo atravessou o semblante de Donatella.

– Eu não sabia a verdade, juro. Pelo visto, meu marido me enganou também – disse ela, desesperada.

– Roberto me falou que a senhora é muito amiga do casal St. Regent. É improvável eles não terem lhe dito ou lhe *mostrado* seu bem mais precioso.

– Luca deu de ombros. – Mas não estou aqui para julgar sua inocência ou sua culpa. Como falei, posso simplesmente contar à polícia o que sei e eles vão descobrir a verdade, ou então...

– Sim?

– Ou então a senhora pode mudar de ideia sobre sua intenção de contar a Rosanna quem é o verdadeiro pai de Ella. Aí, todos nós podemos seguir a vida normalmente.

Donatella fez uma cara indignada.

– O senhor está me chantageando!

– Não acho que eu tenha cometido crime algum, *Signora* Bianchi, ao passo que a senhora claramente cometeu. Amo a minha irmã, só isso.

Donatella secou o copo e o pousou sobre a mesa com um baque.

– E amar sua irmã significa impor a ela uma filha que ela não sabe que é do próprio marido? O senhor chama isso de amor? – zombou ela.

Luca não disse nada, apenas ficou olhando para ela com calma.

Donatella ficou sentada em silêncio, ainda tentando pensar em um jeito de salvar seu plano perfeito para arruinar a vida de Roberto. No entanto, nada lhe ocorreu. Por fim, ela deu um suspiro ressentido e olhou para Luca.

– Está bem, o senhor venceu. Não quero correr o risco de me comprometer nessa história, ainda mais porque em breve vou me mudar de volta para Milão. Então aceito não contar para sua amada irmã Rosanna sobre a filha bastarda do marido dela.

– Também preciso lhe pedir a cópia da carta que está com a senhora.

Donatella assentiu, emburrada, e abriu a bolsa. Pescou lá dentro um envelope e o entregou a Luca.

– É a única?

– É, eu juro.

– Obrigado.

– Bem, mais uma vez Roberto conseguiu se safar com seu mau comportamento. O senhor não é burro a ponto de achar que a origem de sua sobrinha vai permanecer em segredo para sempre, não é? Ou que isso possa significar que Roberto vai ser fiel a Rosanna? Se achar isso, está iludido.

– *Signora* Bianchi, só posso fazer o que julgo melhor neste momento. O resto preciso deixar nas mãos de Deus.

Donatella se levantou.

– Vou embora antes de Roberto voltar. Sei que ele vai estar com cara de vitorioso e não suportaria ver isso. Eu o conheço melhor que ninguém, até mais que sua preciosa esposa. Nós deveríamos ter ficado juntos, sabia? – murmurou ela, nostálgica.

– Acho que a senhora tem razão, *Signora* Bianchi. Vocês dois se merecem. Adeus.

Luca ficou olhando Donatella atravessar o bar a passos largos e desaparecer, mas a sensação de alívio por ela ter aceitado o acordo não veio. Em vez disso, uma grande onda de tristeza tomou seu coração.

Roberto apareceu pela quina do bar com os olhos cheios de esperança. Luca acenou para ele.

– Tudo bem, ela já foi – falou, baixinho.

– Ela aceitou?

– Aceitou. Tome.

Luca lhe entregou o envelope.

– Graças a Deus. – Roberto enxugou a testa suada. – Posso lhe oferecer algo para beber? Qualquer coisa, *qualquer coisa* que eu puder fazer para agradecer.

Luca fez que não com a cabeça e se levantou.

– Não. Preciso ir. Apenas cuide da minha irmã e do seu filho. Adeus.

※

Quarenta e cinco minutos depois, Luca chegou ao apartamento de Abi. Ela apareceu para abrir a porta de roupão, recém-saída do chuveiro.

– Oi, amor – cumprimentou, sorrindo.

Luca ficou parado na soleira, calado, sem se mexer. Tinha o rosto pálido e os olhos assombrados.

– O que foi que aconteceu? – indagou ela. – Venha cá, sente-se. – Ela andou até ele e segurou sua mão. Estava fria como gelo. – Luca, pelo amor de Deus, me diga onde você estava. O que está acontecendo?

Ele continuou parado, com os braços pendendo, sem vida, junto ao corpo. Abi avançou e lhe deu um abraço, em seguida ergueu a mão e acariciou seus cabelos.

– Por favor, seja o que for, não pode ser tão ruim quanto pensa.

Ela o levou até a sala, o fez sentar no sofá e segurou suas mãos.

– Escute, meu amor, você precisa me contar o que aconteceu, por que está tão chateado. Eu o amo, você sabe disso. Só desta vez, me deixe ser *eu* a sua confessora.

Luca ergueu os olhos para ela.

— É tudo tão complicado, minha cabeça está uma confusão... Sinto que, sinto que...

— Bem, eu sinto vontade de tomar um conhaque.

Ela se levantou e foi até a cozinha pegar uma garrafa e dois copos. Serviu uma dose em cada copo e entregou um a Luca, ao mesmo tempo que voltava a se sentar.

— Agora beba, e depois conversamos, certo?

Luca engoliu a dose de conhaque de uma vez só. Então começou a lhe contar tudo. Abi ficou sentada ao seu lado escutando, e seus olhos foram ficando cada vez mais arregalados.

— Está vendo como a cada passo Roberto é o culpado? E entende o que fiz hoje? Eu o mandei de volta para Rosanna, quando tinha a oportunidade perfeita de livrar minha irmã dele para sempre.

— Luca, ela o ama. O que quer que ele tenha feito, o que quer que possa fazer, isso jamais vai mudar. O amor não tem nada a ver com a razão. — Ela o encarou e deu um sorriso triste. — Sei disso melhor do que ninguém. E você não deve, não *pode* se punir. Fez o que achou melhor para proteger sua família.

— É, posso pensar assim, ou posso dizer que não sou melhor do que Roberto, pois também enganei Rosanna. E ele mais uma vez escapou sem ser punido. Eu, assim como todo mundo, fiz o que ele queria e menti por causa dele.

— Mas foi uma mentira com a melhor das intenções e uma mentira necessária, acho. Devo admitir que há uma parte dessa saga que acho engraçada... milhões de dólares por um desenho que, por mais lindo que seja, não vale praticamente nada. Stephen tinha certeza disso, não tinha?

— Bem, o especialista na Renascença é ele, e fez o desenho passar por um processo de autenticação completo — confirmou Luca. — Ele me disse que entende por que o marido de Donatella estava convencido de que se tratava de um Leonardo. Há fortes semelhanças, e ele acha que o desenho mesmo assim conseguiria alguns milhares de dólares em leilão, por ser muito antigo e estar em tão perfeitas condições.

— E o que Stephen falou para o dono quando ele lhe perguntou se o desenho era autêntico?

– Decidiu não comunicar sua verdadeira opinião ao Sr. St. Regent; disse que, em um nível tão alto, não tinha qualificação para fazer uma avaliação definitiva e que o colecionador teria de pedir uma segunda opinião aos principais especialistas do mundo em Leonardo. Coisa que, é claro, o Sr. St. Regent jamais fará, pois o desenho foi tirado da Itália de forma ilegal. Stephen me disse que a obra lhe dá imenso prazer, então por que estragar isso? Sem falar, claro, que Donatella jamais deverá saber sobre a real procedência do quadro – acrescentou Luca.

– Mas tanto dinheiro assim... Não parece justo com o Sr. St. Regent.

– Alguns milhões de dólares para ele são como poucas libras para nós, acredite.

– Então, está bem. Vamos, pare de ser tão duro consigo mesmo. Você não poderia ter feito mais do que fez, e não pode ficar se martirizando por causa disso.

– Mas, Abi, Roberto tem uma influência tão ruim sobre Rosanna... O jeito como minha irmã deixou Ella e Nico sozinhos... aquela não era ela. Quando está com ele, Rosanna vira outra pessoa. E agora me odeia porque eu lhe disse isso.

– A vida é dela, Luca, e você precisa deixar que ela a viva.

– Eu sei, eu sei. Mas escute, não voltei aqui hoje só para lhe contar o desfecho do encontro com Donatella, mas porque preciso falar com você sobre outro assunto.

– É mesmo? Qual? – perguntou ela, desconfiada.

– Eu esperava que os últimos seis meses fossem me proporcionar o tempo de que eu precisava para decidir meu futuro. Mas na verdade mal tive oportunidade de pensar em mim. Primeiro Carlotta, depois Rosanna e Nico, e agora Roberto e Donatella. – Luca balançou a cabeça. – Estou muito, muito confuso em relação a mim mesmo, a Deus... e a você, claro. – Ele a encarou e abriu um sorriso carinhoso. – No momento, com toda esta minha incerteza, seria errado voltar para o seminário, mas tampouco posso assumir o tipo de compromisso que gostaria com você antes de ter certeza absoluta de que posso dar adeus a tudo que quis e a tudo em que acreditei desde a primeira vez que pisei na Chiesa della Beata Vergine Maria, em Milão, mais de dez anos atrás. Sendo assim... – Ele fez uma pausa, reunindo coragem para lhe contar. – Falei com meu bispo e ele sugeriu uma coisa que acho que talvez seja a resposta. Vou para a África, Abi. Estão construindo uma igreja em uma aldeia perto de Lusaka, na Zâmbia, e vou trabalhar como pregador laico e auxiliar o padre de lá. Talvez assim, longe de tudo, consiga enfim encontrar o rumo da minha vida.

– Entendi. – Abi encolheu os ombros, decepcionada.

– Se você ficar brava, eu entendo. Sei que nunca fiz nada para merecer o seu amor, e você me ofereceu tanta coisa... Mas, por favor, não espere mais por mim. Não posso lhe prometer nada agora, porque não sei quais são as respostas.

Abi tomou um gole de seu conhaque e lambeu os lábios. Suas mãos tremiam de leve.

– Luca, você ainda me ama?

– É claro, *amore mio*. Sobre isso não tenho controle. Você sabe que eu a adoro.

– Mas ama ainda mais o seu Deus – disse ela devagar. – Bem, eu poderia tentar convencê-lo a ficar, dizer que sou *eu* de quem você precisa. Mas sei, por já ter passado por essa amarga experiência, que não adianta nada, então não vou nem tentar.

– Você me odeia? Eu a usei? Ah, Abi, pensar que a magoei me deixa péssimo...

– Não, Luca, eu não odeio você. Como poderia? Eu te amo. Sabia desde o começo que você não estava prometendo nada, mas era um risco que estava disposta a correr. Eu perdi e Deus ganhou outra vez. Quando você viaja?

– Preciso ir amanhã.

Ela assentiu sem dizer nada. Então olhou para ele; lágrimas brilhavam nos seus olhos.

– Se você me ama mesmo como diz, vai me conceder um último desejo.

– O que você quiser, *cara*.

– Me dê uma noite. Por nós dois, pelo amor que temos um pelo outro.

Ela se aproximou dele e, meio hesitante, encostou seus lábios nos do homem que amava. Dessa vez, ele não protestou. Em vez disso, segurou o rosto dela com as duas mãos e correspondeu com a mesma paixão.

– Por nós dois – murmurou ele e acariciou delicadamente seu rosto. – Nem mesmo Deus pode me negar isso.

Na manhã seguinte, Abi observou Luca descer da sua cama. Quando ele saiu do quarto para o chuveiro, ficou deitada olhando para o teto.

Havia desejado aquele homem por muitos anos, havia sonhado com seu toque e, na noite anterior, seu desejo tinha enfim se concretizado.

Hoje ele ia embora para longe e quase com certeza seria para sempre, e ela precisava aceitar. Sabia que não deveria seguir esperando e desejando. Para seu próprio bem, ela *precisava* seguir com sua vida.

Engoliu em seco com força e se forçou a não chorar. Levantou-se da cama que servira de palco ao seu amor físico e começou a se vestir às pressas, em seguida foi se abrigar na cozinha antes de Luca sair do chuveiro.

Ele apareceu na porta e a encarou.

– Preciso ir.

Ela se levantou, chegou perto e ele a tomou nos braços.

– Fez alguma diferença? – perguntou ela. – Achei que talvez...

– Fez diferença, sim. Amo você e não sinto culpa pelo que fizemos.

– Então fique. Fique aqui comigo. Por favor, Luca. Preciso de você. – Suas lágrimas pingaram no tecido áspero do sobretudo dele. – Peça para que eu o espere, por favor. Eu vou esperar, vou sim...

Luca também estava quase chorando.

– Não, *cara*. Não posso nem devo lhe dar falsas esperanças. Por mais que eu queira que você me espere, preciso lhe dizer não. Já pedi muito de você.

– É, desculpe, prometi a mim mesma que não faria cena. Sei que você precisa ir.

Ela se afastou, enxugou as lágrimas de qualquer jeito e o seguiu até a porta.

– *Ciao, amore mio.*

Abi o observou descer os degraus em silêncio. Ele se virou e sorriu. E então, com um breve aceno, foi embora.

## 52

Rosanna ouviu o Jaguar chegar em frente à casa. Pela janela da sala, viu-o atravessar a superfície de cascalho. Então foi até o hall para abrir a porta.

– *Principessa*. – Roberto abraçou a mulher e aninhou a cabeça dela junto ao peito. – Rosanna, *cara*, sinto muito, sinto muito mesmo.

– Roberto, vamos sentar lá dentro. Precisamos conversar.

– O que houve? É o Nico?

– Não. – Rosanna o conduziu até a sala e apontou para o sofá. – Sou eu.

– Você está doente?

– Talvez. Talvez de certa forma eu esteja doente, sim – confirmou ela.

– Então precisa me dizer qual é o problema.

Ela se sentou ao lado dele e segurou suas mãos.

– Roberto, você faz ideia do quanto amei você... do quanto o adorei desde que tinha 11 anos?

– Eu sei, *principessa*. Sou o homem mais sortudo da face da Terra. Eu não a mereço, nunca mereci. Mas agora sou outro homem, você vai ver. A doença do Nico e... outras coisas que aconteceram me fizeram entender como eu era. Vou cancelar todos os meus compromissos nos próximos meses. Um período sabático integral, um tempo para ficar com você e Nico, até ele ficar bom outra vez.

Rosanna sorriu com tristeza, lembrando-se da última vez que Roberto tinha feito uma promessa parecida. Então balançou a cabeça.

– Não se trata de *você*, Roberto. A questão sou *eu*, o que eu quero – falou, suave.

– Você quer que eu esteja aqui em casa com Nico, não é?

– Antes eu achava que essa poderia ser a solução, e, sim, você poderia tirar um período sabático, mas depois de algum tempo vai querer voltar para seu outro mundo. É assim que você é e sempre vai ser. Nós dois... o nosso amor nunca vai dar certo.

– Rosanna, o que você está tentando me dizer? Que quer que eu vá embora?

Ele parecia incrédulo; quase achava que aquilo era uma piada.

– É, Roberto. É isso que eu quero. E, se você me ama, vai fazer o que estou pedindo.

Ele passou a mão pelos cabelos.

– Não, não, você não está falando sério. Você me ama, precisa de mim. Sabe que nosso destino é ficar juntos.

– Talvez um dia tenha sido, agora não é mais, nem no futuro.

Ele se levantou e começou a andar de um lado para outro.

– Você não pode estar falando sério, não é possível. Não depois do que acabei de... – Ele balançou a cabeça e tornou a desabar em uma cadeira.

– O que você acabou de fazer?

– Tomei uma decisão, a mais importante da minha vida. De agora em diante, vou pôr você e Nico em primeiro lugar. Nada mais importa para mim. Só você, só ele.

Rosanna tentou organizar os pensamentos para lhe explicar da maneira mais racional possível como estava se sentindo.

– Roberto, todo mundo que gosta de mim sempre se preocupou com o nosso relacionamento. No início achei que fosse só inveja, que eles não estivessem conseguindo suportar nos ver juntos e tão felizes. – Ela deu um leve suspiro. – Mas agora entendi. Eles viram quanto você me fez mudar, como fiquei egoísta, como meu amor por você passou por cima de todo o resto. A culpa não foi sua, foi minha. Eu nem via isso com clareza até pôr em risco a vida do nosso filho. Ele poderia ter morrido, Roberto, e eu não teria estado aqui.

– *Cara*, você não pode abrir mão do nosso amor por causa de um único erro!

– Será que você não vê que isso é apenas um sintoma, não a causa? – implorou ela. – Quando estou com você, deixo de ser eu mesma. Me afogo em você e no amor que sinto. Por favor, tente entender... não é porque eu não o ame que precisamos nos separar, mas porque amo além da conta.

– Não! Não! Por favor, não! – Ele segurou a cabeça entre as mãos e começou a soluçar. – Não consigo viver sem você. Não consigo!

Ela o tomou nos braços.

– *Caro*, se você me ama como diz, irá embora, me dará uma chance de ter um futuro como a pessoa que acho que posso ser, que *quero* ser. Se tiver um mínimo que seja de apreço por mim, não tem como não ver que estou dizendo a verdade. Ao menos uma vez na vida, lhe peço que não seja egoísta. Não torne isso mais difícil do que já é.

Ele ergueu os olhos para ela; sua expressão era de puro desatino.

– É isso mesmo que você quer?

– Sim. Não acho que tenha escolha.

– Talvez você só precise de um tempo, *principessa*. O choque do que aconteceu com Nico a deixou confusa, fez você reagir de forma exagerada...

– Não fez, não. O choque me fez ver as coisas com clareza pela primeira vez. Vi a pessoa em quem me transformei e não gostei do que vi. Minha obsessão por você prejudicou a vida de muita gente. E agora quero voltar a ser eu mesma. Ou pelo menos quero descobrir pela primeira vez quem eu sou.

Aos poucos, ele começou a entender o que ela estava tentando dizer.

– E Nico? Você vai privar o menino do seu *papà*?

– Roberto, pensei muito no Nico e se estaria sendo egoísta por pedir que você vá embora. Mas devemos a ele pelo menos que um dos pais o ponha em primeiro lugar. E não consigo fazer isso com você ao meu lado.

– Vai me deixar ver o Nico?

– Claro. Quando você quiser, sempre que desejar. Com certeza vamos conseguir organizar isso.

– E isso... isso é para sempre?

– Eu acho que tem que ser.

– E quando... quando você quer que eu vá embora?

– O quanto antes. Quanto mais tempo você ficar aqui, mais difícil vai ser.

Roberto se levantou, engolindo as lágrimas.

– Rosanna, se eu pudesse encontrar palavras para fazer você mudar de ideia, desistiria de tudo, da minha carreira, *de tudo*.

– Pode ser que você pense assim agora, mas no fundo sabe tão bem quanto eu que essa não é a solução. Isso criaria mais problemas no futuro, em vez de resolvê-los. E não seria justo eu lhe pedir isso. Diga que entende, Roberto. É importante para mim que você entenda.

Ele andou até ela, estendeu uma das mãos, e ela se levantou. Com os dedos trêmulos, ele contornou seu rosto.

– Sim, *principessa*, entendo. Entendo agora que era *você* que eu deveria ter posto em primeiro lugar. O que importava mesmo era o amor que sentíamos um pelo outro e por Nico. E a tragédia foi que entendi tudo isso tarde demais. Não se culpe, Rosanna. Se chegamos a este ponto, foi por culpa minha, só minha.

– Nós dois precisamos assumir igual responsabilidade pelos erros que cometemos.

– Rosanna, preciso lhe dizer uma coisa. Se um dia você mudar de ideia, por favor, tudo que precisa fazer é me avisar, e estarei de volta ao seu lado.

Ela saiu com ele da sala em direção à porta da frente.

– Vou passar no hospital para me despedir do Nico – murmurou ele.

– Claro.

– Qualquer coisa... qualquer coisa que precisar, para ele ou para você, é só pedir. Não vou deixar meu orgulho atrapalhar como no passado.

– Obrigada.

– Preciso sentir você nos meus braços uma última vez.

Ela se aproximou e os dois ficaram abraçados como se soltar fosse impossível para ambos.

Rosanna sentiu que seu coração poderia se partir ao meio.

– Obrigada por entender. Nunca vou deixar de amá-lo. Nunca – sussurrou ela.

– Nem eu a você. – Roberto ergueu o queixo dela para si, e os dois se beijaram pela última vez; suas lágrimas se misturaram. – Vou ficar te esperando, *principessa*. Para sempre.

## Ópera Metropolitana, Nova York

Então, Nico, foi assim que Roberto nos deixou pela segunda vez. Vai ser muito difícil para você entender como sua mamma podia amar alguém do jeito que eu amava seu papà e mesmo assim ter consciência de que precisava abrir mão dele. Depois de tanto tempo sozinha e louca para ficar com ele, eu o havia mandado embora. Mas sabia que essa era minha única chance.

Ao longo dos dois anos seguintes, nos encontramos algumas vezes. Por mais difícil que isso fosse para mim, eu estava decidida a não privar você do seu papà. Sabia quanto você amava estar com ele. Roberto insistiu em consultar todos os melhores especialistas para ver se sua audição poderia ser recuperada, mas eles pouco puderam fazer: os danos foram irreversíveis.

Foi uma ironia, Nico, pois quando eu via seu pai, sentia que ele tinha mudado de fato, e para melhor. Era como se, após tantos anos se comportando feito criança, ele finalmente tivesse virado adulto. Havia nele uma tranquilidade, uma melancolia que pareciam ter substituído a arrogância do passado.

Então, um belo dia, quando estava vendo você brincar no jardim, ele me disse que ia diminuir a pesada rotina de trabalho. Continuaria a cantar, mas tinha sofrido um leve enfarte, e os médicos haviam recomendado um regime severo e um estilo de vida bem mais tranquilo. Ele ia morar na villa da Córsega e poderíamos ir visitá-lo sempre que quiséssemos. Eu sabia, é claro, que, mesmo mandando você para lá, seria errado eu ir também. Umas poucas horas com ele bastariam para eu voltar para onde havia começado. Apesar disso, nunca falamos em divórcio. Isso para mim não tinha importância. Eu sabia que jamais tornaria a me casar; e ele tinha a mesma certeza.

Não vou dizer que foi uma época fácil para mim, mas eu tinha passado uma parte tão grande da vida dedicada a Roberto que estava decidida a aproveitar ao máximo cada segundo daquele meu presente. É por isso que hoje lhe digo, Nico, para aguentar firme e valorizar cada instante. Nunca deixe passar nenhum dia sem tirar dele o máximo, pois nunca mais voltará a ter esse tempo.

E tive a imensa sorte de ter você. Senti muito orgulho de você, Nico, e do modo como se adaptou à sua deficiência. Com o auxílio dos melhores aparelhos de surdez, pôde continuar levando uma vida relativamente normal. Houve momentos frustrantes, mas houve também muitas risadas. E você compensava com os olhos o que não conseguia ouvir. Não deixava passar nada.

E Ella, minha doce e querida Ella... No verão depois que Roberto foi embora, ela conseguiu uma vaga na Royal Academy of Music. Ele não só insistiu em pagar as anuidades, como também a deixou usar nossa casa de Kensington, onde a visitava sempre que ia à Inglaterra. Ele foi muito carinhoso com ela e os dois criaram uma estreita amizade.

Quanto à minha carreira... bem, depois do que tinha acontecido com você, eu não conseguia suportar a ideia de deixá-lo sozinho outra vez.

Só uma coisa me incomodava. Eu não tive mais nenhuma notícia direta de Luca desde o nosso desentendimento, a não ser uns poucos postais da Zâmbia, todos endereçados a você. Ele nunca mandava o seu endereço. Abi também se manteve distante. Na época, imaginei que fosse por estar muito envolvida em sua bem-sucedida carreira de escritora, e não dei muita importância ao assunto...

## 53

### *Gloucestershire, março de 1985*

Rosanna saiu do salão comunitário da igreja. Detestava aquele momento em que deixava Nico na recreação, mas era importante para ele socializar com outras crianças e levar uma vida o mais normal possível. Ele adorava frequentar o grupo recreativo, e a responsável tinha lhe dito que o menino estava indo muito bem.

Olhou para o relógio. Tinha três horas. Em geral, voltava para casa e gastava esse tempo em tarefas domésticas, mas nesse dia resolveu ir às compras.

Entrou em uma pequena butique e comprou uma roupa nova para Nico e um lenço para Ella. Saiu com as sacolas e foi descendo a movimentada rua de Cheltenham. Ao passar por uma livraria, parou diante da vitrine, que estava tomada por vários exemplares do novo livro de Abi.

*Ária*

O título a deixou curiosa. Ela já havia comprado livros da amiga que tinha gostado de ler. Empurrou a porta da livraria, entrou e foi até a mesa onde estavam empilhados os livros.

"Autografados pessoalmente pela autora", dizia o totem acima da pilha. Rosanna se perguntou por que Abi não fora lhe dizer um oi, se estivera na região para lançar o livro. Pegou um dos exemplares e leu o texto de quarta capa.

*Da mesma autora de* Algum dia em breve *e* Para sempre, *um novo e espantoso sucesso de vendas para deliciar seus fãs. Abigail Holmes explora um universo que conhece intimamente para nos trazer uma trama ambientada no mundo da ópera, uma história sobre amor proibido, ambição e a intricada teia de emoções formada pelos pecados do passado.*

Rosanna levou o livro até o balcão e pagou. Então seguiu pela rua até uma pequena casa de chá que gostava de frequentar. Pediu um café, sentou-se diante de uma mesa, abriu o livro e começou a ler.

– Oi.

Espantada, ergueu os olhos.

– Oi, Stephen. – Sabia que tinha ruborizado.

– Tudo bem?

– Sim, tudo ótimo.

Rosanna estava constrangida e pouco à vontade, mas calculou que ele devia ter querido falar com ela. Caso contrário, teria sido fácil passar direto.

– Como vai a família? – perguntou ele.

– Todo mundo bem, mas não vejo Roberto com muita frequência. Ele agora mora na Córsega.

– Ah, é mesmo? Não sabia. Pensei que vocês tivessem voltado – disse ele, sem hesitar.

– Voltamos, mas... bem, é uma longa história – disse ela, descartando o assunto. – Aceita um café?

Ele olhou o relógio.

– Marquei um encontro aqui em dez minutos, mas, sim, aceito.

Rosanna pediu um café para cada um, e ele se sentou.

– Stephen, passei os últimos dois anos querendo me desculpar com você e, para ser sincera, bem, nunca consegui tomar coragem. Enfim, agora que nos encontramos, preciso dizer o seguinte: eu me comportei muito mal, fui egoísta e sinto muitíssimo, de verdade. Especialmente depois de tudo o que você fez por mim e pelo Nico.

– Obrigado, Rosanna. Ouvir isso é muito importante para mim. – Ele tomou um gole de café. – Fiquei arrasado quando Ella me contou, e preciso confessar que tive muita raiva por você nem sequer ter me procurado para explicar o que tinha acontecido. Mas enfim... – Ele deu de ombros. – Isso tudo são águas passadas.

– Sinto muito. Você pode me perdoar?

– No fundo do meu coração eu sempre soube que você ia voltar para ele. Sabia que jamais poderia competir com o grande Roberto Rossini. Mas não me arrependo do tempo que passamos juntos, e espero que você também não. E, sim, eu a perdoo – arrematou ele.

– Obrigada. Acho que a única coisa que posso dizer é que vi a luz logo depois de Roberto voltar. – Ela deu um suspiro. – Você não foi a única pessoa que magoei e me envergonho do modo como me comportei na época. Acabei me isolando de muitas pessoas que gostavam de mim.

– Mas me diga, só por curiosidade, depois de voltar para Roberto como é que vocês agora estão separados?

– Ah, é bem complicado, mas aconteceu uma coisa que me fez perceber que eu tinha uma obsessão pouco saudável por ele.

– O que houve?

– Nico adoeceu quando eu estava fora do país com Roberto. Por causa de um caso grave de sarampo, ficou com a audição seriamente prejudicada.

Stephen fez cara de chocado.

– Ai, Rosanna, eu sinto muito, de verdade. Coitadinho dele.

– Pois é. Foi difícil para todo mundo. Mas fico feliz em dizer que ele agora está bem. – Rosanna tomou um gole de café. – Mas e você, como vai? E a galeria?

– Eu vou bem e a galeria está indo de vento em popa. Acabei de comprar uma casa antiga do outro lado de Cheltenham. Está em reforma, então saí para buscar antiguidades. Quem sabe você e Nico querem passar lá para dar uma olhada um dia desses? Eu adoraria revê-lo. Gostava muito dele, muito mesmo.

– É muita gentileza sua, mas...

– Não há motivo algum para não sermos amigos, certo?

– Não, claro que não – concordou ela.

– Ah, olhe ela aí – falou Stephen, olhando para a porta da casa de chá que acabara de se abrir.

Uma loura magra veio na sua direção e ele se levantou.

– Rosanna, esta é Kate, minha esposa.

– Rosanna Rossini! Ah, que prazer conhecê-la. Infelizmente não entendo muito de ópera, mas Stephen já falou de você muitas vezes. – Ela estendeu a mão; no tom de sua voz, apenas uma simpatia genuína.

– Prazer em conhecê-la também – respondeu Rosanna.

– Acho que eu lhe falei que Rosanna tem um filhinho lindo, não falei, amor? Convidei os dois para irem lá em casa tomar um chá.

– Ótimo, vai ser um prazer receber vocês – disse Kate, sorrindo. – Agora, sinto muito levar Stephen embora, mas ainda temos um monte de compras para fazer. Infelizmente, casas não se decoram sozinhas...

– É, amor, temos que ir. – Stephen se levantou. – Rosanna, obrigada pelo café. Ligamos para marcar um dia. Cuide-se.

– Tchau, Stephen. Tchau, Kate.

Com nostalgia, ela viu Stephen passar o braço com ternura em volta da mulher e os dois saírem da casa de chá. Mas de nada adiantava ficar pensando no que poderia ter sido, e ela ficava contente em ver que ele estava feliz e casado. Olhou para o relógio e viu que já estava dez minutos atrasada para buscar Nico.

Subiu correndo o caminho até o salão comunitário da igreja. Nico estava espiando pela porta.

– Ah, Sra. Rossini, estávamos nos perguntando onde a senhora tinha ido parar – disse a responsável pelo grupo, Sra. Price.

– Desculpe, encontrei um velho amigo e perdi a hora. Vamos, meu amor. – Rosanna pegou o filho no colo e saiu andando em direção ao estacionamento.

❧

Às três da manhã, Rosanna terminou de ler o livro de Abi. Gostou muito, e a história a deixou com muitas saudades do mundo que deixara para trás. Apagou a luz e ficou deitada, no escuro, pensando em como sentia falta da amiga. Decidiu que, da próxima vez que fosse a Londres, lhe faria uma visita. Já fazia muito tempo que as duas não se viam.

❧

Duas semanas mais tarde, depois de uma visita ao otorrino em Londres, Rosanna parou na calçada em frente ao hospital e se virou para Nico.

– Vamos pegar um táxi e visitar a tia Abi? – perguntou ao menino, exagerando a articulação das palavras, pois o médico dissera que isso o ajudaria com o aprendizado da leitura labial.

Nico assentiu, animado diante da possibilidade de viajar em um dos grandes táxis pretos da cidade.

— Sim, mamãe, por favor.

Ela chamou o táxi que se aproximava.

— Fulham Road, por favor — pediu após os dois embarcarem.

Rosanna tocou a campainha do apartamento térreo de Abi. Dois minutos depois, sua amiga veio abrir. Estava usando uma calça jeans velha e uma camiseta encardida, e tinha manchas pretas no rosto.

— O que está fazendo aqui? — perguntou ela, espantada.

— Ah, que legal, Abi... Sua velha amiga aparece para tomar um café e você obviamente não fica nada feliz com isso — provocou Rosanna.

— Não, é que... — Abi ficou sem graça. — É que não é uma hora muito boa. Vou me mudar amanhã.

— Não vamos ficar muito tempo, não é, Nico? — Rosanna sorriu. — Vai nos deixar aqui na porta para sempre?

— Não. — Abi deu de ombros, resignada. — Entrem, então.

Rosanna e Nico a seguiram pelo corredor até entrarem no apartamento. A sala estava cheia de baús e jornais velhos.

— Para onde você vai se mudar?

— Para uma casa em Notting Hill. Eu precisava de um lugar para... enfim, de um lugar maior.

— Então os romances devem estar dando certo! Que legal. — Rosanna observou a amiga se ajoelhar no chão e começar a embalar um copo. Ajoelhou-se junto dela e tocou seu braço. — Abi.

— Hum?

— Por que você fez o possível para evitar me ver nos últimos dois anos?

Abi seguiu concentrada no trabalho de embalagem e não ergueu os olhos.

— Ah, sabe como é. Nós duas andamos tão ocupadas e... é assim mesmo. Mas é bom ver você.

— Você não está sendo sincera. Li seu último livro, aliás. Maravilhoso. Evocou muitas lembranças.

Abi finalmente ergueu o rosto e sorriu.

— Obrigada. Olhe, Rosanna, não quero ser grossa, não mesmo, mas será que poderíamos combinar de almoçar ou algo assim? Tenho muito a fazer hoje à tarde.

— Está bem. — Rosanna se levantou e deu um suspiro. — Vamos, Nico.

Abi os acompanhou até a porta.

– Foi bom ver você, Abi. Espero mesmo que a gente consiga se encontrar em breve.

– Eu também... mas o fato é que...

Um grito agudo veio de um dos quartos nos fundos do apartamento.

– Tenho que ir. Ela está chorando outra vez.

– Você está com um bebê? – Rosanna a encarou, pasma.

– É, bem...

– Por que não me disse? Ai, preciso ver essa menina!

Antes que Abi conseguisse detê-la, Rosanna tornou a entrar no apartamento e desceu o corredor. Fez Nico passar pela porta de um quarto pequeno, mas bonito, todo cor-de-rosa e branco. E ali, sentada no berço, estava uma criança de mais ou menos um ano e meio.

– Oi, pequena. Sou eu, sua tia Rosanna... vim visitá-la. – Ela foi até a janela, abriu as cortinas e se virou para o berço. – Venha cá, ca...

Rosanna se interrompeu abruptamente e ficou encarando a menina.

Parada na porta do quarto, Abi tinha o rosto inexpressivo.

– Entendeu agora por que não a procurei? – indagou ela com um suspiro.

Rosanna observou a pele morena e os cabelos e olhos escuros do bebê.

– Acho que preciso me sentar.

༶

Dez minutos depois, as duas tomavam chá sentadas em cima das caixas de mudança na sala.

– Só passamos uma noite juntos, Rosanna, eu juro. Foi a última noite do Luca na Inglaterra e nenhum de nós dois pensou em tomar cuidado. E, sim, foi um choque imenso descobrir que eu estava grávida, mas desde então fiquei pensando se, inconscientemente, eu queria que isso acontecesse. Se eu não podia ter Luca, pelo menos teria parte dele para sempre. – Abi afagou os cabelos macios da filha, que se balançava sobre suas pernas.

– E você nunca tentou entrar em contato com Luca para lhe contar que ele tem uma filha? Como ela se chama, aliás?

– Phoebe. O nome da heroína do meu primeiro livro – explicou Abi com um sorriso. – Não, Rosanna. Eu não quero que ele saiba. Ele me escreveu de onde está, embrenhado não sei onde na África, mas não respondi. Para ser sincera, não confio em mim mesma para ficar de boca fechada. – Ela deu um suspiro. – Isso o colocaria em uma posição terrível e poderia arruinar o futuro dele, caso ainda pretenda virar padre. Sua amada igreja prega o perdão dos pecados, mas pelo visto não aplica esse preceito com muita liberalidade ao seu próprio clero. Então foi por isso que me mantive afastada de você também. Desculpe, eu deveria ter contado antes. Está chocada?

– Não. – Rosanna balançou a cabeça, cansada. – Estou só magoada por você não ter confiado em mim o suficiente para me contar. Sabe que eu teria ficado ao seu lado.

– Acho que talvez eu estivesse com vergonha – confessou Abi. – Afinal, no dia que aconteceu, eu sabia que não havia futuro para a gente. E fui eu que provoquei, não Luca.

– Caramba, Abi, depois do que aconteceu na minha vida, não acho que tenha qualquer direito de ser conservadora – falou Rosanna, em tom de reprovação. – Também sinto muito ter estado tão envolvida no meu próprio mundo que não me dei ao trabalho de prestar atenção no que estava acontecendo entre você e Luca.

– Bem, nunca fomos tão exuberantes quanto você e Roberto, mas, à nossa maneira tranquila, nosso amor era igualmente forte. Ele fez de mim uma pessoa melhor – disse Abi com tristeza. – Mas, enfim. – Ela tomou um gole de chá. – Que bom que agora você sabe.

– E Luca um dia também precisa saber.

– Talvez. – Abi deu de ombros. – Só o tempo dirá.

෴

Nessa noite, depois de chegar em casa e pôr Nico na cama, Rosanna ficou andando de um lado para outro na cozinha. Olhou para a varanda lá fora e se lembrou de Abi e Luca juntos naquele verão. As piadas que só eles entendiam, o jeito como passavam horas conversando muito depois de todo mundo ter ido se deitar... Lembrou-se de Stephen ter comentado certa vez que achava que os dois estivessem apaixonados.

Será que Luca podia ter passado a vida inteira à procura de algo que estava bem na sua frente durante todos aqueles anos?

Quando a manhã seguinte chegou, havia tomado uma decisão. Na véspera, pedira a Abi o endereço de Luca na Zâmbia. E agora era a *sua* vez de bancar Deus. Ela o encontraria e o traria de volta.

O voo de Lusaka aterrissou no horário marcado. Em pé, Rosanna observava, nervosa, os rostos surgirem pelas portas automáticas no desembarque.

Por fim, Luca apareceu. Estava mais magro do que na sua lembrança, com o rosto bonito muito queimado de sol. Ela foi cumprimentá-lo com um abraço.

– Que bom ver você.

– Rosanna. – Ele retribuiu o abraço, então se afastou e a estudou com atenção. – Você está com uma cara muito boa para alguém que supostamente está passando por uma crise. Que bom que disse na carta que não era nada com o Nico, senão eu teria ficado louco de preocupação. Como ele está, aliás?

– Maravilhoso. – Rosanna sorriu.

– O que houve para fazer você me arrastar de volta da África?

– No carro eu conto – respondeu ela, segurando-o pelo braço. – Sabe que deve ter levado umas duas semanas para você receber minha carta? Eu estava começando a pensar que não ia responder. – Ela o conduziu em direção ao estacionamento. – Pensei que talvez nunca mais fosse querer falar comigo.

– Eu só vou à cidade pegar minha correspondência uma vez por semana, mais ou menos. Liguei assim que recebi a carta, juro. Estava com saudades, *piccolina*, muitas mesmo.

– Eu também. O mais importante é você estar aqui agora. Entre. – Rosanna destrancou o Volvo, e Luca se acomodou no banco do carona.

– Você finalmente tirou carteira? – comentou ele.

– Tirei. Morando no campo e com um filho pequeno, dirigir se tornou fundamental. Mas quero saber tudo sobre a África. Parece que você não come há semanas... – Ela deu a partida e saiu da vaga de ré.

– Que exagero, mas tem razão. Confesso que recentemente comecei a sonhar com pizza.

– E ficar assim tão longe o ajudou?

– Quer saber se decidi se ainda quero ser padre, é isso?

– É.

– Bem, agora posso lhe contar o que aconteceu. Vi Carlotta sofrer muito, entende, e na época aconteceram outras coisas que também me deixaram confuso. Aí, quando cheguei à África, vi tanta pobreza e tanta doença que mudei completamente de ideia em relação ao sacerdócio. Entendi que o plano de Deus para mim é outro. Ajudar os necessitados, sim, mas não rezando a missa, nem ouvindo confissões ou lidando com a burocracia da Igreja. Escrevi para meu bispo dizendo o que estava sentindo e logo depois abri mão do meu cargo oficial na Igreja.

– Que maravilha você finalmente ter conseguido tomar uma decisão. Mas, nesse caso, por que não voltou para casa?

– E onde ficava isso? Eu sentia que não tinha mais casa. Abi não me respondeu na primeira vez que mandei meu endereço para ela, e eu sabia que você tinha ficado muito brava comigo. Então decidir ficar na Zâmbia e entrei para uma instituição de caridade britânica que funciona lá. Pela primeira vez na vida comecei realmente a me sentir útil, tanto do ponto de vista prático quanto do espiritual. – Ele olhou pela janela do carro. – Não consigo nem descrever como é aquilo lá. Um povo e uma paisagem extraordinários, mas as dificuldades, as privações... – Ele a encarou de repente. – Está decepcionada comigo?

– É claro que não. Sei muito bem quanta coragem é preciso ter para reconhecer que se estava errado – respondeu ela, lutando para não deixar transparecer o alívio que sentia com as novidades do irmão.

– Mas, por favor, chega de falar sobre mim. Diga-me: qual foi o motivo pelo qual tive de voltar?

– Vou dizer. Não é nada de ruim, eu juro – tranquilizou-o Rosanna. – Mas primeiro me deixe lhe contar sobre Roberto.

Luca ficou sentado, calado e aturdido, enquanto a irmã lhe contava as circunstâncias da sua separação, dois anos antes. Quando ela terminou, ele soltou o ar bem devagar.

– Nunca achei que você fosse deixá-lo. Se tivesse sabido disso na época, bem, muitas coisas poderiam ter sido diferentes. – Ele olhou pela janela enquanto sentia as lembranças voltarem. – *Piccolina*, você precisa saber que estou profundamente arrependido daquela nossa briga. Eu não devia ter me metido. Podia não gostar do Roberto, mas devia ter respeitado o que você sentia por ele.

– Não, Luca, você fez bem em dizer o que disse. Nossa briga me forçou a tomar uma decisão. Graças a você, hoje sou bem mais feliz, ainda que às vezes me sinta um pouco sozinha – admitiu ela.

– A solidão às vezes é o preço que se paga – disse ele com tristeza. – Quem ficou com o Nico enquanto você foi me buscar?

– Uma amiga próxima – respondeu ela, calmamente. – Mas me conte mais sobre a África...

☙❧

Abi ouviu o carro estalar o cascalho. Pegou Phoebe em um dos braços, segurou a mão de Nico e foi à porta receber Rosanna.

– *Mamma, mamma!* – Nico soltou a mão de Abi e correu em direção à mãe, que saía do carro.

Abi viu a porta do carona se abrir e uma silhueta esbelta conhecida saltar. Luca se virou e a viu, e os dois ficaram se encarando, ambos paralisados de choque.

– Luca – incentivou Rosanna, baixinho. – Vá falar com Abi. E com sua filhinha.

– Minha filha?

– É *ela* o motivo pelo qual você tinha de voltar para casa. Juro, Luca, que Phoebe precisa mais do seu amor e da sua proteção do que qualquer outra pessoa no mundo.

– E Abi também... – disse ele, com a voz embargada.

Por fim, começou a andar na direção das duas com passos hesitantes.

– Ai, meu Deus, Luca... Ai, meu Deus – sussurrou Abi quando ele chegou ao seu lado, com os olhos reluzindo de lágrimas.

Rosanna apertou Nico com força contra si e sentiu os seus olhos começarem a verter lágrimas quando Luca estendeu os braços para receber sua família.

# Ópera Metropolitana, Nova York

Eu arrisquei, Nico, arrisquei muito, mas foi a coisa certa a fazer. E talvez tenha sentido que finalmente havia recompensado Luca por tudo o que ele tinha feito por mim ao promover seu reencontro com Abi e a filha. Ele nunca mais voltou para a África. Em vez disso, assumiu um cargo no escritório de Londres da instituição de caridade e começou a organizar eventos beneficentes feito um louco. Estar na companhia deles era uma delícia e todos os anos de dor e de dúvidas enfim ficaram para trás. Entre um livro e outro, Abi teve mais dois filhos, e a família inteira morava em um caos organizado na casa de Notting Hill.

Mas, e eu, Nico? E sua mamma?

Quando você fez 6 anos, eu o matriculei no mesmo colégio particular que Ella havia frequentado. Os professores eram maravilhosos, sempre atentos à sua deficiência, mas fazendo questão de que você participasse de todas as atividades escolares. Tenho certeza de que você deve se lembrar de quanto amava esse colégio e de todos os amigos que fez lá. Mas para mim foi difícil. Eu estava acostumada a ficar com você o tempo todo, e as horas que você passava no colégio se arrastavam e pareciam não ter fim.

Então, para preencher aquele vazio, comecei a escutar meus discos antigos e me peguei cantando junto com eles. Para meu grande assombro, minha voz não tinha sumido. Pelo contrário: tinha ficado mais suave, mais madura. Afinal, eu tinha apenas 31 anos. E a paixão que um dia me guiara começou a renascer dentro de mim.

Encontrei uma jovem encantadora no vilarejo para cuidar de você enquanto eu fazia aulas duas vezes por semana com um instrutor de canto em Londres e, após quatro meses de trabalho árduo e muito treino, peguei o telefone e liguei para Chris Hugues, meu antigo agente.

Comecei sem alarde, cantando em pequenos recitais, para ganhar confiança. Precisava provar meu talento outra vez, não só para um público novo, mas para mim mesma. E aos poucos os convites recomeçaram a aparecer. Minhas únicas exigências eram nunca mais cantar com Roberto e que a minha agenda não fosse tão lotada a ponto de me afastar de você por longos períodos.

No entanto, quando Paolo de Vito me ofereceu a Mimi de La Bohème no início da nova temporada do Scala, não pude negar, como você pode imaginar. Você foi ficar na casa dos seus amados tio Luca e tia Abi, e eu peguei um avião até Milão. Paolo não fez qualquer recriminação; recebeu-me de volta de braços abertos. Assim, dez anos depois da data prevista, cantei Mimi no palco do Scala. Fico encabulada por dizer isso, mas foi uma sensação! Até seu avô apareceu na plateia, com sua esposa, a Signora Barezi, para ouvir a filha cantar ao vivo pela primeira vez desde o recital na casa de Luigi Vincenzi.

Hoje, olhando para trás, acho que a melhor coisa que eu poderia ter feito foi passar o tempo que passei sem trabalhar quando você era pequeno. Quando voltei à ópera, estava muito mais madura e consegui lidar com a fama e com a atenção que recebi. E a minha experiência me permitiu impedir Ella de cair nas mesmas armadilhas das quais fui vítima. Você sabe como ela tem se saído bem em Covent Garden e como a importância dos seus papéis e a sua segurança no palco vêm aumentando, mas, pensando bem, ela ainda não se apaixonou...

Já faz agora oito anos que voltei ao auge da minha profissão. A vida que levei com Roberto parece pertencer a outro universo. Não vou dizer que não penso no seu papà, pois seria mentira. Nunca tentei me reprimir, pois sabia que ele fazia tão parte de mim quanto meus braços ou minhas pernas e que nada nunca poderia mudar isso.

Então, duas semanas atrás, recebi um telefonema. Era um médico da Córsega. Roberto tinha tido outro enfarte. Seu estado era muito crítico e ele estava pedindo para me ver...

# 54

## *Córsega, junho de 1996*

Rosanna chegou ao setor de enfermagem e sorriu ansiosa para a enfermeira de plantão.

– Vim visitar Roberto Rossini – falou, baixinho. – Sou esposa dele.

– Que bom que a senhora veio, Sra. Rossini. Ele está pedindo para vê-la. Mas preciso lhe avisar: ele teve outro enfarte ontem à noite e, desde então, está perdendo e recobrando a consciência.

– Ai, meu Deus... – começou Rosanna e precisou engolir um soluço. – Ele está...? Ele vai...?

Não conseguiu dizer as palavras, mas a expressão no rosto da enfermeira lhe disse tudo que ela precisava saber.

– Vou levar a senhora até ele. Por favor, tente se preparar. E, se ele recobrar a consciência, diga tudo o que gostaria de dizer. Lamento falar isso, mas não resta muito tempo.

Tentando desesperadamente reunir forças, Rosanna seguiu a mulher pelo corredor até chegar a um quarto individual. Uma profusão de monitores e tubos apitava e bombeava ar. Roberto estava deitado no meio de toda essa parafernália mecânica. Tinha os olhos fechados e a pele cinza.

A enfermeira deu um sorriso compreensivo para Rosanna e se retirou.

Ela foi até a cama e o encarou. Estendeu sua mão para a dele, segurou-a e começou a acariciá-la.

– Estou aqui, Roberto – falou, bem baixinho.

Depois de algum tempo, ele se mexeu e abriu as pálpebras. Quando a viu, o sol pareceu brilhar dentro de seus olhos.

– Rosanna, minha *principessa*... eu... – Seus olhos ficaram marejados. Ele avançou os dedos trêmulos em direção ao rosto dela. – Me deixe tocá-la, para ter certeza de que você é de verdade. Ah, meu amor... meu amor...

Os dois passaram muito tempo se encarando, deleitando-se com a visão um do outro.

– Ouvi você cantar muitas vezes desde sua volta aos palcos. Está maravilhosa, maravilhosa. Você sempre teve um dom excepcional, mas agora está cantando com muito mais maturidade e integridade.

– Aprendi isso graças a você.

– Foi mesmo? – Os olhos dele se acenderam.

– Sim. Quando o conheci, ainda era uma menina. Nos últimos anos, virei adulta.

– Você está feliz, minha Rosanna? Quero que seja feliz.

– Não do mesmo jeito como quando estávamos juntos, mas, sim, estou satisfeita.

– Nunca fui tão feliz quanto com você – murmurou ele. – Por favor, meu amor, não passe o resto da vida sozinha. Encontre alguém para amá-la, arrume um *papà* para o Nico. Peça desculpas a ele por mim, está bem?

– Você não precisa se desculpar por nada, Roberto, mas prometo tentar explicar a ele o sentimento que os pais tinham um pelo outro.

– E que sentimento era esse? – Os olhos dele tornaram a ficar marejados.

– Amor. Um amor tão forte, tão obsessivo, que me deixou cega para todo o resto. Mas serei para sempre grata por isso ter me acontecido.

– É. Eu...

Ela viu a dor atravessar a expressão dele e segurou sua mão com mais força, tentando não demonstrar o próprio desalento.

– Você agora não vai precisar mais se divorciar de mim – disse ele poucos segundos depois. – Vai poder ser minha viúva. Bem mais digno. – Ele conseguiu dar uma risadinha rouca.

– Não diga isso, por favor – implorou ela.

– Não, *cara*. Sinto que este corpo já viveu o suficiente. E agora que vi você, posso morrer em paz. Rosanna... – Ele acenou para ela chegar mais perto, de modo a poder ouvi-lo bem. – Quero lhe contar uma coisa que você não sabe. Não suporto a ideia de você pensar que eu a enganei ou que quis magoá-la. Na época eu não sabia, entende? Por favor, você precisa acreditar nisso.

Ela viu que ele estava ficando agitado.

– Pode falar, Roberto. Prometo que vou entender.

– É que... é que...

Rosanna viu o rosto dele se contorcer de dor novamente e o sentiu apertar sua mão.

– Diga a Ella, diga que ela precisa cantar pelo seu *papà*. Pergunte ao Luca, ele vai entender. Eu... me dê um beijo, Rosanna.

Ela abaixou a cabeça em direção à sua e o beijou de leve na boca.

– Nunca houve mais ninguém. Nunca. Diga que me ama, diga que...

O corpo dele deu um tranco e em seguida relaxou.

Rosanna o abraçou. Os monitores começaram a emitir um som contínuo e monótono. De repente, o quarto se encheu de pessoas desconhecidas, mas ela não lhes deu atenção.

– *Ti amo*, Roberto. *Ti amo, ti amo...*

*Ópera Metropolitana,
Nova York, julho de 1996*

Rosanna enxugou as lágrimas que haviam pingado sobre o papel no qual acabara de escrever. Estava quase no fim. Mais uma página e poderia encontrar a paz. A história estava contada e ela torcia para que um dia Nico entendesse. Pegou a caneta e escreveu.

*Assim, desde que seu pai morreu, três semanas atrás, passei todos os meus momentos livres escrevendo para você. Prometi ao seu papà tentar explicar nosso amor e espero que, quando você ler isso, consiga nos perdoar. Eu te amo muito e sei que, ao seu modo, Roberto também o amava.*

*Depois do meu último encontro com seu pai, Luca me falou sobre Ella e contou o segredo que ele e Carlotta haviam guardado por tanto tempo. Dei a notícia a Ella alguns dias depois do enterro de Roberto e ela a absorveu daquele seu jeito calmo e contido. Ela amava muito Roberto e pôde ver como, nos seus últimos anos de vida, ele havia tentado se redimir.*

*Então Nico, seu papà se foi e daqui a poucas horas vou subir no palco da Ópera Metropolitana de Nova York e cantar uma ária composta em homenagem a Roberto Rossini. No último coro, Ella vai se juntar a mim, segurar minha mão, e nós duas vamos cantar juntas para ele. Vamos esquecer as coisas ruins e recordar apenas as boas, pois somos humanos, e é assim que conseguimos sobreviver.*

*Também decidi que tudo o que escrevi para você vai ficar guardado com meu advogado até quando eu também tiver partido. Somente então você saberá a verdade sobre a paixão da qual nasceu.*

*A morte não me assusta, Nico. Pois agora Roberto está me esperando do outro lado. E um amor como o nosso não morre nunca.*

*Eu o vejo... por toda parte.*

*Sua mamma que o ama muito*

# Agradecimentos

Gostaria de agradecer ao meu editor, Jeremy Trevathan, por ter me convencido de que valia a pela republicar esta história. A Susan Moss, por me ajudar com o extenso trabalho de reedição e por sua busca incansável pelos mínimos detalhes. (Na época em que escrevi este livro, a internet era incipiente, sobretudo no litoral sudoeste da Irlanda, de modo que fui obrigada a fazer todas as pesquisas na British Library.) A Catherine Richard, Jonathan Atkins e toda a equipe da Pan Mac, pelo árduo trabalho dedicado ao livro. A Olivia Riley, Jacquelyn Heslop e Stephen Riley, por seu constante apoio nos bastidores.

E, é claro, aos meus filhos. Harry, hoje com 21 anos, a quem o romance foi originalmente dedicado, e Isabella, hoje com 17, que decidiu vir ao mundo faltando dois capítulos para o fim. A Leonora, que ainda não havia aparecido, e a Kit, meu "bebê", que jurou nunca ler esta história, pois prefere tacos de críquete a livros, muito embora ela agora seja "sua"! Amo vocês todos.

## CONHEÇA A SAGA DAS SETE IRMÃS

"O projeto mais ambicioso e emocionante de Lucinda Riley. Um labirinto sedutor de histórias, escrito com o estilo que fez da autora uma das melhores escritoras atuais. Esta é uma série épica." – *Lancashire Evening Post*

"Lucinda Riley criou uma série que vai agradar a todos os leitores de Kristin Hannah e Kate Morton." – *Booklist*

Com a série As Sete Irmãs, Lucinda Riley elabora uma saga familiar de fôlego, que levará os leitores a diversos recantos e épocas e a viver amores impossíveis, sonhos grandiosos e surpresas emocionantes.

No passado, o enigmático Pa Salt adotou suas filhas em diversos recantos do mundo, sem um motivo aparente. Após a sua morte, elas descobrem que o pai lhes deixou pistas sobre as origens de cada uma, que remontam a personalidades importantes. Assim é que começam as jornadas das Sete Irmãs em busca de seus passados.

Baseando-se livremente na mitologia das Plêiades – a constelação de sete estrelas que já inspirou desde os maias e os gregos até os aborígines –, Lucinda Riley cria uma série grandiosa que une fatos históricos e narrativas apaixonantes.

Conheça a série:

*As Sete Irmãs* (Livro 1)
*A irmã da tempestade* (Livro 2)
*A irmã da sombra* (Livro 3)
*A irmã da pérola* (Livro 4)
*A irmã da lua* (Livro 5)

LEIA UM TRECHO DO PRIMEIRO LIVRO

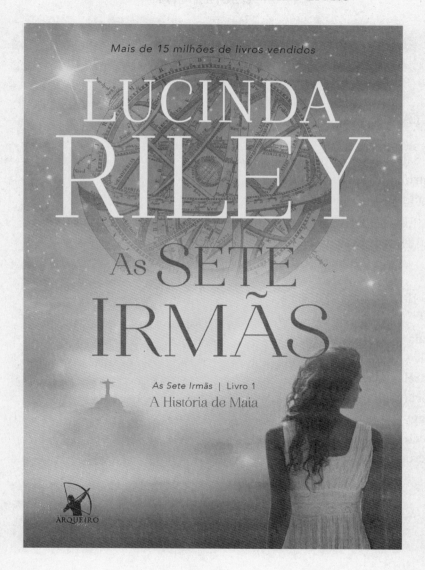

# Personagens

## ATLANTIS

Pa Salt – *pai adotivo das irmãs [falecido]*
Marina (Ma) – *tutora das irmãs*
Claudia – *governanta de Atlantis*
Georg Hoffman – *advogado de Pa Salt*
Christian – *capitão da lancha da família*

## AS IRMÃS D'APLIÈSE

Maia
Ally (Alcíone)
Estrela (Astérope)
Ceci (Celeno)
Tiggy (Taígeta)
Electra
Mérope [não encontrada]

# Maia

Junho de 2007
Quarto crescente
13; 16; 21

# 1

Sempre vou lembrar exatamente onde me encontrava e o que estava fazendo quando recebi a notícia de que meu pai havia morrido.

Estava sentada no lindo jardim da casa da minha velha amiga de escola em Londres, com um exemplar de *A odisseia de Penélope* aberto no colo, mas sem nenhuma página lida, aproveitando o sol de junho enquanto Jenny buscava seu filho pequeno no quarto.

Eu estava tranquila e feliz por ter tido a bela ideia de sair de casa um pouco. Observava o florescer da clematite. O sol, tal qual um parteiro, a encorajava a dar à luz uma profusão de cores. Foi quando meu celular tocou. Olhei para a tela e vi que era Marina.

– Oi, Ma, como você está? – falei, esperando que ela conseguisse notar o calor em minha voz.

– Maia, eu...

Marina fez uma pausa e, naquele instante, percebi que havia algo terrivelmente errado.

– O que houve?

– Maia, não existe uma maneira fácil de dizer isto. Seu pai teve um ataque cardíaco aqui em casa, ontem à tarde, e hoje cedo ele... faleceu.

Fiquei em silêncio, enquanto um milhão de pensamentos diferentes e ridículos passavam pela minha mente. O primeiro era o de que Marina, por alguma razão desconhecida, tivesse resolvido fazer uma piada de mau gosto.

– Você é a primeira das irmãs para quem estou contando, Maia, já que é a mais velha. Queria saber se você quer contar para suas irmãs ou prefere que eu faça isso.

– Eu...

Eu ainda não conseguia fazer nada coerente sair dos meus lábios, agora que começava a me dar conta de que Marina, minha querida Marina, o mais próximo de uma mãe que eu conhecera, nunca me falaria algo assim *se não fosse verdade*. Então tinha que ser verdade. E, naquele momento, meu mundo inteiro virou de cabeça para baixo.

– Maia, por favor, me diga que você está bem. Esta é a pior ligação que já tive que fazer, mas que opção eu tinha? Só Deus sabe como as outras garotas vão reagir.

Foi então que ouvi o sofrimento na voz *dela* e percebi que Marina precisava me contar aquilo não apenas por mim, mas também para dividir aquela tristeza. Então passei à minha zona de conforto usual, que era tranquilizar os outros.

– É claro que conto para minhas irmãs se você preferir, Ma, embora não tenha certeza de onde todas estão. Ally não está longe de casa, treinando para uma regata?

E, enquanto falávamos sobre a localização de cada uma de minhas irmãs, como se tivéssemos que reuni-las para uma festa de aniversário e não para o enterro de nosso pai, a conversa foi me parecendo cada vez mais surreal.

– Quando você acha que deve ser o funeral? Com Electra em Los Angeles e Ally em algum lugar em alto-mar, com certeza não podemos pensar nisso até semana que vem – disse eu.

– Bem... – Ouvi a hesitação na voz de Marina. – Talvez seja melhor conversarmos sobre isso quando você estiver em casa. Não há nenhuma pressa agora, Maia, por isso, se preferir passar seus últimos dias de férias em Londres, não tem problema. Não há mais o que fazer por ele aqui... – Sua voz falhou, tomada pela tristeza.

– Ma, é claro que vou estar no primeiro voo para Genebra que eu conseguir! Vou ligar para a companhia aérea imediatamente e depois vou fazer o máximo para entrar em contato com todas elas.

– Sinto tanto, *chérie* – disse Marina com pesar. – Sei como você o adorava.

– Sim – eu disse, a estranha tranquilidade que eu sentira enquanto debatíamos o que fazer me abandonando como a calmaria antes de uma tempestade violenta. – Ligo para você mais tarde, quando souber a hora que devo chegar.

– Por favor, cuide-se, Maia. Você passou por um choque terrível.

Apertei o botão para encerrar a ligação e, antes que as nuvens em meu coração derramassem uma torrente e me afogassem, subi até meu quarto para pegar minha passagem e entrar em contato com a companhia aérea.

Enquanto esperava ser atendida, olhei para a cama em que eu tinha acordado naquela manhã para mais *um dia como outro qualquer*. E agradeci a Deus por os seres humanos não terem o poder de prever o futuro.

A mulher intrometida que acabou atendendo não era nem um pouco prestativa, e eu sabia, enquanto ela falava sobre voos lotados, multas e detalhes do cartão de crédito, que minha barragem emocional estava prestes a se romper. Finalmente, quando consegui que me garantisse, com muita má vontade, um lugar no voo das quatro horas para Genebra – o que significava ter que jogar tudo na minha mala imediatamente e pegar um táxi para Heathrow –, sentei-me na cama e olhei por tanto tempo para a ramagem que decorava o papel de parede que o padrão começou a dançar diante dos meus olhos.

– Ele se foi... – sussurrei. – Se foi para sempre. Nunca mais vou vê-lo.

Esperando que dizer essas palavras fosse provocar uma torrente de lágrimas, fiquei surpresa em ver que nada aconteceu. Em vez disso, permaneci ali sentada, paralisada, a cabeça ainda cheia de questões práticas. Seria horrível ter que contar às minhas irmãs – a todas as cinco –, e revirei meu arquivo emocional para decidir para qual ligaria primeiro. Tiggy, a segunda mais jovem de nós e de quem eu sempre fora mais próxima, foi a escolha inevitável.

Com dedos trêmulos, toquei a tela para achar seu número e liguei. Quando caiu na caixa postal, não soube o que dizer além de algumas palavras confusas lhe pedindo que me ligasse de volta com urgência. Ela estava em algum lugar das Terras Altas, na Escócia, trabalhando em uma reserva para cervos selvagens órfãos e doentes.

Quanto às outras irmãs... Eu sabia que as reações iam variar, pelo menos externamente, da indiferença ao choro mais dramático.

Como não sabia bem para que lado *eu* penderia na escala de emoção quando falasse de fato com alguma delas, escolhi o caminho covarde de mandar para todas uma mensagem pedindo que me ligassem assim que pudessem. Então arrumei apressadamente a mala e desci a escada estreita que levava à cozinha para escrever um bilhete para Jenny explicando por que tive que partir tão de repente.

Resolvi arriscar a sorte e pegar um táxi na rua, então saí de casa andando rapidamente pela verdejante Chelsea Crescent como qualquer pessoa normal faria em qualquer dia normal de Londres. Acho que cheguei a dizer oi para um cara com quem cruzei, que passeava com um cachorro, e até consegui esboçar um sorriso.

Ninguém poderia imaginar o que tinha acabado de acontecer comigo, pensei enquanto entrava num táxi na movimentada King's Road, instruindo o motorista a seguir para Heathrow.

Ninguém poderia imaginar.

❊ ❊ ❊

Cinco horas depois, quando o sol descia vagarosamente sobre o lago Léman, em Genebra, eu chegava a nosso pontão particular na costa, de onde eu faria a última etapa da minha viagem de volta.

Christian já esperava por mim em nossa reluzente lancha Riva. Pela expressão em seu rosto, dava para ver que ele já sabia o que acontecera.

– Como você está, mademoiselle Maia? – perguntou, e percebi a compaixão em seus olhos azuis enquanto ele me ajudava a embarcar.

– Eu... estou feliz por ter chegado aqui – respondi sem demonstrar emoção.

Caminhei até a parte de trás do barco e me sentei no banco de couro cor de creme que formava um semicírculo na popa. Normalmente eu me sentava com Christian na frente, no banco do passageiro, enquanto atravessávamos as águas calmas na viagem de vinte minutos até nossa casa. Mas, naquele dia, queria um pouco de privacidade. Quando ele ligou o potente motor, o sol cintilava nas janelas das fabulosas casas que ladeavam as margens do lago. Muitas vezes, quando fazia esse trajeto, sentia que entrava num mundo etéreo, desconectado da realidade.

O mundo de Pa Salt.

Notei a primeira vaga evidência de lágrimas arder em meus olhos quando pensei no apelido carinhoso de meu pai, que eu tinha criado quando era mais nova. Ele sempre adorou velejar e, às vezes, quando voltava para nossa casa à beira do lago, cheirava a mar e ar fresco. De alguma forma, o nome pegou e, à medida que minhas irmãs mais novas foram chegando, passaram a chamá-lo assim também.

Conforme a lancha ganhava velocidade, o vento quente passando pelo meu cabelo, pensei nas centenas de viagens que eu tinha feito para Atlantis, o castelo de conto de fadas de Pa Salt. Como ficava em um promontório particular, atrás do qual se erguia abruptamente uma meia-lua de montanhas, inacessível por terra: só se podia chegar lá de barco. Os vizinhos mais próximos ficavam a quilômetros de distância pelo lago, então Atlantis era nosso reino particular, isolado do resto do mundo. Tudo o que havia naquele lugar era mágico, como se Pa Salt e nós – suas filhas – tivéssemos vivido ali sob algum encantamento.

Cada uma de nós tinha sido adotada por Pa Salt ainda bebê, vindas dos quatro cantos do mundo e levadas até lá para viver sob sua proteção. E cada uma de nós, como Pa sempre gostava de dizer, era especial, diferente... éramos *suas* meninas. Ele tirara nossos nomes das Sete Irmãs, sua constelação preferida. Maia era a primeira e a mais velha.

Quando eu era criança, ele me levava até seu observatório com cúpula de vidro no alto da casa, me levantava com suas mãos grandes e fortes e me fazia olhar o céu noturno pelo telescópio.

– Ali está – dizia enquanto ajustava a lente. – Olha, Maia, aquela é a linda estrela brilhante que inspirou seu nome.

E eu a *via*. Enquanto ele explicava as lendas que eram a origem dos nomes das minhas irmãs e do meu, eu mal escutava, simplesmente desfrutava da sensação de seus braços apertados à minha volta, completamente atenta àquele momento raro e especial quando o tinha só para mim.

Com o tempo percebi que Marina, que eu imaginava enquanto crescia que fosse minha mãe – eu até encurtara seu nome para "Ma" –, era apenas uma babá, contratada por Pa para cuidar de mim porque ele passava muito tempo fora. Mas é claro que Marina era muito mais do que isso para todas nós, garotas. Era ela quem secava nossas lágrimas, nos repreendia pelo mau comportamento à mesa e nos orientara tranquilamente durante a difícil transição da infância para a idade adulta.

Ela sempre estivera por perto, e eu não a teria amado mais se tivesse me dado à luz.

Durante os três primeiros anos da minha infância, Marina e eu moramos sozinhas em nosso castelo mágico às margens do lago Léman enquanto Pa Salt viajava pelos sete mares cuidando de seus negócios. E então, uma a uma, minhas irmãs começaram a chegar.

Normalmente, Pa me trazia um presente quando voltava para casa. Eu escutava o motor da lancha chegando e saía correndo pelos vastos gramados e por entre as árvores até o cais para recebê-lo. Como qualquer criança, eu queria ver o que ele tinha escondido em seus bolsos mágicos para me encantar. Em uma ocasião especial, no entanto, depois de me presentear com uma rena de madeira primorosamente esculpida, assegurando que vinha da oficina do Papai Noel no polo Norte, uma mulher uniformizada apareceu saindo de trás dele, e em seus braços havia um pequeno embrulho envolto em um xale. E o embrulho se mexia.

– Desta vez, Maia, eu lhe trouxe o mais especial dos presentes. Agora você tem uma irmã. – Ele sorrira para mim enquanto me pegava nos braços. – E não vai mais ficar sozinha quando eu tiver que viajar.

Depois disso, a vida mudou. A enfermeira que Pa trouxera com ele foi embora em algumas semanas, e Marina assumiu os cuidados da minha irmãzinha. Eu não conseguia entender como aquela coisinha vermelha que berrava e que por vezes cheirava mal e desviava a atenção de mim poderia ser um presente. Até que, certa manhã, Alcíone – que recebeu o nome da segunda estrela das Sete Irmãs – sorriu para mim de sua cadeira alta no café da manhã.

– Ela sabe quem eu sou – falei fascinada para Marina, que lhe dava comida.

– É claro que sabe, querida. Você é a irmã mais velha, aquela que ela vai admirar. Caberá a você lhe ensinar tudo que ela não sabe.

À medida que crescia, ela ia se tornando minha sombra, seguindo-me para todos os lugares, o que me agradava e me irritava em igual medida.

– Maia, me espere! – pedia gritando enquanto cambaleava atrás de mim.

Apesar de Ally – como eu a apelidara – ter sido originalmente um acréscimo indesejado à minha vida de sonho em Atlantis, eu não poderia ter desejado uma companhia mais doce e adorável. Ela raramente chorava e não tinha os ataques de pirraça das crianças de sua idade. Com seus cachos ruivos caindo pelo rosto e os grandes olhos azuis, Ally tinha um encanto natural que atraía as pessoas, incluindo nosso pai. Quando Pa Salt voltava de suas viagens longas ao exterior, eu notava como seus olhos se iluminavam quando ele a via, de uma maneira que eu tinha certeza que não brilhavam por mim. E, enquanto eu era tímida e reticente com estranhos, Ally tinha um jeito sempre receptivo, sempre disposta a confiar nos outros, e isso encantava todos.

Ela também era uma daquelas crianças que parecem se sobressair em tudo – especialmente na música e em qualquer esporte que tivesse a ver com água. Lembro-me de Pa ensinando-a a nadar na nossa ampla piscina. Enquanto eu lutava para me manter na superfície e odiava ficar embaixo d'água, minha irmãzinha parecia uma sereia. E, enquanto eu não conseguia me equilibrar direito nem no *Titã*, o imenso e lindo iate oceânico de Pa, quando estávamos em casa Ally implorava que ele a levasse para dar uma volta no pequeno Laser que mantinha atracado em nosso cais particular. Eu me agachava na popa estreita do barco, enquanto Pa e Ally assumiam o controle e cruzávamos rapidamente as águas cristalinas. Aquela paixão comum por velejar os conectava de uma forma que eu sentia que nunca conseguiria.

Embora Ally tenha estudado música no Conservatório de Genebra e fosse uma flautista altamente talentosa, que poderia ter seguido carreira em uma orquestra profissional, desde que deixara a escola de música tinha escolhido ser velejadora em tempo integral. Agora participava regularmente de regatas e representara a Suíça em diversas competições.

Quando Ally tinha quase três anos, Pa chegou em casa com nossa próxima irmã, a quem deu o nome de Astérope, como a terceira das Sete Irmãs.

– Mas vamos chamá-la de Estrela – disse Pa, sorrindo para Marina, Ally e para mim, que observávamos a recém-chegada deitada no berço.

Naquela época, eu tinha aulas todas as manhãs com um professor particular, por isso a chegada da minha mais nova irmã me afetou menos do que a de Ally havia afetado. Então, apenas seis meses depois, outra bebê se juntou a nós, uma garotinha de doze semanas chamada Celeno, nome que Ally imediatamente reduziu para Ceci.

Havia uma diferença de apenas três meses entre Estrela e Ceci e, desde que me lembro, as duas forjaram uma estreita ligação. Pareciam gêmeas, conversando em uma linguagem de bebê só delas, e continuavam se comunicando desse jeito. Elas viviam em seu próprio mundo particular, que excluía todas nós, suas outras irmãs. E mesmo agora, na casa dos 20 anos, nada havia mudado. Ceci, a mais nova das duas, era sempre a chefe, atarracada e morena, em contraste com Estrela, pálida e muito magra.

No ano seguinte, outra bebê chegou – Taígeta, que apelidei de "Tiggy", porque seu cabelo escuro e curto nascia em ângulos estranhos de sua cabecinha e me fazia lembrar do porco-espinho da famosa história de Beatrix Potter.

Eu tinha então 7 anos e me liguei a Tiggy desde o primeiro momento em que coloquei os olhos nela. Ela era a mais delicada de todas nós e, na infância, enfrentara uma doença atrás da outra, mas, mesmo ainda bem pequena, fora sempre serena e complacente. Depois que Pa trouxe para casa, alguns meses mais tarde, outra neném, que recebeu o nome de Electra, Marina, exausta, muitas vezes me perguntava se eu me importaria de ficar com Tiggy, que continuamente tinha febre ou tosse. Depois que a diagnosticaram como asmática, raramente a tiravam do quarto para passear em seu carrinho, de modo que o ar frio e a névoa pesada do inverno de Genebra não atingissem seu peito.

Electra era a mais nova das irmãs, e seu nome combinava perfeitamente com ela. Eu já estava acostumada com bebês e toda a atenção que exigiam, mas minha irmã mais nova era, sem dúvida, a mais desafiadora de todas. Tudo relacionado a ela *era* elétrico. Sua habilidade natural de mudar em um instante da água para o vinho e vice-versa fazia nossa casa, antes tão tranquila, reverberar diariamente com seus gritos agudos. Os ataques de pirraça ressoavam na minha cabeça de criança e, quando ela cresceu, sua personalidade impetuosa não se suavizou.

Ally, Tiggy e eu tínhamos, secretamente, nosso próprio apelido para ela: nossa irmã caçula era chamada entre nós três de "Difícil". Todas pisávamos em ovos perto dela, tentando não fazer nada que pudesse deflagrar uma repentina mudança de humor. Sinceramente, havia momentos em que eu a odiava por toda a perturbação que trouxera a Atlantis.

Porém, quando Electra sabia que uma de nós estava em apuros, ela era a primeira a oferecer ajuda e apoio. Assim como era capaz de um enorme egoísmo, sua generosidade em outras ocasiões era igualmente marcante.

Depois de Electra, toda a família esperava a chegada da Sétima Irmã. Afinal, tínhamos recebido nossos nomes em homenagem à constelação preferida de Pa Salt e não estaríamos completas sem ela. Até sabíamos seu nome – Mérope – e nos perguntávamos como ela seria. Mas um ano se passou, depois outro, e outro, e nosso pai não trouxe mais nenhum bebê para casa.

Lembro-me claramente de um dia em que estava com ele no observatório. Eu tinha 14 anos, e entrava na adolescência. Esperávamos para assistir a um eclipse, que, explicara Pa, era um momento seminal para a humanidade e geralmente trazia alguma mudança.

– Pa – disse eu –, o senhor nunca vai trazer para casa nossa sétima irmã?

Ao ouvir isso, sua figura grande e protetora pareceu congelar por alguns segundos. De repente, parecia que ele carregava o peso do mundo nos ombros. Embora não tivesse se virado, pois estava ajustando o telescópio para o eclipse que ia acontecer, percebi instintivamente que o que eu dissera o deixara angustiado.

– Não, Maia, não vou. Porque eu nunca a encontrei.

❋ ❋ ❋

Quando pude enxergar Marina de pé no cais, perto da cerca viva de abetos que escondia nossa casa de olhares curiosos, finalmente senti o peso da verdade inexorável que era a perda de Pa.

Então percebi que o homem que tinha criado o reino em que todas havíamos sido princesas não estava mais lá para conservar o encantamento.

# CONHEÇA OS OUTROS LIVROS DA SÉRIE

## A IRMÃ DA TEMPESTADE

Ally D'Aplièse é uma grande velejadora e está se preparando para uma importante regata, mas a notícia da morte do pai faz com que ela abandone seus planos e volte para casa, para se reunir com as cinco irmãs. Lá, elas descobrem que Pa Salt – como era carinhosamente chamado pelas filhas adotivas – deixou, para cada uma delas, uma pista sobre suas verdadeiras origens.

Apesar do choque, Ally encontra apoio em um grande amor. Porém, mais uma vez seu mundo vira de cabeça para baixo, então ela decide seguir as pistas deixadas por Pa Salt e ir em busca do próprio passado. Nessa jornada, ela chega à Noruega, onde descobre que sua história está ligada à da jovem cantora Anna Landvik, que viveu há mais de cem anos e participou da estreia de uma das obras mais famosas do grande compositor Edvard Grieg. E, à medida que mergulha na vida de Anna, Ally começa a se perguntar quem realmente era seu pai adotivo.

## A IRMÃ DA SOMBRA

Estrela D'Aplièse está numa encruzilhada após a repentina morte do pai, o misterioso bilionário Pa Salt. Antes de morrer, ele deixou a cada uma das seis filhas adotivas uma pista sobre suas origens, porém a jovem hesita em abrir mão da segurança da sua vida atual.

Enigmática e introspectiva, ela sempre se apoiou na irmã Ceci, seguindo-a aonde quer que fosse. Agora as duas se estabelecem em Londres, mas, para Estrela, a nova residência não oferece o contato com a natureza nem a tranquilidade da casa de sua infância. Insatisfeita, ela acaba cedendo à curiosidade e decide ir atrás da pista sobre seu nascimento.

Nessa busca, uma livraria de obras raras se torna a porta de entrada para o mundo da literatura e sua conexão com Flora MacNichol, uma jovem inglesa que, cem anos antes, teve como grande inspiração a escritora Beatrix Potter. Cada vez mais encantada com a história de Flora, Estrela se identifica com aquela jornada de autoconhecimento e está disposta a sair da sombra da irmã superprotetora e descobrir o amor.

## A IRMÃ DA PÉROLA

Ceci D'Aplièse sempre se sentiu um peixe fora d'água. Após a morte do pai adotivo e o distanciamento de sua adorada irmã Estrela, ela de repente se percebe mais sozinha do que nunca. Depois de abandonar a faculdade, decide deixar sua vida sem sentido em Londres e desvendar o mistério por trás de suas origens. As únicas pistas que tem são uma fotografia em preto e branco e o nome de uma das primeiras exploradoras da Austrália, que viveu no país mais de um século antes.

A caminho de Sydney, Ceci faz uma parada no único local em que já se sentiu verdadeiramente em paz consigo mesma: as deslumbrantes praias de Krabi, na Tailândia. Lá, em meio aos mochileiros e aos festejos de fim de ano, conhece o misterioso Ace, um homem tão solitário quanto ela e o primeiro de muitos novos amigos que irão ajudá-la em sua jornada.

Ao chegar às escaldantes planícies australianas, algo dentro de Ceci responde à energia do local. À medida que chega mais perto de descobrir a verdade sobre seus antepassados, ela começa a perceber que afinal talvez seja possível encontrar nesse continente desconhecido aquilo que sempre procurou sem sucesso: a sensação de pertencer a algum lugar.

## A IRMÃ DA LUA

Após a morte de Pa Salt, seu misterioso pai adotivo, Tiggy D'Aplièse resolve seguir os próprios instintos e fixar residência nas Terras Altas escocesas. Lá, ela tem o emprego que ama, cuidando dos animais selvagens na vasta e isolada Propriedade Kinnaird.

No novo lar, Tiggy conhece Chilly, um cigano que altera totalmente seu destino. O homem conta que ela possui um sexto sentido ancestral e que, segundo uma profecia, ele a levaria até suas origens em Granada, na Espanha.

À sombra da magnífica Alhambra, Tiggy descobre sua conexão com a lendária comunidade cigana de Sacromonte e com La Candela, a maior dançarina de flamenco da sua geração. Seguindo a complexa trilha do passado, ela logo precisará usar seu novo talento e discernir que rumo tomar na vida.

Escrito com a notável habilidade de Lucinda para entrelaçar enredos emocionantes e nos transportar para épocas e lugares distantes, *A irmã da lua* é uma brilhante continuação para a aclamada série As Sete Irmãs.

# CONHEÇA OUTRO LIVRO DA AUTORA

### A GAROTA DO PENHASCO

Tentando superar um coração partido, Grania Ryan deixa Nova York e volta para a casa dos pais, na costa da Irlanda. Lá, na beira de um penhasco, em meio a uma tempestade, ela conhece Aurora Lisle, uma garotinha de 8 anos que mudará sua vida para sempre.

Apesar dos avisos da mãe para ter cuidado com os Lisles, Grania e Aurora ficam cada vez mais próximas, e ela passa a cuidar da menina sempre que Alexander, o belo e misterioso pai, precisa viajar a trabalho. O que Grania ainda não sabe é que há mais de cem anos o destino das famílias Ryan e Lisle se entrelaçam inexoravelmente, nunca com um final feliz.

Através de cartas antigas, Grania descobre a história de Mary, sua bisavó, e começa a perceber quão profundamente conectadas as duas famílias estão. Os horrores da guerra, o destino de uma criança, a atração irresistível pelo balé e amores trágicos vão deixando sua marca através das gerações. E agora Grania precisa escolher entre seguir em frente ou repetir o passado.

Alternando entre romance histórico e contemporâneo, *A garota do penhasco* é um livro sobre mulheres fortes, grandes sacrifícios e a capacidade do amor de triunfar sobre tudo.

# CONHEÇA OS LIVROS DE LUCINDA RILEY

A garota italiana
A árvore dos anjos
O segredo de Helena
A casa das orquídeas
A carta secreta
A garota do penhasco
A sala das borboletas
A rosa da meia-noite
Morte no internato

## Série As Sete Irmãs

As Sete Irmãs
A irmã da tempestade
A irmã da sombra
A irmã da pérola
A irmã da lua
A irmã do sol
A irmã desaparecida

Para saber mais sobre os títulos e autores da Editora Arqueiro,
visite o nosso site e siga as nossas redes sociais.
Além de informações sobre os próximos lançamentos,
você terá acesso a conteúdos exclusivos
e poderá participar de promoções e sorteios.

editoraarqueiro.com.br